Gaspar Homar

Moblista i dissenyador
del modernisme

Exposició organitzada pel Museu d'Art Modern del MNAC
i coproduïda amb la Fundació "la Caixa"

Gaspar Homar

Moblista i dissenyador del modernisme

Del 2 d'octubre al 29 de novembre de 1998
Museu d'Art Modern del MNAC
Parc de la Ciutadella
Barcelona

Del 18 de desembre de 1998 al 7 de febrer de 1999
Fundació "la Caixa"
Plaça Weyler, 3
Palma

EXPOSICIÓ

Direcció
Cristina Mendoza
Museu d'Art Modern del MNAC

Comissària
Mariàngels Fondevila
Museu d'Art Modern del MNAC

Coordinació
Maria Antònia Judas
Museu d'Art Modern del MNAC
Sílvia Sauquet
Fundació "la Caixa"

Restauració
Joan Bolet, Pere Llobet i Vicenç Martí
Departament de Restauració del MNAC

Informe de conservació
Pere Terrasa, Fundació "la Caixa", Palma

Disseny i muntatge
Antoni Turtòs

Transport
SIT, Transportes Internacionales, S.A.

Assegurances
GDS, Correduría de Seguros, S.L.

Crèdits fotogràfics (cat. núm)

MNAC © Calveras/Sagristà: 9, 10, 11, 12, 16, 17, 18, 19, 20, 21, 25, 27, 30, 31, 32, 33, 34, 35, 36, 37, 38, 39, 40, 41, 42, 43, 44, 45, 46, 47, 48, 49, 50, 54, 55, 56, 57, 58, 59, 62, 64, 81, 83, 85, 88, 89, 90, 91, 92, 93, 94, 96, 97, 98, 99, 100, 101, 102, 103, 104, 105, 107, 108, 109, 111, 113, 114, 118, 119, 120, 124, 125, 126

Martí Gasull: 1, 2, 3, 4, 5, 6, 7, 8, 13, 14, 15, 22, 23, 24, 26, 28, 29, 51, 52, 53, 60, 61, 63, 65, 66, 67, 68, 69, 70, 71, 72, 73, 74, 75, 76, 77, 78, 79, 80, 82, 84, 86, 87, 95, 106, 110, 112, 115, 116, 117, 121, 122, 123

Crèdits fotogràfics (núm. pàg.)

MNAC © Calveras/Sagristà: 18, 19, 21, 25, 29, 32, 33, 34, 35, 36, 37, 118, 159, 166, 169, 171, 172, 175, 176, 179

Martí Gasull:157, 21, 22, 23, 24, 27, 31

Arxiu fotogràfic del Centre Excursionista de Catalunya: 42

Institut Amatller/Arxiu Mas: 123, 26,

Biblioteca del Col·legi Oficial d'Arquitectes: 127, 128, 130, 132, 133

Museu de Montserrat: 124

Foment de les Arts Decoratives:158

CATÀLEG

Direcció científica
Mariàngels Fondevila

Autors
Mariàngels Fondevila
Mireia Freixa
Cristina Mendoza
Magdala Pey
Teresa-M. Sala

Catalogació
Mariàngels Fondevila
Museu d'Art Modern del MNAC

Amb la col.laboració de
Cecília Vidal i Maynou
Catalogació dels dibuixos del MNAC

Documentació
Carme Arnau
Museu d'Art Modern del MNAC

Coordinació editorial
Núria Giralt, Departament de Publicacions del MNAC
Sílvia Sauquet, Fundació "la Caixa"

Traduccions
Ignasi Sardà, al català i al castellà
Patricia Mathews, a l'anglès

Disseny gràfic i fotocomposició
Carlos Ortega i Jaume Palau

Fotomecànica
SCAN 4

Impressió
Gràfiques Ibèria, S.A., Barelona

Primera edició: octubre de 1998

ISBN: 84-8043-037-0 MNAC

ISBN: 84-7664-620-8 Fundació "la Caixa"

Dipòsit legal: B-27.908-98

Guardes: Autoretrat de Gaspar Homar. C. 1910. Placa de vidre positiva. Col·lecció particular

Agraïments

Joan-Francesc Ainaud; *Ajuntament de Badalona. Residència d'Avis Vicenç Bosch*; Santiago Alcolea Blanch; Joan Amigó, *Institut Pere Mata. Reus*; Enric Anguera; Oleguer Armengol; Montse Arnau, *Foment de les Arts Decoratives. Barcelona*; *Arxiu Administratiu. Ajuntament de Barcelona*; *Arxiu Mas. Barcelona*; Manuel Asensi; Eva Badia, *Foment de les Arts Decoratives. Barcelona*; David Balcells; J. Barberà; M. Josep Barri; Joan Bassegoda i Nonell, *Càtedra Gaudí. Barcelona*, Joaquim Blasco Font de Rubinat, *Biblioteca Arús. Barcelona*, Josep Bracons; Lluís Bru; Burgueroles; Teresa Buxò, *Centre de Lectura. Reus*; Imma Callís de Nadal; Jordi À. Carbonell; Carme Carreño, *Institut del Teatre de la Diputació de Barcelona*; Josep Alfons Carreras; Montserrat Carreras, *Museu de Badalona*; Rossend Casanova; Purificación Castro, *Biblioteca Histórica. Madrid*; Josep M. Clariana, *Arxiu Municipal. Mataró*; Graciela Colombo, *Museo Nacional de Bellas Artes. Buenos Aires*; Isabel Coll; M. Luisa Conde Villaverde, *Ministerio de Educación y Cultura. Madrid*; Maite Corbera, *Arxiu Nacional de Catalunya. Sant Cugat del Vallès*; Pilar Corbera; Valeri Corberó; Josafat i Mercè Coromina; Pere Cosp; Antònia Donado; Carlos Dorado, *Hemeroteca Municipal. Madrid*; Xavier Doltra, *Arxiu Històric Sants-Hostafrancs. Barcelona*; Victòria Durà, *Reial Acadèmia de Belles Arts de Sant Jordi. Barcelona*; Raquel Edelman, *Museo Nacional de Bellas Artes. Buenos Aires*; Francisco Egido, *Heraldo de Aragón. Saragossa*; Mossèn Guillem Feliu Ramis. *Sant Miquel de Felanitx*; Lourdes Figueras; Rosa Figueras, *Arxiu del Centre Excursionista de Catalunya. Barcelona*; Maria Font de Rubinat, *Casa Navàs. Reus*; Francesc Fontbona; Joaquim Freixes; Josep M. Garrut; Leopold Gil Nebot; Victoria Goberna, *Biblioteca IVAM Centro Julio González. València*; Margarita González Cristóbal, *Archivo del Palacio Real, Patrimonio Nacional. Madrid*; Anna Gudiol; Eulàlia Gudiol; Manel Gudiol; Maria Gudiol; Jaime Homar; Maria Junyent; Carmen Juyol; José Luis La Torre Merino, *Archivo General de la Administración. Madrid*; Raquel Lacuesta, *Servei del Patrimoni Arquitectònic Local. Diputació de Barcelona*; Francesc Layret; Marga Los Santos, *Biblioteca de Catalunya*; Ramon Magrinyà, *Col·legi de Farmacèutics. Barcelona*; Montserrat Mainar; Laure de Margerie, *Musée d'Orsay. París*; Jordi Mas; Marie-Madeleine Massé, *Musée d'Orsay. París*; Domingo Madolell Aragonés, *La Bona Cuina. «La Cuineta». Barcelona*; Maria Rosa Molas, *Centre de Lectura. Reus*; Ramon Molins; Dr. Ramon Muns; Purificación Nájera, *Museo Municipal. Madrid*; Lluís Pernmanyer; Santiago Pey; Mònica Piera; Fernando Pinós, *Galeria Gothsland. Barcelona*; Carme Piulachs, *Col·legi Oficial d'Arquitectes de Catalunya i Balears. Barcelona*; Glòria Porrini, *Arxiu Històric. Barcelona*; Artur Ramon; Enriqueta Ramon; Helena Rivas, *Archivo Municipal. Saragossa*; Lluís Roca-Sastre; Josep M. Roca Tarragó; Judith C. Rohrer; Xavier Roig; Marcy Rudo; Joaquim Sala; Gaspar Salinas; Marta Saliné; Marina Sambo, *Biblioteca Nazionale Marciana. Venècia*; Josep M. Sans i Travé, *Arxiu Nacional de Catalunya*; Àngels Santacana, *Casa Museu Àngel Guimerà. El Vendrell*; Núria Sardà, *Biblioteca del Foment del Treball. Barcelona*; Eva Maria Sasot, *Biblioteca de Catalunya*; Eloïsa Sendra, *Arxiu Històric. Barcelona*; Marquetés Sagarra; Enric Serra i Rogent; Jordi Serra i Moragas; Chloé Signés, *Museo Art Nouveau y Art Déco. Salamanca*; Margarita Sistac; Carme Sobrevila, *Arxiu Històric de la Ciutat / Arxiu Fotogràfic*; Daniel Solé; Joan Soler i Amigó; Josep Soler i Amigó; Michela Stancescu, *Archivio Storico delle Arti Contemporanee. Venècia*; Pia Subias; Ester Tayà; José M. Tejero, *Real Círculo de Labradores. Sevilla*; Josep Termens; Joan-Ramon Triadó; Anna M. Trinxet; Salvador Trinxet; Monsenyor Teodor Úbeda Gramage, *bisbe de Mallorca*; Pilar Vélez, *Museu Frederic Marés. Barcelona*; Frederic Vidal; L. Volden-Decker, *The British Museum. Londres*; Geoff West, *The British Library. Londres*; Matheu Winterbotton, *Victoria and Albert Museum. Londres*; James Yorke, *Victoria and Albert Museum. Londres*.

I a tots aquells col·leccionistes que han volgut restar en l'anonimat.

Sumari / Sumario

Presentació

El Museu Nacional d'Art de Catalunya, que no és només un museu de pintura i escultura, pretén, d'acord amb les col·leccions que custodia, oferir al visitant una visió completa de l'art català en les diverses èpoques, i si és possible, relacionar-lo amb l'art dels territoris pròxims i l'art internacional.

En aquest sentit, el Museu d'Art Modern conserva una important col·lecció d'arts de l'objecte, o si es vol, d'aquelles arts que part de la historiografia anomena arts decoratives, que en gran nombre pertanyen a l'època modernista i són objecte d'estudi per part dels conservadors del Museu, per donar-la a conèixer.

El que ara es presenta és una exposició de Gaspar Homar (1870-1955) que, a manera d'antologia, completa de forma fonamental la visió parcial que el Museu ofereix en les sales permanents. Fruit d'un treball de recerca des del mateix Museu, s'ofereix aquesta exposició amb la col·laboració i el suport de la Fundació "la Caixa", que aplega prop de 130 obres, entre dibuixos, mosaics, marqueteria i, sobretot, mobiliari que descriu l'aportació d'una figura capdavantera de la revaloració de les arts decoratives del modernisme a partir de les seves millors obres.

L'originalitat de Gaspar Homar consisteix en la seva capacitat d'aconseguir una síntesi entre la tradició, a la qual hi estava lligat com molts artistes de la seva generació, i un conjunt d'elements forans que va poder assimilar gràcies als nombrosos viatges que va realitzar a Europa. L'etapa inicial, que va desenvolupar treballant al taller de Francesc Vidal, va marcar la seva vocació orientada cap al disseny d'interiors, en una tasca que implicava el concurs d'ebenistes, mosaïcistes, ceramistes, pintors, escultors i vitrallers entre d'altres. El resultat final era la transformació de tot un conjunt d'elements quotidians per adaptar-los a un gust i a una nova manera d'entendre la decoració d'interiors. El seu esforç i la seva peculiar manera de concebre l'art van permetre que Homar, en el paper d'ebenista i *ensemblier*, es convertís en un artista molt sol·licitat que, de la mà de figures cabdals de l'arquitectura com Domènech i Muntaner i Puig i Cadafalch, va assolir aquest compromís de completar i omplir els nous espais arquitectònics que necessitaven els complements decoratius que aquestes estructures exigien. Amb altres paraules, es tractava d'arribar a un acord entre arquitectura i arts aplicades.

Aquest acord assumit per artistes com ell, que van projectar tota la seva habilitat en la creació i composició de tots i cadascun dels elements decoratius d'una casa; així com l'esperit que l'animava cap a aquesta idea d'art general —d'art que ho engloba tot— constitueixen les bases d'aquesta exposició, que ens permet entendre el decisiu paper jugat per les arts de l'objecte dins el modernisme.

Eduard Carbonell i Esteller
Director General del MNAC

Presentació

A mitjan segle XIX va néixer a Anglaterra un moviment en pro del retrobament de l'art amb la indústria. Els seus partidaris sostenien que el sistema industrial havia allunyat l'artista i l'artesà dels processos de producció, i havia provocat un empobriment estètic. Alguns teòrics, com ara John Ruskin i William Morris, van considerar que calia allunyar-se de la modernitat i promoure un *revival* medievalista. Aquesta mirada al passat va ser el punt de partida d'una revisió a fons del paper de l'artesania i el disseny que va aconseguir tornar el prestigi perdut als objectes d'ús quotidià i va donar lloc a noves formes de creació a partir de les tècniques industrials.

A Catalunya, el centre principal d'aquest retrobament entre art i indústria va ser el Cafè-restaurant de l'Exposició Universal de 1888 que Domènech i Montaner va ocupar com a taller de realitzacions artesanes. Va ser allà on, amb la col·laboració dels arquitectes Antoni M. Gallissà i J. Font i Gumà, es va tornar a la forja de ferro, a la fosa de bronze, a la terra cuita, a la ceràmica esmaltada, als enrajolats de majòlica i a la vidrieria. El ressò del corrent europeu —l'Arts and Crafts anglès i l'Art Nouveau— va trobar a Catalunya un suport autòcton, una tradició medievalista i gremial, a la qual es van afegir l'afirmació nacionalista i el refinament d'una burgesia que maldava pel benestar.

Gaspar Homar va tenir un paper força important en aquest corrent de recuperació de les arts decoratives. Poc després d'arribar a Barcelona es va incorporar als Tallers d'Indústries Artístiques de Francesc Vidal, un dels precursors del modernisme. Posteriorment va col·laborar amb artistes com Sebastià Junyent, Josep Pey, Pau Roig o Alexandre de Riquer. Juntament amb Lluís Domènech i Montaner va dur a terme algunes de les seves obres més importants com a decorador d'interiors i va introduir fórmules de treball en sèrie.

L'exposició GASPAR HOMAR presenta un important conjunt d'obres, en bona part inèdites, d'aquest artista, així com també dibuixos i projectes que il·lustren les diferents etapes de la seva producció. L'exposició té un significat especial, ja que Gaspar Homar, nascut a Mallorca i col·laborador habitual de Domènech i Montaner, no va participar en el projecte del Gran Hotel. És el primer cop, doncs, que les seves obres es presenten en aquest edifici, un dels més emblemàtics del modernisme.

La Fundació "la Caixa" vol remarcar el treball de la comissària de l'exposició, Mariàngels Fondevila, que ha coordinat un equip d'especialistes en diferents matèries relacionades amb les formes de vida de la burgesia, els tallers de mobiliari i les arts decoratives al període modernista.

Lluís Monreal i Agustí
Director General de la Fundació "la Caixa"

Presentación

El Museu Nacional d'Art de Catalunya, que no es tan sólo un museo de pintura y escultura, pretende, de acuerdo con las colecciones que custodia, ofrecer al visitante una visión completa del arte catalán en las distintas épocas y, si ello es posible, relacionarlo con el arte de los territorios próximos y el arte internacional.

En este sentido, el Museo de Arte Moderno conserva una importante colección de artes del objeto o, si se quiere, de aquellas artes que parte de la historiografía denomina artes decorativas, las cuales pertenecen en gran número a la época modernista y son objeto de estudio por parte de los conservadores del Museo, para darlas a conocer.

Lo que ahora se presenta es una exposición de Gaspar Homar (1870-1955) que, a modo de antología, completa de forma fundamental la visión parcial que el Museo ofrece en las salas permanentes. Fruto de un trabajo de investigación realizado desde el propio Museo, la exposición, llevada a cabo con la colaboración y el apoyo de la Fundación "la Caixa", reúne cerca de 130 obras, entre dibujos, mosaicos, marquetería y, sobre todo, mobiliario. El conjunto describe la aportación de una figura puntera de la revalorización de las artes decorativas del modernismo.

La originalidad de Gaspar Homar consiste en su capacidad de conseguir una síntesis entre la tradición, a la que estaba ligado como muchos artistas de su generación, y una serie de elementos foráneos asimilados gracias a los numerosos viajes que realizó por Europa. La etapa inicial, que llevó a cabo trabajando en el taller de Francesc Vidal, marcó su vocación orientada hacia el diseño de interiores, en una labor que implicaba, entre otros, el concurso de ebanistas, mosaicistas, ceramistas, pintores, escultores y vidrieros. El resultado final era la transformación de todo un conjunto de elementos cotidianos para adaptarlos a un gusto y a una nueva manera de entender la decoración de interiores. Su esfuerzo y su peculiar forma de concebir el arte permitieron que Homar, en el papel de ebanista y *ensemblier,* se convirtiera en un artista muy solicitado. Y fue de la mano de figuras principales de la arquitectura como Domènech i Muntaner y Puig i Cadafalch cuando asumió este compromiso de completar y llenar los nuevos espacios arquitectónicos, que se veían necesitados, a su vez, de nuevos complementos decorativos. En otras palabras, se trataba de alcanzar un acuerdo entre arquitectura y artes aplicadas.

Semejante acuerdo, asumido por artistas como él (que proyectaron toda su habilidad en la creación y composición de todos y cada uno de los elementos decorativos de una casa), así como el espíritu que lo animaba hacia esa idea de arte general —arte que lo engloba todo— constituyen las bases de esta exposición, que nos permite entender el decisivo papel jugado por las artes del objeto dentro del modernismo.

Eduard Carbonell i Esteller
Director General del MNAC

Presentación

A mediados del siglo XIX se inició en Inglaterra un movimiento en favor del reencuentro del arte con la industria. Sus partidarios sostenían que el sistema industrial había alejado al artista y al artesano de los procesos de producción, y había provocado un empobrecimiento estético. Algunos teóricos, como John Ruskin y William Morris, creyeron necesario alejarse de la modernidad y promover un *revival* medievalista. Esa mirada al pasado fue el punto de partida de una revisión a fondo del papel de la artesanía y el diseño que consiguió devolver el prestigio perdido a los objetos de uso cotidiano y dio lugar a nuevas formas de creación a partir de las técnicas industriales.

En Cataluña, el centro principal de dicho reencuentro entre arte e industria fue el Café-restaurante de la Exposición Universal de 1888, que Domènech i Montaner ocupó como taller de realizaciones artesanas. Allí fue donde, con la colaboración de los arquitectos Antoni M. Gallissà y J. Font i Gumà, se volvió a la forja de hierro, a la fundición de bronce, a la terracota, a la cerámica vidriada, a los alicatados de mayólica y a la vidriería. El eco de la corriente europea —el Arts and Crafts inglés y el Art Nouveau— halló en Cataluña un soporte autóctono, una tradición medievalista y gremial, a la que se añadieron la afirmación nacionalista y el refinamiento de una burguesía que aspiraba al bienestar.

Gaspar Homar tuvo un papel muy importante en esta corriente de recuperación de las artes decorativas. Al poco tiempo de llegar a Barcelona se incorporó a los Talleres de Industrias Artísticas de Francesc Vidal, uno de los precursores del modernismo. Posteriormente colaboró con artistas como Sebastià Junyent, Josep Pey, Pau Roig o Alexandre de Riquer. Junto a Lluís Domènech i Montaner realizó algunas de sus obras más importantes como decorador de interiores e introdujo fórmulas de trabajo seriado.

La exposición GASPAR HOMAR presenta un importante conjunto de obras, inéditas en buena parte, de este artista, así como dibujos y proyectos que ilustran las diferentes etapas de su producción. La exposición tiene un significado especial, ya que Gaspar Homar, nacido en Mallorca y colaborador habitual de Domènech i Montaner, no participó en el proyecto del Gran Hotel. Es la primera ocasión, pues, en que sus obras se presentan en este edificio, uno de los más emblemáticos del modernismo.

La Fundación "la Caixa" quiere poner de relieve el trabajo de la comisaria de la exposición, Mariàngels Fondevila, que ha coordinado a un equipo de especialistas en diferentes materias relacionadas con las formas de vida de la burguesía, los talleres de mobiliario y las artes decorativas durante el período modernista.

Luis Monreal Agustí
Director General de la Fundación "la Caixa"

Gaspar Homar (1870-1955), moblista i «ensemblier» del modernisme

Gaspar Homar (1870-1955), mueblista y «ensemblier» del modernismo

Mariàngels Fondevila

Introducción

En los últimos años de su vida, cuando el modernismo era un movimiento proscrito, Gaspar Homar se lamentaba de su escaso reconocimiento público.[1] Incluso su muerte, acaecida en 1955 y no en 1953 como erróneamente se ha ido repitiendo hasta ahora, pasó completamente desapercibida: a pesar de la meritoria reivindicación que de él hiciera Alexandre Cirici en 1951,[2] no hemos hallado ninguna nota necrológica en los diarios y revistas de la época. Su reconocimiento sería póstumo. Las exposiciones organizadas durante los años sesenta en torno al modernismo desde el ámbito de las instituciones museísticas supusieron un hito determinante para el conocimiento de sus obras y comportaron el ingreso de un nutrido conjunto de piezas en el Museu d'Art Modern de Barcelona.[3] Dichas exposiciones, a las que cabe añadir otras presentadas durante las décadas de los ochenta y noventa,[4] comportaron el respeto y la reconsideración definitiva de sus creaciones, que estimamos claves para acceder al mundo exquisito y sensual del modernismo.

A pesar de ello, la información que nos ha llegado sobre el artista es bastante precaria e indica hasta qué punto su condición de artesano le relegó, inexorablemente, a un plano inferior.

Al abordar su obra nos enfrentamos a una doble problemática. Por una parte, la documentación conservada de sus talleres es relativamente escasa, lo que impide una reconstrucción detallada de su trayectoria profesional. Esta carencia puede ser asimismo considerada un estímulo porque implica una búsqueda más amplia y más sectorial,[5] y nos libra de la servidumbre que puede significar una excesiva acumulación de datos. Por otra parte, al pertenecer el artista al mundo efímero y pendular de la decoración, algunas de sus obras ya no se conservan.

Aún así, hemos llevado a cabo una extensa búsqueda que nos ha permitido reunir un importante conjunto de obras, en buena parte inéditas, que constituyen, junto al fondo de proyectos existente, la fuente más sugerente y valiosa.

Un mueblista y un «ensemblier»

Gaspar Homar fue un ebanista y un *ensemblier* de origen mallorquín que desplegó una intensa y creativa profesión lejos de su tierra natal. Barcelona fue, principalmente, el punto de confluencia de unas producciones a menudo subsidiarias de los proyectos de los arquitectos con los que trabajó más asiduamente, como Domènech i Montaner.[6]

Sus muebles, que podemos considerar de autor, son el reflejo del bienestar y las aspiraciones de una burguesía pujante y se distinguen por las maderas nobles y costosas y por sus complejos trabajos —marquetería y talla— en colaboración con hábiles artistas como Sebastià Junyent, Josep Pey y Joan Carreras. Precisamente, dichos colaboradores han sido considerados en algunos casos coautores e, incluso, protagonistas. Sin embargo, la existencia de un proyecto coloreado a la acuarela previo y la firma *G. Homar. Barcelona* en las llaves de sus muebles son elementos bastante explícitos de cara a definir parte de la producción de Gaspar Homar como mobiliario de autor. Por otra parte, sería un error considerar a Gaspar Homar tan sólo un ebanista. De hecho, fue un *ensemblier*[7] preocupado por dotar de unidad a la habitación transformando cada objeto usual en una obra de arte. Su actividad y su fantasía se extendían a diversas ramas de las artes aplicadas: tejidos, mosaicos, metales, marquetería, vidrieras y pavimentos.

Si compartimos la opinión según la cual la revalorización de las artes decorativas es la aportación más significativa del Art Nouveau, Gaspar Homar es su figura estelar.

Los orígenes mallorquines

El día 13 de septiembre de 1870, el coadjutor de la parroquia de Santa Eulàlia de Palma de Mallorca bautizaba a un niño nacido el 11 de septiembre que recibió el nombre de Gaspar Homar Mesquida.[8] Era hijo de Pere Homar, natural de Orient, pertene-

1. Detalle de un armario con aplicaciones de metalistería. Colección particular.

2. Proyecto coloreado a la acuarela de la pieza anterior. Gabinet de Dibuixos i Gravats del MNAC, Barcelona (MNAC/GDG 107434D).

3. Un olivo de Mallorca. C. 1910. Placa de vidrio positiva, obra de Gaspar Homar. Colección paricular.

4. Cama con cabecera representando al Sagrado Corazón de Jesús dentro de un arco apuntado. C. 1900-1904. Museu d'Art Modern del MNAC, Barcelona. Estructura de madera de roble, talla de sicomoro, marquetería de fresno, jacarandá, raíz de nogal, abedul, eucaliptus y dorados.

5. El torrente de Pareis de Mallorca. C. 1910. Placa de vidrio positiva, obra de Gaspar Homar. Colección particular.

Gaspar Homar (1870-1955), moblista i «ensemblier» del modernisme

Mariàngels Fondevila

1. Detall d'un armari amb aplicacions de metal·listeria. Col·lecció particular.

2. Projecte acolorit amb aquarel·la de la peça anterior. Gabinet de Dibuixos i Gravats del MNAC, Barcelona (MNAC/GDG 107431D).

3. Una olivera de Mallorca. C. 1910. Placa de vidre positiva, obra de Gaspar Homar. Col·lecció particular.

4. Llit amb capçal representant el Sagrat Cor de Jesús dins un arc apuntat. C. 1900-1904. Museu d'Art Modern del MNAC, Barcelona. Estructura de fusta de roure, talla de sicòmor, marqueteria de freixe, xicranda, arrel de noguera, bedoll, eucaliptus i daurats.

5. El torrent de Pareis de Mallorca. C. 1910. Placa de vidre positiva, obra de Gaspar Homar. Col·lecció particular.

Introducció

Els darrers anys de la seva vida, quan el modernisme era un moviment proscrit, Gaspar Homar es planyia del seu escàs reconeixement públic.[1] Fins i tot la seva mort, esdevinguda el 1955 i no el 1953 com s'ha anat repetint fins ara de manera errònia, passà completament desapercebuda: tot i la meritòria vindicació que en féu Alexandre Cirici el 1951,[2] no hem trobat cap nota necrològica als diaris ni a les revistes de l'època. El seu reconeixement va ser pòstum. Les exposicions organitzades durant els anys seixanta al voltant del modernisme des de l'àmbit de les institucions museístiques van representar una fita determinant per al coneixement de les seves obres i van comportar l'ingrés d'un nodrit conjunt de peces al Museu d'Art Modern.[3] Aquestes mostres, a les quals cal afegir-ne d'altres durant les dècades dels vuitanta i noranta,[4] van comportar el respecte i la reconsideració definitiva de les seves creacions, que considerem claus per accedir al món exquisit i sensual del modernisme.

Malgrat tot, la informació que ens ha arribat sobre l'artista és força precària i indica com la seva condició d'artesà el relegà, inexorablement, en un pla inferior.

En abordar la seva obra ens trobem davant d'una problemàtica doble. D'una banda, la documentació conservada dels seus tallers és relativament escassa, la qual cosa impedeix una reconstrucció detallada de la seva trajectòria professional. Aquesta mancança pot ser també considerada un estímul perquè implica una recerca més àmplia i més sectorial,[5] i ens allibera de la servitud que pot significar una excessiva acumulació de dades.

D'una altra banda, en pertànyer l'artista al món efímer i pendular de la decoració, algunes de les seves obres ja no es conserven.

Amb tot, hem dut a terme una àmplia recerca que ens ha permès d'aplegar un important conjunt d'obres, en bona part inèdites, que constitueixen, juntament amb el fons de projectes existents, la font més suggeridora i valuosa.

Un moblista i un «ensemblier»

Gaspar Homar fou un ebenista i *ensemblier* d'origen mallorquí que va desplegar una intensa i creativa professió lluny de la seva terra nadiua. Barcelona fou, principalment, el punt de confluència d'unes produccions sovint subsidiàries dels projectes dels arquitectes amb els quals treballà assíduament, com ara Domènech i Montaner.[6]

Els seus mobles, que podem considerar d'autor, són el reflex del benestar i de les aspiracions de la puixant burgesia i es distingeixen per les fustes nobles i costoses i pels seus treballs complexos —la marqueteria i la talla— amb la col·laboració d'hàbils artistes, com ara Sebastià Junyent, Josep Pey i Joan Carreras. Justament aquests darrers col·laboradors han estat considerats en alguns casos coautors i, fins i tot, protagonistes. Tanmateix, l'existència d'un projecte acolorit amb aquarel·la previ i la signatura *G. Homar. Barcelona* a les claus dels mobles són elements prou explícits a l'hora de definir una part de la producció de Gaspar Homar com a mobiliari d'autor. Fóra, a més, un error considerar Gaspar Homar únicament un ebenista. En realitat fou un *ensemblier*[7] preocupat per dotar d'unitat l'habitació transformant cada objecte usual en una obra d'art. La seva activitat i la seva fantasia s'estenien a diverses branques de les arts aplicades: el tèxtil, el mosaic, la metal·listeria, la marqueteria, el vitrall i els paviments mosaics.

Si compartim l'opinió que la revaloració de les arts decoratives és l'aportació més significativa de l'Art Nouveau, Gaspar Homar n'és una figura estelar.

Els orígens mallorquins

El 13 de setembre del 1870 el vicari de la parròquia de Santa Eulàlia de Palma de Mallorca batejava un nen nascut l'11 de setembre que rebé el nom de Gaspar Homar Mesquida.[8]

Era fill de Pere Homar, natural d'Orient, pertanyent al municipi de Bunyola, i de Margarida Mesquida, de Felanitx. Els seus avis paterns es

6. Retrato de una mallorquina. C. 1910. Placa de vidrio positiva, obra de Gaspar Homar. Colección particular.

7. Imagen de Oriente. C. 1910. Placa de vidrio positiva, obra de Gaspar Homar. Colección particular.

8. *Retrato de Francesc Vidal Jevellí,* obra de Simó Gómez, 1875. Museu d'Art Modern del MNAC, Barcelona.

9. Álbum fotográfico de los muebles y objetos decorativos de Francesc Vidal. Colección Frederic Vidal.

6

7

ciente al municipio de Bunyola, y de Margarida Mesquida, de Felanitx. Sus abuelos paternos se llamaban Gaspar y Joana Anna Homar, y los maternos, Joan y Joana Artigues. El matrimonio tuvo además una hija, que se llamó Margarida.

Los Homar eran de origen humilde y se dedicaban por tradición al oficio de carpinteros. Según las noticias de Cirici, Pere Homar se encargaba de carpinterías para la construcción y de fabricar prensas de aceite o ataúdes. También construyó muebles fieles a la tradición barroca y de estilo inglés.

Al rastrear la pista de los Homar en Mallorca hemos podido ponernos en contacto con algunos parientes lejanos que nos han confirmado sus orígenes árabes. Poco más sabemos de esta familia. Podemos deducir que permanecieron en la isla hasta 1883, momento en que padre e hijo ingresaron en los importantes talleres de Francesc Vidal en Barcelona. La difícil situación económica exigía abrirse camino y toda la familia se trasladó a una Barcelona industrialmente próspera que se preparaba para celebrar uno de los acontecimientos urbanos más significativos del siglo XIX: la Exposición Universal de 1888.

La etapa de formación en los talleres Vidal: preludio del modernismo (1884-1893)

En 1884, apenas inauguradas las industrias de arte de Francesc Vidal en el cruce de las calles Diputació y Bailén, ingresaban en las mismas el ebanista Pere Homar y su hijo Gaspar, entonces de trece años de edad.

Según revelan las fuentes de la época,[9] el taller de muebles y objetos artísticos de Francesc Vidal Jevellí (1848-1914) era uno de los mejor dotados del Eixample barcelonés. Su fachada, ecléctica y rematada por almenas, con dos grandes estatuas del escultor Manuel Fluxà que representaban a la Industria y al Arte, era una auténtica declaración de la filosofía y las intenciones estéticas de este potente complejo industrial.

Cerca de doscientos operarios de diferentes ramos de los oficios trabajaban a las órdenes de Francesc Vidal.[10] A diferencia de la experiencia morrisiana, que rechazaba todo avance industrial y pretendía aportar belleza y confort a las casas más modestas, Vidal adoptaba la maquinaria más sofisticada y se convertía en el decorador predilecto de las instituciones y prohombres de la Barcelona del siglo XIX.[11] Ejemplo de las creaciones de Vidal son los conjuntos mobiliarios del palacio del marqués de Comillas,[12] el Cercle del Liceu,[13] el Palau Güell[14] y, muy especialmente, los álbumes fotográficos inéditos que constituyen, como afirma Santiago Barjau,[15] la base de una futura catalogación del *opus* mueblístico de Francesc Vidal.

Cada sección del taller tenía su propio maestro y, para ello, Vidal llegó a reunir a los mejores especialistas: Antoni Rigalt trabajaba en la sección de vidriería artística y grabados al ácido, y Joan González en la sección de delineación de proyectos y planos.

Una de las secciones que había contribuido a dar más prestigio a la empresa era la dedicada a la fundición artística, al frente de la cual estaba Frederic Masriera. Francesc Vidal i Cia asumió, entre otras, la fundición de la colosal estatua de Colón.[16] Precisamente, como recuerda Enriqueta Ramon (hija del artista), esta compleja operación es la que inicialmente dio trabajo a los Homar. Poco después Gaspar Homar trabajó a las órdenes de Joan Gonzàlez[17] y más tarde llegaría a ser el maestro de uno de los hijos de Vidal, Frederic Vidal Puig.[18] En cuanto a Pere Homar, según Josep Mainar,[19] sería oficial de primera.

Del período formativo de Homar en los talleres Vidal tan sólo han llegado hasta nosotros algunos dibujos (cat. núm. 3, 4 y 5), acuarelas (cat. núm. 1, 2, 6 y 7) y muebles (cat. núm. 8 y 9). No se conserva documentación que permita aclarar gran cosa de sus quehaceres. Es bastante plausible que el aprendizaje de Homar en unos talleres que experimentaban con la integración de las diferentes ramas de los oficios artísticos y el contacto con la rica personalidad de Francesc Vidal —galerista de arte, amante de las antigüedades y del arte oriental,[20] y atento a las novedades decorativas que imponían los certámenes internacionales de París, Londres, Filadelfia o Viena— dejasen huella en él. Como su maestro, Homar fue un hombre culto y polifacético, y cuando se independizó abrió un establecimiento en el Carrer de Canuda, donde, además de vender sus muebles, tenía una sala de exposiciones y una sección de antigüedades.

De la estancia de Homar en los talleres Vidal cabe subrayar, asimismo, una serie de aspectos que no han sido considerados por el momento.

Por una parte, los vínculos, tanto de amistad como profesionales, que se establecerán, como se precisará más adelante, entre Homar y la estirpe de los Gonzàlez. Por otra, su contacto con Antoni Gaudí. Como es bien sabido, Vidal y Gaudí trabajaron para el mecenas Eusebi Güell con motivo de la construcción y amueblamiento de su palacio del Carrer Nou de la Rambla. Aunque, contra lo que se ha llegado a afirmar, no hay documento alguno que acredite la colaboración directa de las manufacturas Vidal en la realización del mobiliario diseñado por Gaudí,[21] no sería aventurado plantearse el interés del joven Homar por las originales y audaces creaciones coetáneas del arquitecto catalán. Así, por ejemplo, cabe subrayar la presencia entre el mobiliario del Palau Güell de un singular tocador de composición curvilínea y asimétrica en fecha más que avanzada. Esta idea concordaría, asimismo, con el testimonio de Homar, recogido por Cirici, según el cual el primero afirmaba haber

6. Retrat d'una mallorquina. C. 1910. Placa de vidre positiva, obra de Gaspar Homar. Col·lecció particular.

7. Imatge d'Orient. C. 1910. Placa de vidre positiva, obra de Gaspar Homar. Col·lecció particular.

8. Retrat de Francesc Vidal Jevellí per Simó Gómez, 1875. Museu d'Art Modern del MNAC, Barcelona.

9. Àlbum fotogràfic dels mobles i objectes decoratius de Francesc Vidal. Col·lecció Frederic Vidal.

8

9

deien Gaspar i Joana Anna Homar i els materns Joan i Joana Artigues. El matrimoni tingué, a més de Gaspar, una filla, Margarida Homar.

Els Homar eren d'origen humil i es dedicaven per tradició a l'ofici de fusters. Segons les notícies de Cirici, Pere Homar s'encarregava de fustes de construcció i de fabricar premses d'oli o taüts. També va construir mobles fidels a la tradició barroca i d'estil anglès.

En rastrejar la pista dels Homar a Mallorca hem pogut entrar en contacte amb alguns parents llunyans que ens n'han confirmat els orígens àrabs. Fora d'això, poca cosa més sabem de la família. Deduïm que van romandre a l'illa fins al 1883, moment en què pare i fill van ingressar als importants tallers de Francesc Vidal de Barcelona. La difícil situació econòmica requeria obrir-se camí i tota la família va emigrar a una Barcelona industrialment pròspera que feia els preparatius per celebrar un dels esdeveniments urbans més significatius del segle XIX: l'Exposició Universal del 1888.

L'etapa formativa als tallers Vidal: preludi del modernisme (1884-1893).

El 1884, tot just inaugurades les indústries d'art de Francesc Vidal a la cruïlla dels carrers Diputació i Bailén, hi ingressaven l'ebenista Pere Homar i el seu fill Gaspar Homar, de tretze anys d'edat.

Segons que revelen les fonts de l'època[9] el taller de mobles i objectes artístics de Francesc Vidal Jevellí (1848-1914) era un dels més ben dotats de l'Eixample. La façana, eclèctica i amb el seu coronament emmerlat, amb dues grans estàtues de l'escultor Manuel Fuxà que representaven la Indústria i l'Art, era una autèntica declaració de la filosofia i les intencions estètiques d'aquest potent complex industrial.

Prop de dos-cents operaris de diferents rams dels oficis hi treballaven sota les regnes de Francesc Vidal.[10] A diferència de l'experiència morrisiana, que maleïa tot avenç industrial i pretenia aportar bellesa i confort a les classes més modestes, Vidal adoptava la maquinària més sofisticada i esdevenia el decorador predilecte de les institucions i prohoms de la Barcelona vuitcentista.[11] Exemple de les creacions vidalenques són els conjunts de moblament del palau del marquès de Comillas,[12] el Cercle del Liceu,[13] el Palau Güell[14] i, molt especialment, els àlbums fotogràfics inèdits que constitueixen, com afirma Santiago Barjau,[15] la base per a una futura catalogació de l'opus moblístic de Francesc Vidal.

Cada secció de l'obrador tenia el seu mestre i va aplegar els millors especialistes: Antoni Rigalt treballava en la secció de vidrieria artística i gravats a l'àcid i Joan Gonzàlez en la secció de traçats de projectes i plànols.

Una de les seccions que havia contribuït a donar més prestigi aquesta empresa era la dedicada a la foneria artística, al capdavant de la qual hi havia Frederic Masriera. Francesc Vidal i Cia assumí, entre d'altres, la fosa de la colossal estàtua de Colom.[16] Precisament, com recorda Enriqueta Ramon (filla de l'artista), aquesta complexa operació és la que va donar, inicialment, feina als Homar. Poc després Gaspar Homar havia de treballar a les ordres de Joan Gonzàlez[17] i, més tard, esdevindria el mestre d'un dels fills de Vidal, Frederic Vidal Puig.[18] Quant a Pere Homar, segons Josep Mainar,[19] hi va ser fadrí de primera.

De l'episodi formatiu d'Homar a Can Vidal, únicament en són testimoniatge alguns dibuixos (cat. núm. 3, 4 i 5), algunes aquarel·les (cat. núm. 1, 2, 6 i 7) i alguns mobles (cat. núm. 8 i 9). No es conserva la documentació que permeti aclarir gaire cosa més sobre el seu quefer. És plausible suposar que el seu aprenentatge en uns tallers que experimentaven la integració de les diferents branques dels bells oficis i el contacte amb la rica personalitat de Francesc Vidal —galerista d'art, amant de les antiguitats i de l'art oriental,[20] i atent a les novetats decoratives que imposaven els certàmens internacionals de París, Londres, Filadèlfia o Viena— haurien de deixar-li petja. Com el seu mestre, Homar fou un home culte i polifacètic i, quan va independitzar-se, va obrir una botiga al carrer Canuda on, a més de vendre els seus mobles, hi havia una sala d'exposicions i una secció dedicada a les antiguitats.

De l'estada d'Homar a Can Vidal cal remarcar, igualment, un seguit d'aspectes que no han estat considerats.

D'una banda, els vincles tant d'amistat com professionals que s'establiran, com més endavant es precisarà, entre Homar i la nissaga dels Gonzàlez. D'una altra, el seu contacte amb Antoni Gaudí. Com és ben sabut, Vidal i Gaudí, van treballar per al mecenas Eusebi Güell amb motiu de la construcció i moblament del seu palau al carrer Nou de la Rambla. Encara que, contra el que s'ha afirmat, no hi ha cap document que acrediti la col·laboració directe de les manufactures Vidal en la realització del mobiliari dissenyat per Gaudí,[21] no és aventurat plantejar-se l'interès del jove Homar per les creacions originals i agosarades de l'arquitecte català que es duien a terme coetàniament. A tall d'exemple remarquem la presència entre el mobiliari del Palau Güell d'un singular lligador que palesa la composició curvilínia i asimètrica en una data molt avançada. Aquesta idea concordaria també amb el testimoni que d'Homar va recollir Cirici, que afirmava que va obeir el seu instint i la inspiració gaudiniana per adoptar les sinuositats del modernisme en les seves creacions dels anys

10. Armario de sala de sicomoro, palo de rosa y boj que Gaspar Homar presentó en la Exposición Nacional de Industrias Modernas de Madrid en 1897. C. 1891. Colección particular.

11. Proyecto original de armario de sala, obra de Francesc Vidal, cuyas características son similares a las de la pieza anterior. C. 1890. Colección Frederic Vidal.

10

obedecido a su instinto y a la inspiración gaudiniana para adoptar las sinuosidades del modernismo en sus creaciones de los años noventa sin haber tenido que seguir los dictados de la moda extranjera. A diferencia del ebanista Joan Busquets, que se apropió de las estructuras óseas de Gaudí e incluso de las formas elefantiásicas de Louis Majorelle, Homar formularía durante su producción un diseño menos radical y, en cierto modo, más vinculado a la tradición.

Discrepamos de Cirici en cuanto a su consideración de que Vidal no dibujaba y que ello permitía a Homar proyectar con libertad diferentes esbozos para cada mueble, entre los que el maestro elegiría los que se debían realizar. Antes de que Homar ingresara en los talleres de Vidal se seguía, según Cirici, un tipo de mueble rígido y severo, y fue Homar quien introdujo los detalles curvilíneos. Sin embargo, los descendientes de F. Vidal conservan dibujos de muebles firmados por éste que contradicen la hipótesis de Cirici. Además, resulta muy difícil creer que un hombre autoritario como Vidal[22] aceptase opiniones y lecciones de sus subordinados.

Uno de los primeros conjuntos de mobiliario de Gaspar Homar que conocemos es el constituido por un armario de sala y dos sillas de madera clara, donde interpreta con cierta precocidad, siguiendo un camino paralelo a los de Victor Horta y Henry Van de Velde, el espíritu del modernismo ejemplificado por uno de sus *leitmotiv* más emblemáticos: el *coup de fouet*. Sin embargo, ciertos elementos decorativos de cariz gótico y orientalizante que se amalgaman con atributos mecanicistas, calificados por Josep Mainar de progresistas y que también aparecen en la arquitectura del momento, así como sus evocaciones del arte de las tribus salvajes del Pacífico, lo conectan con su maestro. Hemos tenido ocasión de contemplar el dibujo de un armario firmado por Francesc Vidal de características muy similares al mueble que hemos descrito.

Por último y a modo de conclusión sobre los años de formación de Homar, hay que mencionar su paso por la escuela de Llotja, donde fue discípulo de Josep Mirabent,[23] y su vínculo con el entonces recién creado Centro de Artes Decorativas. Se trataba de un ejemplo muy coherente de agrupación profesional con conciencia de afirmación colectiva integrada por cerca de cincuenta profesionales dedicados a las artes aplicadas e industriales, entre los que cabe destacar a Alexandre de Riquer, Concordi Gonzàlez, Joan Busquets, Evarist Roca y Manuel Ballarín. Órgano de difusión de dicha entidad fue una revista en cuyas páginas se anunciaba la razón social Pedro Homar é Hijo. Mueblaje y Decoración, sita en Rambla de Catalunya, 129. Este anuncio documenta el nuevo establecimiento que tenían los Homar y, por lo tanto, su emancipación de los talle-

res Vidal a partir de 1893. Según el testimonio de Pilar Corbera,[24] Homar eclipsaría a su maestro.

La época del modernismo (1896-1915)

Los talleres de Francesc Vidal constituyeron una experiencia precursora de la revitalización de las artes decorativas que confluiría, algunos años después, en la mitificada iniciativa del Castell dels Tres Dragons, que asumiría plenamente el corolario estético ruskiniano. Esta empresa, a cuyo frente estaba Antoni Gallissà, se ubicó en el café-restaurante proyectado por Lluís Domènech i Montaner para la Exposición Universal de 1888 y acogía a una hornada de artistas e industriales, en algunos casos procedentes de los talleres Vidal, que trataban de perfeccionar y experimentar oficios artísticos como la cerámica de reflejos metálicos, las vidrieras, la fundición, el mosaico y la escultura decorativa. El papel del Castell dels Tres Dragons, como indican Fontbona y Miralles,[25] fue importante por lo que significó de resolución de unos problemas no planteados en abstracto sino como fruto de las necesidades de unas obras arquitectónicas concretas.[26] La escasa documentación que nos ha llegado del Castell no menciona a Homar, aunque cabe suponer que también estuvo vinculado.

Lo cierto es que Homar, coincidiendo con su independización de los talleres de Vidal en 1893, pasó a formar parte del equipo de colaboradores de Domènech i Montaner y se convirtió en uno de sus mueblistas y *ensembliers* predilectos. También trabajó a las órdenes, entre otros, de Puig i Cadafalch, Pere Domènech Roura, Josep Majó y Joan Amigó i Barriga.

Uno de sus primeros conjuntos importantes fue la decoración en 1983 del palacio Montaner, de Lluís Domènech, donde trabajó bajo unas premisas estéticas góticas y orientalizantes que denotaban secuelas del eclecticismo. Cabe destacar, asimismo, su intervención en la casa Amatller del Passeig de Gràcia. Puig i Cadafalch le confió la realización de sus diseños de mobiliario —algunos de los cuales fueron dados a conocer por Judith C. Rohrer[27] y otros fueron publicados en las revistas de la época.[28] El conjunto, que tuvo un coste de 6.350 pesetas y fue construido en dos meses, constaba de las piezas siguientes: un dormitorio de sicomoro y dorados compuesto, entre otras piezas, por un armario, una cama, tres espejos, tres sillas, dos sillones de respaldo alto, un secreter, una mesilla de noche y un dosel; una salita de fresno formada por seis sillas, dos sillones y un costurero.[29] En estas obras,[30] el ebanista es mero traductor del sello artístico de Puig, basado en la recuperación de las formas tradicionales catalanas y especialmente del gótico. La historiografía vincula de nuevo a Homar y a Puig en la decoración de la casa Trinxet. Según Cirici, Homar creó el mobilia-

10. Armari de sala de sicòmor, pal de rosa i boix que Gaspar Homar va presentar a l'Exposición Nacional de Industrias Modernas de Madrid el 1897. C. 1891. Col·lecció particular.

11. Projecte original d'armari de sala de Francesc Vidal de característiques similars a les de la peça anterior. C. 1890. Col·lecció Frederic Vidal.

11

noranta sense haver de seguir els dictats de la moda forastera. A diferència, però, de l'ebenista Joan Busquets, que s'havia d'emparar de les estructures òssies de Gaudí i, fins i tot, de les formes elefantiàsiques de Louis Majorelle, Homar formularia al llarg de la seva producció un disseny menys radical i, en una certa manera, més lligat a la tradició.

Qüestionem de Cirici que considerés que Vidal no dibuixava i que això permetia a Homar projectar amb llibertat diferents esbossos per a cada moble, entre els quals el mestre escolliria els que havien de realitzar-se. Abans d'ingressar Homar als tallers Vidal, diu Cirici, se seguia un tipus de moble rígid i sever i Homar va introduir-hi els detalls curvilinis. Tanmateix, els descendents de F. Vidal conserven dibuixos de mobles firmats per aquest darrer, que contradiuen la hipòtesi de Cirici. A més, resulta difícil creure que un home autoritari com Vidal[22] acceptés opinions i lliçons dels seus subordinats.

Un dels primers conjunts de mobiliari que coneixem de Gaspar Homar és el constituït per un armari de sala i dues cadires de fusta clara, on interpreta amb una certa precocitat, seguint un camí paral·lel a Victor Horta i a Henry Van de Velde, l'esperit del modernisme exemplificat per un dels seus *leitmotiv* més emblemàtics: el cop de fuet. Tanmateix, certs elements decoratius, de caire gòtic i orientalitzant, que s'amalgamen amb atributs mecanicistes, que Josep Mainar qualifica de progressistes i que també apareixen a l'arquitectura del moment, així com les seves evocacions de l'art de les tribus salvatges del Pacífic, el connecten amb el seu mestre. Hem tingut ocasió de contemplar un dibuix d'un armari, firmat per Francesc Vidal, que té unes característiques molt similars a aquest moble que hem descrit.

Finalment i com a cloenda d'aquests anys de formació d'Homar cal fer esment del seu pas per Llotja, on va ser deixeble de Josep Mirabent[23] i el seu vincle amb l'acabat de crear Centro de Artes Decorativas. Es tractava d'un exemple molt coherent d'agrupació professional, amb una consciència d'afirmació col·lectiva, integrada per prop d'una cinquantena de professionals dedicats a les arts aplicades i industrials, entre els quals Alexandre de Riquer, Concordi Gonzàlez, Joan Busquets, Evarist Roca i Manuel Ballarín. Òrgan de difusió de l'esmentada entitat fou una revista a les pàgines de la qual s'anunciava la raó social *Pedro Homar é hijo. Mueblaje y decoración*, a la Rambla de Catalunya, 129. Aquest anunci documenta el nou establiment que tenien els Homar i, per tant, la seva emancipació dels tallers Vidal a partir del 1893. Segons el testimoni de Pilar Corbera,[24] Homar havia d'eclipsar el seu mestre.

L'època del modernisme (1896-1915)

Els tallers de Francesc Vidal van constituir una experiència precursora de la revifada de les arts decoratives que havia de confluir, uns anys més tard, en la mitificada iniciativa del Castell dels Tres Dragons, que assumiria de ple el corol·lari estètic ruskinià. Aquesta empresa, al capdavant de la qual hi havia Antoni Gallissà, es va ubicar al Cafè-restaurant de Lluís Domènech i Montaner per a l'Exposició Universal del 1888 i acollia una fornada d'artistes i industrials, alguns d'ells procedents de can Vidal, que tractaven de perfeccionar i experimentar els bells oficis, com ara la ceràmica de reflexos metàl·lics, els vitralls, la fosa, el mosaic i l'escultura decorativa. El paper del Castell dels Tres Dragons, com indiquen Fontbona i Miralles,[25] fou important pel que significà de resolució d'uns problemes plantejats no en abstracte sinó per les necessitats d'unes obres arquitectòniques concretes.[26] La documentació escadussera que ens ha arribat no esmenta la tasca d'Homar, tot i que cal suposar que també hi estava vinculat.

El cert és que Homar, coincidint amb la seva independització dels tallers de Vidal el 1893, va entrar a formar part de l'equip de col·laboradors de Domènech i Montaner i esdevindria un dels seus moblistes i *ensembliers* predilectes, tot i que també va treballar a les ordres de Puig i Cadafalch, Pere Domènech Roura, Josep Majó i Joan Amigó i Barriga, entre d'altres.

Un dels seus primers conjunts importants fou la decoració el 1893 del Palau Montaner, de Lluís Domènech, on va treballar sota unes premisses estètiques gòtico-orientalitzants que traspuaven un cert ròssec de l'eclecticisme. Cal destacar, igualment, la seva intervenció a la casa Amatller del Passeig de Gràcia. Puig i Cadafalch va confiar-li la realització dels seus dissenys de mobiliari —alguns dels quals van ser donats a conèixer per Judith C. Rohrer[27] i d'altres figuren publicats a les revistes de l'època.[28] El conjunt, que tingué un cost de 6.350 pessetes i fou realitzat en dos mesos, constava entre altres de les peces següents: un dormitori de sicòmor i daurats compost d'armari, llit, tres miralls, tres cadires, dues butaques de respatller alt, un secreter, una tauleta de nit i un dosser; una saleta de freixe composta de sis cadires, dues butaques i un cosidor entre d'altres.[29] En aquestes obres[30] l'ebenista és un mer traductor del segell artístic de Puig, fonamentat en la recuperació de les formes tradicionals catalanes, especialment del gòtic. La historiografia vincula novament Homar i Puig en la decoració de la casa Trinxet. Segons Cirici, Homar va crear el mobiliari del menjador amb aplicacions de metall represen-

12. Escaño con elementos de talla y panel de marquetería *La danza de las hadas,* obra de Gaspar Homar. c. 1902. Colección particular.

13. Proyecto coloreado a la acuarela de Gaspar Homar. c. 1900. Gabinet de Dibuixos i Gravats del MNAC.

rio del comedor con aplicaciones de metal que representaban plantas en flor y los ramos de olivo típicos del gusto de la Sezession. Sin embargo, el mobiliario que conservan los descendientes de la familia Trinxet —dos mesillas y una arquilla de maderas de cerezo, palo de rosa y marquetería— lleva la firma de la casa Esteve i Cia. de Barcelona.[31]

Como creadores de programas iconográficos y decorativos, los arquitectos intervenían en la concepción de los distintos elementos planificando tanto la idea general de la obra como la de los espacios interiores. Así pues, los muebles de Homar presentan fórmulas decorativas tomadas del lenguaje de la arquitectura: las columnas salomónicas de fuste acanalado y con elementos florales en los capiteles de Puig conforman los característicos pináculos de los sofás-escaño de Homar. Sin embargo, el concepto decorativo de Domènech tiene una presencia mucho más significativa en su obra.

12

Por aquellos años de finales de siglo, Homar ingresó en el Cercle Artístic de Sant Lluc,[32] aunque no consta que participase en exposiciones colectivas ni que ejerciese cargos directivos. En cualquier caso, su ingreso en la entidad lo pondría en contacto con uno de los núcleos intelectuales y artísticos más vivos de la ciudad.

Homar no tomó parte en las plataformas de promoción que significaban las exposiciones internacionales de Bellas Artes e Industrias Artísticas que organizaba periódicamente el ayuntamiento de Barcelona en la década de los noventa, aunque sí participó en algunas muestras de Madrid.

Un paso importante en su vida profesional fue la inauguración de su tienda en la céntrica calle Canuda, al lado del Ateneu Barcelonès, institución presidida por su amigo Domènech i Montaner. La inauguración del establecimiento coincidió con la muerte de su padre, Pere Homar, y con la asociación con su cuñado, el ebanista Joaquim Gassó, casado con Margarida Homar.

La tienda seguía, con proporciones lógicamente más modestas, el modelo del establecimiento parisién L'Art Nouveau Bing, de Samuel Bing, que exhibía los trabajos de jóvenes artistas, especialmente de Georges de Feure, Eugène Gaillard y Edouard Colonna. En el establecimiento de Homar, además de exponerse la producción propia —muebles, lámparas, alfombras, mosaicos y marqueterías—, había una sección dedicada a las antigüedades y una sala de exposiciones donde Joaquim Mir colgó sus lienzos mallorquines. Ambos compartían una

profunda admiración por el paisaje, mallorquín en estado puro, del Torrent de Pareis. También se podían adquirir productos de manufactura extranjera: telas y tejidos impresos creados por Alphonse Mucha, cerámica de Sèvres y Rozenburg, y distintos *bibelots* que Homar había adquirido en las principales metrópolis europeas del modernismo. La venta de estos accesorios o complementos decorativos se estilaba en las firmas más importantes. En Chez Majorelle, por ejemplo, se podían adquirir cristal de Daum, porcelana de las reales manufacturas de Copenhague e incluso estatuillas de bronce de Joan Clarà.

Nos consta que Homar había viajado por toda Europa e incluso por África, y que se mantenía atento a las experiencias decorativas de otros países, especialmente de Inglaterra.[33] París y, sobre todo, Viena le fascinaban. Según Cirici adaptó modelos extranjeros como una librería del vienés Josef Niedmoser y una mesa de V. Valabrega de Turín exhibidas en la Exposición Universal de París de 1900. Además de la adaptación de diseños en boga y de la recreación del mueble de estilo —sobre todo luises y Chippendale—,[34] la obra de Homar está impregnada de una fuerte personalidad y sintoniza con la de los mejores artífices del período, como Eugéne Gaillard y Hector Guimard; asimismo reinterpreta, desde una óptica muy particular, la influencia de la Sezession vienesa y de la escuela de Glasgow. El espíritu de Olbrich y de Mackintosh es evidente en muchas de sus creaciones, especialmente en el escritorio de Àngel Guimerà (cat. núm. 53) y en la silla con respaldo alto (cat. núm. 66), respectivamente.

A pesar de los viajes que Homar efectuó por Europa, no sabemos que hiciera estancia, más o menos prolongada, en ninguna de las ciudades mencionadas. Lógicamente, las obligaciones del negocio y la consiguiente dependencia de los encargos de una clientela integrada por un heterogéneo conjunto de personas vinculadas a la burguesía catalana le condicionaban. Homar fue un decorador de élite y sus muebles no eran precisamente de precio moderado.[35] También hizo muebles más sencillos. En función de su éxito repitió modelos aprovechando plantillas y diseños.[36] En este sentido, hay que subrayar la proliferación en numerosas colecciones de un conjunto de mobiliario de dormitorio que presenta como elemento ornamental el lirio, divulgado por E. Grasset, en los marcos de las puertas y el remate del armario, así como en la cabecera de la cama.

A partir de la información que nos proporciona Cirici, podemos perfilar los diferentes conjuntos que realizó para el negociante en maderas Oliva, el salón de la casa Par de Mesa, los muebles de las casas Burés, Lleó Morera, Barbey, del marqués de Marianao, Arumí, Milà, Godó y Batlló, de *La*

13

tant plantes florides i les branques d'olivera típiques del gust de la Sezession. Amb tot, el mobiliari que conserven els descendents de la família Trinxet —en concret dues tauletes i una arquilla de fustes de cirerer, pal de rosa i marqueteria— du la firma de la casa *Esteve i Cia. Barcelona*.[31]

Com a creadors de programes iconogràfics i decoratius, els arquitectes intervenien en la concepció dels diferents elements planificant tant la idea general de l'obra com els espais interiors. Així doncs, els mobles d'Homar presenten fórmules decoratives manllevades del llenguatge de l'arquitectura: les columnes salomòniques amb el fust acanalat i amb elements florals dels capitells de Puig formen els pinacles tan característics dels sofà-escó d'Homar, per bé que el concepte decoratiu de Domènech hi té una presència molt més revellant.

Per aquells anys de la fi de segle, Homar va ingressar al Cercle Artístic de Sant Lluc,[32] tot i que no consta que participés en exposicions col·lectives ni que exercís càrrecs directius. En tot cas, l'ingrés en aquesta entitat el posaria en relació amb un dels nuclis intel·lectuals i artístics més vius de la ciutat. Homar no va prendre part en les plataformes de promoció que significaven les exposicions internacionals de Belles Arts i Indústries Artístiques que organitzava periòdicament l'Ajuntament de Barcelona durant la dècada dels anys noranta, en canvi, participà en algunes mostres de Madrid.

Un pas important en la seva vida professional fou la inauguració de la seva botiga al cèntric carrer de la Canuda, al costat de l'Ateneu Barcelonès, presidit pel seu amic Domènech i Montaner. La inauguració de l'establiment va coincidir amb la mort del seu pare, Pere Homar, i amb el fet que s'associés amb el seu cunyat, l'ebenista Joaquim Gassó, casat amb Margarida Homar.

La botiga seguia, en proporcions lògicament molt més modestes, el model de l'establiment parisenc L'Art Nouveau Bing, de Samuel Bing, que exhibia els treballs de joves artistes, especialment de Georges de Feure, Eugène Gaillard i Edouard Colonna, entre d'altres. A ca l'Homar, a més d'exposar-s'hi la producció pròpia com ara mobles, llums, catifes, plafons mosaics i marqueteries, hi havia una secció dedicada a les antiguitats i una sala d'exposicions on Joaquim Mir va penjar les seves teles mallorquines. Tots dos compartien una profunda admiració pel paisatge, mallorquí en estat pur, del torrent de Pareis. També s'hi podien adquirir productes de manufactura estrangera: teles i teixits impresos creats per Alphonse Mucha, ceràmica de Sevres, Rozenburg i diferents tipus de *bibelots* que Homar havia adquirit a les principals metròpolis del modernisme. La venda d'aquests accessoris o complements decoratius s'estilava a les firmes més importants. A Chez Majorelle, per exemple, s'hi podien adquirir vidres de Daum, porcellana de manufactura reial de Cophenague i, fins i tot, estatuetes de bronze de Joan Clarà.

Ens consta que Homar havia viatjat arreu d'Europa i, àdhuc per Àfrica, i que es mantenia al corrent de les experiències decoratives d'altres països, especialment l'anglesa.[33] París, i sobretot Viena, el fascinaven. Segons Cirici, va adaptar models estrangers com una llibreria del vienès Josef Niedmoser i una taula de V. Valabrega de Torí, exhibides a l'Exposició Universal de París del 1900. Tot i l'adaptació de dissenys en voga, així com la recreació del moble d'estil —sobretot els lluïsos i el Chippendale—[34] l'obra d'Homar està dotada d'una forta personalitat i sintonitza amb la dels millors artífexs del període, com ara Eugéne Gaillard i Hector Guimard, i reinterpreta, des d'una òptica molt particular, la influència de la Sezession vienesa i de l'escola de Glasgow. L'esperit d'Olbrich i de Mackintosh són evidents en moltes de les seves creacions, especialment en l'escriptori d'Àngel Guimerà (cat. núm. 53) i en la cadira de respatller alt (cat. núm. 66), respectivament.

Tot i el viatges que efectuà arreu d'Europa, no li coneixem cap estada amb més o menys permanència a les ciutats esmentades. Lògicament, les obligacions del negoci i la conseqüent dependència dels encàrrecs d'una clientela, inte-

Vanguardia, Tayà, Barret, del barón de Oller, Pladellorens y de algunos aristócratas de Madrid. Las gestiones llevadas a cabo para localizar dichos conjuntos han sido más bien infructuosas, ya que en buena parte se han dispersado, han desaparecido o simplemente no se ha podido tener acceso a los mismos.[37] Aun así, hemos conseguido localizar algunas obras procedentes de los lugares mencionados y hemos podido completar la citada relación de clientes. Así, hay que destacar el mobiliario que construyó para el industrial y fabricante del célebre Anís del Mono, Vicenç Bosch, para su residencia de Badalona (cat. núm. 24); los conjuntos de mobiliario para el arquitecto Joan Amigó i Barriga (cat. núm. 61, 65, 66, 67, 68, 69, 70, 71, 72 y 73), también de Badalona; para la Biblioteca Popular de F. Bonnemaison; el mobiliario del dormitorio de los Gonzàlez;[38] así como los elementos decorativos de la casa de Francesc Macià en Lérida[39] y el conjunto Art Déco de la casa Garí de Sant Vicenç de Montalt (cat. núm. 74, 75, 76 y 77). El último de estos trabajos documenta el acercamiento de Homar, aunque de un modo episódico, al popularmente denominado «estilo cubista». También realizó encargos de utilidad comercial, como tiendas, farmacias y otros establecimientos.

A partir de 1907, momento en que en el ámbito catalán se perfilaba una ideología de signo muy diferente, el Noucentisme, y Loos publicaba, al cabo de un año, en *Neue Freite Press* su ensayo crítico «Adorno y Delito», Homar concluía los conjuntos de interiorismo más atractivos del modernismo: la casa Lleó Morera de Barcelona y la casa Navàs de Reus, ambas de Lluís Domènech. Homar, que gozaba de un sólido prestigio confirmado por sus colaboraciones con el arquitecto y que se encontraba en un momento de plenitud profesional y artística, participó en numerosos certámenes internacionales, tanto en Barcelona, Madrid y Zaragoza como en Londres, París y Venecia, donde logró medallas y distinciones que conservan los descendientes del artista.[40]

Sin embargo, no todos los trabajos de Domènech se relacionan con Homar. En el Gran Hotel de Palma de Mallorca, por ejemplo, los muebles eran creación de Joan Puigdengolas;[41] los talleres de Esteve Miarnau se hicieron cargo de los del Palau de la Música.[42] Finalmente, el conjunto de mobiliario de las diferentes estancias del Pavelló dels Distingits del Institut Pere Mata de Reus, aunque se atribuye su ejecución a los talleres Homar,[43] parece corresponder, entre otras, a las firmas Thonet Hermanos, Joaquim Montagut,[44] Esteve Hermanos, Casas y Bardés y Enrique Oliva. Este mobiliario satisface las necesidades funcionales y de confort de los enfermos mentales y fue diseñado por Domènech.[45] Las concesiones ornamentales se limitan a algunos paneles de marquetería con motivos de cítricos y elementos florales de índole geométrica que enlazan con el Art Déco y que, en ocasiones, presentan una factura propia de las realizaciones de los talleres Homar. En la documentación que hemos podido consultar hasta ahora, el nombre de Homar figura asociado únicamente al trabajo de las lámparas.[46]

Conjuntos de la casa Lleó Morera y de la casa Navàs: ejemplos del trabajo seriado

Los conjuntos de la casa Lleó Morera de Barcelona y de la casa Navàs de Reus representan la quintaesencia del modernismo y constituyen una de las manifestaciones más logradas en el campo de la decoración de interiores. El influyente arquitecto Domènech i Montaner encargó los muebles de ambas viviendas burguesas a Gaspar Homar, cuyos talleres suministraron todos los accesorios decorativos y funcionales. Con estas intervenciones se consolidaban los vínculos profesionales y de amistad entre ambos. En los dos casos se trata de conjuntos que se mantienen fieles al programa simbólico y ornamental ideado por el arquitecto y en los que Homar compagina la calidad y el valor de la tradición y el artesanado con la producción seriada.[47] Las sillas, por ejemplo, tienen unos números de

14. Fotografia de l'interior de la casa Lleó Morera del Passeig de Gràcia de Barcelona.

15. Fotografia de l'interior de la casa Navàs de Reus.

grada per un conjunt heterogeni de persones vinculades a la burgesia catalana, el condicionaven. Homar fou un decorador d'elit i els seus mobles no eren, precisament, de preu moderat.[35] També feu mobles més senzills. En funció del seu èxit va repetir models, aprofitant les plantilles i els dissenys.[36] En aquest sentit convé remarcar la pluriferació en nombroses col·leccions d'un conjunt de mobiliari de dormitori que presenta com element ornamental el lliri, divulgat per E. Grasset, en els batents de les portes i el coronament de l'armari, així com en el capçal del llit.

A partir de la informació que ens proporciona Cirici, podem resseguir els diferents conjunts que realitzà per el negociant de fustes Oliva, el saló de la casa Par de Mesa, els mobles de la casa Burés, Lleó Morera, Barbey, del Marquès de Marianao, Arumí, els Milà, Godó i Batlló de *La Vanguardia*, Tayà, Barret, el Baró d'Oller, Pladellorens i aristòcrates de Madrid. Les gestions fetes per localitzar aquests conjunts han estat força infructuoses, doncs bona part d'aquests s'han dispersat, han desaparegut o simplement no hem tingut accés.[37] Amb tot hem localitzat algunes obres procedents d'aquestes col·leccions i hem pogut completar aquesta relació de clients. Així doncs, cal remarcar el mobiliari que féu per a l'industrial i fabricant del cèlebre anissat, Anís del Mono, Vicenç Bosch, per la seva residència de Badalona (cat. núm. 24); els conjunts de mobiliari per l'arquitecte Joan Amigó i Barriga de Badalona (cat. núm. 61, 65, 66, 67, 68, 69, 70, 71, 72 i 73), per a la Biblioteca popular de F. Bonnemaison, el mobiliari de dormitori dels Gonzàlez,[38] així com els elements decoratius de la casa de Francesc Macià de Lleida[39] i el conjunt Art Déco de la Casa Garí de Sant Vicenç de Montalt (cat. núm. 74, 75, 76 i 77). Aquest darrer

15

treball documenta l'acostament d'Homar, per bé que de manera episòdica, al popularment anomenat «estil cubista». També va treballar encàrrecs d'utilitat comercial, tals com botigues, farmàcies i d'altres establiments.

A partir del 1907, moment en què en l'àmbit català es perfilava una ideologia de signe molt diferent, el Noucentisme, i en què Loos publicava, un any més tard, en el *Neue Freite Press* el seu assaig crític *Ornament i Delicte*, Homar havia conclòït els conjunts d'interiorisme més atractius del modernisme: la casa Lleó Morera de Barcelona i la casa Navàs de Reus de Lluís Domènech. Homar, que gaudia d'un prestigi refermat per les seves col·laboracions amb l'arquitecte i que es trobava en un moment de plenitud professional i artística, participà en nombrosos certàmens internacionals, tant a Barcelona, Madrid, Saragossa com a Londres, París i Venècia, on va assolir medalles i distincions que els descendents de l'artista conserven.[40]

No sempre els treballs de Domènech es relacionen amb l'Homar. Al Gran Hotel de Palma de Mallorca, per exemple, el mobles eren creació de Joan Puigdengolas;[41] els tallers d'Esteve Miarnau es van fer càrrec dels del Palau de la Música.[42] Finalment, el conjunt de mobiliari de les diferents estances del Pavelló dels Distingits de l'Institut Pere Mata de Reus, tot i que se n'atribueix l'execució[43] als Tallers Homar, sembla correspondre, segons la documentació consultada, a les firmes Thonet Hermanos, Joaquim Montagut[44], Esteve Hermanos, Casas y Bardés i Enrique Oliva, entre d'altres. Aquest mobiliari acompleix les necessitat funcionals i de confort dels malalts mentals i va ser dissenyat per Domènech.[45] Les concessions ornamentals es limiten a alguns plafons de marqueteria amb temes de cítrics i elements florals de caire geomètric que enllacen amb l'Art Déco i que en ocasions presenten una factura pròpia de les realitzacions dels tallers Homar. En la documentació que hem pogut consultar fins ara, el nom d'Homar hi figura, únicament, associat amb els llums.[46]

Conjunts de la casa Lleó Morera i de la casa Navàs: exemples del treball seriat

Els conjunts de la casa Lleó Morera de Barcelona i la casa Navàs de Reus representen la quinta essència del modernisme i constitueixen una de les manifestacions més reeixides en el camp de la decoració d'interiors. L'influent arquitecte Domènech i Montaner va encomanar el moblament d'aquests dos habitatges burgesos a Gaspar Homar, els tallers del qual van subministrar tots els accessoris decoratius i funcionals. Amb aquestes intervencions es consolidaven els seus vincles professionals i d'amistat. En tots dos ca-

16. Operarios de los talleres de Gaspar Homar a principios de siglo. Colección particular.

17. Estand de mobiliario de Gaspar Homar. Rambla de Catalunya, 129. Colección particular.

18. Proyecto representando a *La Botánica* de Alexandre de Riquer para un panel de marquetería de la farmacia Grau Inglada. Realizado por Gaspar Homar en 1900. Colección particular.

registro originales que se corresponden con los proyectos a la acuarela que se conservan en el Gabinet de Dibuixos i Gravats del MNAC y son modelos que se repiten, así como las marqueterías y los paneles mosaicos. Precisamente, hemos tenido ocasión de contemplar en diferentes colecciones particulares ejemplares casi idénticos a algunos de esos paneles. La ejecución de las marqueterías le permitía aprovechar las placas de madera sobrantes —de seis a ocho— para hacer composiciones independientes que tuvieron una gran salida comercial. Una pieza clave que se repite con variantes es el sofá-escaño del salón flanqueado por vitrinas laterales, con cristal emplomado que hace el efecto de un esmalte translúcido, coronadas por pináculos rematados por rosas esculpidas en madera. Encima del mismo se sitúan unos paneles de marquetería.

En tanto que la práctica totalidad del conjunto de la casa Navàs se conserva *in situ* y es, por lo tanto, un ejemplo excepcional que ha permanecido intacto, en lo que a la casa Lleó Morera respecta el mobiliario del piso principal se expone en el Museu d'Art Modern del MNAC. Las gestiones del doctor Joan Ainaud de Lasarte, el entonces director de los Museus d'Art de Barcelona y promotor de las primeras exposiciones dedicadas al modernismo en nuestro país durante la década de los sesenta, permitieron que, anticipándose a los intereses especulativos del mercado, adquiriese por una cantidad simbólica algunos de los conjuntos que conservaba la hija del artista. Buena parte del resto de las piezas fue adquirida a los descendientes de la familia Lleó Morera en 1967.

La historiografía ha reiterado que la casa Lleó Morera es posterior a la casa Navàs de Reus. Hay, sin embargo, que matizar tal afirmación. Aunque las facturas que se conservan de algunos trabajos

realizados por Homar presentados a Albert Lleó Morera, en concreto los que hacen referencia a unas alfombras, daten de 1908, los cobros de Josep Pey por la realización de los proyectos de marquetería de los muebles de Homar datan de 1905 y 1906. De 1905 son asimismo algunas de las facturas de Homar entregadas a Joaquim Navàs. Estos datos permiten, pues, suponer que los trabajos de la casa Navàs fueron paralelos a los de la casa Lleó Morera.

Talleres Homar: un arte colectivo

Los diferentes anuncios aparecidos en la prensa documentan los distintos talleres que tuvo Gaspar Homar a lo largo de su dilatada trayectoria. El primero, hacia 1893, estaba instalado en Rambla de Catalunya, 129, cerca de los obradores más importantes de la ciudad: Concordi Gonzàlez, que regentaba con sus hijos un taller dedicado a la orfebrería y la forja artística, y Alexandre de Riquer tenían allí sendos negocios.

A finales de siglo, Homar estableció la tienda y los despachos de su negocio en la calle Canuda, y compartió con Joaquim Gassó unos talleres en la calle Muntaner, 69. Las obras modernistas más emblemáticas salieron de los talleres de la calle Bailén, 130, y sobre todo de la calle de Sarrià, 88, que actualmente corresponde a la calle Rector Triadó de Hostafrancs. Dichos obradores, donde trabajaban más de un centenar de operarios, abarcaban todos los ramos de la decoración interior, con las secciones de ebanistería, metalistería, confección de bordados y estampación sobre tela, así como objetos decorativos de toda clase. Según Enriqueta Ramon,[48] a raíz de los enfrentamientos entre facciones patronales y sindicalistas, acaecidos en Barcelona al principio de los años treinta y habiendo sido amenazado de muerte, Homar tuvo que ocultarse y cerrar su taller.

Joan Gonzàlez, Pau Roig, Alexandre de Riquer y Joaquim Gassó

La organización del trabajo en los talleres que se ocupaban de toda la ornamentación de la vivienda, comportaba la necesidad de contar con numerosos colaboradores competentes que suministraban modelos y elaboraban los dibujos para sus creaciones.[49] Entre ellos, se ha hablado mucho de Josep Pey y Sebastià Junyent y se ha silenciado, en cambio, a otros artistas que también hicieron aportaciones destacadas. En este sentido, hay que mencionar a Joan Gonzàlez. Como se ha dicho, la relación entre ambos se inicia en 1884, cuando coincidieron en los talleres de Francesc Vidal. A partir de entonces Homar entraría en contacto con el resto del clan familiar. A su vez, los Gonzàlez se relacionaban con Pau Roig, Xavier Gosé[50] y Alexandre de Riquer, artistas que formaban parte del cír-

16

16. Operaris dels tallers de Gaspar Homar a començament de segle. Col·lecció particular.

17. Estand de mobiliari de Gaspar Homar. Rambla de Catalunya, 129. Col·lecció particular.

18. Projecte representant *La Botànica* d'Alexandre de Riquer, per a un plafó de marqueteria de la farmàcia Grau Inglada. Executat per Gaspar Homar el 1900. Col·lecció particular.

17

sos es tracta de conjunts que mantenen una fidelitat al programa simbòlico-ornamental ideat per l'arquitecte i on Homar compagina la qualitat i el valor de la tradició i l'artesanat amb la producció seriada.[47] Les cadires, per exemple, tenen uns números de registre originals que corresponen als projectes acolorits amb aquarel·la existents al Gabinet de Dibuixos i Gravats del MNAC, i són models que veiem repetir-se, així com també les marqueteries i els plafons mosaics. Justament, hem tingut ocasió de contemplar en diferents col·leccions particulars exemplars gairebé idèntics d'alguns d'aquests plafons. L'execució de les marqueteries li permetia d'aprofitar les xapes de fusta sobreres —de sis a vuit— i fer-ne composicions independents que van tenir una gran sortida comercial. Una peça clau que es repeteix amb variants és el sofà-escó del saló flanquejat per vitrines laterals, amb vidre emplomat que fa l'efecte de l'esmalt translúcid, coronades per pinacles rematats per roses esculpides de fusta. A sobre se situen uns plafons de marqueteria.

Mentre que la pràctica totalitat del conjunt de la casa Navàs es conserva *in situ* i és, doncs, un exemple excepcional que ha romàs inalterable, pel que fa a la casa Lleó Morera, el mobiliari del pis principal s'exposa al Museu d'Art Modern del MNAC. Les gestions del doctor Joan Ainaud de Lasarte, aleshores director dels Museus d'Art de Barcelona i promotor de les primeres exposicions dedicades al modernisme al nostre país durant la dècada dels anys seixanta, van permetre que, en anticipar-se als interessos especulatius del mercat, adquirís per una quantitat simbòlica alguns dels conjunts que conservava la filla de l'artista. Bona part de la resta de peces va ser adquirida als descendents de la família Lleó Morera el 1967.

La historiografia ha reiterat que la casa Lleó Morera és posterior a la casa Navàs de Reus. Tanmateix, cal matisar aquesta afirmació. Si bé les factures que es conserven d'alguns treballs realitzats per l'Homar presentats a Albert Lleó Morera i, en concret, els que fan referència a unes catifes, daten del 1908, els cobraments de Josep Pey per la realització dels projectes de marqueteries dels mobles d'Homar daten del 1905 i del 1906. Justament, també són del 1905 algunes de les factures d'Homar lliurades a Joaquim Navàs, la qual cosa ens permet suposar que aquests darrers treballs són paral·lels als de la casa Lleó-Morera.

Tallers Homar: un art col·lectiu

Els diferents anuncis apareguts a la premsa documenten els diferents tallers que va tenir Gaspar Homar al llarg de la seva dilatada trajectòria. El

primer, pels volts del 1893, estava instal·lat a la Rambla de Catalunya, 129, prop dels obradors més importants de la ciutat: Concordi Gonzàlez, que regentava amb els seus fills un taller dedicat a l'orfebreria i a la forja artística, i Alexandre de Riquer hi tenien sengles negocis.

Cap a la fi de segle Homar va establir la botiga i els despatxos del seu negoci al carrer de la Canuda i va compartir, amb Joaquim Gassó, uns tallers al carrer Muntaner, 69. Les obres modernistes més emblemàtiques sorgiren dels tallers del carrer Bailen, 130, i sobretot del carrer Sarrià, 88, que actualment correspon al carrer Rector Triadó

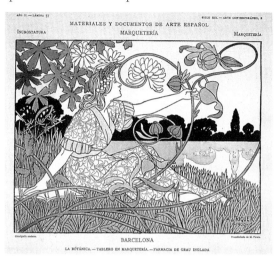

18

d'Hostafrancs. Aquests obradors, on treballaven més d'un centenar d'operaris, abastaven tots els rams de la decoració interior amb les seccions d'ebenisteria, metal·listeria, la confecció de brodats i estampacions damunt de teles, així com també objectes decoratius de tota classe. Segons Enriqueta Ramon,[48] arran dels enfrontaments entre faccions patronals i sindicalistes esdevinguts a Barcelona a començament dels anys vint i havent estat amenaçat de mort, va haver-se d'amagar i tancar el taller.

Joan Gonzàlez, Pau Roig, Alexandre de Riquer i Joaquim Gassó

L'organització del treball dels tallers que s'ocupaven de tota l'ornamentació de l'habitatge el portava a treballar amb nombrosos col·laboradors competents que subministraven models i elaboraven els dibuixos per a les seves creacions.[49] Entre aquests col·laboradors, s'ha parlat molt de Josep Pey i Sebastià Junyent i s'han negligit altres artistes que també feren aportacions destacades. En aquest sentit, cal esmentar Joan Gonzàlez. Com ja s'ha dit, la seva relació arrenca del 1884, quan tots dos van coincidir als tallers de Francesc Vidal. A partir d'aleshores Homar entraria en contacte amb la resta del clan familiar. Així mateix, els Gonzàlez es relacionaven amb Pau Roig, Xavier Gosé[50] i Alexandre de Riquer, artistes que forma-

19. Panel de marquetería representando a *La Medicina*, según diseño de Alexandre de Riquer, realizado en 1900 por Gaspar Homar para la farmacia Grau Inglada. Colección particular.

20. Detalle de unos paneles de talla con representaciones alegóricas, firmados por Joan Carreras, de un escaño de Gaspar Homar. C. 1902. Colección particular.

19

culo de amistades de Gaspar Homar y que frecuentaban el Cercle Artístic de Sant Lluc. Con el cambio de siglo, los González vendieron el taller de metalistería familiar y se trasladaron a París. La precaria situación económica requería el trabajo de todos los miembros del clan: Pilar y Lola aportaban unos ingresos haciendo sombreros y diseños originales para las casas de moda más exclusivas de la capital francesa; Juli se abría camino como pintor participando en los Salons d'Automne y Joan, el primogénito, sobre quien recaía el peso de la responsabilidad familiar, colaboraba con Homar. Durante sus idas y venidas a Barcelona, entre 1906 y 1907, Joan Gonzàlez recibía la correspondencia familiar en casa del mueblista.[51] Tal vez le ayudase en los trabajos de ebanistería o como proyectista.[52] En aquel entonces Homar gozaba de gran consideración en los ambientes artísticos y, sobre todo, de una clientela consolidada gracias a los encargos que le había proporcionado Domènech i Montaner. Tomàs Llorens[53] concreta la posible relación profesional, que hace extensiva a Juli Gonzàlez, en algunas piezas de orfebrería como las cadenas y herrajes en forma de libélula de la lámpara de salón que se conserva en el Museu d'Art Modern (cat. núm. 105). Con todo, ese tipo de piezas fueron hechas en un momento en que los Gonzàlez estaban prácticamente desconectados del oficio de la forja. Asimismo resulta extraño que Cirici, pariente de los Gonzàlez por parte materna, no haga alusión alguna a ello. Nos movemos, pues, en el terreno de la pura especulación. Sí que podemos afirmar con toda seguridad que después de la muerte de Joan Gonzàlez Homar continuó vinculado al resto de la familia debido a los negocios que estableció con Juli Gonzàlez.

Más preciso y definido fue el vínculo artístico que lo unía a Pau Roig. Hay que situarlo antes de 1901, momento en el que, según Josep Pla,[54] Pau Roig se fue a París con un capital de 300 pesetas que había ganado dibujando en el taller del mueblista, donde había conocido al poeta Jacint Verdaguer.[55] En 1900, Homar montó la tienda de instrumentos musicales Cassadó i Moreu.[56] En este conjunto decorativo destacaban unos amplios frisos alegóricos de Pau Roig que simbolizaban la sinfonía pastoral de Beethoven, el Orfeo de Gluck y el Lohengrin de Wagner,[57] realizados en un estilo sintético cercano al espíritu de Pierre Puvis de Chavannes. Este pintor francés ejerció verdadera atracción sobre toda una generación de artistas: Joan Gonzàlez,[58] Torres-García, Josep Pey[59] e incluso el mismo Homar. Así lo indica una carta que escribió desde París a su amigo Pey: «[...] Ayer fui ver el museo Cluni (*sic*) y el Panteón, la Sorbona y el Jardín de París, y el panel de Puvis de Chavannes. Es soberbio».[60]

Pau Roig trabajó en las diversas especialidades que le solicitaba el mueblista. Así, la prensa de la

época[61] se hacía eco de los logrados diseños que hizo para cortinajes estampados y que se expusieron en 1900 en la tienda de la calle Canuda. Finalmente, Cirici hace referencia a las colaboraciones de Pau Roig en la casa Burés, decorada por Gaspar Homar, y al diseño de algunas de sus marqueterías.

También Alexandre de Riquer, antiguo colaborador de los talleres Vidal, trabajó con Gaspar Homar, aunque el vínculo profesional que mantuvieron fuera de índole distinta. En aquel entonces, Riquer, que gozaba de un prestigio muy superior por la extensión de su producción como poeta, grafista, dibujante y pintor, ya había pasado temporadas en Inglaterra, donde conoció el foco artístico del Aesthetic Movement. Estimulado por su experiencia inglesa, fundó en 1893, junto con su primo, un taller de ebanistería para la construcción de muebles y decoración de interiores. Para esta tarea decorativa hizo algunos encargos a Gaspar Homar; la colaboración de Homar se concreta en la reforma modernista del recibidor de la planta principal y la sala del escritorio, antiguo guardarropía del Cercle del Liceu,[62] aunque el protagonismo del conjunto recae en Riquer, quien también ejecutó algunos proyectos de marquetería en los que incorporó el decorativismo esteticista orientalizante que le caracterizaba. Un ejemplo de ello son los diseños de unos paneles de un sofá-escaño[63] que representan escenas alegóricas de las estaciones con afinidades en los diseños que publicó la revista *Luz*.[64] Riquer volvió a contar con la colaboración de Homar en la decoración de la farmacia Grau Inglada. La publicación *Materiales y Documentos de Arte Español*[65] los dio a conocer y la Sala Parés expuso sus obras en 1900.

En este capítulo de colaboradores cabe destacar las realizaciones conjuntas de Gaspar Homar y Joaquim Gassó (1874-1958). Como ya hemos dicho, hacia 1897, Gassó se casó con Margarida Homar Mesquida. A partir de entonces se asoció profesionalmente con su cuñado y juntos establecieron los talleres de Muntaner, 69. Durante un tiempo hicieron muebles conjuntamente, como lo demuestra el hecho de que hayamos tenido ocasión de contemplar varias piezas firmadas *Homar i Gassó. Barcelona* en las respectivas llaves. También se da el caso de que muchas obras atribuidas a Gaspar Homar son en realidad de Joaquim Gassó, dado que trabajaban bajo premisas estéticas similares. Gassó utiliza muy a menudo como recurso ornamental el lirio de tallo sinuoso. Por razones familiares, Homar y Gassó se acabaron separando y éste último se estableció por su cuenta en Cucurulla, 1-3, en tanto que instaló los talleres en la planta baja de un inmueble sito en Mallorca, 92, donde vivía con su mujer, sus hijos y su suegra, Margarida Mesquida.

19. Plafó de marqueteria representant *La Medi-cina*, segons disseny d'Alexandre de Riquer i executat el 1900 per Gaspar Homar per a la farmàcia Grau Inglada. Col·lecció particular.

20. Detall d'uns plafons de talla amb representacions al·legòriques, firmats per Joan Carreras, d'un escó de Gaspar Homar. C. 1902. Col·lecció particular.

20

ven part del cercle d'amistats de Gaspar Homar i que freqüentaven el Cercle Artístic de Sant Lluc. Amb el canvi de segle, els Gonzàlez van vendre el taller familiar de metal·listeria i van traslladar-se a París. La precària situació econòmica requeria el treball de tots els membres del clan: Pilar i Lola hi aportaven uns ingressos fent barrets i dissenys originals per a les cases de moda més exclusives de París; Juli s'obria camí com a pintor tot participant als Salons d'Automne, i Joan, el primogènit i en qui requeien el pes i la responsabilitat familiar, col·laborava amb Homar. En les seves anades i vingudes a Barcelona, entre 1906 i 1907, Joan Gonzàlez rebia la correspondència familiar a casa del moblista.[51] Tal vegada l'ajudava en les tasques d'ebenisteria o com a projectista.[52] Aleshores, Homar gaudia d'una certa consideració en els ambients artístics i, sobretot, d'una clientela consolidada atesos els encàrrecs que li havia proporcionat Domènech i Montaner. Tomàs Llorens[53] concreta la possible relació professional, que fa extensiva a Juli Gonzàlez, en algunes peces d'orfebreria com ara les cadenes i ferratges en forma d'espiadimonis del llum de saló que es conserva al Museu d'Art Modern (cat. núm. 105). Aquest tipus de peces, no obstant això, van ser fetes en un moment en què els Gonzàlez estaven pràcticament desconnectats de l'ofici de la forja. Així mateix, ens resulta estrany que Cirici, parent dels Gonzàlez per la banda materna, no en faci cap al·lusió. Ens movem, per tant, en el terreny de la pura especulació. Si que podem afirmar amb tota seguretat que a la mort de Joan Gonzàlez, Homar va seguir vinculat a la resta de la família per motiu dels negocis que va establir amb Juli Gonzàlez.

Més precís i definit fou el vincle artístic que va establir amb Pau Roig. En concret cal situar-lo abans del 1901, moment en què, segons ens informa Josep Pla,[54] Pau Roig se'n va anar cap a París amb un capital de 300 pessetes que havia

guanyat fent dibuixos al taller del moblista, on havia conegut el poeta Jacint Verdaguer.[55] El 1900 Homar va agençar la botiga d'instruments musicals Cassadó i Moreu.[56] Del conjunt decoratiu destacaven uns amplis frisos al·legòrics de Pau Roig que simbolitzaven la simfonia pastoral de Beethoven, l'Orfeu de Gluck i el Lohengrin de Wagner,[57] realitzats dins un estil sintètic proper a l'esperit de Pierre Puvis de Chavannes. Aquest pintor francès va exercir una veritable atracció sobre tota una generació d'artistes: Joan Gonzàlez,[58] Torres-García, Josep Pey[59] i, fins i tot, el mateix Homar, com revela una carta que va escriure des de París al seu amic Pey: «[...] Ahir vaig anar a veure el museu Cluni i el Panteó, la Sorbona i el Jardí de París i el plafó d'en Puvis de Chavannes. És soberbi».[60]

Pau Roig va treballar en les diferents especialitats que li sol·licitava el moblista. Així doncs, la premsa de l'època[61] es feia ressò dels dissenys reeixits que féu per a cortinatges estampats i que es van exposar el 1900 a la botiga del carrer de la Canuda. Finalment, Cirici fa referència a les col·laboracions de Pau Roig a la casa Burés, decorada per Gaspar Homar, i en el disseny d'algunes de les seves marqueteries.

Alexandre de Riquer, ex-col·laborador de Can Vidal, també va treballar amb Gaspar Homar, tot i que el vincle professional que mantingueren era de caire diferent. Aleshores Riquer, que gaudia d'un prestigi molt superior per l'amplitud de la seva producció com a poeta, grafista, dibuixant i pintor, ja havia realitzat les seves estades a Anglaterra, on conegué el focus artístic de l'Aesthetic Movement. Estimulat per l'experiència anglesa, el 1893 va fundar, juntament amb el seu cosí, un taller d'ebenisteria per a la construcció de mobles i decoració d'interiors. En aquesta tasca decorativa féu alguns encàrrecs a Gaspar Homar; en concret per a la reforma modernista del rebedor de la planta principal i la sala de l'escriptori, antic guarda-roba del Cercle del Liceu,[62] s'hi detecta la col·laboració d'Homar, per bé que el protagonisme del conjunt recau en Riquer. Aquest darrer, així mateix, va fer alguns projectes de marqueteries on incorporà aquell decorativisme esteticista japonitzant que el fa tant recognoscible. Exemple d'això són els dissenys d'uns plafons per a un sofà-escó[63] que representen escenes al·legòriques de les estacions amb afinitats amb els dissenys que li publicava la revista *Luz*.[64] Riquer va comptar novament amb la col·laboració d'Homar en la decoració de la farmàcia Grau Inglada. La publicació *Materiales y Documentos de Arte Español*[65] els donava a conèixer i la Sala Parés els va exposar.

En aquest capítol de col·laboradors cal remarcar les realitzacions conjuntes de Gaspar Homar

Josep Pey, los hermanos Junyent, Antoni Serra y Joan Carreras

Como se estudia en el capítulo que se le dedica en este catálogo, Josep Pey fue uno de los colaboradores más fieles y que más asiduamente trabajaron con Homar. La libreta de trabajos de Josep Pey registra todos los encargos que recibió.[66] El primero data de 1899, cuando Pey, junto a Sebastià Junyent, recibió el encargo de pintar unos frisos de la tienda de la calle Canuda. Además de realizar buena parte de los dibujos de sus marqueterías, Pey le hizo tapices pintados —que Homar incorporaba especialmente a los sofás-escaño y como marco de fondo de las camas— y le restauró antigüedades. Según testimonios directos de personas que conocieron a Homar y a Pey, se puede deducir que la concepción y el repertorio decorativo de las marqueterías eran ideados por Gaspar Homar.[67] Pey, muy bien compenetrado con Homar, se encargaba de su materialización y plasmación, aunque también podía dar su opinión y hacer sus propias composiciones, que a menudo adaptaban motivos Art Nouveau aparecidos en las publicaciones más destacadas de entonces: *Jugend, Ver Sacrum, The Studio* i *Deutsche Kunst und Dekoration*, entre otras. Dichas publicaciones eran verdaderos vehículos de información que divulgaban las ideas y experiencias del modernismo en las diferentes áreas de inserción y destacaban por su cuidada presentación gráfica. Así pues, el *Panel de la Sardana* (cat. núm. 24) sintoniza claramente con el cartel anunciador de la Exposición Internacional de Turín, obra de Leonardo Bistolfi, y con la composición de Ludwig van Zumbusch publicada en la revista *Jugend* en 1897. Pavel Stépanek,[68] siguiendo la investigación de Joan Ainaud, demuestra que el *Panel de la Danza de las Hadas* (cat. núm. 89) deriva de una pintura del checo Sergius Hruby publicada en 1901 en la revista *Deutsche Kunst und Dekoration,* reproducida posteriormente en *La Ilustración Artística.* Pey compartió taller con Sebastià Junyent en la calle Bonavista. Homar, instigado por sus colegas y también por sus problemas respiratorios, acabó por trasladarse a dicha calle de la parte alta del Passeig de Gràcia.

Las colaboraciones del versátil y polifacético Sebastià Junyent ya han sido reseñadas.[69] Junyent, que también trabajaba para la casa Busquets, le

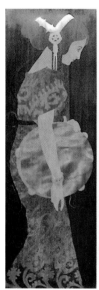

21

pintó tapices, le diseñó algunos de sus anuncios publicitarios e hizo algunos proyectos de marquetería (cat. núm. 78). Mención aparte merece el secreter que diseñó para su esposa Paulina Quinquer y que fue construido en los talleres de Homar en 1900. El dibujo de esas marqueterías, que representan figuras femeninas tocando instrumentos musicales, se repitió en otros muebles de Homar. Continúa inédito, en cambio, el conjunto de mobiliario, procedente asimismo del domicilio de Sebastià Junyent,[70] integrado por un armario, una cama, dos mesillas, sillas, un secreter y un paragüero. Estas piezas, ejecutadas en madera de caoba con aplicaciones de marquetería y metálicas de tema floral, están firmadas por *Homar y Gassó.*

La prematura muerte de Sebastià Junyent truncó esa fértil relación con Homar, que sin embargo tendría continuidad en su hermano Oleguer con quien compartió la afición por las antigüedades. Homar había coincidido con él en la decoración de la casa Burés[71] y del Círculo del Liceo. Nos consta que Homar diseñó algunos de los muebles de su despacho y, concretamente, una librería de estilo Art Déco que conserva la llave firmada.

En los libros de contabilidad del archivo Serra queda constancia del dinero recibido por Homar por sus trabajos para la manufactura Serra. La Manufactura de Porcellanes Grès d'Art, creada por Antoni Serra en 1904 y liquidada en 1908 debido a un estrepitoso fracaso comercial, trabajaba con un espíritu muy avanzado y era punto de encuentro de artistas destacados: Pau Roig, Josep Pey, Ismael Smith y Pau Gargallo estuvieron, entre otros, vinculados a los trabajos cerámicos decorativos.

Homar encargó a Antoni Serra la ejecución de los bajorrelieves de sus paneles cerámicos a partir de moldes en escayola realizados por el escultor Joan Carreras. Éste último era autor de buena parte de las tallas en bajorrelieve que a menudo adornan medallones con escenas alegóricas y que, en ocasiones, firmaba. También se le atribuyen los bajorrelieves de las carnaciones de las marqueterías de Homar. En cuanto a la ejecución de las marqueterías hay que mencionar la pericia de Joan Sagarra.

Aproximación a las etapas evolutivas de Homar a partir del fondo de dibujos

Contrariamente a lo que sucede con la firma Busquets, de cuyos talleres casi nos ha llegado la totalidad de la documentación, para estudiar el *opus* mueblístico de Homar como mueblista debemos remitirnos básicamente a sus proyectos, que se conservan en el Gabinet de Dibuixos i Gravats del MNAC, y en diferentes colecciones particulares.[72]

No se han conservado, en cambio, las plantillas de tamaño natural ni los esbozos de los muebles, aunque hay quien aún recuerda haberlos visto en

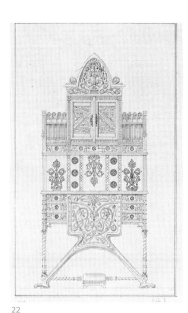

22

i Joaquim Gassó (1874-1958). Cap al 1897, Gassó va casar-se amb Margarida Homar Mesquida. A partir d'aleshores va associar-se professionalment amb el seu cunyat i van establir els tallers al carrer Muntaner, 69. Durant un temps van fer mobles conjuntament, tal com ho demostra que hàgim tingut ocasió de contemplar diverses peces firmades, a les claus respectives, *Homar i Gassó. Barcelona*. També es dóna el cas que moltes obres atribuïdes a Gaspar Homar són en realitat de Joaquim Gassó, atès que treballaven sota unes premisses estètiques similars. Gassó utilitza molt sovint com a recurs ornamental el lliri de tija sinuosa. Per raons familiars, van trencar els tractes i Gassó es va establir pel seu compte al carrer Cucurulla, 1-3, mentre que els tallers eren als baixos del carrer Mallorca, 92, on vivia amb la muller, els fills i la sogra, Margarida Mesquida.

Josep Pey, els germans Junyent, Antoni Serra i Joan Carreras

Com s'estudia al capítol que li dediquem en aquest catàleg, Josep Pey fou un dels col·laboradors més fidels i que treballà amb més assiduïtat amb l'Homar. La llibreta de feines de Josep Pey registra tots els encàrrecs que va rebre.[66] La primera feina data del 1899, quan Pey, juntament amb en Sebastià Junyent, va rebre l'encàrrec de pintar uns frisos a la botiga del carrer Canuda. A més de realitzar bona part dels dibuixos de les seves marqueteries, Pey va fer-li tapissos pintats —que Homar incorporava especialment als sofàs-escó i com a marc de fons dels llits— i va restaurar-li antiguitats. Segons testimoni directe que hem recollit de persones que van conèixer Homar i Pey, es pot deduir que la concepció i el repertori decoratiu de les marqueteries eren ideats per Gaspar Homar.[67] Pey, molt ben compenetrat amb Homar, s'encarregava de la materialització i la plasmació d'aquestes idees, tot i que també podia dir-hi la seva i fer les seves pròpies composicions que, sovint, adaptaven motius Art Nouveau apareguts en les publicacions més destacades d'aleshores: *Jugend*, *Ver Sacrum*, *The Studio* i *Deutsche Kunst und Dekoration* entre d'altres. Aquestes publicacions eren autèntics vehicles d'informació que divulgaven les idees i les experiències del modernisme a les diferents àrees d'inserció i excel·lien per la seva acurada presentació gràfica. Així doncs, el *Plafó La Sardana* (cat. núm. 24) sintonitza clarament amb el cartell anunciador de l'Exposició Internacional de Torí de Leonardo Bistolfi i amb la composició de Ludwig Van Zumbusch publicada en la revista *Jugend* el 1897. Pavel Stépanek,[68] seguint la investigació de Joan Ainaud, demostra com el *Plafó de la dansa de les fades* (cat. núm. 89) de-

riva d'una pintura del txec Sergius Hruby, publicada el 1901 a la revista *Deutsche Kunst und Dekoration* i reproduïda, posteriorment, a la revista *La Ilustración Artística*. Pey va compartir el taller amb Sebastià Junyent al carrer Bonavista. Homar, empès pels seus col·legues i, en part, pels seus problemes respiratoris, sucumbí a la idea de traslladar-se a aquest carrer de la part alta del Passeig de Gràcia.

Les col·laboracions del versàtil i polifacètic Sebastià Junyent ja han estat ressenyades.[69] Junyent, que també treballava per a la casa Busquets, va pintar-li tapissos, va dissenyar-li alguns dels anuncis publicitaris i va fer alguns projectes de marqueteries (vegeu cat. núm. 78). Especialment remarcable fou el secreter que dissenyà per a la seva esposa Paulina Quinquer, que es va executar als tallers de l'Homar el 1900. El dibuix d'aquestes marqueteries, que representen figures femenines amb instruments musicals, es van repetir en altres mobles d'Homar. Per contra, resta inèdit el conjunt de mobiliari, provinent també del domicili de Sebastià Junyent,[70] integrat per un armari, un llit, dues tauletes, cadires, un secreter i un paraigüer. Aquestes peces, executades amb fusta de caoba amb aplicacions de marqueteria i metall amb temes florals, estan firmades *Homar y Gassó*.

La mort prematura de Sebastià Junyent va truncar unes fèrtils relacions amb l'Homar que tindrien, però, la seva continuïtat en el seu germà Oleguer amb qui va compartir l'afecció per les antiguitats. Amb aquest, Homar havia coincidit en la decoració de la Casa Burés[71] i del Cercle del Liceu. Tenim constància que Homar va dissenyar alguns dels mobles del seu despatx i, en concret, una llibreria d'estil Art Déco que conserva la clau signada.

Als llibres de comptabilitat de l'Arxiu Serra hi ha la constància dels diners rebuts per l'Homar en relació amb els seus treballs a la manufactura Serra. La Manufactura de Porcellanes Grès d'Art, creada per Antoni Serra el 1904 i liquidada el 1908 per causa d'un estrepitós fracàs comercial, treballava amb un esperit molt avançat i era un punt de trobada d'artistes destacats: Pau Roig, Josep Pey, Ismael Smith, Pau Gargallo, entre d'altres, estigueren vinculats als treballs decoratius ceràmics.

Homar va encarregar a Antoni Serra l'execució del baixos relleus dels seus plafons ceràmics a partir dels motllos en guix que va realitzar l'escultor Joan Carreras. Aquest darrer era l'autor de bona part de les talles en baix relleu que sovint figuren ornamentals medallons amb escenes al·legòriques i que, en ocasions, signava (cat. núm. 13). També se li atribueixen els baixos relleus de les carnacions de les marqueteries

23. Proyecto coloreado a la acuarela de una poltrona con elementos de talla inspirados en motivos celtas de la casa Burés. Gaspar Homar. C. 1900-1906. Gabinet de Dibuixos i Gravats del MNAC.

24. Proyecto coloreado a la acuarela de un secreter con elementos decorativos sinuosos de Gaspar Homar. C. 1900. Gabinet de Dibuixos i Gravats del MNAC.

25. Puerta Art Déco de la casa Garí de Sant Vicenç de Montalt. Gaspar Homar. Años treinta. Colección particular.

23

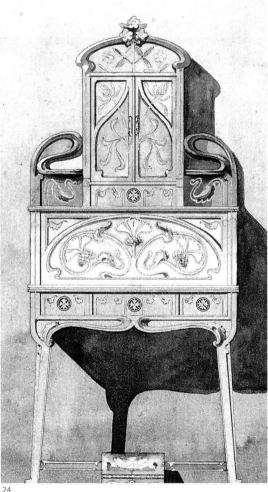

24

los talleres de Sants antes de que fuesen desmantelados. Partimos, pues, de un conjunto de más de un millar de dibujos a escala, en algunos casos coloreados a la acuarela y en otros trazados únicamente a tinta china. Estos proyectos, que constituían el catálogo de productos que la firma Homar presentaba a sus clientes en la tienda de la calle Canuda,[73] sorprenden por su vistosa policromía de dorados, verdes y violáceos, y están resueltos con un concepto próximo al de los *Manuales de Ornamentación*. Comprenden, asimismo, todos aquellos accesorios que contribuyen a adornar el mueble: bronces de salón, aplicaciones de metalistería, textiles, lámparas, que confieren al conjunto una calidad estética inusitada. Algunos de los dibujos se hallan firmados *(G. Homar C/ Canuda, 4 Barcelona)* y fueron catalogados por el propio Homar: en su ángulo inferior consta un número de plano. Que la numeración sea correlativa permite suponer un orden cronológico. A partir del estudio de este fondo podemos perfilar de un modo muy aproximado las etapas evolutivas de las creaciones de Homar.

Si partimos, por ejemplo, de que el proyecto 1.637 corresponde al amueblamiento de la casa Burés, construida con posterioridad a 1901, podemos establecer dos líneas generales de hipótesis de trabajo.

Por un lado, hay una etapa que abarcaría de 1893 a 1900, el momento en que Homar se independiza de F. Vidal —aunque todavía mantiene algunos rasgos estéticos deudores del maestro— y se configura su repertorio modernista. En este conjunto de proyectos, de numeración baja, se puede ver como, junto a creaciones de carácter historicista y ecléctico, empieza a predominar un estilo neogótico de acento modernista con estilizaciones vegetales y ritmos sinuosos y asimétricos. Homar incorpora las maderas de tonalidad clara y un nuevo concepto del adorno al modo japonés que difiere del estilo ruso de Vidal. Por otro lado, Homar no adopta una actitud indiferente ante las modas decorativas que imponen las exposiciones internacionales. Sus muebles para la casa Burés acusan reminiscencias celtas asociadas a las propuestas decorativas del conjunto del Pabellón de Escandinavia en la Exposición Universal de París de 1900.[74] Para esa fecha ya se ha definido la decoración cuadrática en talla o en marquetería y surgen en sus proyectos los primeros síntomas de la recepción de los modelos decorativos de la Sezession. Las rosas, el auténtico emblema de la firma Homar, tienen un protagonismo determinante.

Cabe subrayar, además, los proyectos de numeración más alta, que corresponden cronológicamente a una etapa posterior a 1900 que se prolonga hasta los años treinta de este siglo. En ese momento Homar lleva a cabo los conjuntos decorativos más significativos del modernismo: la casa Lleó Morera de Barcelona y la casa Navàs de Reus. El mobiliario de Gaspar Homar alcanza unas cotas de refinamiento notables y toda la producción de objetos se plantea con un lenguaje nuevo en el que las formas historicistas han sido sustituidas por motivos naturalistas que confluyen en una suerte de estilo floral de gran efecto decorativista. Entre 1910 y 1914 se decanta hacia una corriente de simplificación de las formas, aunque en lo que se refiere a la evolución de su concepto ornamental no se registran cambios bruscos. De hecho, la simplicidad y el predominio del componente rectilíneo sobre la curva sinuosa propia del Art Nouveau de origen franco-belga ya definen algunos de sus primeros proyectos.

A partir de 1915 se evidencia el declive de su producción modernista, que alterna con los estilos históricos y con algunos proyectos Art Déco, inéditos, de cierto interés. En este sentido, cabe mencionar los muebles de estilo renacentista que construyó para el coleccionista Ignasi Abadal y el conjunto de la casa Garí de Sant Vicenç de Montalt, de estilo cubista, con azules y plateados a rombos en los distintos muebles lacados, que se pueden relacionar con los trabajos de Sonia Delaunay y los diseños de biombos Art Déco de Jean Dunand.

23. Projecte acolorit amb aquarel·la d'una cadira de braços amb elements de talla inspirats en motius celtes de la casa Burés. Gaspar Homar. C. 1900-1906. Gabinet de Dibuixos i Gravats del MNAC.

24. Projecte acolorit amb aquarel·la d'un secreter amb elements decoratius sinuosos de Gaspar Homar. C. 1900. Gabinet de Dibuixos i Gravats del MNAC.

25. Porta Art Déco de la casa Garí de Sant Vicenç de Montalt, obra de Gaspar Homar. Anys trenta. Col·lecció particular.

25

d'Homar. Quant a l'execució de les marqueteries cal fer esment de la perícia de Joan Sagarra.

Aproximació a les etapes evolutives d'Homar a partir del fons de dibuixos

Contràriament al que succeeix amb la firma Busquets, dels tallers de la qual ens ha arribat la pràctica totalitat de la documentació, per tal d'estudiar l'*opus* moblístic d'Homar ens hem de remetre bàsicament als seus projectes, que es conserven al Gabinet de Dibuixos i Gravats del MNAC i en diferents col·leccions particulars.[72]

Per contra, no se n'han conservat les plantilles de mida natural ni els esbossos dels mobles, tot i que alguns encara recorden haver-los vist als taller de Sants, abans que els desballestessin. Partim, doncs, d'un conjunt de més d'un miler de dibuixos a escala, alguns d'acolorits amb aquarel·la i d'altres fets únicament amb tinta xinesa. Aquests projectes, que constituïen el catàleg de productes que la firma Homar presentava als seus clients en la seva botiga del carrer de Canuda,[73] sorprenen per la seva policromia vistosa, amb daurats, verds i violacis, i estan resolts amb un concepte proper als *Manuals d'Ornamentació*. Comprenen, així mateix, tots aquells accessoris que contribueixen a ornamentar el moble: bronzes de saló, aplicacions de metal·listeria, tèxtil, llums, que confereixen al conjunt una inusitada qualitat estètica. Alguns d'aquests dibuixos estan signats (*G. Homar C/Canuda, 4 Barcelona*) i catalogats pel mateix Homar: a l'angle inferior hi ha un número de plànol. En ser la numeració correlativa, permet suposar un ordre cronològic. A partir de l'estudi d'aquest fons podem resseguir, doncs, d'una manera molt aproximada, les etapes evolutives de les creacions Homar.

Així, per exemple, si partim de la base que el projecte 1.637 correspon al moblament de la casa Burés, feta amb posterioritat al 1900, podem establir dues línies generals d'hipòtesi de treball.

D'una banda, una etapa que abastaria del 1893 al 1900, moment en què Homar s'independitza de F. Vidal —tot i que encara manté uns lligams estètics deutors del mestre— i es configura el seu repertori modernista. En aquest conjunt de projectes, de numeració baixa, es detecta com al costat de les creacions de caràcter historicista i eclèctic comença a predominar un neogòtic d'accents modernistes amb estilitzacions vegetals i ritmes sinuosos i asimètrics. Homar incorpora les fustes de tonalitats clares i un nou concepte de l'ornament, japonesitzant, que difereix de l'estil rus de Vidal. Homar no assumeix, d'altra banda, una actitud indiferent davant les modes decoratives que imposen les exposicions internacionals. Els seus mobles per a la casa Burés acusen reminiscències

celtes vinculades a les propostes decoratives del conjunt del Pavelló d'Escandinàvia de l'Exposició Universal de París del 1900.[74] En aquesta data ja s'ha definit l'ornamentació quadràtica, de talla o marqueteria, i apareixen els primers símptomes de la recepció dels models decoratius de signe sezessionista en el seus projectes. Les roses, l'autèntic emblema de la firma Homar, hi assoleixen un protagonisme determinant.

D'altra banda, cal destacar els projectes de numeració més alta, que corresponen cronològicament a una etapa posterior al 1900 fins als anys trenta d'aquest segle. En aquest moment, Homar realitza els conjunts decoratius més significatius del modernisme: la casa Lleó Morera i la casa Navàs de Reus. El mobiliari de Gaspar Homar assoleix unes cotes de refinament notables i tota la producció d'objectes es planteja amb un llenguatge nou, on les formes historicistes han estat substituïdes per motius naturalistes que conflueixen en una mena d'estil floral de gran efecte decorativista. Entre els anys 1910 i 1914, s'endinsa en un corrent de simplificació de formes, per bé que, pel que fa a l'evolució del seu concepte ornamental, no es registren canvis bruscos. De fet, la simplicitat i el predomini del component rectilini per damunt de la corba sinuosa, pròpia de l'Art Nouveau franco-belga, ja defineixen alguns dels seus projectes inicials.

A partir del 1915 es fa palès el declivi de la seva producció modernista, que alterna amb els estils històrics i amb alguns projectes Art Déco, inèdits, d'un cert interès. En aquest sentit cal assenyalar els mobles d'estil renaixement que va construir per al col·leccionista Ignasi Abadal i el conjunt de la casa Garí de Sant Vicenç de Montalt, d'estil cubista, amb blaus i argentats en llistats fent rombes als diferents mobles lacats i que es poden posar en relació amb els treballs de Sonia Delaunay i els dissenys Art Déco de paravents de Jean Dunand.

Com han observat Mireia Freixa i Sònia Hernàndez,[75] Gaspar Homar treballava en diversos estils a la vegada i alternava els mobles que li són peculiars amb tot tipus d'estils: dominava la barreja d'estils o l'eclecticisme que fou propi del segle XIX, però també deixà elegants cadires de braços tipus «gòndola» o de l'estil Lluís XV «modernitzat», que també va utilitzar la casa Busquets.

Destaquem, així mateix, els Chippendale i altres tipus de «lluïsos».

A diferència de les firmes Vídua de Josep Ribas o Busquets, que amb més fortuna o menys van sobreviure l'onada antimodernista adaptant-se a les noves exigències i gustos del mercat tot participant en mostres com ara l'Exposició Internacional de les Arts Déco de París del 1925,

26. *La Virgen y el Niño Jesús.* Tabla milanesa de la escuela de Leonardo, antigua colección Homar. Reproducida en la revista *Vell i Nou*, Barcelona, 15 de agosto de 1917, núm. 49.

27. *Detalle del torrente de Pareis, Mallorca.* C. 1910. Placa de vidrio positiva, obra de Gaspar Homar. Colección particular.

28. *Retrato de Margarida Mesquida, madre de Gaspar Homar.* C. 1910. Placa de vidrio positiva, obra de Gaspar Homar. Colección particular.

29. *Retrato de Maria de Felanitx en el balcón.* C. 1910. Placa de vidrio positiva, obra de Gaspar Homar. Colección particular.

30. Colgante de Gaspar Homar, especialmente diseñado para su madre, Margarida Mesquida. Colección particular.

26

27

Como han observado Mireia Freixa y Sònia Hernàndez,[75] Gaspar Homar trabajaba en diversos estilos al mismo tiempo y alternaba los muebles que le son peculiares con todo tipo de estilos: dominaba la mezcla de estilos o eclecticismo propio del siglo XIX, aunque también dejó elegantes poltronas tipo «góndola» o de estilo Luis XV «modernizado», que también empleó en la casa Busquets. Destaquemos, asimismo, los Chippendale y otros tipos de «luises».

A diferencia de las firmas Viuda de Josep Ribas o Busquets, que con mayor o menor fortuna sobrevivieron a la oleada antimodernista adaptándose a los nuevos gustos y exigencias del mercado, incluso participando en muestras como la Exposición Internacional de Art Déco de París (1925), Homar no estuvo presente y consideró finalizada su etapa de creación.

Un espíritu polifacético

Homar unía a su profundo conocimiento de las novedades artísticas europeas el de las tradiciones y el del arte del pasado. De hecho, su polifacética personalidad quedaría incompleta si no tuviésemos en cuenta su labor como coleccionista. Esta vocación se reveló al mismo tiempo que su dedicación a las artes decorativas y se intensificaría en los últimos años de su vida. A raíz de las huelgas que afectaron al ramo de la ebanistería durante los años treinta, así como del propio agotamiento del modernismo, Homar se dedicaría al comercio de antigüedades y a la tarea de restaurador de obras de arte. La faceta de anticuario de Homar se evoca en un artículo en el que Feliu Elias[76] elogia y documenta algunas de las piezas que exponía en la calle Canuda: «Nunca encontrará objetos antiguos de poca monta y en cambio es seguro que a menudo encontrará piezas de valor, cosas sorprendentes y maravillosas».

Como buen modernista, Homar coleccionaba estampas japonesas,[77] aunque una de sus especialidades fue la cerámica de reflejos metálicos,[78] los vidrios antiguos[79] y los tapices. También adquirió algunas pinturas muy significativas de la escuela italiana.[80] Según sus descendientes, había asesorado al mecenas y político Francesc Cambó en la formación de su colección.[81] La vertiente de coleccionista de Gaspar Homar no debe ser considerada un hecho aislado sino una práctica muy extendida por parte de una generación de artistas e intelectuales: Alexandre de Riquer, Lluís Masriera, Oleguer Junyent, Santiago Rusiñol y Josep Pascó, por citar tan sólo algunos ejemplos, atesoraban objetos de arte antiguo, con lo que contribuían a dignificar las tradicionalmente mal llamadas artes menores.

Como coleccionista participó, en 1902, en la Exposición de Arte Antiguo y Moderno de Barcelona con las pinturas *Diana*, atribuida entonces a la escuela francesa y en la actualidad considerada obra de Pere Crusells y conservada en el MNAC, y *San Bartolomé*, atribuida a Ribera. Muchas de las piezas de su colección fueron publicadas en la prensa de la época y, mucho antes de abrir una tienda de antigüedades en el Carrer de la Palla, ya emprendió un negocio con Juli Gonzàlez.

En los años anteriores a la Primera Guerra Mundial, Juli Gonzàlez abrió en París una tienda para la venta de joyas y objetos artísticos. Esta aventura comercial, de escaso éxito, requería los servicios de Homar. Su intervención consistía en proporcionarle objetos antiguos para la venta, como tapices, cerámica de Talavera y Paterna, tapices y sellos. El cuñado de Juli Gonzàlez, Josep Bassó, actuaba como intermediario durante sus estancias en Barcelona. Las relaciones entre Homar y el futuro escultor eran relativamente cordiales y Gonzàlez se lamentaba de los precios de los objetos que Homar le proporcionaba.[82]

Una faceta inédita de Homar fue su dedicación a la fotografía. En su casa de veraneo de Montgat, en la calle de Montsolís, donde pasaría buena parte de los últimos años de su vida, se han localizado centenares de placas de cristal positivas y *autochromes* que atestiguan su interés por el arte (hay una serie dedicada a las colecciones de los museos de Vic, Barcelona y Solsona), de sus añorados paisajes y personajes de Mallorca, y de sus viajes. Sus autorretratos nos transmiten la imagen de un hombre sensible y atractivo de barba frondosa y ojos de un azul intenso. Quienes le conocieron evocan su modestia, su sentido del humor y su afabilidad.

26. *La Verge i el nen Jesús*. Taula milanesa de l'escola de Leonardo, antiga col·lecció Homar. Reproduïda a la revista *Vell i Nou*, Barcelona, 15 d'agost del 1917, núm. 49.

27. *Detall del torrent de Pareis de Mallorca*. C. 1910. Placa de vidre positiva, obra de Gaspar Homar. Col·lecció particular.

28. *Retrat de Margarida Mesquida, mare de Gaspar Homar*. c. 1910. Placa de vidre positiva, obra de Gaspar Homar. Col·lecció particular.

29. *Retrat de Maria de Felanitx al balcó*. C. 1910. Placa de vidre positiva, obra de Gaspar Homar. Col·lecció particular.

30. Penjoll de Gaspar Homar especialment dissenyat per a la seva mare, Margarida Mesquida. Col·lecció particular.

28

29

30

Homar no va ser present en aquestes mostres i va considerar finida la seva etapa de creació.

Un esperit polifacètic

Homar unia al seu coneixement profund de les novetats artístiques europees uns coneixements de les tradicions i de l'art del passat. De fet, la seva polifacètica personalitat quedaria incompleta si no tinguéssim en compte la seva tasca de col·leccionista. Aquesta vocació es revelà coetàniament a la seva dedicació a les arts decoratives i s'intensificà els darrers anys de la seva vida. Arran de les vagues que van afectar el ram de l'ebenisteria durant els anys trenta, així com també del mateix esgotament del modernisme, Homar es dedicaria al comerç de les antiguitats i a la tasca de restaurador d'obres d'art. La faceta d'antiquari d'Homar és evocada en un article on Feliu Elias[76] elogia i documenta algunes de les peces que exposava al carrer de la Canuda: «Mai no hi trobareu objectes antics de poc més o menys, i en canvi és segur que sovint hi trobareu peces de valor, coses sorprenents i meravelloses».

Com a bon modernista, Homar col·lecciona va estampes japoneses,[77] per bé que algunes de les seves especialitats van ser la ceràmica de reflexos metàl·lics,[78] els vidres antics[79] i els tapissos. També va adquirir algunes pintures molt significatives d'escola italiana[80]. Segons els seus descendents havia assessorat el mecenes i polític Francesc Cambó en la formació de la seva col·lecció.[81] El vessant de col·leccionista de Gaspar Homar no l'hem de considerar un fet aïllat sinó una pràctica molt estesa per part d'una generació d'artistes i intel·lectuals: Alexandre de Riquer, Lluís Masriera, Oleguer Junyent, Santiago Rusiñol i Josep Pascó, per citar-ne uns pocs exemples, atresoraven objectes d'art antic i, d'aquesta manera, contribuïen a dignificar les tradicionalment mal anomenades arts menors.

Com a col·leccionista Homar participà, el 1902, en l'Exposición de Arte Antiguo y Moderno de Barcelona amb les pintures *Diana*, atribuïda aleshores a l'Escola Francesa i actualment considerada obra de Pere Crusells, que es conserva al MNAC, i *Sant Bartomeu*, atribuïda a Ribera. Moltes peces de la seva col·lecció es van publicar a la premsa de l'època i, molt abans d'establir una botiga d'antiguitats al carrer de la Palla, va emprendre un negoci amb Juli González.

Els anys anteriors a la primera guerra mundial, Juli González va obrir una botiga per a la venda de joies i objectes artístics a París. Aquesta aventura comercial, no gaire reeixida, requeria els serveis d'Homar. La intervenció d'aquest consistia a proporcionar-li objectes antics per a la venda, com ara ceràmica de Talavera i Paterna, així com també tapissos i segells, entre d'altres objectes. En les seves estades a Barcelona, el cunyat de Juli Gonzàlez, Josep Bassó, hi feia d'intermediari. Les relacions d'Homar i el futur escultor eren relativament cordials i aquest darrer es lamentava dels preus alts dels objectes que li subministrava.[82]

Una faceta inèdita d'Homar fou la seva dedicació a la fotografia. A la seva casa d'estiueig de Montgat, al carrer de Montsolís, on passaria bona part dels darrers anys de la seva vida, s'han localitzat centenars de plaques de vidre positives i *autochromes* que són testimonis del seu interès per l'art (hi ha una sèrie dedicada a les col·leccions dels museus de Vic, Barcelona i Solsona), dels paisatges i personatges enyorats de Mallorca, sobretot del torrent de Pareis i dels seus orígens familiars a Bunyola, i dels viatges que efectuà arreu. Els seus autoretrats ens projecten la imatge d'un home sensible i atractiu amb unes barbes esponeroses i uns ulls d'un blau intens. Tots aquells que el van conèixer evoquen la seva modèstia, el seu sentit de l'humor i la seva afabilitat.

Notas

1. El Sr. Josep Garrut y Enriqueta Ramon, hija del artista, todavía recuerdan el lamento del artista y su soledad a causa de una incomprensión generalizada.

2. La historiografía de Gaspar Homar se fundamenta en el libro de Alexandre Cirici i Pellicer *El Arte Modernista Catalán*, Aymà, Barcelona, 1951. Dotado de una intuición muy especial, Cirici perfila su obra a partir del conocimiento que tuvo del propio artista. No olvidemos que Cirici es el artífice de la creación del mito de Gaspar Homar. Cabe añadir la aportación, en los años setenta, del historiador del mueble y ebanista Josep Mainar, autor de *El moble català*, Destino, 1976. En el capítulo que le dedica, que se basa en el trabajo anterior, aporta una visión enriquecedora a partir de su conocimiento directo del oficio. Mainar, en cambio, crea la fama de los talleres Vidal.

3. *Exposición de artes suntuarias del Modernismo barcelonés*, celebrada en el Palau de la Virreina de Barcelona en 1964; *Modernismo en España*, Casón del Buen Retiro de Madrid; Museu d'Art Modern, 1969-1970.

4. *El Modernisme*, Museu d'Art Modern, Barcelona, 10 de Octubre de 1990-13 de Enero de 1991. *El moble català*, Palau Robert, Barcelona, 21 de Febrero-24 de Abril de 1994. A pesar de todo la obra de Homar nunca ha sido considerada ni unitariamente ni monográficamente.

5. Ha sido clave la investigación en: Arxiu Gonzàlez, IVAM, Valencia; Fons Mainar del Arxiu Nacional d'Art de Catalunya, donde se halla transcrita la libreta de trabajos de Josep Pey; Arxiu Serra de Cornellà de Llobregat; Arxiu Junyent de Barcelona; Arxiu Font de Rubinat de Reus; Arxiu Institut Pere Mata de Reus; Arxiu Bru de Barcelona; fondo fotográfico y de dibujos del Gabinet de Dibuixos i Gravats del MNAC; Centre de Recerca del Modernisme i del Noucentisme del Departament d'Art de la Universitat de Barcelona, fondo documental de la familia Homar y del Museu d'Art Modern del MNAC; bibliotecas del Foment del Treball y de la Cambra de Comerç, Indústria i Navegació de Barcelona, así como otros archivos y bibliotecas. Agradecemos a Teresa Sala la información correspondiente a las colaboraciones de Sebastià Junyent i Homar y el artículo inédito de Mireia Freixa y Sònia Hernàndez «Gaspar Homar. Mobles, làmpares, mosaics, decoració. Canuda 4. Barcelona. Materiales para su estudio», cuya publicación está prevista para la miscelánea dedicada a Joan Ainaud por el Museu d'Art de Catalunya. Han sido muy positivas las conversaciones con los marqueteros Sagarra, los descendientes de Francesc Vidal, Maria Font de Rubinat, Enric Anguera, Lluís Bru y Marcy Rudo, así como con Santiago Pey, Margarida Sistach, Carme Juyol, Jaime Homar, Valeri Corberó, Lina Tayà y Pere Cosp, entre otros.

6. No obstante, no es éste el marco adecuado para vindicar la figura, haciendo uso de la expresión que tanta fortuna historiográfica ha tenido, sino de puntualizar la labor de los artesanos o «solistas» y, en este caso, la de Gaspar Homar, que trabajó a su sombra. Véase el catálogo de la exposición *Lluís Domènech i Montaner i el Director d'Orquestra*, Sala Plaça Sant Jaume, Barcelona, Noviembre de 1991.

7. Uno de los logros más destacados de la época del modernismo fue la creación de la figura del *ensemblier*. El término aparece por primera vez hacia los años veinte para designar al artista que crea conjuntos decorativos *(ensembles décoratifs)*.

8. El lugar de nacimiento de Gaspar Homar es un pequeño misterio. No hemos encontrado su partida de nacimiento ni en el registro de Bunyola ni en el de Palma de Mallorca. Su fe de bautismo, obtenida gracias a las gestiones de monseñor Teodor Úbeda Gramage, sitúa el sacramento en la parroquia de Santa Eulàlia de Palma de Mallorca, pero no menciona el lugar de nacimiento. La partida de defunción y demás documentos notariales que hemos tenido ocasión de consultar indican que era originario de Palma de Mallorca. Sin embargo, Cirici recoge de Homar que era de Bunyola.

9. J. Roca y Roca, *Barcelona en la mano. Guía de Barcelona y sus alrededores*, López ed., Barcelona, 1884, p. 285. C, Pirozzini Martí, «Arts Industrials», en *La Reinaxença* (7 de Febrero de 1883), Barcelona, p. 810-811. J. Coroleu, *Guía del forastero en Barcelona y sus alrededores*, Barcelona, 1887. F. Nicolau, «La obra de Francisco Vidal» en *La madera y sus industrias*, núm. 123 (Octubre de 1930), Barcelona, p. 3-10. *Àlbum Artístic de la Renaixença* (Enero de 1884), Barcelona, s.p. *Guide de Barcelone et ses environs*, s.f.

10. Esos talleres contaban con las secciones siguientes: almacén de maderas; instalación de un motor sistema Alexander; taller de tornear, serrar y moldear, provisto de máquinas y aparatos modernos; sección de cerrajería, lampistería y cincelado; horno para esmaltar y curvar vidrio; taller de dorar muebles y marcos; gran taller de carpintería, ebanistería y talla; sección de barnizadores y tapiceros; sección de estuches e, incluso, galería fotográfica. Iluminación eléctrica. Las suntuosas obras salidas de dichos talleres recordaban las obras del arte antiguo español y eran muy solicitadas en la Península, América y el extranjero. Véase V. Maestre Abad, «L'època de la Industrialització (c. 1845 - c. 1888). Anotacions a l'ebenisteria catalana del segle XIX» a *Moble català*, Electa, Barcelona, 1994.

11. En realidad, F. Vidal, como afirma P. Vélez, estaría más cerca del espíritu de la Arts and Crafts Exhibition Society, aunque Vélez hace notar sus diez años de avance cronológico.

12. M. García-Martín, *Comillas modernista*, Gas Natural, Barcelona, 1993.

13. A.D., *El Cercle del Liceu. Història, Art, Cultura*, Ed. Catalanes, S.A., Barcelona, 1991.

14. A.D., *El Palau Güell*, Diputació de Barcelona, Barcelona, 1990.

15. Véase la comunicación de S. Barjau, «Francesc Vidal, decorador i col·laborador d'arquitectes» en *III Jornades Internacionals d'Estudis Gaudinistes*, Barcelona, 1995.

16. De esta difícil operación se encargó el decorador Vidal, que jamás había intentado una fundición de tales proporciones y que dedicó a la obra cinco meses de trabajo. El mismo Vidal fundió, también en bronce, las esculturas decorativas. El ingeniero Wolgnemut fundió la colosal columna de 32 toneladas métricas de peso, que empleó 30 toneladas de bronce de cañones viejos. Véase L. García del Real, «Monumento a Colón» en *La Ilustración Española y Americana*, núm. 35 (22 de Septiembre de 1888), fig. p. 166. Véase asimismo M. Doñate, «La foneria artística Masriera i Campins» en *Els Masriera*, Museu d'Art Modern, Barcelona, 21 de Mayo-21 de Julio de 1996, p. 214-216.

17. Mientras el resto de hermanos —el celebrado escultor Juli, Lola y Pilar— cincelaban y repujaban el hierro en el taller que regentaba su padre, Concordi Gonzàlez; Joan, de salud delicada, trabajó en Can Vidal entre 1883 y 1896, aproximadamente.

18. Prueba de ello es el diploma, conservado por los descendientes de Vidal, que Gaspar Homar le ofreció con la dedicatoria «Débil prueba de cariño a D. Frederic Vidal por su aplicación al dibujo. Barcelona, 18 de julio de 1892».

19. A pesar de que Josep Mainar no da a conocer sus fuentes, el análisis de sus manuscritos —conservados en el Arxiu Nacional de Catalunya— lleva a suponer que se basó en el testimonio de Santiago Marco y Josep Castells, ambos discípulos de Vidal.

20. Ya en 1878 y en el establecimiento que Francesc Vidal tenía en el Passatge del Crèdit organizó una amplia exposición de objetos de la China y el Japón. Véase I. Coll, «L'art orientalitzant, particularment el d'arrels japoneses, a Europa, i els seus reflexos a la Barcelona del vuitcents» en *D'Art*, Barcelona, 1985, p. 250.

21. En este sentido, Josep Mainar afirma que parte del mobiliario del Palau Güell se ejecutó en los talleres Vidal según diseño del arquitecto, pero siguiendo los planos y trazados resueltos en el estudio entonces regido por Homar. J. Mainar, «El mueble catalán en el Modernismo» en *Estudios Pro Arte*, núm. 7-8 [1976], Barcelona, p. 52-53, fig. 54-55.

22. A partir del estudio de la correspondencia y la documentación familiar, la investigadora norteamericana Marcy Rudo da a conocer el perfil biográfico de Francesc Vidal en su libro, novelado, *Lluïsa Vidal, filla del modernisme*, Edicions la Campana, Barcelona, 1996.

23. A pesar de que la documentación es incompleta y fragmentaria, según consta en el libro de matrícula de la Escuela de Aplicación de Llotja de 1887, Homar cursó las asignaturas siguientes: Pintura Decorativa, Tejidos y Bordados.

24. Viuda de Claudi Vidal, uno de los hijos de Francesc Vidal. Esta señora, que ahora tiene cien años, conserva una memoria prodigiosa.

25. «Del Modernisme al Noucentisme. 1888-1917» en *Història de l'Art Català*, Edicions 62, Barcelona, 1985.

26. Como ya se ha dicho, los arquitectos tuvieron un papel clave como catalizadores y coordinadores de las iniciativas de los artesanos, lo que no sucede en el caso de Francia. Véase G. Mourey, *Essai sur l'Art décoratif Française moderne*, París, 1921.

27. Véase *Puig i Cadafalch: L'arquitectura entre la casa i la ciutat*, Fundació Caixa de Pensions, Barcelona, 1989.

28. *L'oeuvre de Puig i Cadafalch Architecte 1896-1904. Architecture, Décoration, Mobilier, Serrurerie, Carrelages*, M. Parera, Barcelona, 1904. Esta publicación, pulcramente editada por M. Parera, da a conocer los trabajos de Puig relacionados con elementos que integran la construcción y la decoración de sus obras. En la página 55 se publican los croquis de Puig para los muebles construidos por los talleres Homar.

29. Agradezco esta información a la Dra. Judith C. Rohrer, catedrática del Departamento de Arte de la Emory University de Atlanta (EEUU). La colaboración de Homar en la casa Amatller se ve corroborada por una carta de Josep Gudiol conservada por una de sus hijas y dirigida a M. Josep Philippe, del Museo del Vidrio de Lieja con fecha del 30 de Abril de 1963.

30. Se pueden localizar en el Institut Amatller y en distintas colecciones particulares.

31. Esta firma, coetánea de la de Homar, disponía de un local destinado tanto a la venta de artículos de arte decorativo (*bibelots* de manufactura extranjera, reproducciones de esculturas de Llimona y marcos decorativos) como de mobiliario.

32. Según información facilitada por Josep Bracons. El Cercle Artístic de Sant Lluc representó una modernidad ecléctica moderada, marcada por una ideología militantemente cristiana. El rigor con que se enfocaba el hecho artístico atrajo, sin embargo, a artistas jóvenes alejados de la ideología de la entidad. Son los casos de Joan Gonzàlez o del joven Gaspar Homar.

33. Lo corrobora que en su biblioteca particular se conserven publicaciones como las de R.I. Percy Macquoid, *A History of English Furniture*, T.A: Constable, Edimburgo, 1905, y Ch. Latham, *In English Homes*, Londres, 1908. Sus autorretratos sobre placa de vidrio nos muestran la imagen de Gaspar Homar como digno representante de la Red House.

34. De hecho, el eclecticismo era el gusto imperante en el mobiliario de una burguesía rica y tal fenómeno se daba en toda Europa.

35. Lo corroboran Maria Font de Rubinat y las facturas de sus muebles.

36. En la búsqueda de los muebles de Gaspar Homar a menudo hemos detectado que repetía los mismos diseños.

37. Es el caso del mobiliario que Homar proyectó para el despacho de la gerencia de *La Vanguardia*. Según el testimonio del Sr. Lluís Permanyer la mesa central del despacho fue hecha trizas. La exposición *Artes Suntuarias del Modernismo Barcelonés*, Palau de la Virreina, Barcelona, Octubre-Noviembre de 1964, expuso la práctica totalidad del conjunto completo de la casa Pladellorens, así como los paneles de marquetería, según proyecto de Riquer, de la farmacia Grau Inglada que no se han podido localizar.

38. En el Arxiu Gonzàlez hay una factura de Gaspar Homar a nombre de la familia Gonzàlez que acredita que hizo el mobiliario del dormitorio de la casa que tenían en la calle Mallorca, 233, de Barcelona.

39. Actualmente en el Museu d'Art Modern del MNAC.

40. Desgraciadamente, a pesar de las indagaciones llevadas a cabo en el Victoria and Albert Museum y la British Library de Londres, el archivo histórico de la Bienal, la Biblioteca Marciana de Venecia y en diferentes centros documentales de París, no se han hallado los catálogos que permitan reseñar las obras presentadas. La búsqueda en la prensa confirma, en cambio, las

Notes

1. El Sr. Josep Garrut i Enriqueta Ramon, filla de l'artista, encara recorden el plany de l'artista i la soledat per la seva incomprensió generalitzada.

2. La historiografia de Gaspar Homar es fonamenta en la publicació que Alexandre Cirici i Pellicer féu al seu llibre *El Arte Modernista Catalán*, Aymà, Barcelona, 1951. Dotat d'una intuïció molt especial, Cirici perfila la seva obra a partir del coneixement que tingué del mateix artista. No oblidem que Cirici és l'artífex de la creació del mite de Gaspar Homar. Cal afegir-hi l'aportació, ja als anys setanta, de l'historiador del moble i ebenista Josep Mainar autor de *El moble català*, Destino, 1976. En el capítol que li dedica, que es fonamenta en l'anterior treball, aporta una visió enriquidora a partir del coneixement directe de l'ofici. Per contra, Mainar crea la fama dels tallers Vidal.

3. *Exposición de artes suntuarias del Modernismo barcelonés*, celebrada al Palau de la Virreina de Barcelona el 1964; *Modernismo en España*, Casón del Buen Retiro de Madrid; Museu d'Art Modern, 1969-1970.

4. *El Modernisme*, Barcelona, Museu d'Art Modern, 10 d'octubre de 1990 - 13 de gener de 1991. *El moble català*, Barcelona, Palau Robert, 21 de febrer - 24 d'abril de 1994. Amb tot, l'obra d'Homar no ha estat mai considerada ni unitàriament ni monogràficament.

5. Han estat claus la recerca a l'Arxiu González, IVAM, València; Fons Mainar de l'Arxiu Nacional d'Art de Catalunya, on hi ha transcrites la llibreta de feines de Josep Pey; l'Arxiu Serra de Cornellà de Llobregat; Arxiu Junyent de Barcelona; Arxiu Font de Rubinat de Reus; Arxiu Institut Pere Mata de Reus; Arxiu Bru de Barcelona; fons fotogràfic i de dibuixos del Gabinet de Dibuixos i Gravats del MNAC; Centre de Recerca del Modernisme i del Noucentisme del Departament d'Art de la Universitat de Barcelona; fons documental de la família Homar i del Museu d'Art Modern del MNAC; biblioteques del Foment del Treball i de la Cambra de Comerç, Indústria i Navegació de Barcelona, així com també d'altres arxius i biblioteques. Agraïm a Teresa Sala la informació corresponent a les col·laboracions de Sebastià Junyent i Homar i l'article inèdit de Mircia Freixa i Sònia Hernàndez sobre «Gaspar Homar. Mobles, làmpares, mosaics, decoració. Canuda 4. Barcelona. Materials per al seu estudi», previst de publicar a la miscel·lània dedicada a Joan Ainaud pel Museu Nacional d'Art de Catalunya. Han estat molt positives les converses amb els marqueters Sagarra, els descendents de Francesc Vidal, Maria Font de Rubinat, Enric Anguera, Margarida Sistac, Lluís Bru i Marcy Rudo, així com també amb Santiago Pey, Carme Juyol, Jaime Homar, Valeri Corberó, Lina Tayà i Pere Cosp, entre d'altres.

6. Aquest, no obstant això, no és pas el marc per vindicar la figura, manllevant l'expressió que ha tingut tanta fortuna historiogràfica, d'aquest «director d'orquestra», sinó de puntualitzar la tasca dels artesans o «solistes» i, en aquest cas de Gaspar Homar, que va treballar a la seva ombra. Vegeu el catàleg de l'exposició *Lluís Doménech i Montaner i el Director d'orquestra*, Barcelona, Sala Plaça Sant Jaume, novembre de 1991.

7. Un dels fets més destacats de l'època del modernisme va ser la creació de la figura de l'ensemblier. El terme apareix per primera vegada cap als anys vint per designar l'artista que crea conjunts decoratius (*ensembles décoratifs*).

8. El lloc de naixement de Gaspar Homar és un petit misteri. No hem trobat la partida de naixement ni al registre de Bunyola ni al de Palma de Mallorca. La fe de baptisme, que hem obtingut gràcies a les gestions de monsenyor Teodor Úbeda Gramage, situa el sagrament a la parròquia de Santa Eulàlia de Palma de Mallorca però no esmenta el lloc de naixement. La partida de defunció i altres documents notarials que hem tingut ocasió de consultar indiquen que era originari de Palma de Mallorca. Tanmateix Cirici recull d'Homar que era de Bunyola.

9. J. Roca y Roca, *Barcelona en la mano. Guia de Barcelona y sus alrededores*, López ed., Barcelona, 1884. p. 285.
C. Pirozzini Martí, «Arts Industrials» a *La Renaixença* (7 de febrer de 1883), Barcelona, p. 810-811. J. Coroleu, *Guia del forastero en Barcelona y sus alrededores*, Barcelona, 1887. F. Nicolau, «La obra de Francisco Vidal» a *La madera y sus industrias*, núm. 123 (octubre de 1930), Barcelona, p. 3-10. *Àlbum Artístic de la Renaixença* (gener de 1884), Barcelona, s/p. *Guia de Barcelona et ses environs*, s/d.

10. Aquests tallers comptaven amb les seccions següents: magatzem de fustes; instal·lació d'un motor sistema Alexander; taller de tornejar, serrar i motllurar, provist de màquines i aparells moderns; secció de serralleria, llauneria i cisellat; forn per esmaltar i corbar vidres; taller de dorar mobles i marcs, gran taller de fusteria, ebenisteria i talla, secció d'envernissadors, tapissers, d'estoigs i, fins i tot, galeria fotogràfica. Il·luminació elèctrica. Les sumptuoses obres sorgides d'aquests tallers recordaven les obres de l'art antic espanyol i eren molt sol·licitades a la Península, Amèrica i l'estranger. Vegeu V. Maestre Abad, «L'època de la Industrialització (c. 1845 - c. 1888). Anotacions a l'ebenisteria catalana del segle XIX» a *Moble català*, Electa, Barcelona, 1994.

11. En realitat F. Vidal, com afirma P. Vélez, estaria més a prop de l'esperit de l'Arts and Crafts Exhibition Society, tot i que en remarca els deu anys d'avantatge cronològic.

12. M. García-Martín, *Comillas modernista*, Barcelona, Gas Natural, 1993.

13. A.D., *El Cercle del Liceu. Història, Art, Cultura*, Barcelona, Ed. Catalanes, S.A., 1991.

14. A.D., *El Palau Güell*, Diputació de Barcelona, Barcelona, 1990.

15. Vegeu la comunicació de S. Barjau, «Francesc Vidal, decorador i col·laborador d'arquitectes» a *III Jornades Internacionals d'Estudis Gaudinistes*, Barcelona, 1995.

16. D'aquesta difícil operació s'encarregà el decorador Vidal que mai no havia intentat una fosa de tals proporcions i que va fer-ho després de cinc mesos de feina. El mateix Vidal va fondre, també en bronze, les escultures decoratives.

L'enginyer Wolgnemut va fondre la colossal columna de 32 tones de pes, emprant-hi 30 tones de bronze de canons vells. Vegeu L. García del Real, «Monumento a Colón» a *La Ilustración Española y Americana* núm. 35, (22 de setembre de 1888), Madrid, fig. p. 166. Vegeu M. Doñate, «La foneria artística Masriera i Campins» a *Els Masriera*, Museu d'Art Modern, Barcelona, 21 de maig - 21 de juliol de 1996, p. 214-216.

17. Mentre la resta de germans —el celebrat Juli, Lola i Pilar— cisellaven i repussaven el ferro al taller que regentava el seu pare, Concordi González, Joan, de salut feble, aproximadament entre 1883 i 1896 treballava a Can Vidal.

18. Prova d'això és el diploma de Gaspar Homar, conservat pels descendents de Vidal, que va oferir-l'hi amb la dedicatòria «Débil prueba de cariño a D. Frederic Vidal por su aplicación al dibujo. Barcelona, 18 de julio de 1892».

19. Tot i que Josep Mainar no dóna a conèixer les seves fonts, l'anàlisi dels seus manuscrits —conservats a l'Arxiu Nacional de Catalunya— fan suposar que es va basar en el testimoni de Santiago Marco i Josep Castells, tots dos deixebles de Vidal.

20. Ja el 1878 i en l'establiment que Francesc Vidal tenia al Passatge del Crèdit va organitzar una àmplia exposició d'objectes de la Xina i del Japó. Vegeu I. Coll, «L'art orientalitzant, particularment el d'arrels japoneses, a Europa, i els seus reflexos a la Barcelona del vuitcents» a *D'Art*, Barcelona, 1985, p. 250.

21. En aquest sentit Josep Mainar afirma que part del mobiliari del Palau Güell es va executar als tallers Vidal segons el disseny de l'arquitecte, però segons els plànols i traçats resolts en l'estudi aleshores regit per l'Homar.
J. Mainar, «El Mueble catalán en el Modernismo» a *A. Estudios Pro Arte*, núm. 7-8, Barcelona, [1976], p. 52-53, fig. p. 54-55.

22. A partir de l'estudi de la correspondència i la documentació familiar, la investigadora nord-americana Marcy Rudo dóna a conèixer el perfil biogràfic de Francesc Vidal al seu llibre de caire novel·lat *Lluïsa Vidal, filla del modernisme*, Edicions La Campana, Barcelona, 1996.

23. Tot i que la documentació és incompleta i fragmentària, segons consta en el llibre de matrícula de l'Escuela de Aplicación de Llotja de l'any 1887, Homar va cursar les assignatures següents: pintura decorativa, teixits i brodats.

24. Vídua de Claudi Vidal, un dels fills de Francesc Vidal. Aquesta senyora, de cent anys, conserva una memòria prodigiosa.

25. «Del Modernisme al Noucentisme 1888-1917» a *Història de l'Art Català*, Edicions 62, Barcelona, 1985.

26. Com ja s'ha dit, els arquitectes van tenir un paper clau com a catalitzadors i coordinadors de les iniciatives dels artesans, fet que no succeeix en el cas particular de França. Vegeu G. Mourey, *Essai sur l'Art décoratif Française moderne*, París, 1921.

27. Vegeu Puig i Cadafalch: *L'arquitectura entre la casa i la ciutat*, Fundació Caixa de Pensions, Barcelona, 1989.

28. *L'oeuvre de Puig i Cadafalch Architecte 1896-1904. Architecture, Decoration, Mobilier, Serrurerie, Carrelages*. M. Parera, Barcelona, 1904. Aquesta publicació, pulcrament editada per Miquel Parera, dóna a conèixer els treballs de Puig relacionats amb elements que integren la construcció i la decoració de les seves obres. A la pàgina 55 es publiquen els croquis de Puig dels mobles executats pels tallers Homar.

29. Agraeixo aquesta informació a la Dra. Judith C. Rohrer, catedràtica del Departament d'Art de l'Emory University d'Atlanta (EUA). La col·laboració d'Homar a la casa Amatller ve corroborada a partir d'una carta de Josep Gudiol, que conserva una de les seves filles, adreçada a M. Josep Philippe del Museu del Vidre de Lieja el 30 d'abril de 1963.

30. Es poden localitzar a l'Institut Amatller i en diferents col·leccions privades.

31. Aquesta firma, coetània de la d'Homar, disposava d'un local destinat tant a la venda d'articles d'art decoratiu (*bibelots* de manufactura estrangera, reproduccions d'escultures de Llimona i marcs decoratius) com de mobiliari.

32. Segons informació facilitada per Josep Bracons. El Cercle Artístic de Sant Lluc representà una modernitat eclèctica moderada, marcada per una ideologia militantment cristiana. El rigor amb què s'hi enfocava el fet artístic hi va atraure, tanmateix, artistes joves allunyats de la ideologia de l'entitat. És el cas de Joan González o el jove Gaspar Homar.

33. Així ho corrobora el fet que a la seva biblioteca particular es conservin publicacions com ara les de R. I. Percy Macquoid, *A History of English Furniture*, T.A. Constable, Edimburg, 1905, i Ch. Latham, *In English Homes*, Londres, 1908. Els seus autoretrats sobre placa de vidre ens mostren la imatge de Gaspar Homar com un digne representant de la Red House.

34. De fet, l'eclecticisme, era el gust imperant en el moblament d'una rica burgesia i aquest fenomen es donava arreu d'Europa.

35. Així ho corroboren Maria Font de Rubinat i les factures dels seus mobles.

36. En la recerca de les peces de Gaspar Homar hem detectat sovint el fet que repetix els mateixos dissenys de mobles.

37. És el cas del conjunt de mobiliari que va projectar Homar per al despatx de la gerència de *La Vanguardia*. Segons el testimoni del Sr. Lluís Permanyer la taula central del despatx va ser trinxada. L'exposició *Artes Suntuarias del Modernismo Barcelonès*, Barcelona, Palau de la Virreina, octubre-novembre del 1964, va exposar la pràctica totalitat del conjunt complet de la casa Pladellorens i també els plafons de marqueteria, segons projecte de Riquer, de la farmàcia Grau Inglada que no s'han pogut localitzar.

38. A l'Arxiu González (IVAM, València) hi ha una factura de Gaspar Homar a nom de la família González que acredita que va fer el mobiliari del dormitori de la casa que tenien al carrer Mallorca, 233, de Barcelona.

39. Actualment al Museu d'Art Modern del MNAC.

piezas presentadas en Barcelona, Madrid y Zaragoza.

41. Véase *Materiales y Documentos de Arte Español*, S. XX. Arte Contemporáneo, lám. 49.

42. Véase M. García-Martín, *Benvolgut Palau de la Música Catalana*, Catalana de Gas, S.A., Barcelona, 1987.

43. *Lluís Domènech i Montaner*, Clásicos del Diseño, Santa & Cole Ediciones de Diseño, S.A., 1994.

44. Joaquim Montagut era un mueblista de Reus que se formó en Barcelona, probablemente en los talleres de Homar. Según el testimonio de su hijo, Josep Montagut, hizo todos los muebles del manicomio de su ciudad natal. Según Maria Font de Rubinat, también trabajó en la casa Navàs de Reus.

45. Según el libro de actas de la junta general celebrada el 8 de Marzo de 1908: «Para este pabellón (Distinguidos) se ha contratado la mayor parte del mobiliario que se construye en Barcelona bajo la dirección del arquitecto D. Lluís Domènech i Montaner».

46. En el archivo del Institut Pere Mata de Reus hay una factura de Gaspar Homar, fechada el 24 de Octubre de 1910, por una lámpara para el salón de la Administración. No hemos hallado su nombre asociado al mobiliario.

47. Para ampliar este asunto véase el artículo de M. Pey y N. Juárez, «Colaboración Homar-Pey en la Casa Lleó Morera de Barcelona» en *VII Congreso Español de Historia del Arte*, Universidad de Murcia, 1992.

48. Según testimonio recogido por M. García-Martín, *La Casa Lleó Morera*, Catalana de Gas, Barcelona, 1988.

49. M. Freixa y S. Fernández, «Gaspar Homar. Mobles, làmpares, mosaics, decoració. Canuda 4. Barcelona. Materials per al seu estudi», *Miscel·lània dedicada a Joan Ainaud*, 1998 (en imprenta).

50. Los descendientes de Homar conservan una carpeta de recortes de diario que guardaba el propio Gaspar Homar. Entre los mismos figura un conjunto de artículos dedicados a Xavier Gosé.

51. Asó lo acredita la correspondencia entre los González, consultada en el Arxiu Gonzàlez (IVAM, Valencia).

52. En el reverso de una carta sin fechar que se conserva en el Arxiu Gonzàlez (IVAM, Valencia) hay un dibujo de lámpara.

53. Véase «L'orfebreria de Juli Gonzàlez» en *Escultores y Orfebres. Francisco Durrio, Pablo Gargallo, Julio González, Manolo Hugué*, Bancaja, Valencia, 1993, p. 64-66.

54. «Retrats de Passaport. El Pintor Pau Roig» en *Obra Completa*, vol. XVII, Edicions Destino, Barcelona, 1970.

55. Véase la carta de Pau Roig (París, 28 de Febrero de 1902) dirigida a Enric Serra Fiter (Arxiu Serra, Cornellà de Llobregat), donde se refiere a Gaspar Homar: «El trabajo me permite pensar en vosotros y no me impide cantar de vez en cuando *Muntanyes del Canigó* recordando làs veladas en casa de Homar y la tarde tan agradable que pasé en tu casa».

56. Parte de la decoración de la tienda se expuso en la Galeria Subex de Les Tres Torres de Barcelona. Véase F. Fontbona,

«Obras del modernismo» en *Destino*, núm. 1.935 (2 de Noviembre de 1974), Barcelona, p. 49.

57. Actualmente en el Palau Marc, sede del Departament de Cultura de la Generalitat de Catalunya.

58. La correspondencia familiar conservada en el Arxiu Gonzàlez de Valencia acredita que Joan González, por entonces en Barcelona, solicitaba que le enviasen postales de Puvis de Chavannes. Esta carta se puede fechar en 1907.

59. En su habitación tenía una reproducción de un tríptico de dicho artista francés.

60. Carta de Gaspar Homar a Josep Pey (París, Mayo de 1905) publicada por M. García-Martín, *L'Hospital de Sant Pau*, Catalana de gas, S.A.; Barcelona, 1990, p. 119.

61. «Novas» en *Joventut*, núm. 39 (8 de Noviembre de 1900), Barcelona, p. 264.

62. Francesc Fontbona, «L'Art en el Cercle del Liceu» en *El Cercle del Liceu. Història, Art, Cultura*, Ed. Catalanes, S.A., Barcelona, 1991, se refiere a una factura de Homar, del 7 de Febrero de 1901, cobrada por Riquer.

63. Que hemos tenido ocasión de contemplar en una colección particular.

64. Véase *Luz*, núm. 3 (Octubre de 1898) y núm. 10 (Diciembre de 1898), Barcelona.

65. Año II, lám. 2, 49 y 57.

66. Según la libreta de notas, la última fecha de colaboración fue 1942.

67. Según atestiguan Enriqueta Ramon, hija de Homar, y Santiago Pey, sobrino de Josep Pey. Consideramos de especial interés destacar que, a diferencia de Homar o Gassó, que firmaban en las llaves de sus muebles, o de Joan Carrera, que lo hacía de modo visible en sus paneles con bajorrelieves de madera, Josep Pey no siempre firmaba sus aportaciones. Aunque la modestia de su persona todavía es recordada por quienes le conocieron, consideramos que también es un factor decisivo en este hecho que sus marqueterías le fuesen sugeridas e incluso esbozadas por el cliente.

68. Véase «La inspiració txeca de Gaspar Homar» en *Serra d'Or*, núm. 209 (15 de Febrero de 1977), Barcelona, p. 50-51.

69. M.T. Sala, *Junyent*, Nou Art Thor, Barcelona, 1988, fig. p. 16-19.

70. «Arts Industrials» en *La Ilustració Llevantina*, portada del núm. 4 (16 de Diciembre de 1900), Barcelona.

71. B. Bassegoda, «Cuestiones Artísticas. Decoración Interior» en *Diario de Barcelona* (3 de Enero de 1906), p. 73-75.

72. En 1975 el Museu d'Art Modern adquirió, a partir de una selección entre 1.107 dibujos, planos y fotografías, cerca de un centenar de dibujos que conservaban los descendientes del artista. Se tuvo la previsión de fotografiar el resto y los clichés se conservan en el Arxiu Històric de la Ciutat/ Servei Fotogràfic.

73. Véase «Barcelona» en *Diario de Barcelona* (22 de Diciembre de 1899), p. 14.177, y «A cal Homar» en *La Veu de Catalunya*, núm. 53 (22 de Diciembre de 1910), Barcelona.

74. Véase «la Norvège à l'Exposition Universelle» en *L'Art Décoratif* (Octubre de 1900), París, p. 21.

75. Véase el artículo inédito que gentilmente me han cedido M. Freixa y S. Hernàndez, «Gaspar Homar. Mobles, làmpares, mosaics, decoració. Canuda 4. Barcelona. Materials per al seu estudi» en *Miscel·lània Homenatge a J. Ainaud*, Barcelona, 1998 (en imprenta).

76. *Bellaterra*, núm. 19 (1927), Barcelona.

77. Como hemos podido comprobar en el que fue su domicilio particular.

78. «Antiguitats» en *Vell i Nou*, núm. 8 (Septiembre de 1915), Barcelona, p. 15. «La célebre colección de tazones hispanoárabes que posee el conocido anticuario señor Homar se ha enriquecido últimamente con cuatro o cinco notables ejemplares en oro y azul con reflejos metálicos.»

79. A este respecto he tenido el testimonio de mi abuelo, conocido de Gaspar Homar, que supo del gran disgusto que tuvo Gaspar Homar al romperse la vitrina donde guardaba su colección de vidrios. Una carta de Josep Gudiol dirigida a M. Joseph Philippe del Museo del Vidrio de Lieja, el 30 de abril de 1963, se refiere a la importante colección de vidrios de Gaspar Homar.

80. Véase *Gaseta de les Arts*, núm. 70 (Abril de 1927), donde se reproduce una tabla italiana. *Vell i Nou*, núm. 49 (15 de Agosto de 1917), reproduce una tabla milanesa. *Vell i Nou*, núm. 49 (15 de Agosto de 1917), reproduce una tabla milanesa de la escuela de Leonardo.

81. Según Margarita Sistach Gassó, sobrina nieta de Gaspar Homar, el mueblista viajaba por toda Europa para adquirir piezas para su colección y para Francesc Cambó.

82. El Arxiu Gonzàlez (IVAM, Valencia) reúne copiosa documentación sobre los negocios de Gaspar Homar con Juli Gonzàlez. Véase la carta desde París de Juli Gonzàlez a su familia. Barcelona sin fechar: «Como, según me dice Josep, pasará más de un mes fuera de Barcelona, le quería proponer, si le parece bien, ir a casa de Homar y decirle que he vendido los números 1, 2, 5, 9 y 10, de modo que tengo que enviarle la suma de 105 ptas. El objetivo de irle a ver personalmente es poderle decir, sin que piense que le quiero engañar, o mejor, que le quiero regatear, que verdaderamente me ha puesto unos precios un poco elevados [...]. Ha de tener en cuenta que nosotros pagamos el embalaje y los portes; aduanas y el automóvil [...]. Me gustaría que él se encargase de embalarlo [...] Así pues, le dirá que he vendido las cosas después de dar muchas vueltas y sobre todo hemos recomendado por el precio que me cuestan, sólo por hacerle ver que soy capaz de venderle cosas y para que confíe en mí para las demás que me pueda enviar. Y si en vez de ser cosas de poca monta fuesen más importantes las venderíamos todavía con mayor facilidad.» Véase asimismo la carta sin fechar de Juli Gonzàlez desde París dirigida a Josep Bassó: «A mí, ahora que ya había dado muchos pasos y que empezaba a tener una buena parroquia, el señor Homar me escribe que ha cambiado de idea y que ya no quiere vender nada más. Lástima de todos los pasos que hemos dado por él... En fin, dejémoslo correr y que se vaya a hacer p...»

40. Malauradament, tot i les indagacions fetes al Victoria and Albert Museum, la British Library de Londres, l'Arxiu Històric de la Biennal, la Biblioteca Marciana de Venècia i diferents centres documentals de París, no s'han trobat els catàlegs que permetin ressenyar les obres presentades. La recerca a la premsa confirma, en canvi, les peces presentades a Barcelona, Madrid i Saragossa.

41. Vegeu *Materiales y Documentos de Arte Español*, S. XX. Arte Contemporáneo, làm. 49.

42. Vegeu M. García-Martín, *Benvolgut Palau de la Música Catalana*, Catalana de Gas, S.A., Barcelona, 1987.

43. *Lluís Domènech i Montaner*, Clásicos del diseño, Santa & Cole Ediciones de Diseño S.A., 1994

44. Joaquim Montagut era un moblista de Reus que es va formar a Barcelona, probablement als tallers d'Homar. Segons el testimoni del seu fill, Josep Montagut, va fer tots els mobles del manicomi de la seva ciutat natal. Segons Maria Font de Rubinat va treballar també a la casa Navàs de Reus.

45. Segons el llibre d'actes de la junta general celebrada el 8 de març de 1908. «Para este pabellón (Disitinguidos) se ha contratado la mayor parte del mobiliario que se construye en Barcelona bajo la dirección del arquitecto D. Lluís Domènech i Montaner.»

46. A l'arxiu de l'Institut Pere Mata de Reus hi ha una factura de Gaspar Homar, datada el 24 d'octubre de 1910, per un llum per al saló de l'Administració. No hem trobat el seu nom associat al mobiliari.

47. Per ampliar aquesta qüestió vegeu l'article de M. Pey i N. Juárez, «Colaboración Homar-Pey en la Casa Lleó Morera de Barcelona» a *VII Congreso Español de Historia del Arte*, Universitat de Múrcia, 1992.

48. Segons testimoni recollit per M. García-Martín, *La Casa Lleó Morera*, Barcelona, Catalana de Gas, 1988.

49. M. Freixa i S. Hernàndez, «Gaspar Homar. Mobles, làmpares, mosaics, decoració. Canuda 4. Barcelona. Materials per al seu estudi.» *Miscel·lània dedicada a Joan Ainaud*, 1998, (en impremta)

50. Els descendents de Gaspar Homar conserven una carpeta de retalls de diaris que guardava Gaspar Homar. Entre aquests figura un conjunt d'articles dedicats a Xavier Gosé.

51. Així ho acredita la correspondència, consultada a l'Arxiu Gonzàlez (IVAM, València) entre els Gonzàlez.

52. Al revers d'una carta s/d que es conserva a l'Arxiu Gonzàlez (IVAM, València) hi ha un dibuix d'un llum.

53. Vegeu «L'orfebreria de Juli Gonzàlez» a *Escultores y Orfebres. Francisco Durrio, Pablo Gargallo, Julio González, Manolo Hugué*, Bancaja, València, 1993, p. 64-66.

54. «Retrats de Passaport, El Pintor Pau Roig», a *Obra Completa*, vol. XVII, Edicions Destino, Barcelona, 1970.

55. Vegeu carta de Pau Roig, París, 28 de febrer de 1902, adreçada a Enric Serra Fiter (Arxiu Serra, Cornellà de Llobregat) on fa referència a Gaspar Homar: «La feina em permet pensar en vosaltres y no em priva de cantar de tant en tant les muntanyes del Canigó, recordant les vetllades de cal Homar y la tarda passada tan agradablement a casa teva».

56. Part de l'agençament de la botiga es va exposar a la Galeria Subex de les Tres Torres de Barcelona. Vegeu, F. Fontbona, «Obras del modernismo» a *Destino*, núm. 1935 (2 de novembre 1974), Barcelona, p. 49.

57. A hores d'ara al Palau Marc, actual Conselleria de Cultura de la Generalitat de Catalunya.

58. La correspondència familiar conservada a l'Arxiu Gonzàlez (IVAM, València) acredita que Joan Gonzàlez, aleshores a Barcelona, sol·licitava que li enviessin postals de Puvis de Chavannes. Carta datable el 1907.

59. En la seva habitació tenia una reproducció d'un tríptic d'aquest artista francès.

60. Carta de Gaspar Homar a Josep Pey (París, maig de 1905) publicada per M. García-Martín, *L'Hospital de Sant Pau*, Catalana de Gas, S.A., Barcelona, 1990, p. 119.

61. «Novas» a *Joventut*, núm. 39 (8 de novembre de 1900), Barcelona, p. 624.

62. F. Francesc Fontbona, «L'Art en el Cercle del Liceu» a *El Cercle del Liceu. Història, Art, Cultura*, Barcelona, Ed. Catalanes S. A., 1991. Fa referència a una factura d'Homar, del 7 de febrer de 1901, cobrada per Riquer.

63. Que hem tingut ocasió de contemplar en una col·lecció particular.

64. Vegeu *Luz*, núm. 3 (octubre de 1898), Barcelona; *Luz*, núm. 10 (desembre de 1898), Barcelona.

65. Any ll, làm. 2, 49 i 57.

66. Segons el bloc de notes, la darrera data de col·laboració fou el 1942.

67. Segons testimoni d'Enriqueta Ramon, filla d'Homar, i Santiago Pey, nebot de Josep Pey. Creiem d'especial interès remarcar que, a diferència d'Homar o Gassó, que firmaven als claus dels mobles o de Joan Carreras que signava de manera visible els seus plafons amb baixos relleus de fusta, Josep Pey no signava sempre les seves aportacions. Si bé la modèstia de la seva persona és recordada encara per qui els van conèixer també creiem que un factor decisiu en aquest fet és que les seves marqueteries haurien estat suggerides i fins i tot esbossades pel seu client.

68. Vegeu «La inspiració txeca de Gaspar Homar» a *Serra d'Or*, núm. 209 (15 de febrer de 1977), Barcelona, p. 50-51.

69. M.T. Sala, *Junyent*, Barcelona, Nou Art Thor, 1988, fig. p. 16-19.

70. «Arts Industrials» a *La Ilustració Llevantina*, núm. 1, portada (16 de desembre de 1900), Barcelona.

71. B. Bassegoda, «Cuestiones Artísticas. Decoración Interior» a *Diario de Barcelona* (3 de gener de 1906), p. 73-75.

72. El 1975 el Museu d'Art Modern va adquirir, a partir d'una selecció de 1.107 dibuixos, plànols i fotografies, prop d'un centenar de dibuixos que conservaven els descendents de l'artista. Es tingué cura de fotografiar la resta de dibuixos, els clixés dels quals es conserven a l'Arxiu Històric de la Ciutat / Servei Fotogràfic.

73. Vegeu «Barcelona» a *Diario de Barcelona* (22 desembre de 1899), p. 14.177. «A cal Homar» a *La Veu de Catalunya*, núm. 53 (22 desembre de 1910), Barcelona.

74. Vegeu «La Norvège a l'Exposition Universelle» a *L'Art Décoratif*, París, octubre de 1900, p. 21.

75. Vegeu l'article inèdit que gentilment m'han cedit M. Freixa i S. Hernàndez, «Gaspar Homar. Mobles, làmpares, mosaics, decoració. Canuda 4. Barcelona. Materials per al seu estudi.» a *Miscel·lània Homenatge a J. Ainaud*, Barcelona, 1998 (en impremta).

76. *Bellaterra*, núm. 19, Barcelona, 1927.

77. Que hem pogut contemplar al seu domicili particular d'aleshores.

78. «Antiguitats» a *Vell i Nou*, núm. 8 (setembre de 1915), Barcelona, p. 15. «La cèlebre col·lecció de taçons hispano-aràbics que posseix el conegut antiquari senyor Homar, s'ha enriquit darrerament amb quatre o cinc exemplars notables en or i blau amb reflexes metàl·lics.»

79. Respecte a això he conegut el testimoni del meu avi, conegut de Gaspar Homar, que va ser coneixedor del gran disgut que va tenir Homar en trencar-se la vitrina on hi havia la seva col·lecció de vidres. Una carta de Josep Gudiol adreçada a M. Joseph Philippe del Museu del Vidre de Lieja, el 30 d'abril de 1963, fa referència a la important col·lecció de vidres de Gaspar Homar.

80. Vegeu *Gaseta de les Arts*, núm. 70 (abril de 1927), Barcelona, on es reprodueix una taula italiana. *Vell i Nou*, núm. 49 (15 d'agost 1917), reprodueix una taula milanesa de l'escola de Leonardo.

81. Segons Margarita Sistach Gassó, neboda néta de Gaspar Homar, el moblista viatjava arreu d'Europa per adquirir peces per a la seva col·lecció i per a Francesc Cambó.

82. L'Arxiu Gonzàlez (IVAM, València) aplega una copiosa documentació referent als negocis de Gaspar Homar amb Juli Gonzàlez. Vegeu carta des de París de Juli Gonzàlez a la seva família. Barcelona, s/d. «Com segons em diu en Josep passarà més d'un mes fora de Barcelona, jo us volia dir de fer, si és que ho trobeu bé, d'anar a chez Homar i dir-li que he venut els números 1, 2, 5,9,10, de modo que li haig d'enviar la suma de 105 ptes. El but d'anar-hi personalment és per poder-li dir, sense que es pensi que jo el vull enganyar, o més ben dit, li vull fer l'article, que verdaderament m'ha fet uns preus un pel pujats [...]. Ha de contar que nosaltres paguem l'embalatge i els transports; aduanes i l'automòbil [...]. Jo voldria que ell s'encarregués d'embalar-ho [...]. Doncs li direu que he venut les coses després de corre molt i sobretot hem recomanat pel preu que em costen, només per fer-li veure que soc capaç de vendre-li coses i perquè em tingui confiança per les demés que em pugui enviar. I si en comptes de ser coses de poc en fossin més importants les vendríem encara amb més facilitat.» Vegeu carta de Juli Gonzàlez des de París adreçada a Josep Bassó, s/d. «A mi ara que havia fet passos i passos i que començava a tenir una bona parroquia, el Sr. Homar m'escriu que ha cambiat d'idea y que no vol vendre res més. Llàstima de passos que tots nosaltres em fet per ell... En fi, no en parlem més y que vagi a fer p...»

Cierto espíritu ecléctico (1885-1895)

Las primeras realizaciones de Gaspar Homar que conocemos hay que analizarlas bajo la perspectiva de su formación en los talleres de Francesc Vidal. Según Mainar,[1] este ebanista y decorador rechazaba el jacarandá y el tinte ennegrecido de la madera, tenía debilidad por el nogal ligeramente bañado y empleaba el roble de Eslovenia. Las características del mobiliario de Vidal son, por una parte, la calidad y la personalidad de la talla y, por otra, las aplicaciones de metalistería y los vitrales, rasgos que Homar mantendrá en toda su producción. Los muebles de Vidal respondían a cierto espíritu ecléctico, aunque, como señala Fontbona,[2] dicho eclecticismo no consistía en adoptar uno u otro estilo histórico, sino en integrar en una misma pieza detalles de muy diversa procedencia (medievalizantes, orientalistas, egipcios, clásicos), que, al combinarse, adquirían un sello muy especial. Contrariamente a la fragilidad del mueble isabelino, los muebles de Vidal eran sobrios y compactos, y se distinguían porque trataba la madera como los plateros trabajaban los metales y las piedras que montaban. Esa condición es claramente perceptible en los proyectos a lápiz de Gaspar Homar hechos en los talleres Vidal (cat. núm. 3, 4 y 5), que parecen grabados al acero por su delicada factura y en los que destacan las ornamentaciones de calados entallados en los frisos de las molduras y las vetas de la madera alcanzan calidades casi táctiles.

Los muebles de Homar de la década de los noventa del siglo pasado (cat. núm. 8 y 9) incorporan con valentía y precocidad uno de los signos modernistas por excelencia, el *coup de fouet*, representado mediante la flor de lis de tallo sinuoso, junto a trazos mecanicistas (la rueda dentada) y reminiscencias góticas y orientalizantes. A pesar de que Homar se aleja de su maestro en lo que a la utilización de las maderas claras —sicomoro, boj y palo de rosa— se refiere, lo vemos muy próximo a Vidal en cuanto al concepto ornamental.

Como buen decorador, Vidal conocía los repertorios decorativos más usuales de la época y supo transmitir a Homar el contenido estético de la *Grammar of Ornament* de Owen Jones. Esta publicación, instrumento de gran utilidad para los estudiantes de arquitectura y artes aplicadas, ofrecía un estudio riguroso de las tradiciones decorativas de todo el mundo e incluía la calidad del diseño del arte de las tribus salvajes del Pacífico. Otras publicaciones destacables fueron *Ornament Polychrome* de Racinet y, en el ámbito catalán, la publicada por Jaume Seix, con cien planchas en color, plata y oro, y más de 2.000 motivos decorativos de todo el mundo. Estas obras formaban parte de la biblioteca de Gaspar Homar. Tanto su autorretrato (cat. núm. 1) como la composición oriental (cat. núm. 2) son documentos de una época en la que el interés por el ornamento estaba en su apogeo.

1. J. Mainar, *El moble català*, Ed. Destino, Barcelona, 1976.

2. «L'Art en el Cercle del Liceu» en *El Cercle del Liceu. Història, Art, Cultura*, Edicions Catalanes, S.A., Barcelona, 1991.

Un cert esperit eclèctic (1885-1895)

Les primeres realitzacions que coneixem de Gaspar Homar cal analitzar-les sota la perspectiva de la seva formació als tallers de Francesc Vidal. Segons Mainar,[1] aquest ebenista i decorador rebutjava la xicranda i el tenyit negrós de la fusta, sentia predilecció per la noguera lleugerament banyada i emprava el roure d'Eslovènia. Les característiques del mobiliari vidalenc són, d'una banda, la qualitat i la personalitat que assoleix la talla i, de l'altra, les aplicacions de metal·listeria i els vitralls, trets que mantindrà Homar al llarg de tota la seva producció. Els mobles de Vidal responien en general a un cert esperit eclèctic, tot i que, com assenyala Fontbona,[2] aquest eclecticisme no consistia a adoptar un estil històric o altre, sinó a integrar en una mateixa peça detalls de procedència molt diversa (medievalitzants, orientalistes, egipcis, clàssics), que en combinar-se adquirien un segell molt especial. Contràriament a la fragilitat del moble isabelí, els mobles de Vidal eren sobris i compactes, i es distingien perquè tractava la fusta com els argenters treballaven els metalls i les pedres que hi encastaven. Aquesta condició és clarament perceptible en els projectes a punta de llapis de Gaspar Homar fets als tallers Vidal (cat. núm. 3, 4 i 5), que semblen gravats a l'acer per la seva delicada factura, on destaquen les ornamentacions de calats entallats als frisos de les motllures i on les vetes de la fusta assoleixen unes qualitats gairebé tàctils. Els mobles d'Homar de la dècada dels noranta del segle passat (cat. núm. 8 i 9) incorporen, amb valentia i precocitat, un dels signes modernistes per excel·lència, el cop de fuet, representat a través de la flor de lis de tija sinuosa, juntament amb trets mecanicistes (la roda dentada) i reminiscències gòtiques i orientalitzants. Tot i que Homar s'allunya del seu mestre pel que fa a la utilització de les fustes clares —sicòmor, boix i pal de rosa, entre d'altres—, el veiem molt proper a Vidal quant al concepte ornamental.

Com a bon decorador, Vidal coneixia els repertoris decoratius més usuals de l'època i va saber transmetre a Homar els continguts estètics de la *Grammar of Ornament* d'Owen Jones. Aquesta publicació, instrument de gran utilitat per als estudiants d'arquitectura i d'arts aplicades, oferia un estudi rigorós de les tradicions decoratives d'arreu del món i incloïa la qualitat del disseny de l'art de les tribus salvatges del Pacífic. Altres publicacions destacables foren l'*Ornament Polychrome* de Racinet i, en l'àmbit català, la publicada per Jaume Seix, amb cent planxes a color, argent i or, amb més de 2.000 motius decoratius de tot el món. Aquestes obres formaven part de la biblioteca de Gaspar Homar. Tant l'autoretrat (cat. núm. 1) com la composició oriental (cat. núm. 2) són documents d'una època en què l'interès per l'ornament es trobava en el seu apogeu.

1. J. Mainar, *El Moble català*, Ed. Destino, Barcelona, 1976.

2. «L'Art en el Cercle del Liceu» a *El Cercle del Liceu. Història, Art, Cultura*, Edicions Catalanes, S.A, Barcelona, 1991.

1

Autoretrat de Gaspar Homar
Autorretrato de Gaspar Homar

C. 1888

Llapis plom, ploma i aquarel·la sobre paper
Lápiz plomo, pluma y acuarela sobre papel

37 x 37 cm

Signat G. HOMAR al marc circular que envolta l'autoretrat. No datat
Firmado G. HOMAR en el marco circular que flanquea el autorretrato. No fechado

Col. particular

2

Composició oriental
Composición oriental

1888

Llapis plom, ploma i aquarel·la sobre paper
Lápiz plomo, pluma y acuarela sobre papel

39 x 28,5 cm

Signada i datada G. Homar s/88 a l'angle inferior dret
Firmada y fechada G. Homar s/88 en el ángulo inferior derecho

Col. particular

1

2

3

Bufet
Aparador
Barcelona. Tallers Vidal
C. 1888
Llapis plom sobre paper
Lápiz plomo sobre papel
31,5 x 42 cm
Col. Montserrat Mainar

4

Bufet
Aparador
Barcelona. Tallers Vidal
C. 1888
Llapis plom sobre paper
Lápiz plomo sobre papel
34 x 39 cm
Col. Montserrat Mainar

5

Fanals
Farolas
Barcelona. Tallers Vidal
C. 1888
Llapis plom sobre paper
Lápiz plomo sobre papel
41 x 35,5 cm
Col. Montserrat Mainar

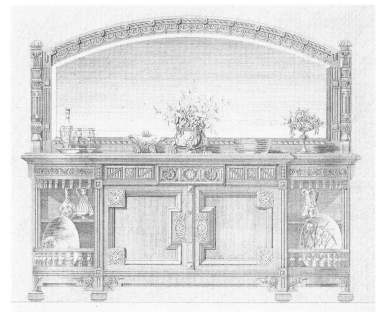

3

5

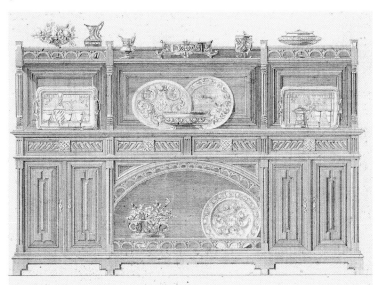

4

6

Sofà-escó d'inspiració renaixentista
Sofá-escaño de inspiración renacentista

C. 1895

Ploma, aquarel·la i purpurina sobre
cartolina
Pluma, acuarela y purpurina sobre cartulina

30 x 23,5 cm

Col. particular

7

**Armari-sofà amb elements de talla,
metal·listeria i tapisseria amb
motius cop de fuet**
*Armario-sofá con elementos de talla,
metalistería y tapicería con motivos
coup de fouet*

C. 1895

Ploma, aquarel·la i llapis sobre cartolina
Pluma, acuarela y lápiz sobre cartulina

33 x 31,5 cm

Col. particular

6

7

8

8
Armari-vitrina de sala
Armario-vitrina de sala

C. 1891

Fusta de noguera amb talla amb baix i alt relleu
Madera de nogal con talla en bajorrelieve y altorrelieve

177 x 74 x 33 cm

Col. particular

9
Cadira
Silla

C. 1891

Fusta de noguera blanca tenyida amb treballs de talla calada. Entapissat de vellut pintat original
Madera de nogal blanca teñida con trabajos de talla calada. Tapizado de terciopelo pintado original

85 x 38 x 37 cm

Adquisició, 1971 / *Adquisición, 1971*

Museu d'Art Modern del MNAC, Barcelona (MNAC/MAM 108259)

9

Distanciamiento de los historicismos (1895-1915)

El conjunto de mobiliario modernista de Gaspar Homar expresa el deseo de distanciarse de los estilos históricos. A pesar de que Homar cultivó el mueble de estilo esporádica y circunstancialmente —en relación, como es lógico, con las exigencias de su clientela—, las piezas de este género no son especialmente representativas ni de su talento ni de su creatividad. Así pues, las hemos excluido de la selección, así como aquellas que, aun habiendo sido ejecutadas en sus talleres, no fueron diseñadas por Homar como sucede en los conjuntos de la casa Amatller.

Con el cambio de siglo, el modernismo fue uno de los códigos estéticos más adecuados para expresar el nuevo estilo de la cultura urbana y las creaciones de Homar, como las de Joan Busquets, deben ser situadas a la cabeza de la producción de la ebanistería modernista catalana. Sus obras son sincrónicas y equiparables, en factura y en belleza, a las del resto de los mueblistas europeos. No se distinguen por la innovación radical desde el punto de vista de sus formas, como sucede con las obras vanguardistas de artistas coetáneos como Antoni Gaudí, Josep M. Jujol o Ch.R. Mackintosh. La aportación más significativa de Homar tal vez sea la modernización que opera a partir de la adopción de tipologías y soluciones técnicas tradicionales que sabe disimular con sutiles transformaciones y adornos que resultan en muebles muy genuinos y de un acabado impecable, capaces de seducir a la burguesía de su tiempo. Las arquimesas, los sofás-escaño y las poltronas, que reinterpretan formas del pasado, son las tipologías más habituales, a las que cabe añadir otros elementos funcionales propios del hogar: mesas, camas con cabezales de marquetería y armarios. Como buen modernista, los muebles de Homar evidencian a menudo una utilidad doble y triple: son frecuentes los sofás-escaño con vitrina y los paragüeros-colgador-bastonero. A diferencia de Busquets, que retoma el asiento *vis-à-vis*, como Gaudí en la Casa Batlló, Homar utiliza más profusamente las tipologías del armario-vitrina y del sofá-escaño, con espacio para la luna biselada y la marquetería. Los muebles de Homar, con afinidades con los de Eugène Gaillard, se construyen a partir de una investigación funcional con evocaciones naturalistas; en ellos, el adorno cuadrático constituye un componente esencial. En la realización del mueble participan la escultura en bajorrelieve y la talla calada, así como la técnica de la marquetería. Las colaboraciones de artistas y artesanos competentes fueron cruciales para alcanzar la simbiosis que se da durante toda su producción: por un lado, sobriedad y elegancia formal; por otro, la búsqueda, casi obsesiva, del adorno, gracias a las tallas de temática simbolista firmadas por Joan Carreras, cercanas a las de Charpentier, y las marqueterías de Josep Pey. Las aplicaciones de metalistería tienen un papel clave: las bisagras vistas se prolongan en diseños estilizados en forma de láminas metálicas que retoman, en versión moderna, la tradición medieval. En todos los muebles de Homar vemos siempre resaltar la integración armónica de todos y cada uno de los elementos y cómo se consigue una notable riqueza cromática mediante la combinación de la tapicería, el vidrio emplomado, el mármol de Alicante y las maderas variadas. Por desgracia, buena parte del mobiliario modernista no conserva su tapizado original a causa del desgaste de las tapicerías.

Preferentemente, Homar esculpe sobre la estructura sedosa y de gran policromía que proporcionan la caoba, sobre todo en las sillas; el cerezo, muy compacto y de color y vetas muy parecidos a los de la caoba; el olivo, que remite a sus orígenes mallorquines y mediterráneos, y el roble. Ilustra los distintos paneles con hojas de olivo, cítricos y rosas, a menudo mediante la técnica del repicado con buril y los dorados. La presencia de este último elemento lo conecta con F. Vidal. Sus muebles están trabajados por todas las caras. Si la flor del girasol se convierte en un emblema de la producción modernista de Joan Busquets, la rosa —en talla o en marquetería— es inconfundiblemente de Homar. Si al principio los motivos decorativos de sus muebles derivaban de la *Grammar of Ornament* de Owen Jones, ahora sintonizan con los modelos reproducidos en *La plante et ses aplications ornementales* d'Eugène Grasset, publicación que contribuyó a desvelar el interés por la botánica como punto de partida de la decoración. Las obra de Grasset, que participaron en la sección extranjera de la Exposición de Bellas Artes de Barcelona de 1891, fueron divulgadas por las revistas catalanas de la época. La experiencia profesional de Homar al lado de los arquitectos, sobre todo de Domènech i Montaner y Joan Amigó, fue determinante para su adquisición del lenguaje del modernismo.

Distanciament dels historicismes (1895-1915)

El conjunt de mobiliari modernista de Gaspar Homar expressa el desig de distanciar-se dels estils històrics. Tot i que Homar va conrear el moble d'estil esporàdicament i circumstancialment —lògicament en relació amb les exigències de la clientela— les peces d'aquest gènere no són especialment representatives ni del seu talent ni de la seva creativitat. És per això que les hem excloses de la selecció, com també aquelles que, tot i haver estat executades als seus tallers, no van ser dissenyades per Homar com succeeix en els conjunts de la casa Amatller.

Amb el canvi de segle, el modernisme fou un dels codis estètics més adients per expressar el nou estil de la cultura urbana, i les creacions d'Homar cal situar-les, juntament amb les de Joan Busquets, al capdavant de la producció de l'ebenisteria catalana modernista. Les seves obres són sincròniques i equiparables, tant en factura com en bellesa, a les de la resta dels moblistes europeus. No es distingeixen per la innovació radical des del punt de vista de les seves formes, com s'esdevé amb les obres avantguardistes d'artistes coetanis com és el cas d'Antoni Gaudí, de Josep M. Jujol o Ch.R. Mackintosh. Potser l'aportació més significativa d'Homar sigui la modernització que opera a partir de l'adopció de tipologies i solucions tècniques tradicionals que sap emmascarar amb subtils transformacions i ornaments que tenen com a resultat mobles molt genuïns i d'un acabat impecable, capaços de seduir la burgesia del seu temps. Les arquilles, els sofàs-escó i les cadires de braços, que reinterpreten les formes del passat, són les tipologies més habituals, a les quals cal afegir altres elements funcionals propis de la casa: les taules, els llits amb capçals de marqueteria i els armaris. Com a bon modernista, els mobles d'Homar palesen sovint una utilitat doble i triple: hi són freqüents els sofàs-escó amb vitrina i els paraigüers-penja-robes-bastoners. A diferència de Busquets, que reprèn el seient *vis-à-vis*, com també ho fa Gaudí a la casa Batlló, Homar utilitza més profusament la tipologia de l'armari-vitrina i del sofà-escó, amb espai per a la lluna bisellada i la marqueteria. Els mobles d'Homar, amb afinitats amb els d'Eugène Gaillard, són construïts amb una recerca funcional amb evocacions naturalistes i l'ornament quadràtic hi és una component essencial. En la realització del moble participen l'escultura en baix relleu i la talla calada, així com també la tècnica de la marqueteria. Les col·laboracions d'artistes i artesans competents van ser crucials per assolir la simbiosi que es dóna al llarg de la seva producció: sobrietat i elegància formal, d'una banda, i de l'altra, la recerca, gairebé obsessiva, de l'ornament, que atorguen les talles d'estil simbolista firmades per Joan Carreras, properes a les de Charpentier, i les marqueteries de Josep Pey. Les aplicacions de metal·listeria hi tenen un paper clau: les frontisses a la vista es perllonguen en dissenys estilitzats en forma de làmines metàl·liques que reprenen, en versió moderna, la tradició medieval. En tots els mobles d'Homar veiem com sempre ressalta la integració harmònica de cadascun dels elements i com s'aconsegueix una notable riquesa cromàtica a través de la combinació de la tapisseria, el vidre emplomat, el marbre d'Alacant i les fustes variades. Malauradament, bona part del mobiliari modernista no conserva l'entapissat original a causa del canvi de les tapisseries desgastades per l'ús.

Preferentment, Homar esculpeix sobre l'estructura sedosa i de gran policromia que li proporciona la caoba (sobretot a les cadires), el cirerer, molt compacte, de color i vetes molt similars a la caoba; l'olivera, que remet als seus orígens mallorquins i mediterranis, i el roure. Il·lustra amb fulles d'olivera, cítrics i roses els diferents plafons, sovint amb la tècnica del repicatge amb burí i els daurats. La presència d'aquest element el connecta amb F. Vidal. Els seus mobles estan treballats per totes les cares. Si la flor del gira-sol es converteix en un emblema de la producció modernista de Joan Busquets, la rosa, en talla o marqueteria, és inconfusiblement d'Homar. Si inicialment els motius decoratius dels seus mobles derivaven de la *Grammar of Ornament* d'Owen Jones, ara sintonitzen amb els models reproduïts a *La plante et ses aplications ornementals* d'Eugène Grasset, publicació que va contribuir a desvetllar l'interès per la botànica com a punt de partida de la decoració. Les obres de Grasset, que van prendre part a la secció estrangera de l'Exposició de Belles Arts de Barcelona de 1891, es van divulgar a les revistes catalanes de l'època. Per a l'assoliment del llenguatge modernista la seva experiència professional al costat dels arquitectes, especialment Domènech i Montaner i Joan Amigó, havia de ser determinant.

10

Llit amb capçal representant la Immaculada Concepció dins un arc apuntat
Cama con cabecera representando a la Inmaculada Concepción dentro de un arco apuntado
C. 1900-1904

Fusta de noguera espanyola, talla de sicòmor, marqueteria de freixe, xicranda, arrel de noguera, bedoll, eucaliptus i daurats
Madera de nogal español, talla de sicomoro, jacarandá, raíz de nogal, abedul, eucaliptus y dorados
303,5 x 111,5 cm (capçalera/*cabecera*)
89 x 119,5 cm (peus/*pies*)
Donació d'OCSA, 1991
Donación de OCSA, 1991
Museu d'Art Modern del MNAC, Barcelona (MNAC/MAM 153240)

11

Cadira
Silla
C. 1900-1904
Fusta de roure
Madera de roble
117 x 43,5 x 43,5 cm
Donació d'OCSA, 1991
Donación de OCSA, 1991
Museu d'Art Modern del MNAC, Barcelona (MNAC/MAM 153244/47)

12

Tauleta de nit
Mesilla de noche
C. 1900-1904
Estructura de fusta de roure, arrels als plafons i marbre, talla, marqueteria i daurats
Estructura de madera de roble, raíces en los paneles y mármol, talla, marquetería y dorados
146 x 51,5 x 42,5 cm
Donació d'OCSA, 1991
Donación de OCSA, 1991
Museu d'Art Modern del MNAC, Barcelona (MNAC/MAM 153241/42)

10

11

12

13

Sofà-escó amb tauleta auxiliar
Sofá-escaño con mesilla auxiliar

C. 1900

Fusta de caoba, boix, talla, repicat amb
burí i daurats
*Madera de caoba, boj, talla, repicado con
buril y dorados*

222 x 201,5 x 75 cm

Col. particular

13

14

15

14
Arquilla de saló de Sebastià Junyent
Arquilla de salón de Sebastià Junyent

C. 1900

Fusta de noguera amb marqueteria
d'arrel de tuia, sicomor, noguera i boix
i aplicacions de metall
*Madera de nogal con marquetería de raíz
de tuya, sicomoro, nogal y boj
y aplicaciones de metal*

170 x 82 x 43 cm

Col. particular

15
Cosidor
Costurero

C. 1900

Fusta de sicòmor
Madera de sicomoro

Col. particular

16

17

18

16

Escó amb un plafó central decorat amb el tema al·legòric "La botànica", segons el projecte que Alexandre de Riquer va fer servir per al plafó decoratiu de la farmacia Grau Inglada del carrer Conde del Asalto
Escaño con un panel central decorado con el tema alegórico "La botánica", según el proyecto que Alexandre de Ríquer utilizó para el panel decorativo de la farmacia Grau Inglada de la calle Conde del Asalto

1900

Llapis plom, ploma i aquarel·la sobre paper
Lápiz plomo, pluma y acuarela sobre papel

23,3 x 20,4 cm

Adquisició, 1975/*Adquisición, 1975*

Gabinet de Dibuixos i Gravats del MNAC, Barcelona (MNAC/GDG 107426/D)

17

Bufet de tres cossos amb marqueteria i vidres emplomats
Aparador de tres cuerpos con marquetería y cristales emplomados

Llapis plom, ploma, aquarel·la i purpurina sobre paper
Lápiz plomo, pluma, acuarela y purpurina sobre papel

27,8 x 25, 7 cm.

Adquisició, 1975/*Adquisición, 1975*

Gabinet de Dibuixos i Gravats del MNAC, Barcelona (MNAC/GDG 107423/D)

18

Escó amb plafó de marqueteria amb la representació de Sant Miquel Arcàngel portant l'escut de Sant Jordi
Escaño con panel de marquetería con la representación de San Miguel Arcángel llevando el escudo de San Jorge

C. 1900

Ploma, aquarel·la i purpurina sobre paper
Pluma, acuarela y purpurina sobre papel

32 x 25 cm

Adquisició, 1975/*Adquisición, 1975*

Gabinet de Dibuixos i Gravats del MNAC, Barcelona (MNAC/GDG 107410/D)

19

Taula d'estil nòrdic per al menjador de la casa Burés
Mesa de estilo nórdico para el comedor de la casa Burés

C. 1900-1905

Llapis plom, ploma i aquarel·la sobre paper
Lápiz plomo, pluma y acuarela sobre papel

11,8 x 26,5 cm

Adquisició, 1975/*Adquisición, 1975*

Gabinet de Dibuixos i Gravats del MNAC, Barcelona (MNAC/GDG 107403/D)

20

Porta d'entrada de la botiga d'instruments musicals Cassadó
Puerta de entrada de la tienda de instrumentos musicales Cassadó

C. 1900

Llapis plom, ploma i aquarel·la sobre paper
Lápiz plomo, pluma y acuarela sobre papel

53 x 39,4 cm

Adquisició, 1975/*Adquisición, 1975*

Gabinet de Dibuixos i Gravats del MNAC, Barcelona (MNAC/GDG 107377/D)

21

Paravent de quatre cossos
Biombo de cuatro cuerpos

C. 1900

Ploma i aquarel·la sobre paper
Pluma y acuarela sobre papel

20,6 x 25,3 cm.

Adquisició, 1975/*Adquisición, 1975*

Gabinet de Dibuixos i Gravats del MNAC, Barcelona (MNAC/GDG 107409/D)

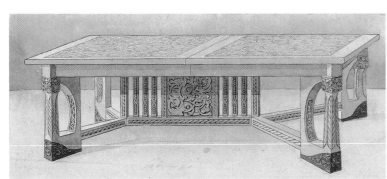

19

21

20

22

LLit de baranes amb capçal de marqueteria amb motiu inspirat en el poema d'Apel·les Mestres "L'Àngel de la Son"
Cama con barandas y cabecera de marquetería con motivo inspirado en el poema de Apel·les Mestres "El Ángel del Sueño"

C. 1903-1908

Fusta de caoba, talla i marqueteria de sicòmor, xicranda, arrel de tuia, freixe d'Hongria, *manzonia*, cirerer i aplicacions de metall i nacre
Madera de caoba, talla y marquetería de sicomoro, jacarandá, raíz de tuya, fresno de Hungría, manzonia, cerezo y aplicaciones de metal y nácar

121 x 119 x 65 cm

Col. particular

23

Mirall amb talla de roses
Espejo con talla de rosas

C. 1905

Fusta de roure i talla
Madera de roble y talla

120 x 123 x 4 cm

Col. Sala-Donado

23

22

24

Sofà-vitrina amb plafó de marqueteria "La sardana"
Sofá-vitrina con panel de marquetería "La sardana"

C. 1903

Fusta de xicranda, limoncillo, talla i marqueteria de xicranda, *manzonia,* roure, banús, sicòmor, *doradillo,* boix, cirerer i freixe d'Hongria amb aplicacions de metall. Vidre emplomat i bisellat
Madera de jacarandá, limoncillo, talla y marquetería de jacarandá, manzonia, roble, ébano, sicomoro, doradillo, boj, cerezo y fresno de Hungría con aplicaciones de metal. Cristal emplomado y biselado

240 x 256,5 x 70 cm

Ajuntament de Badalona.
Residència d'avis Vicenç Bosch

24

25

Moble auxiliar amb plafó de marqueteria "La sardana"
Mueble auxiliar con panel de marquetería "La sardana"

C. 1903

Llapis plom, ploma i aquarel·la sobre paper
Lápiz plomo, pluma y acuarela sobre papel

25 x 13 cm

Adquisició, 1975/*Adquisición, 1975*

Gabinet de Dibuixos i Gravats del MNAC, Barcelona (MNAC/GDG 107459/D)

26

Moble auxiliar decoratiu
Mueble auxiliar decorativo

C. 1905

Llapis, ploma i aquarel·la sobre cartolina.
Lápiz, pluma y acuarela sobre cartulina.

33,5 x 23 cm

Col. particular

27

Escó amb plafons de marqueteria
Escaño con paneles de marquetería

C. 1905

Llapis plom, ploma i aquarel·la sobre paper
Lápiz plomo, pluma y acuarela sobre papel

27 x 25,3 cm

Adquisició, 1975/*Adquisición, 1975*

Gabinet de Dibuixos i Gravats del MNAC, Barcelona (MNAC/GDG 107411/D)

25

26

27

28

29

28
Peanya
Peana
C. 1905
Fusta de roure
Madera de roble
112 x 40 x 40 cm
Casa Navàs. Reus

29
Armari
Armario
C. 1905
Fusta de cirerer, vidre emplomat i
marqueteria de llimoner, caoba i banús
*Madera de cerezo, vidrio emplomado y
marquetería de limonero, caoba y ébano*
191 x 100 x 43,5 cm
Casa Navàs. Reus

30

Motius decoratius per a l'ornamentació del sostre del saló-menjador de la casa Navàs de Reus
Motivos decorativos para la ornamentación del techo del salón-comedor de la casa Navàs de Reus

C. 1905

Llapis plom, ploma i aquarel·la sobre paper
Lápiz plomo, pluma y acuarela sobre papel

39,4 x 43, 6 cm

Adquisició, 1975/*Adquisición, 1975*

Gabinet de Dibuixos i Gravats del MNAC, Barcelona (MNAC/GDG 107473/D)

31

Sofà-vitrina amb plafons de marqueteria, projecte decoratiu per al saló de la casa Navàs de Reus
Sofá-vitrina con paneles de marquetería, proyecto decorativo para el salón de la casa Navàs de Reus

C. 1905

Llapis plom, ploma i aquarel·la sobre paper
Lápiz plomo, pluma y acuarela sobre papel

54,7 x 49 cm

Adquisició, 1975/*Adquisición, 1975*

Gabinet de Dibuixos i Gravats del MNAC, Barcelona (MNAC/GDG 107472/D)

32

Projecte decoratiu per a un saló de la casa Navàs de Reus
Proyecto decorativo para un salón de la casa Navàs de Reus

C. 1905

Llapis plom, ploma i aquarel·la sobre paper
Lápiz plomo, pluma y acuarela sobre papel

55,5 x 43,6 cm

Adquisició, 1975/*Adquisición, 1975*

Gabinet de Dibuixos i Gravats del MNAC, Barcelona (MNAC/GDG 107469/D)

31

30

32

33 (detall)

33.1

33.2

33

**Sofà amb vitrines laterals
i plafó decoratiu de marqueteria
amb dues figures en un jardí**
*Sofá con vitrinas laterales y panel
decorativo de marquetería con dos
figuras en un jardín*

C. 1905

Fusta de roure americà amb plafons
d'olivera, daurats, vidre emplomat i
entapissat de vellut verd no original. Talla
i marqueteria de freixe, sicòmor, falsa
caoba, xicranda, *bubinga*, majagua i rabassa
d'om

*Madera de roble americano con paneles de
olivo, dorados, vidrio emplomado y tapizado
de color verde no original. Talla y
marquetería de fresno, sicomoro, falsa
caoba, jacarandá,* bubinga, *damajagua y
cepa de olmo*

267 x 259 x 68 cm (sofà amb vitrines/
sofá con vitrinas)

100 x 137,5 cm (plafó de marqueteria/
panel de marquetería)

Adquisició, 1967/*Adquisición, 1967*

Museu d'Art Modern del MNAC,
Barcelona (MNAC/MAM 71703)

**Noia amb garlanda de cintes
i flors. Plafó decoratiu de
l'arrambador lateral dret**
*Muchacha con guirnalda de cintas y
flores. Panel decorativo del arrimadero
lateral derecho*

C. 1905

Plafó de marqueteria de bedoll, sicòmor,
noguera, roure, llimoner de Ceilan,
majagua i freixe
*Panel de marquetería de abedul, sicomoro,
nogal, roble, citron ceylan, damajagua y
fresno*

175 x 92,5 cm

Adquisició, 1967/*Adquisición, 1967*

Museu d'Art Modern del MNAC,
Barcelona (MNAC/MAM 71719)

**Noia amb garlanda de cintes
i flors. Plafó decoratiu de
l'arrambador lateral esquerre**
*Muchacha con guirnalda de cintas y
flores. Panel decorativo del arrimadero
lateral izquierdo*

C. 1905

Plafó de marqueteria d'arrel de tuia,
bedoll, xicranda, sicòmor i freixe
*Panel de marquetería de raíz de tuya,
abedul, jacarandá, sicomoro y fresno*

175 x 92,5 cm

Adquisició, 1967/*Adquisición, 1967*

Museu d'Art Modern del MNAC,
Barcelona (MNAC/MAM 71720)

34.1

34.2

35

34

Armari de tres cossos amb plafons decoratius de marqueteria

Armario de tres cuerpos con paneles decorativos de marquetería

C. 1905

Fusta de roure americà, vidre bisellat, aram repussat i marqueteria de caoba, sicòmor, rabassa de doradillo, manzonia i freixe, i incrustacions de metall

Madera de roble americano, cristal biselado, cobre repujado y marquetería de caoba, sicomoro, cepa de doradillo, manzonia y fresno, e incrustaciones de metal

190 x 190,5 x 51 cm (armari / *armario*)

54,5 x 78,5 cm (marqueteria / *marquetería*)

Adquisició, 1967/*Adquisición, 1967*

Museu d'Art Modern del MNAC, Barcelona (MNAC/MAM 71704)

Dues noies assegudes a la vora de l'estany. Plafó decoratiu de l'arrambador lateral dret

Dos muchachas sentadas junto al estanque. Panel decorativo del arrimadero lateral derecho

C. 1905

Marqueteria de caoba, sicòmor, rabassa de doradillo, manzonia i freixe, amb incrustacions de metall

Marquetería de caoba, sicomoro, cepa de doradillo, manzonia y fresno, e incrustaciones de metal

175,5 x 119 cm

Adquisició, 1967/*Adquisición, 1967*

Museu d'Art Modern del MNAC, Barcelona (MNAC/MAM 71723)

Dues noies assegudes a la vora de l'estany. Plafó decoratiu de l'arrambador lateral esquerre

Dos muchachas sentadas junto al estanque. Panel decorativo del arrimadero lateral izquierdo

C. 1905

Marqueteria de caoba, sicòmor, rabassa de doradillo, manzonia i freixe, amb incrustacions de metall

Marquetería de caoba, sicomoro, cepa de doradillo, manzonia y fresno, e incrustaciones de metal

175,5 x 119 cm

Adquisició, 1967/*Adquisición, 1967*

Museu d'Art Modern del MNAC, Barcelona (MNAC/MAM 71724)

Projecte original de Josep Pey per al plafó de marqueteria de l'arrambador lateral d'un armari de tres cossos per a la casa Lleó Morera

Proyecto original de Josep Pey para el panel de marquetería del arrimadero lateral de un armario de tres cuerpos para la casa Lleó Morera

C. 1905

Llapis plom, ploma i aquarel·la sobre paper

Lápiz plomo, pluma y acuarela sobre papel

9,8 x 15,8 cm

Adquisició, 1975/*Adquisición, 1975*

Gabinet de Dibuixos i Gravats del MNAC, Barcelona (MNAC/GDG 107455/D)

36

**Donzella sostenint una branca.
Plafó decoratiu d'arrambador**
*Doncella sosteniendo una rama.
Panel decorativo de arrimadero*

C. 1905

Marqueteria
Marquetería

175 x 65,5 cm

Adquisició, 1967 / *Adquisición, 1967*

Museu d'Art Modern del MNAC,
Barcelona (MNAC/MAM 71725)

37

**Donzella asseguda al jardí.
Plafó decoratiu d'arrambador**
*Doncella sentada en el jardín.
Panel decorativo de arrimadero*

C. 1905

Marqueteria amb inscrustacions d'aram i
nacre, freixe d'Hongria, caoba, xicranda,
noguera i sicòmor
*Marquetería con incrustaciones de cobre
y nácar, fresno de Hungría, caoba,
jacarandá, nogal y sicomoro*

175 x 77 cm

Adquisició, 1967 / *Adquisición, 1967*

Museu d'Art Modern del MNAC,
Barcelona (MNAC/MAM 71722)

36

37

38

**Donzella agafant-se les faldilles.
Plafó decoratiu d'arrambador**
*Doncella cogiéndose la falda.
Panel decorativo de arrimadero*

C. 1905

Marqueteria amb inscrustacions d'aram i
nacre, freixe d'Hungria, caoba, xicranda,
noguera i sicòmor
*Marquetería con incrustaciones de cobre
y nácar, fresno de Hungría, caoba,
jacarandá, nogal y sicomoro*

175 x 31 cm

Adquisició, 1967/*Adquisición, 1967*

Museu d'Art Modern del MNAC,
Barcelona (MNAC/MAM 71721)

39

**Donzella collint flors.
Plafó decoratiu d'arrambador**
*Doncella recogiendo flores.
Panel decorativo de arrimadero*

C. 1905

Marqueteria de sicòmor, arrel de tuia,
erable gris, *manzonia* i caoba
*Marquetería de sicomoro, raíz de tuya,
arce gris, manzonia y caoba*

175 x 59,5 cm

Adquisició, 1967/*Adquisición, 1967*

Museu d'Art Modern del MNAC,
Barcelona (MNAC/MAM 71726)

38

39

40

Tauleta de centre
Mesita de centro

C. 1905

Sobre xapat d'olivera amb regruix lateral de roure americà i marqueteria de noguera, sicòmor, xicranda i caoba
Superficie superior chapada de olivo con resalte lateral de roble americano y marquetería de nogal, sicomoro, jacarandá y caoba

81 x 98 x 62,5 cm

Adquisició, 1967/*Adquisición, 1967*

Museu d'Art Modern del MNAC, Barcelona (MNAC/MAM 71705)

41

Cadira
Silla

C. 1905

Fusta de roure i talla amb aplicacions de marqueteria al respatller
Madera de roble y talla con aplicaciones de marquetería en el respaldo

99,5 x 37 x 41 cm

Adquisició, 1967/*Adquisición, 1967*

Museu d'Art Modern del MNAC, Barcelona (MNAC/MAM 71715-16)

42

Cadira
Silla

C. 1905

Fusta de roure i talla amb motius de roses
Madera de roble y talla con motivos de rosas

112,5 x 40,5 x 46,5 cm

Adquisició, 1967/*Adquisición, 1967*

Museu d'Art Modern del MNAC, Barcelona (MNAC/MAM 71710-14)

41

40

42

43

Cadira de braços
Poltrona

Fusta de roure americà, talla i
marqueteria de *doradillo*, majagua, bedoll
i rabassa de noguera
*Madera de roble americano, talla y
marquetería de doradillo, damajagua,
abedul y cepa de nogal*

86,5 x 56,5 x 61,5 cm

Adquisició, 1967 / *Adquisición, 1967*

Museu d'Art Modern del MNAC,
Barcelona (MNAC/MAM 71780-83)

44

Dibuix de la peça anterior
Dibujo de la pieza anterior

C. 1905

Ploma i aquarel·la sobre paper
Pluma y acuarela sobre papel

15 x 18,5 cm

Adquisició, 1975 / *Adquisición, 1975*

Gabinet de Dibuixos i Gravats del MNAC,
Barcelona (MNAC/GDG 107464/D)

45

Cadira de braços
Poltrona

C. 1905

Fusta de roure amb talla de roses
Madera de roble con talla de rosas

96 x 78,5 x 48,5 cm (cada peça / *cada
pieza*)

Adquisició, 1967 / *Adquisición, 1967*

Museu d'Art Modern del MNAC,
Barcelona (MNAC/MAM 71706-09)

46

Dibuix de la peça anterior
Dibujo de la pieza anterior

Ploma i aquarel·la sobre paper
Pluma y acuarela sobre papel

11 x 9,8 cm

Adquisició, 1975 / *Adquisición, 1975*

Gabinet de Dibuixos i Gravats del MNAC,
Barcelona (MNAC/GDG 107465/D)

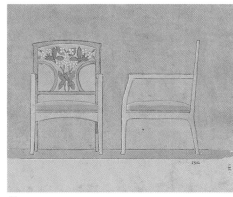

44

46

43

45

47
Tauleta raconera octogonal
Mesita de rincón octogonal

C. 1905

Fusta de falsa noguera i *bubinga*
Madera de falso nogal y bubinga

77 x 53 cm

Adquisició, 1967/*Adquisición, 1967*

Museu d'Art Modern del MNAC,
Barcelona (MNAC/MAM 71787)

48
Taula auxiliar
Mesa auxiliar

C. 1905

Arrel de fusta d'olivera amb aplicacions
de marqueteria de xicranda, roure i
castanyer
*Raíz de madera de olivo con aplicaciones de
marquetería de jacarandá, roble y castaño*

78,5 x 50 cm

Adquisició, 1967/*Adquisición, 1967*

Museu d'Art Modern del MNAC,
Barcelona (MNAC/MAM 71788)

49
Tauleta auxiliar
Mesilla auxiliar

C. 1905

Fusta de olivera, talla amb motius de
cireres i taronges
*Madera de olivo, talla con motivos de
cerezas y naranjas*

77 x 67 cm ø

Adquisició, 1967/*Adquisición, 1967*

Museu d'Art Modern del MNAC,
Barcelona (MNAC/MAM 106002)

47

48

49

50

Bufet de dos cossos
Aparador de dos cuerpos

C. 1905

Fusta d'olivera tenyida, talla, metall *martelé*, vidre bisellat i marqueteria de *doradillo*, freixe, sicòmor, xicranda, noguera i boix

Madera de olivo teñida, talla, metal martelé, cristal bidelado y marquetería de doradillo, fresno, sicomoro, jacarandá, nogal y boj

300 x 202 x 53 cm

Adquisició, 1967 / *Adquisición, 1967*

Museu d'Art Modern del MNAC, Barcelona (MNAC/MAM 106069)

50

51

52

51

Arquilla amb plafó del Sant Jordi
Bargueño con panel de San Jorge

C. 1905-1907

Fusta de caoba i marqueteria d'ivori,
banús, xicranda, caoba, llimoner, freixe
de Pomerània, mongoy, incrustacions de
metall i policromia daurada
*Madera de caoba y marquetería de marfil,
ébano, jacarandá, caoba, limonero, fresno
de Pomerania, mongoy, incrustaciones de
metal y policromía dorada*

152,5 x 107,5 x 50 cm

Col. particular

52

**Dibuix del Sant Jordi de la peça
anterior**
Dibujo del San Jorge de la pieza anterior

C. 1905-1907

Llapis plom, ploma i aquarel·la sobre
paper
Lápiz plomo, pluma y acuarela sobre papel

58 x 47 cm

Col. particular

53
Armari escriptori d'Àngel Guimerà
Armario escritorio de Àngel Guimerà

C. 1905

Fusta de noguera amb marqueteria
d'arrel de noguera, caoba, freixe
d'Hongria i aplicacions de metall
*Madera de nogal con marquetería de raiz
de nogal, caoba, fresno de Hungría y
aplicaciones de metal*

174 x 84 x 40 cm

Institut del Teatre de la Diputació de Bar-
celona

53

54

Cadira de braços
Poltrona

C. 1907-1908

Fusta de noguera
Madera de nogal

116,5 x 72 x 55,5 cm
(cada peça/*cada pieza*)

Donació dels hereus de Pere
Domènech i Roura, 1984
*Donación de los herederos de
Pere Domènech i Roura, 1984*

Museu d'Art Modern del MNAC,
Barcelona (MNAC/MAM
145003/145004)

55

Cadira
Silla

C. 1907-1908

Fusta de noguera
Madera de nogal

113,5 x 45,5 x 44 cm
(cada peça/*cada pieza*)

Donació dels hereus de Pere
Domènech i Roura, 1984
*Donación de los herederos de
Pere Domènech i Roura, 1984*

Museu d'Art Modern del MNAC,
Barcelona (MNAC/MAM
145005/145010)

56

Moble peanya
Mueble peana

C. 1907-1908

Fusta de noguera
Madera de nogal

119 x 71 x 34 cm

Donació Lluís Domènech
i Torres, 1994
*Donación Lluís Domènech i Torres,
1994*

Museu d'Art Modern del MNAC,
Barcelona (MNAC/MAM
200679)

57

Sofà amb plafó decoratiu
Sofá con panel decorativo

C. 1907-1908

Fusta de noguera amb
aplicacions de marqueteria
*Madera de nogal con aplicaciones
de marquetería*

259,5 x 178 x 65 cm
(sofà/*sofá*)

Donació dels hereus de Pere
Domènech i Roura, 1984
*Donación de los herederos de
Pere Domènech i Roura, 1984*

Museu d'Art Modern del MNAC,
Barcelona (MNAC/MAM
145001)

58

**Vitrina de dos cossos
amb mirall**
*Vitrina de dos cuerpos
con espejo*

C. 1907-1908

Fusta de noguera amb
aplicacions de marqueteria
*Madera de nogal con aplicaciones
de marquetería*

257,5 x 217 x 47 cm

Donació dels hereus de Pere
Domènech i Roura, 1984
*Donación de los herederos de
Pere Domènech i Roura, 1984*

Museu d'Art Modern del MNAC,
Barcelona (MNAC/MAM
145002)

54

55

56

57

58

59

Armari-escriptori amb un plafó central amb la composició d'unes noies dansant i un gos en primer terme

Armario escritorio con un panel central con la composición de unas muchachas bailando y un perro en primer término

Ploma, aquarel·la i purpurina sobre paper

Pluma, acuarela y purpurina sobre papel

25,5 x 14,5 cm

Adquisició, 1975/*Adquisición, 1975*

Gabinet de Dibuixos i Gravats del MNAC, Barcelona (MNAC/GDG 107427/D)

60

Vitrina

Vitrina

C. 1907-1910

Fusta de caoba amb marqueteria

Madera de caoba con marquetería

195 x 127,5 x 34 cm

Col. Roca-Sastre

59

60

61

Sofà-penja-robes de rebedor
Sofá-colgador para recibidor

C. 1910

Fusta de caoba, metal·listeria i
marqueteria de xicranda, *manzonia*, caqui,
sicòmor i *doradillo*
*Madera de caoba, metalistería y
marquetería de jacarandá, manzonia,
palosanto, sicomoro y doradillo*

257 x 243,5 x 57 cm

Col. Josep Soler i Amigó

61

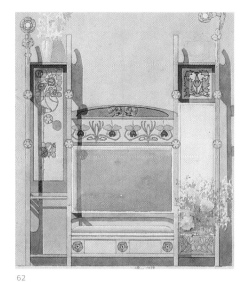

62

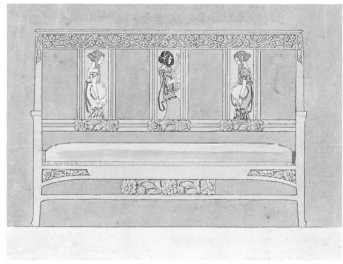

64

63

62

Dibuix amb variacions de la peça anterior
Dibujo con variaciones de la pieza anterior

C. 1910

Llapis plom, ploma i aquarel·la sobre paper
Lápiz plomo, pluma y acuarela sobre papel

30 x 24 cm

Col. particular

63

Sofà amb espatllera amb elements de talla i plafons de marqueteria
Sofá con respaldo con elementos de talla y paneles de marquetería

C. 1904-1910

Fusta d'olivera, talla, marqueteria i aplicacions de metall
Madera de olivo, talla, marquetería y aplicaciones de metal

105 x 165 x 63 cm

Col. particular

64

Dibuix de la peça anterior
Dibujo de la pieza anterior

Ploma i aquarel·la sobre paper
Pluma y acuarela sobre papel

17,8 x 23,5 cm

Adquisició, 1975/*Adquisición, 1975*

Gabinet de Dibuixos i Gravats del MNAC, Barcelona (MNAC/GDG 107382/D)

65

Llit

Cama

C. 1910

Fusta de cirerer, talla, metal·listeria i
marqueteria de cirerer, boix, noguera,
doradillo, manzonia, caqui i erable
*Madera de cerezo, talla, metalistería y
marquetería de cerezo, boj, nogal, doradillo,
manzonia, palosanto y arce*

186 x 157 x 2 cm

Col. particular

65

66

Cadira de respatller alt
Silla de respaldo alto

C. 1910

Fusta de cirerer i marqueteria d'erable,
caqui, *manzonia*. Entapissat original
*Madera de cerezo y marquetería de arce,
palosanto, manzonia. Tapizado original*

150 x 56 x 46 cm

Col. particular

67

Tauleta de nit
Mesilla de noche

C. 1910

Fusta de cirerer, talla i marqueteria de
boix, noguera, erable, caqui, *doradillo* i
aplicacions de metall
*Madera de cerezo, talla y marquetería de
boj, nogal, arce, palosanto, doradillo y
aplicaciones de metal*

120 x 44 x 44 cm

Col. particular

66

67

68

Armari de tres cossos
Armario de tres cuerpos

C. 1910

Fusta de cirerer, talla, metal·listeria i
marqueteria de noguera, boix, *doradillo*,
caqui, erable, *amboé* i alzina
*Madera de cerezo, talla, metalistería y
marquetería de nogal, boj, doradillo,
palosanto, arce, amboé y encina*

275 cm x 227 x 56 cm

Col. particular

69

Dibuix de la peça anterior
Dibujo de la pieza anterior

C. 1910

Llapis plom, ploma i aquarel·la sobre
paper
Lápiz plomo, pluma y acuarela sobre papel

36 x 29,5 cm

Col. particular

69

70
Arquilla
Bargueño

C. 1910

Fusta de caoba i marqueteria d'arrel
de freixe d'Hongria, caqui, *amboé* i cirerer
amb aplicacions de metal·listeria
*Madera de caoba y marquetería de raíz
de fresno de Hungría, palosanto, amboé y
cerezo con aplicaciones de metalistería*

158 x 102,5 x 50 cm

Col. Joan Soler i Amigó

71
Armari-prestatgeria de despatx
Armario-estantería de despacho

C. 1910

Fusta de cirerer amb *limoncillo*, freixe
d'Hongria, *amboé*, caqui i caoba amb
aplicacions de metal·listeria
*Madera de cerezo con limoncillo, fresno
de Hungría, amboé, palosanto y caoba
con aplicaciones de metalistería*

226 x 105 x 42,5 cm

Col. Joan Soler i Amigó

70

71

72

72
Taula de despatx
Mesa de despacho
C. 1910
Fusta de citron i cirerer
Madera de citron y cerezo
80,5 x 138 x 80 cm
Col. Joan Soler i Amigó

73
Cadira de braços
Poltrona
C. 1910
Fusta de cirerer i llimoner.
Entapissat original
Madera de cerezo y limonero.
Tapizado original
91 x 54,5 x 58 cm
Col. Joan Soler i Amigó

73

74

Mobiliari Art Déco de la casa Garí
Mobiliario Art Déco de la casa Garí

Anys trenta
Años treinta

Llapis plom, aquarel·la i purpurina sobre paper
Lápiz plomo, acuarela y purpurina sobre papel

19 x 19,5 cm

Col. particular

75

Armari per a radiador de calefacció Art Déco de la casa Garí
Armario para radiador de calefacción Art Déco de la casa Garí

Anys trenta
Años treinta

Llapis plom, aquarel·la i purpurina sobre paper
Lápiz plomo, acuarela y purpurina sobre papel

22 x 28 cm

Col. particular

76

Mobiliari Art Déco de la casa Garí
Mobiliario Art Déco de la casa Garí

Anys trenta
Años treinta

Llapis plom, aquarel·la i purpurina sobre paper
Lápiz plomo, acuarela y purpurina sobre papel

19 x 19,5 cm

Col. particular

77

Mobiliari Art Déco de la casa Garí
Mobiliario Art Déco de la casa Garí

Anys trenta
Años treinta

Llapis plom i aquarel·la sobre paper
Lápiz plomo y acuarela sobre papel

49,5 x 37,5 cm

Col. particular

74

75

76

77

Pionero de la revitalización del arte de la marquetería

Uno de los elementos que concede mayor refinamiento y distinción al mueble de Homar es la presencia de la marquetería, que acopla distintas maderas para lograr los tonos apropiados sin recurrir a los tintes de anilina. Esta técnica, aunque de arraigada tradición en Cataluña, fue una de las claves de su éxito y uno de los elementos que, en un principio, le distinguieron del resto de ebanistas. Cirici sitúa hacia 1896 el inicio del trabajo en marquetería sin teñir las maderas.[3] Continúa diciendo que el introductor del arte de la marquetería policroma en Europa fue Emil Orlik, quien después de residir largo tiempo en el Japón aprendió esta técnica y la incorporó a sus paneles decorativos. Sin embargo, las referencias póstumas que tenemos de Orlik[4] no aluden a dicha faceta, aunque sí a su condición de introductor de temas de carácter japonesizante. En cualquier caso, si analizamos los proyectos de mobiliario de Gaspar Homar anteriores a 1900, observamos que la talla, que Vidal tanto había potenciado en sus muebles, va cediendo lugar a la marquetería hasta complementarla a la perfección. Dichos elementos, así como los metales, el marfil y el nácar, contribuyen a adornar y embellecer el mueble.

Inicialmente, Homar perfilaba con metales los elementos florales, especialmente lirios de tallo sinuoso que aparecen en los espacios frontales o laterales de los muebles. Paulatinamente iría incorporando la temática de cariz simbolista que le caracteriza. En 1903, momento cumbre de su producción modernista, ya se ha prefigurado el repertorio iconográfico de sus marqueterías: la representación del ángel con las alas abiertas, que transcribe plásticamente la poesía de Apel·les Mestres «L'àngel de la Son» ('El ángel del Sueño'); las figuras alegóricas de las estaciones y la música; San Miguel y San Jorge, y las imágenes de culto de las vírgenes de Montserrat y del Pilar, y las inmaculadas; las evocaciones cuatrocentistas botticellianas; el tema de la danza o la sardana; Juana de Arco; Leda y el cisne y las herederas de las musas griegas tañendo el arpa, la lira, la viola y tocando instrumentos de percusión. Asociados a la figura femenina —que parece evocar el modelo estético de la célebre bailarina parisina Cléo de Mérode, que alardeaba de tener una cintura de avispa y adornaba su pelo con cintas y flores—, aparecen a menudo los lagos y los bosques poblados de lirios, orquídeas, dientes de león, cardos, hojas de palmito y roble que se combinan con ornamentaciones en talla representando rosas —próximas a las que popularizó Margaret MacDonald en el pabellón escocés de Ch. Rennie Mackintosh, el Rose Boudoir, en el marco de la Exposición de Turín de 1902—; las anémonas y los cítricos, tan abundantes en la región de Mallorca y al mismo tiempo concomitantes con los vieneses y, en especial, con Olbrich. En sus marqueterías el orientalismo es un componente esencial y se evidencia tanto desde un punto de vista iconográfico como compositivo. La interpretación de la ornamentación vegetal y la propia concepción panteísta de la naturaleza, así como los rasgos raciales que asumen algunas de las figuras, son claros ejemplos de ello. Además, las composiciones destacan por su ausencia de perspectiva y acusada bidimensionalidad: su formato, que evoca el de los *kakemono*, es uno de los aspectos del estilo sugerentemente oriental que le caracteriza.

Josep Pey[5] era el autor de la mayor parte de los diseños, aunque Alexandre de Riquer, Pau Roig y los hermanos Junyent también realizaron composiciones excelentes. En todas las marqueterías hay un cuidadoso estudio compositivo y una perfecta adaptación del contenido del marco, cosa difícil de hallar en otras marqueterías coetáneas. Aunque otros ebanistas, como J. Esteve i Hoyos, Joaquim Gassó y Joan Busquets, trabajaron la marquetería, partiendo además de modelos también dibujados por Junyent y Pey (Busquets encargaba sus diseños a éste último), los resultados obtenidos por Homar eran muy superiores. Incluso la prensa de la época se refirió a ello: «algunas tentativas que se han hecho de imitarlo han tenido resultados que se diferencian completamente de las obras mencionadas».[6]

Uno de los primeros en definir la paleta de las maderas de Homar fue J. Pujol Brull,[7] quien destacó su uso, entre otras, de la magnolia, el doradillo, el ébano, la magnolia verde y el palo de rosa. Posteriormente se han encontrado más de cuarenta[8] clases de madera, aunque las más frecuentes son el sicomoro, el doradillo, la raíz de tuya, el fresno de Hungría, el roble americano, el olivo, la caoba, el limonero, la damajagua y el palo de rosa.[9] Casi todas las maderas eran de importación —los Tayà eran los principales proveedores de materia lígnica— y él mismo se ocupaba de su adquisición y selección. La variedad cromática que proporciona tan profusa paleta de maderas contrasta con las sombras, obtenidas mediante chamuscado con arena caliente o la acción de algunos ácidos. Homar se sirve raramente de la técnica del pirograbado, complemento decorativo muy habitual en otras firmas del momento, especialmente la de Busquets.

La ejecución técnica de las marqueterías iba a cargo de Joan Sagarra e hijos, cuya depurada técnica se mantiene vigente en los talleres de sus nietos. Precisamente, el contacto con los descendientes actuales nos ha permitido identificar muchas maderas difíciles de reconocer.

3. Hasta entonces las maderas se teñían, hecho muy habitual si tenemos en cuenta lo elevado de su cotización. Véanse los artículos «Técnicas» en *Arquitectura y Construcción*, núm. 138 (Enero de 1904), Madrid/Barcelona, p. 31; «Cotización de las Maderas» en *Estilo*, núm. 1 (7 de Febrero de 1906), Barcelona, s.p. La revista *El Arte Decorativo* explica los procedimientos para ennegrecer la encina mediante vapores de amoníaco para darle aspecto de ébano. Para imitar el roble, la caoba y otras maderas nobles se usa una preparación denominada pintura a la cerveza.

4. M. Pabst, *L'Art Graphique à Vienne autour de 1900*, París, 1985, p. 338; *Emil Orlik (1870-1932)*, Lehmbruck-Museum, Duisburgo, 1970; H. Singer, *Meister der Zeichnung von Emile Orlike*, Leipzig, 1912. Agradezco a Ruth Terrassa, bibliotecaria del MNAC, la traducción de estas últimas publicaciones alemanas.

5. Según Santiago Pey, sobrino del artista, éste conservaba una caja donde había un muestrario de maderas exóticas y de importación que le servían para hacer composiciones y elegir la paleta cromática de las maderas.

6. J. Pujol i Brull, «Marqueteria. Plafons decoratius» en *Ilustració Catalana*, núm. 3 (21 de Junio de 1903), Barcelona, p. 43.

7. Ídem, ibídem.

8. «La casa de mobles Homar» en *La Veu de Catalunya*, núm. 8.166 (20 de Mayo de 1922), Barcelona, p. 13. A. Cirici, *El Arte Modernista Catalán*, Aymá Editor, Barcelona, 1951, p. 257. J. Mainar, *El moble...*, op. cit.

9. Sobre las maderas es de gran utilidad la consulta de la revista barcelonesa *La Madera y sus Industrias*, en concreto los artículos siguientes: «Especies Maderables. Haya americana», núm. 126 (Enero de 1931), p. 13-14; «Especies maderables. El abedul», núm. 125 (Diciembre de 1930), p. 11-13. C.J. Van Dick, «La caoba», núm. 120 (Julio de 1930), p. 13-14; C.J. Van Dick, «Maderas exóticas: la caoba», núm. 121 (Agosto de 1930), p. 11-13.

Pioner del reviscolament de l'art de la marqueteria

Un dels elements que atorga més refinament i distinció al moble d'Homar és la presència de la marqueteria, que acobla diversitat de fustes per obtenir els tons apropiats sense haver de fer ús dels tints d'anilina. Aquesta tècnica, tot i que d'arrelada tradició a Catalunya, fou una de les claus del seu èxit i un dels elements que, en un principi, el van diferenciar de la resta d'ebenistes. Cirici situa pels volts del 1896 l'inici del treball en marqueteria sense tenyir les fustes.[3] Segueix dient que l'introductor a Europa de l'art de la marqueteria policroma fou Emil Orlik, que, després de residir un llarg temps al Japó, va aprendre-hi aquesta tècnica que incorporà als seus plafons decoratius. Les referències pòstumes que tenim d'Orlik,[4] tanmateix, no fan al·lusió a aquesta faceta i sí, en canvi, a la seva condició d'introductor de temes de caire japonesitzant. En tot cas, si analitzem els projectes de mobiliari de Gaspar Homar anteriors al 1900, observem que la talla, que Vidal havia potenciat tant en els seus mobles, va cedint protagonisme a la marqueteria, fins a complementar-s'hi a la perfecció. Aquests elements, juntament amb els metalls, l'ivori i el nacre contribueixen a ornamentar i embellir el moble.

Inicialment, Homar resseguia amb metall els perfils dels elements florals, especialment lliris de tija sinuosa que apareixen als espais frontals o laterals dels mobles. De mica en mica va anar incorporant la temàtica de caire simbolista que tant el caracteritza. El 1903, moment d'apogeu de la seva producció modernista, ja s'ha prefigurat el repertori iconogràfic de les seves marqueteries: la representació de l'àngel amb les ales esteses que transcriu plàsticament la poesia d'Apel·les Mestres «L'Àngel de la Son»; les figures al·legòriques de les estacions i la música; Sant Miquel i Sant Jordi i les imatges de culte de la Mare de Déu de Montserrat, del Pilar i les immaculades; les evocacions quatrocentistes botticellianes; el tema de la dansa o la sardana; Joana d'Arc; Leda i el Cigne, i les hereves de les muses gregues tocant l'arpa, la lira, la viola i instruments de percussió. Associada a la figura femenina —que sembla evocar el model estètic de la cèlebre dansarina parisenca Cleo de Mérode, que feia gala d'una cintura de vespa i guarnia els seu cabells amb cintes i flors— apareixen, sovint, els estanys i els boscos poblats de lliris, orquídies, dents de lleó, cardots, fulles de margalló i roure que es combinen amb les ornamentacions de talla representant roses —properes a les que va popularitzar Margaret MacDonald al pavelló escocès de Ch. Rennie Mackintosh «Rose Boudoir» en el marc de l'exposició de Torí el 1902—; les anemones i els cítrics, tan abundants a la regió de Mallorca i alhora concomitants als vienesos i en especial a Olbrich. En les seves marqueteries l'orientalisme és un component essencial i es palesa tant des d'un punt de vista iconogràfic com compositiu. La interpretació de l'ornamentació vegetal i la pròpia concepció panteista de la natura, així com els trets racials que assumeixen algunes de les seves figures en són clars exemples. A més, les composicions destaquen per l'absència de perspectiva i l'acusada bidimensionalitat: el seu format, que evoca els *kakemono*, és un dels aspectes de l'estil suggeridorament oriental que el caracteritza.

Josep Pey[5] era l'autor de la major part dels dissenys, tot i que Alexandre de Riquer, Pau Roig i els germans Junyent també van fer excel·lents composicions. En totes les marqueteries hi ha un acurat estudi compositiu i una perfecta adaptació del contingut del marc, fet que costa de trobar en altres marqueteries coetànies. Per bé que altres ebenistes com J. Esteve i Hoyos, Joaquim Gassó i Joan Busquets, van treballar la marqueteria, partint, a més a més, dels mateixos models dibuixats per Junyent i Pey (en concret Busquets encarregà a Pey els seus dissenys) els resultats assolits per Homar hi són força superiors. Ja la premsa de l'època va referir-se a aquest fet: «algunes temptatives que s'han fet per a imitar-lo han donat resultats que's diferencien completament de les obres esmentades».[6]

Un dels primers a definir la paleta de les fustes d'Homar fou J. Pujol Brull,[7] que en va destacar l'ús de la magnòlia, el *doradillo*, el banús, la magnòlia verda, el pal de rosa, entre d'altres. Posteriorment hom ha detectat més de quaranta[8] classes de fusta, per bé que les més usuals són el sicòmor, el *doradillo*, l'arrel de tuia, el freixe d'Hongria, el roure americà, l'olivera, la caoba, el llimoner, la majagua i el pal de rosa.[9] Quasi totes les fustes eren d'importació —els Tayà eren els principals proveïdors de matèria lígnica— i, ell mateix, s'encarregava d'adquirir-les i seleccionar-les. La varietat cromàtica que proporciona la profusa paleta de les fustes contrasta amb les ombres, obtingudes a partir del procés del socarrat amb sorra calenta, o també per l'acció d'alguns àcids. Rarament, Homar se serveix de la tècnica del pirogravat, complement decoratiu molt habitual en altres firmes coetànies, especialment la de Busquets.

L'execució tècnica de les marqueteries anava a càrrec de Joan Sagarra i fills, la depurada tècnica dels quals es manté en vigència als tallers dels seus néts. Precisament el contacte amb els actuals descendents ens ha permès d'identificar moltes fustes difícils de reconèixer.

3. Fins aleshores hom tenyia les fustes, fet força habitual si tenim present l'elevada cotització que assolien. Vegeu articles «Técnicas» a *Arquitectura y Construcción*, núm. 138 (gener de 1904), Madrid/Barcelona, p. 31; «Cotización de las Maderas» a *Estilo*, núm. 1 (7 de febrer de 1906), Barcelona, s/p. La revista *El Arte Decorativo* explica els procediments per ennegrir l'alzina amb vapors amoniacals per tal de donar-li l'aspecte de banús. Per imitar el roure, la caoba i altres fustes fines s'empra una preparació anomenada pintura a la cervesa.

4. M. Pabst, *L'Art Graphique a Vienna autor de 1900*, París, 1985, p. 338; *Emil Orlik (1870-1932)*, Lehmbruck-Museum, Duisburg, 1970; H. Singer, *Meister der Zeichnung von Emile Orlike*, Leipzig, 1912. Agraixeo a Ruth Terrassa, bibliotecària del MNAC, la traducció d'aquestes darreres publicacions alemanyes.

5. Segons Santiago Pey, nebot de l'artista, aquest conservava una capsa on hi havia un mostrari de fustes exòtiques i d'importació que li servien per fer les composicions i triar la paleta cromàtica de les fustes.

6. J. Pujol i Brull, «Marqueteria. Plafons decoratius» a *Ilustració Catalana*, núm. 3 (21 de juny de 1903), Barcelona, p. 43.

7. «Marqueteria. Plafons decoratius» a *Ilustració Catalana*, núm. 3 (21 de juny de 1903), Barcelona, p. 43.

8. «La casa de mobles Homar» a *La Veu de Catalunya*, núm. 8.166 (20 de maig de 1922), Barcelona, p. 13. A. Cirici, *El Arte Modernista Catalán*, Aymá Editor, Barcelona, 1951, p. 257. J. Mainar, *El Moble català*, Ed. Destino, Barcelona, 1976.

9. Pel que fa a les fustes és de gran utilitat la consulta de la revista *La Madera y sus Industrias* i en concret els articles següents: «Especies Maderables. Haya americana» a *La Madera y sus industrias*, núm. 126 (gener de 1931), Barcelona, p. 13-14. «Especies maderables. El abedul» a *La Madera y sus Industrias*, núm 125 (desembre de 1930), Barcelona, p. 11-13. C.J. Van Dick, «La caoba» a *La Madera y sus Industrias*, núm. 120 (juliol de 1930), Barcelona, p. 13-14. C.J Van Dick, «Maderas exóticas: La caoba», *La Madera y sus Industrias*, núm. 121 (agost de 1930), Barcelona, p. 11-13.

78

Plafó de marqueteria amb la inscripció Mater Purissima
Panel de marquetería con la inscripción Mater Purissima

1901

Fusta de noguera, caoba, roure, llimoner, freixe i inscrustacions de metall. Policromia daurada i talla amb ornamentacions florals
Madera de nogal, caoba, roble, limonero, fresno e incrustaciones de metal. Policromía dorada y talla con ornamentaciones florales

105 x 77,5 x 3 cm

Col. particular

78

79

Capçal de llit amb marqueteria representant Sant Jordi
Cabecera de cama con marquetería representando a San Jorge

C. 1901-1905

Fusta de caoba, talla, marqueteria i aplicacions de metall
Madera de caoba, talla, marquetería y aplicaciones de metal

200 x 160 cm

Col. Domingo Madolell Aragonès
La Bona Cuina - "La Cuineta"

80

Capçal de llit amb marqueteria representant la Mare de Déu de Montserrat
Cabecera de cama con marquetería representando a la Virgen de Montserrat

C. 1901-1905

Fusta de caoba, talla i marqueteria
Madera de caoba, talla y marquetería

Col. Domingo Madolell Aragonès
La Bona Cuina - "La Cuineta"

79

80

81

**Plafó de marqueteria amb una
donzella agafant un lliri**
*Panel de marquetería con una doncella
cogiendo un lirio*

C. 1900

Corall, arrel de tuia, sicòmor, bedoll,
noguera i filets metàl·lics daurats
*Coral, raíz de tuya, sicomoro, abedul, nogal
y filetes metálicos dorados*

29,5 x 70 cm

Adquisició, 1964/*Adquisición, 1964*

Museu d'Art Modern del MNAC,
Barcelona (MNAC/MAM 71431)

82

**Plafó de marqueteria amb Leda
i el cigne**
Panel de marquetería con Leda y el cisne

C. 1900-1906

Fusta de sicòmor, maple, caoba i doradillo
*Madera de sicomoro, maple, caoba y
doradillo*

66 x 35,5 cm

Col. particular

81

82

83

Armari escriptori amb plafó de marqueteria representant els dissenys dels plafons anteriors
Armario escritorio con panel de marquetería representando los diseños de los paneles anteriores

Llapis plom i aquarel·la sobre paper
Lápiz plomo y acuarela sobre papel

20,1 x 11,5 cm

Adquisicio, 1975/*Adquisición, 1975*

Gabinet de Dibuixos i Gravats del MNAC, Barcelona (MNAC/GDG 107397/D)

84

Plafó de marqueteria amb figures dansant
Panel de marquetería con figuras danzando

C. 1900-1906

Fusta de pal de rosa, caqui, banús, arrel d'om, sicòmor, arrel de tuia, manzonia, caoba i doradillo
Madera de palo de rosa, palosanto, ébano, raíz de olmo, sicómoro, raíz de tuya, manzonia, caoba y doradillo

66 x 35,5 cm

Col. particular

85

Armari-escriptori amb una porta de marqueteria amb el disseny dels plafons anteriors
Armario-escritorio con una puerta de marquetería con el diseño de los paneles anteriores

C. 1901-1906

Llapis plom, ploma, aquarel·la i purpurina sobre paper
Lápiz plomo, pluma, acuarela y purpurina sobre papel

23,3 x 14 cm

Adquisició, 1975/*Adquisición, 1975*

Gabinet de Dibuixos i Gravats del MNAC, Barcelona (MNAC/GDG 107450/D)

83

85

84

86

Plafó de marqueteria amb figura femenina amb una flor
Panel de marquetería con figura femenina con una flor

C. 1903

Fusta de limoncillo, caoba, sicòmor, citron arrissat
Madera de limoncillo, caoba, sicomoro, citron rizado

125 x 65,4 cm

Col. Fernando Pinós. Gothsland

87

Plafó de marqueteria amb figura femenina amb un gos i cignes
Panel de marquetería con figura femenina con un perro y cisnes

C. 1903

Fusta de freixe, sicòmor, cirerer, caoba, *amboé*, marc de limoncillo
Madera de fresno, sicomoro, cerezo, caoba, amboé, marco de limoncillo

125 x 65,5 cm

Col. Fernando Pinós. Gothsland

86

87

88

Armari de tres cossos amb plafó de marqueteria i talla representant els plafons anteriors
Armario de tres cuerpos con panel de marquetería y talla representando los paneles anteriores

Ploma i aquarel·la sobre paper
Pluma y acuarela sobre papel

30,3 x 25, 4 cm

Adquisició, 1975/*Adquisición, 1975*

Gabinet de Dibuixos i Gravats del MNAC, Barcelona (MNAC/GDG 107430/D)

88

89

Plafó de marqueteria amb la dansa de les fades
Panel de marquetería con la danza de las hadas

C. 1902

Fusta de pal de rosa, xicranda, plàtan, zebra, ivori, freixe, bubinga i sicòmor
Madera de palo de rosa, jacarandá, plátano, cebra, marfil, fresno, bubinga y sicomoro

99 x 49 cm

Adquisició, 1964/*Adquisición, 1964*

Museu d'Art Modern del MNAC, Barcelona (MNAC/MAM 71433)

89

90

Plafó de marqueteria amb una dama en un jardí

Panel de marquetería con una dama en un jardín

C. 1905

Fusta de sicòmor, majagua, freixe, xicranda, doradillo i alzina

Madera de sicomoro, damajagua, fresno, jacarandá, doradillo y encina

156 x 47,5 cm

Adquisició, 1962/*Adquisición, 1962*

Museu d'Art Modern del MNAC, Barcelona (MNAC/MAM 69504)

91

Plafó de marqueteria amb una donzella agafant una branca

Panel de marquetería con una doncella cogiendo una rama

C. 1905

Fusta de sicòmor, *peroba*, majagua, arrel de roure, freixe, arrel d'*amboé*, xicranda, pal de rosa i falsa caoba

Madera de sicomoro, peroba, damajagua, raíz de roble, fresno, raíz de amboé, jacarandá, palo de rosa y falsa caoba

62 x 52,5 cm

Adquisició, 1964/*Adquisición, 1964*

Museu d'Art Modern del MNAC, Barcelona (MNAC/MAM 71430)

93

92

94

**Plafó de marqueteria amb
una dama en un bosc**
*Panel de marquetería con una dama
en un bosque*

C. 1905

Fusta d'alzina, freixe, *sati*, sicòmor,
noguera, majagua i arrel d'*amboé*
*Madera de encina, fresno, sati, sicomoro,
nogal, damajagua y raíz de* amboé

156 x 47,5 cm

Adquisició, 1962/*Adquisición, 1962*

Museu d'Art Modern del MNAC,
Barcelona (MNAC/MAM 69505)

Dibuix de la peça anterior
Dibujo de la pieza anterior

C. 1905

Ploma i aquarel·la sobre paper
Pluma y acuarela sobre papel

17,5 x 9,5 cm

Adquisició, 1975/*Adquisición, 1975*

Gabinet de Dibuixos i Gravats del MNAC,
Barcelona (MNAC/GDG 107457/D)

**Plafó de marqueteria amb donzella
al bosc**
*Panel de marquetería con doncella
en el bosque*

C. 1905

Fusta de sicòmor, majagua, *doradillo*,
xicranda i alzina
*Madera de sicomoro, damajagua, doradillo,
jacarandá y encina*

99,5 x 40 cm

Adquisició, 1964/*Adquisición, 1964*

Museu d'Art Modern del MNAC,
Barcelona (MNAC/MAM 71432)

95

Capçal de llit amb marqueteria i talla representant "L'Àngel de la Son"

Cabecera de cama con marquetería y talla representando a "El Ángel del Sueño"

C. 1903

Fusta de caoba, talla i marqueteria amb aplicacions de metall

Madera de caoba, talla y marquetería con aplicaciones de metal

270 x 159 x 6 cm

Col. particular

95

96

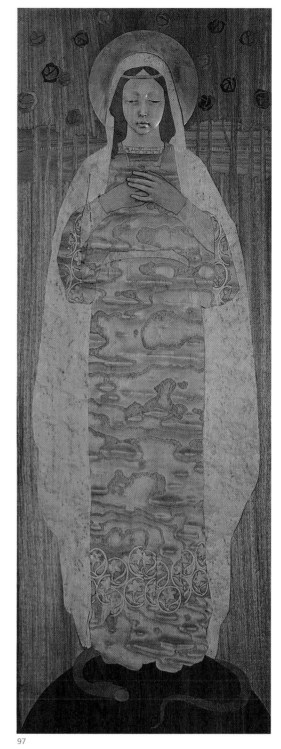

97

96
Dibuix de la peça anterior
Dibujo de la pieza anterior

Llapis plom, ploma i aquarel·la sobre
paper
Lápiz plomo, pluma y acuarela sobre papel

30,5 x 19 cm

Adquisició, 1975/*Adquisición, 1975*

Gabinet de Dibuixos i Gravats del MNAC,
Barcelona (MNAC/GDG 107429/D)

97
**Plafó de marqueteria amb
la Immaculada**
Panel de marquetería con la Inmaculada

C. 1907

Fusta de freixe d'Hongria, ull de perdiu,
noguera, sicòmor, caoba, caqui, *manzonia*,
boix i cirerer amb aplicacions de metall
*Madera de fresno de Hungría, ojo de perdiz,
nogal, sicomoro, caoba, palosanto,
manzonia, boj y cerezo con aplicaciones de
metal*

121 x 45,5 cm

Col. particular

Metalistería

Si en ebanistería Homar perpetuaba la tradición familiar, en la especialidad de la metalistería se adentraba en un nuevo territorio de investigación. El aprendizaje en el taller de F. Vidal fue crucial. La prensa de entonces[13] ya subrayaba los conocimientos como forjador de Vidal, capaz de dotar a los metales de menor calidad de una belleza elegante y severa. Homar asimiló unas técnicas y unos conocimientos integrales en esta importante manufactura y, cuando se estableció por su cuenta, proyectó y ejecutó en sus talleres aparatos de iluminación, como lámparas de aceite, lámparas de gas y eléctricas, arañas, candelabros y farolas, donde incorporaba trabajos de repujado, cincelado, pulido y patinado de metales. El alumbrado eléctrico se generalizaba en todas las capitales y Homar tuvo que adaptar a este sistema sus lámparas de gas. Sus proyectos de lámparas adaptaban diseños propios del modernismo: las libélulas y los estilizados elementos florales se adecuaban a su función y al sistema de iluminación empleado.

En una época más tardía, la revista *Vell i Nou* dedicaba unas páginas muy elogiosas a sus lámparas de comedor hechas únicamente con latón, vidrio y pasamanería de lana para sustituir las cadenas. Los colgadores, los paragüeros, las rejas y las jardineras formaban parte de su catálogo de proyectos concebidos exclusivamente con ese metal dúctil y maleable. Otras piezas de mobiliario, como los sofás-escaño y los paragüeros-colgador incorporan metales de formas retorcidas y sinuosas que representan en su base una flor de girasol.

Los encargos para amueblar los principales conjuntos de Domènech i Montaner (la casa Navàs de Reus, la casa Lleó Morera de Barcelona y el Pavelló de Distingits del Institut Pere Mata de Reus) le permitieron llevar a cabo algunos de sus ejemplares más significativos, aunque no podemos obviar sus trabajos en la Sastreria Morell de la calle Escudellers,[14] el despacho de la gerencia de *La Vanguardia*[15] ni las impresionantes lámparas con motivos celtas de la casa Burés.

13. C. Pirozzini Martí, «Arts industrials» en *La Reinaxença* (7 de Febrero de 1883), Barcelona, p. 810-811.

14. «La sastreria i la camiseria d'Enric Morell» en *Ilustració Catalana*, núm. 28 (13 de Diciembre de 1903), Barcelona, p. 358.

15. *Arquitectura y Construcción*, núm. 144 (Julio de 1904), Madrid/Barcelona.

Metal·listeria

Si amb l'ebenisteria Homar perpetuava la tradició familiar en l'especialitat de la metal·listeria s'endinsava en un terreny de recerca nou. L'aprenentatge al taller de F. Vidal hi va ser crucial. La premsa d'aleshores[13] ja remarcava els coneixements de forjador de Vidal, capaç de dotar als metalls de qualitat més inferior d'una bellesa elegant i severa. Homar va assimilar unes tècniques i uns coneixements integrals en aquella important manufactura i quan es va establir pel seu compte va projectar i executar als seus tallers aparells d'il·luminació com ara llànties, llums, aranyes, canelobres i fanals, on incorporava els treballs de repussat, el cisellat, el polit i el patinat d'aquests metalls. L'enllumenat elèctric esdevenia usual a totes les capitals i Homar va haver d'adaptar aquest sistema als seus llums de gas. Els seus projectes de llums adaptaven dissenys propis del modernisme: els espiadimonis i els elements florals estilitzats s'adequaven a la seva funció i al sistema lumínic emprat.

Ja en una època tardana, la revista *Vell i Nou* dedicava unes pàgines molt elogioses a les seves llànties de menjador fetes únicament amb el llautó, vidre i la passamancria de llana que suplia les cadenes. Els penja-robes, els paraigüers, les reixes i les jardineres formaven part del seu catàleg de projectes concebuts exclusivament amb aquesta substància dúctil i mal·leable. Altres peces de mobiliari, com ara els sofàs-escó i els paraigüers-penja-robes incorporen metalls de formes recargolades i sinuoses que representen a la base una flor de gira-sol.

Els encàrrecs d'agençar els principals conjunts de Domènech i Montaner (la casa Navàs de Reus, la Lleó Morera i el Pavelló dels Distingits de l'Institut Pere Mata de Reus) li van permetre realitzar alguns dels exemplars més significatius, tot i que no podem negligir els seus treballs a la Sastreria Morell del carrer Escudellers,[14] el despatx de la gerència de *La Vanguardia*[15] ni els impressionants llums amb motius celtes de la casa Burés.

13. C. Pirozzini Marti, «Arts Industrials» a *La Renaixença*, (7 de febrer de 1883), Barcelona, p. 810-811.

14. «La sastreria i la camiseria d'Enric Morell» a *Ilustració Catalana*, núm. 28 (13 de desembre de 1903), Barcelona, p. 358.

15. *Arquitectura y Construcción*, núm. 144 (juliol de 1904), Madrid/Barcelona.

98

99

100

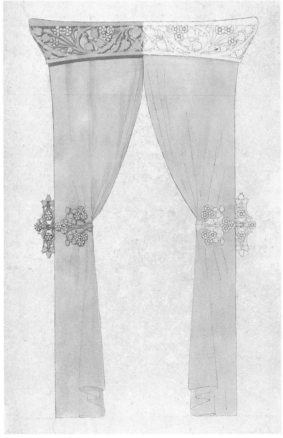

101

98

Paraigüer
Paragüero

Llapis plom, ploma i aquarel·la sobre paper
Lápiz plomo, pluma y acuarela sobre papel

35 x 18 cm

Adquisició, 1975/*Adquisición, 1975*

Gabinet de Dibuixos i Gravats del MNAC, Barcelona (MNAC/GDG 107433/D)

99

Lampadari de metall per al menjador de la casa Burés, inspirat en motius ornamentals celtes
Lampadario de metal para el comedor de la casa Burés, inspirado en motivos ornamentales celtas

C. 1900-1906

Ploma i aquarel·la sobre paper
Pluma y acuarela sobre papel

27 x 19,5 cm

Adquisició, 1975/*Adquisición, 1975*

Gabinet de Dibuixos i Gravats del MNAC, Barcelona (MNAC/GDG 107412/D)

100

Peu de ferro
Pie de hierro

Llapis plom, ploma i aquarel·la sobre paper
Lápiz plomo, pluma y acuarela sobre papel

27,4 x 12,7 cm

Adquisició, 1975/*Adquisición, 1975*

Gabinet de Dibuixos i Gravats del MNAC, Barcelona (MNAC/GDG 107418/D)

101

Galeria i agafadors per a cortinatge
Galería y agarraderos para cortinaje

Llapis plom i aquarel·la sobre paper
Lápiz plomo y acuarela sobre papel

39,5 x 24 cm

Adquisició, 1975/*Adquisición, 1975*

Gabinet de Dibuixos i Gravats del MNAC, Barcelona (MNAC/GDG 107406/D)

102

Paraigüer de metall daurat amb jardinera de ferro

Paragüero de metal dorado con jardinera de hierro

Llapis plom, ploma i aquarel·la sobre paper

Lápiz plomo, pluma y acuarela sobre papel

23,5 x 18 cm

Adquisició, 1975/*Adquisición, 1975*

Gabinet de Dibuixos i Gravats del MNAC, Barcelona (MNAC/GDG 107393/D)

103

Jardinera

C. 1905

Ferro forjat (suport) i aram (jardinera)

Hierro forjado (soporte) y cobre (jardinera)

38 x 55 cm (jardinera)

63 x 53 (suport / *soporte*)

Museu d'Art Modern del MNAC, Barcelona (MNAC/MAM 71736)

104

Dibuix de la peça anterior

Dibujo de la pieza anterior

C. 1905

Ploma i aquarel·la sobre paper

Pluma y acuarela sobre papel

22,1 x 11,1 cm.

Adquisició, 1975/*Adquisición, 1975*

Gabinet de Dibuixos i Gravats del MNAC, Barcelona (MNAC/GDG 107415/D)

102

103

104

105
Llum de sostre amb espiadimonis
Lámpara de techo con libélulas
C. 1905
Metall fos, daurat i vidre
Metal fundido, dorado y cristal
180 x 72 cm ø
Adquisició, 1967 / *Adquisición, 1967*
Museu d'Art Modern del MNAC,
Barcelona (MNAC/MAM 71796)

106
Llum de sostre
Lámpara de techo
C. 1910
Coure i vidre
Cobre y cristal
250 x 75 cm
Col. particular

105

106

107

Llum amb decoració floral
Lámpara con decoración floral

C. 1905

Metall fos, daurat i forjat amb motius vegetals
Metal fundido, dorado y forjado con motivos florales

143 x 83 cm

Adquisició, 1967 / *Adquisición, 1967*

Museu d'Art Modern del MNAC, Barcelona (MNAC/MAM 106054)

108

Llum de sostre
Lámpara de techo

C. 1905

Coure repussat i daurat, ferro forjat
Cobre repujado y dorado, hierro forjado

171 x 102 cm ø

Adquisició, 1967 / *Adquisición, 1967*

Museu d'Art Modern del MNAC, Barcelona (MNAC/MAM 71734)

109

Penja-robes i paraigüer amb motius florals
Colgador y paragüero con motivos florales

C. 1905

Metall daurat. Llautó
Metal dorado. Latón

192 x 46 cm

Adquisició, 1967 / *Adquisición, 1967*

Museu d'Art Modern del MNAC, Barcelona (MNAC/MAM 71735)

107

108

109

Paneles mosaicos

Como se anunciaba en diferentes revistas de la época, una de las especialidades de Gaspar Homar era la realización de mosaicos. Según Cirici, Homar ejecutaba los paneles mosaicos en sus talleres, donde él y sus operarios tuvieron que improvisar esta técnica. García-Martín, en cambio, considera que el trabajo de mosaico, en sus modalidades árabe y romana, seguramente no se hizo en su obrador sino que se ocupó del mismo el artesano italiano Mario Maragliano. La aportación de este genovés está pendiente de estudio y por lo tanto, aun sin descartar tal hipótesis, hay que ser precavidos antes de emitir un juicio taxativo. Más improbable parece que se hicieran en el taller de Lluís Bru, autor de los mosaicos, entre otros, de la fachada y de las escaleras de la casa Lleó Morera. Sin embargo, la pervivencia del oficio en la persona de su nieto nos proporciona una pista sobre cómo se llevaba a cabo un proceso tan laborioso.

En los talleres Bru se conserva la documentación familiar,[10] así como restos de azulejos, probablemente partidas defectuosas de la fábrica Pujol i Baucis,[11] que posteriormente se cortaban con puntas de diamante, se afilaban, se distribuían en capazos y se pegaban en una superficie previamente encolada. Es el mismo procedimiento empleado en los paneles cerámicos de Gaspar Homar. La diferencia radica en que Homar hacía composiciones de mosaicos con figuras cuyos rostros y carnaciones se resuelven en bajorrelieve. Según Cirici, en un primer momento esas zonas las realizaba con mosaico veneciano y esmaltes vítreos. Más tarde, y por la influencia del efecto buscado en las aplicaciones de rostros y manos de perfil hechas por los japoneses en las lacas y pinturas de abanicos, concibió la idea de dar relieve al cuerpo humano.[12] Antoni Serra Fiter, que regentaba la importante Manufactura de Porcellanes i Grès d'Art en el barrio del Poblenou, reproducía en porcelana blanca los bajorrelieves de las manos y cabezas de las figuras humanas moldeadas a partir de los modelos en yeso facilitados por el versátil escultor Joan Carreras. La mejor producción de paneles mosaicos, cuya materia prima eran el azulejo liso y la baldosilla importada de Inglaterra, hay que situarla entre 1904 y 1907, momento en el que Homar llevó a cabo los conjuntos de la casa Lleó Morera de Barcelona y la casa Navàs de Reus. Buena parte de los diseños de esos paneles cerámicos, enriquecidos con aplicaciones de metal y nácar, son de Josep Pey y a menudo repiten los mismos diseños de los paneles de marquetería.

---

10. En los libros de taller y la correspondencia consultada en el Arxiu Bru no figura Gaspar Homar.

11. La fábrica Pujol i Baucis de Esplugues de Llobregat era el núcleo productor cerámico más importante de los que suministraban a industriales y arquitectos. En su estudio de esta firma comercial, Pia Subias nos proporciona detalles de los distintos arquitectos, diseñadores y clientes que trataron directamente con los Pujol. En la documentación consultada no se halla registrado el nombre de Gaspar Homar.

12. Hemos podido verificar el testimonio que recoge Cirici del propio Homar. En una colección particular se ha localizado ese tipo de mosaico sin relieve.

Plafons mosaics

Com s'anunciava a les diferents revistes de l'època, una de les especialitats de Gaspar Homar era la realització de mosaics. Seguint Cirici, Homar executava els plafons ceràmics als seus tallers, on ell i els seus operaris van haver d'improvisar aquesta tècnica. García-Martín, en canvi, considera que el treball de mosaic, en les seves modalitats àrab i romana, no es degué fer al seu obrador sinó que se'n va fer càrrec el mosaïcista italià Mario Maragliano. L'aportació d'aquest genovès resta pendent d'estudi i, per tant, tot i no descartar la hipòtesi, cal ser cauts a l'hora d'emetre cap judici. Sembla més improbable que es fessin al taller de Lluís Bru, autor dels mosaics, entre d'altres, de la façana i de l'escala de la casa Lleó Morera. Tanmateix, la pervivència de l'ofici per part del seu nét ens dóna la pista sobre com es treballava aquest procés tan laboriós.

Als tallers Bru es conserva la documentació familiar,[10] així com també restes de rajoles, probablement partides defectuoses de la fàbrica Pujol i Baucis,[11] que posteriorment es tallaven amb puntes de diamant, s'esmolaven i es distribuïen en cabassos i s'enganxaven damunt una superfície prèviament encolada. És el mateix procediment emprat als plafons ceràmics de Gaspar Homar. La diferència rau en el fet que Homar feia composicions de mosaics amb figures, on els rostres i les carnacions apareixen en baix relleu. Seguint Cirici, en un primer moment el rostres i les carnacions les realitzava amb mosaic venecià i amb esmalts vitris. Més tard, i per la influència de l'efecte cercat amb les aplicacions de rostres i mans de perfil fetes pels japonesos a les laques i les pintures de ventalls, va concebre la idea de donar relleu al cos humà.[12] Antoni Serra Fiter, que regentava la important Manufactura de Porcellanes i Grès d'Art al barri del Poblenou, reproduïa en porcellana blanca els baixos relleus de les mans i caps de les figures humanes emmotllades a partir dels models de guix facilitats pel versàtil escultor Joan Carreras. La millor producció de plafons ceràmics, on la matèria primera era la rajola llisa de València i la *baldosilla* importada d'Anglaterra, cal situar-la entre els anys 1904 i 1907, moment en què Homar realitzà els conjunts de la casa Lleó Morera i la casa Navàs de Reus. Bona part dels dissenys d'aquests plafons ceràmics, que s'enriqueixen amb aplicacions de metall i nacre, són de Josep Pey i sovint repeteixen els mateixos dissenys dels plafons de les marqueteries.

10. Als llibres de taller i la correspondència consultada a l'Arxiu Bru no figura Gaspar Homar.

11. La fàbrica Pujol i Baucis d'Esplugues de Llobregat era el nucli productor ceràmic més important proveïdor de material als industrials i arquitectes. En l'estudi d'aquesta firma comercial, Pia Subias ens proporciona detalls dels diferents arquitectes, dissenyadors i clients que van tractar directament amb els Pujol. En la documentació consultada no es registra el nom de Gaspar Homar.

12. El testimoni que recull Cirici del propi Homar l'hem pogut verificar. En una col·lecció particular s'ha localitzat aquest tipus de mosaic fet sense relleu.

110

**Plafó decoratiu amb figura amb
garlanda de cintes i flors**
*Panel decorativo con figura con
guirnalda de cintas y flores*

C. 1905

Mosaic policrom de ceràmica esmaltada,
porcellana i nacre
*Mosaico policromo de cerámica esmaltada,
porcelana y nácar*

86 x 100 x 5 cm

Col. Enriqueta Ramon

111

Dibuix de la peça anterior
Dibujo de la pieza anterior

C. 1905

Llapís plom, ploma i aquarel·la sobre
paper
Lápiz plomo, pluma y acuarela sobre papel

16,8 x 17,6 cm

Adquisició, 1975 / *Adquisición, 1975*

Gabinet de Dibuixos i Gravats del MNAC,
Barcelona (MNAC/GDG 107456/D)

111

110

112
**Plafons decoratius amb arbres
i flors**
Paneles decorativos con árboles y flores
C. 1905
Mosaic policrom de ceràmica esmaltada
Mosaico policromo de cerámica esmaltada
194 x 45 x 5 cm (cada peça/*cada pieza*)
Col. particular

112

113

Plafó decoratiu amb tres dones collint fruita
Panel decorativo con tres mujeres recogiendo fruta

C. 1905

Mosaic, ceràmica i fragments de rajola de València. Les cares i les mans estan realitzades amb la tècnica de bescuit de porcellana

Mosaico, cerámica y fragmentos de azulejo. Las caras y las manos están realizadas con la técnica de la porcelana recocida

187 x 142,5 cm

Adquisició, 1967 / *Adquisición, 1967*

Museu d'Art Modern del MNAC, Barcelona (MNAC/MAM 71982)

114

Plafó decoratiu representant un berenar al camp
Panel decorativo representando una merienda campestre

C. 1905

Mosaic, ceràmica i fragments de rajola de València. Les cares i les mans estan realitzades amb la tècnica de bescuit de porcellana

Mosaico, cerámica y fragmentos de azulejo Las caras y las manos están realizadas con la técnica de la porcelana recocida

182 x 144 cm

Adquisició, 1967 / *Adquisición, 1967*

Museu d'Art Modern del MNAC, Barcelona (MNAC / MAM 71980)

114

115

**Plafó decoratiu amb dues figures
i cignes en un llac**
*Panel decorativo con dos figuras y cisnes
en un lago*

C. 1906

Mosaic, porcellana i ceràmica
Mosaico, porcelana y cerámica

75 x 195 cm

Col. Fernando Pinós. Gothsland

116

**Tres cares. Plafó decoratiu de la
casa Lleó Morera**
*Tres caras. Panel decorativo de la casa
Lleó Morera*

C. 1905

Bescuit de porcellana
Porcelana recocida

Taller-museu Serra. Cornellà

117

**Propaganda comercial del taller
de Gaspar Homar.
Obra de Joan Carreras**

C. 1904-1905

Bescuit de porcellana
Porcelana recocida

Taller-museu Serra. Cornellà

115

116

117

118

Plafó decoratiu amb dones amb cistell de fruita sota un emparrat

Panel decorativo con mujeres con un cesto de fruta bajo una parra

C. 1905

Mosaic, ceràmica i fragments de rajola de València. Les cares i les mans estan realitzades amb la tècnica de bescuit de porcellana

Mosaico, cerámica y fragmentos de azulejo. Las caras y las manos están realizadas con la técnica de la porcelana recocida

186 x 109,5 cm

Adquisició, 1967 / *Adquisición, 1967*

Museu d'Art Modern del MNAC, Barcelona (MNAC/MAM 71981)

118

Textil

La renovación aportada por el Art Nouveau en todas las disciplinas de las artes aplicadas logra su expresión más inédita en el campo del textil. Los proyectos originales de Gaspar Homar documentan esta especialidad, que ocupa un lugar importante en su repertorio decorativo y que se concreta en los proyectos de cortinajes, tapicerías, fondos de cabecera y tapices pintados, los últimos de Josep Pey y de Sebastià Junyent. Los tejidos estampados sobre terciopelo o pana, inicialmente con elementos florales de tallo sinuoso y el motivo del latiguillo o *coup de fouet* y ribetes finísimos bordados en oro, son indisociables del mobiliario: la tapicería de las sillas, sillones y sofás, de tonalidades suaves y aterciopeladas, generalmente malva y verde pálido, es característica. Desgraciadamente, buena parte del mobiliario modernista ya no conserva la tapicería original debido al desgaste por el uso. Aun así, el conjunto del amueblamiento de la casa Navàs de Reus mantiene intacta la tapicería original y confiere un contrapunto tonal y al mismo tiempo de contraste con el resto de elementos que integran el mueble, especialmente las marqueterías. Asimismo, se ha podido localizar el diseño de una casulla, que finalmente no se llevó a cabo, y también un tapiz con lirios azules, motivo emblemático de la firma Homar, realizado por encargo de la familia Tayà.

En los diarios y las revistas de la época hay algunas referencias a las realizaciones textiles de Gaspar Homar. En *Documentos de Arte Español* figuran reproducidos en color motivos de tapicería bordada para aplicar en cortinajes de estilo modernista con rosas de tallo sinuoso y cítricos de vistosa policromía: rojo, amarillo, rosado y verde pálido. La revista *Joventut*[16] elogiaba sus cortinajes estampados, hechos con la colaboración del pintor Pau Roig, expuestos en la tienda de la calle Canuda, donde se le consideraba experto en esta modalidad: «Cada uno de los cortinajes es una obra artística bien resuelta por el señor Homar, el primero que se ha decidido en nuestra tierra, siempre tan atrasada, a estudiar el estampado de índole artística y a resolver todas las dificultades, dando con ello una lección a quienes podrían hacerlo porque disponen de grandes capitales».

Probablemente, algunos diseños fueron fabricados por las sederías Fills de Malvehí, firma especializada en la estampación en seda y tejidos que trabajaba también para la firma Busquets, aunque no descartamos la posibilidad de que se confeccionasen en los propios talleres de Homar, dotados de diestros operarios y de todas las especialidades que convergían en la decoración y mobiliario de una habitación.

Una manifestación específica del uso de materiales textiles en el período modernista fue el diseño de alfombras de lana tejidas a mano. Gaspar Homar proyectó algunas con decoraciones florales de formas y dimensiones variadas, en función del espacio que debían cubrir.

Así pues, cabe destacar los ejemplares de la casa Lleó Morera: de formas semicirculares, con destino a las rotondas de los balcones; de formas rectangulares, para cubrir los suelos de los salones principales, y de formas pentagonales y dimensiones más reducidas, adaptadas a los espacios frente a las chimeneas.

El cultivo del textil por parte de Gaspar Homar está directamente relacionado con su faceta de coleccionista. En 1921 la Junta de Museus le compró un fragmento de tejido bizantino de seda y algodón para el *Museu d'Art Decoratiu i Arqueològic*. Homar no era el único. Hay que recordar las importantes colecciones de tejidos antiguos de Miquel i Badia, Guiu y Josep Pascó, que pasarían a formar parte de los Museos Municipales de Barcelona. Miquel Utrillo,[17] preguntándose sobre la utilidad de esas colecciones afirmaba que servían para inspirar las modernas.

El aprecio y la estima por esos objetos antiguos desencadenaron, como afirma Rosa M. Martin, la revitalización de una producción textil que adaptaba el repertorio decorativo del modernismo siguiendo la influencia de William Morris y sus Arts and Crafts.

16. «Novas» en *Joventut*, núm. 39 (8 de Noviembre de 1900), Barcelona, p. 624.

17. M. Utrillo, «Per què serveixen els teixits antics» en *Forma*, vol. II, núm. 15 (1906), Barcelona, p. 109.

Tèxtil

La renovació aportada per l'Art Nouveau en totes les disciplines de les arts aplicades assoleix la seva expressió més inèdita en el camp del tèxtil. Els projectes originals de Gaspar Homar documenten aquesta especialitat, que ocupa un lloc important en el seu repertori decoratiu i que es concreta en els projectes de cortinatges, tapisseries, fons de capçalera i tapissos pintats, aquests darrers de Josep Pey i de Sebastià Junyent. Els teixits estampats sobre vellut, incialment amb elements florals de tija sinuosa amb el motiu cop de fuet i amb finíssims ribets brodats en or, són indissociables del mobiliari: l'entapissat de les cadires, els sillons i els sofàs, amb tonalitats suaus i avellutades, generalment malves i verds pàl·lids, és característic. Malauradament, bona part del mobiliari modernista ja no conserva l'entapissat original per causa del desgast motivat per l'ús. Amb tot, el conjunt de mobiliari de la casa Navàs de Reus manté intacta la seva tapisseria original i confereix un contrapunt tonal i alhora de contrast amb la resta d'elements que integren el moble, especialment les marqueteries. Així mateix, s'ha pogut localitzar el disseny d'una casulla, que finalment no es va arribar a realitzar, i també un tapís amb lliris blaus, motiu que esdevingué emblemàtic de la firma Homar, fet per encàrrec de la família Tayà.

Als diaris i les revistes de l'època hi ha algunes referències de les realitzacions tèxtils de Gaspar Homar. A *Documentos de Arte Español* figuren reproduïts en color motius de tapisseria brodada per aplicar en cortinatges d'estil modernista amb roses de tija sinuosa i cítrics de policromia vistosa: vermells, grocs, rosats i verds pàl·lids. La revista *Joventut*[16] n'elogiava els cortinatges estampats, fets amb la col·laboració del pintor Pau Roig, exposats a la botiga del carrer de la Canuda, on se'l considerava un gat vell en aquesta modalitat: «Cada un dels cortinatges és una obra artística ben resolta pel senyor Homar, el primer que s'ha decidit a nostra terra, sempre tan atrassada, a estudiar l'estampat de caire artístich y a resoldre totas las dificultats, donant amb això una llissó a aquells que podrien ferho perquè disposen de grans capitals».

Probablement alguns dissenys van ser fabricats per les sederies Fills de Malvehí, firma especialitzada en l'estampació de seda i teixits que treballava també per a la firma Busquets, tot i que no descartem la possibilitat que es confegissin als mateixos tallers d'Homar, dotats de destres operaris i de totes les especialitats que convergien en la decoració i el parament d'una habitació.

Una manifestació específica de l'ús del tèxtil en el període modernista fou el disseny de catifes de llana teixides a mà. Gaspar Homar va projectar-ne amb decoracions florals i amb formes i dimensions variades en funció de l'espai que havien d'ocupar.

Així doncs, cal destacar els exemplars de la casa Lleó Morera amb formes semicirculars, destinats a les rotondes del balcons; de formes rectangulars, per cobrir els espais dels salons principals, i també les de formes pentagonals i dimensions més reduïdes, que s'adaptaven als espais que hi havia davant de les llars de foc.

El conreu del tèxtil per part de Gaspar Homar està directament relacionat amb al seu vessant de col·leccionista. L'any 1921 la Junta de Museus va comprar-li un fragment de teixit bizantí de seda i cotó amb destí al Museu d'Art Decoratiu i Arqueològic. Homar no era pas l'únic. Cal recordar les importants col·leccions de teixits antics de Miquel i Badia, Guiu i Josep Pascó que passarien a formar part dels Museus Municipals de Barcelona. Miquel Utrillo,[17] en qüestionar-se sobre la utilitat d'aquestes col·leccions, afirmava que servien per inspirar-ne de modernes.

L'apreci i l'estima d'aquests objectes antics van desencadenar, com afirma Rosa M. Martín, el reviscolament d'una producció tèxtil que adaptava el repertori decoratiu del modernisme seguint la influència de William Morris i les seves Arts and Crafts.

16. «Novas» a *Joventut*, núm. 39 (8 de novembre del 1900), Barcelona, p. 624.

17. M. Utrillo, «Per què serveixen els teixits antics» a *Forma*, vol. II, núm. 15 (1906), Barcelona, p. 109.

119

Domàs
Cortinaje

C. 1900

Llapis plom i aquarel·la sobre paper
Lápiz plomo y acuarela sobre papel

28,2 x 12,5 cm

Adquisició, 1975/*Adquisición, 1975*

Gabinet de Dibuixos i Gravats del MNAC,
Barcelona (MNAC/GDG 107466/D)

120

**Sofà amb mirall a l'espatllera
incloent-hi el disseny de la
tapisseria**
*Sofá con espejo en el respaldo
incluyendo el diseño de la tapicería*

Ploma i aquarel·la sobre paper
Pluma y acuarela sobre papel

29,7 x 24 cm

Adquisició, 1975/*Adquisición, 1975*

Gabinet de Dibuixos i Gravats del MNAC,
Barcelona (MNAC/GDG 107432/D)

119

120

121

121
Paravent de tres cossos
Biombo de tres cuerpos

C. 1903-1908

Fusta de caoba, talla i entapissat original
amb elements florals
*Madera de caoba, talla y tapizado original
con elementos florales*

176 x 51 cm

Col. Fernando Pinós. Gothsland

122
Domàs
Cortinaje
C. 1898
Llapis plom i aquarel·la sobre paper
Lápiz plomo y acuarela sobre papel
27,5 x 23 cm
Col. particular

123
Cadira de braços de sala d'estar
Poltrona para sala de estar
C. 1905
Fusta de roure i entapissat original
Madera de roble y tapizado original
96,5 x 78 x 50 cm
Casa Navàs. Reus

124
Catifa amb decoració floral
Alfombra con decoración floral
C. 1907
Llana teixida a mà
Lana tejida a mano
208 x 328 cm (semicircular)
Adquisició, 1967 / *Adquisición, 1967*
Museu d'Art Modern del MNAC,
Barcelona (MNAC/MAM 71739)

122

123

124

125

125
Catifa pentagonal
Alfombra pentagonal
C. 1907
Llana teixida a mà
Lana tejida a mano
414 x 395 cm
Adquisició, 1967 / *Adquisición, 1967*
Museu d'Art Modern del MNAC,
Barcelona (MNAC/MAM 71737)

126
Catifa amb motius florals
Alfombra con motivos florales
C. 1907
Llana teixida a mà
Lana tejida a mano
335 x 698 cm
Adquisició, 1967 / *Adquisición, 1967*
Museu d'Art Modern del MNAC,
Barcelona (MNAC/MAM 71733)

126

Gaspar Homar

Estudis

La «casa» de la burguesía catalana en los años del modernismo, una nueva manera de vivir[1]

Mireia Freixa

La organización de una exposición sobre la producción de un ebanista decorador como Gaspar Homar puede ser un buen momento para plantear una serie de cuestiones colaterales al desarrollo de la arquitectura en los años del modernismo. Sólo una visión superficial sobre la arquitectura de ese período nos permite ver que su belleza y expresividad es tanto el resultado del trabajo de los arquitectos como de los innumerables artesanos e industriales que colaboraron con ellos. Pero, por otra parte, no podemos olvidar que el modernismo no habría sido posible sin sus clientes o comitentes que también se hicieron partícipes del nuevo gusto. En el momento en que analizamos la casa y el mundo de los objetos pensando en sus consumidores, se nos abre un nuevo campo de investigación que nos remite a un ámbito más amplio y necesariamente interdisciplinario. Los gustos que primaban en la sociedad catalana de fin de siglo estaban al servicio de la clase social entonces dominante, la burguesía industrial que, aunque conocía las maneras de vivir de las capitales europeas, como Londres y París, adaptaba esas costumbres a una sociedad cerrada en exceso sobre sí misma en la que pervivía su pasado menestral y el recuerdo de las guerras carlistas era todavía un presente.

El punto de partida de este trabajo es el amplio abanico de las artes aplicadas y decorativas en el marco definido por la arquitectura doméstica, pero nos proponemos ir más allá del estudio monográfico de los objetos para llegar a definir el marco que los acogía —un nuevo concepto de hogar—, que era el reflejo de las inquietudes de las mujeres y los hombres que los consumían.

Arquitectos, ingenieros, decoradores y otros profesionales

En el complejo sistema de proyectar la vivienda se veían involucrados gran número de profesionales, artesanos e industriales, pero también los «tapiceros» —que fueron los primeros en actuar como decoradores o diseñadores en el sentido que damos hoy al término—, arquitectos e ingenieros. Y no olvidemos que el gran volumen de trabajo de que disfrutaban estaba, en parte, supeditado a la construcción del Eixample de Barcelona, más que un barrio una nueva ciudad al lado de la vieja plaza medieval. Barcelona actuó, durante el período de la Restauración, como dinamizadora de toda la actividad económica, cultural y política de Cataluña, y ejercía un papel de indiscutible capitalidad respecto a la red de ciudades industriales de sus alrededores y de las demás capitales de provincia, fenómeno que también se reflejaba en el campo de la construcción.

Las expectativas que ofrecía la profesión de arquitecto hicieron imprescindibles la formación de unos profesionales cualificados y la consiguiente creación de la Escuela de Arquitectura, que inició sus clases en el curso 1875-1876.[2] Los arquitectos, Lluís Domènech i Montaner sería un caso emblemático,[3] actuaron como verdaderos promotores rodeándose de un grupo de industriales y artesanos especializados de alto nivel. Al mismo tiempo aparecieron una serie de empresas que garantizaban tanto los aspectos más estrictamente constructivos como el equipamiento complementario de las viviendas.[4] Las Industrias de Arte dirigidas por Francesc Vidal i Jevellí (con talleres de ebanistería, metalistería, fundición y proyectos), que facilitaban todo el equipamiento del hogar, eran una industria modélica, y es un hecho bastante significativo que en 1884 dejasen su emplazamiento en el centro de la ciudad para ir a instalarse al Eixample, cerca de su nueva clientela. Arquitectos, artesanos y empresarios participaron muy activamente en el gran debate sobre el desarrollo de la industria y las artes aplicadas que se desarrolla durante

1. Una familia catalana de principios de siglo. Marià Pidalaserra i Brias: *La familia Déu*. Firmado y fechado, M. Pidalaserra y Brias 1902, en el ángulo inferior derecho, óleo sobre lienzo, 200 x 280 cm, Barcelona, Museu Nacional d'Art de Catalunya, Museu d'Art Modern (43862).

La "casa" de la burgesia a Barcelona als anys del modernisme, una nova manera de viure[1]

Mireia Freixa

L'organització d'una exposició sobre la producció d'un ebenista decorador com Gaspar Homar pot ser un bon moment per plantejar una sèrie de qüestions col·laterals al desenvolupament de l'arquitectura als anys del modernisme. Només una visió superficial de l'arquitectura d'aquest període ens fa veure que la seva bellesa i expressivitat és tant el resultat del treball dels arquitectes com dels innombrables artesans i industrials que hi van col·laborar. Però, d'una altra banda, no podem oblidar que el modernisme no hauria estat possible sense els seus clients o comitents, que es feren també partícips del nou gust. En el moment en què analitzem la casa i el món dels objectes pensant en els seus consumidors, se'ns obre tot un nou camp de recerca que ens remet a un àmbit més ampli i necessàriament interdisciplinari. Els gustos que dominaven a la societat catalana de la fi de segle estaven al servei de la classe social aleshores dominant, la burgesia industrial que, si bé coneixia les maneres de viure de les capitals europees, com Londres i París, adaptava aquests costums a una societat excessivament tancada sobre si mateixa, en la qual pervivia el seu passat menestral i el record de les guerres carlines era encara un present. El punt de partida d'aquest treball és l'ampli ventall de les arts aplicades i decoratives en el marc definit per l'arquitectura domèstica, però ens proposem d'anar més enllà de l'estudi monogràfic dels objectes per arribar a definir el marc que els acollia —un nou concepte d'habitatge— que era el reflex de les inquietuds de les dones i els homes que els consumien.

Arquitectes, enginyers, decoradors i altres professionals

En el complex sistema de projectar l'habitatge, s'hi veien involucrats un gran nombre de professionals, artesans i industrials, però també els "tapissers" —que van ser els que primer van actuar com a decoradors o dissenyadors en el sentit que avui donem al terme—, arquitectes i enginyers. Cal no oblidar que el gran volum de feina de què gaudien estava en part supeditat a la construcció de l'Eixample de Barcelona, més que un barri una nova ciutat al costat de la vella plaça medieval. Barcelona actuà, en el període de la Restauració, com a dinamitzadora de tota l'activitat econòmica, cultural i política de Catalunya

i exercia un paper d'indiscutible capitalitat respecte a la xarxa de ciutats industrials de la rodalia i de les altres capitals de província, un fenomen que es reflectia també en el camp de la construcció.

Les expectatives que oferia la professió d'arquitecte van fer imprescindibles la formació d'uns professionals qualificats i la conseqüent creació de l'Escola d'Arquitectura que inicià les seves classes el curs 1875-1876.[2] Els arquitectes, Lluís Domènech i Montaner en seria un cas emblemàtic,[3] actuaren com a veritables promotors, tot envoltant-se d'un estol d'industrials i artesans especialitzats d'un gran nivell. Al mateix temps, aparegueren tota una sèrie d'empreses que garantien tant els aspectes més estrictament constructius com els equipaments complementaris dels habitatges.[4] Les Indústries d'Art dirigides per Francesc Vidal i Jevellí (amb tallers d'ebenisteria, metal·listeria, foneria i projectes) que facilitaven tot l'equipament de la llar, n'eren un model; i és un fet prou significatiu que, l'any 1884, deixessin el seu local al centre de la ciutat per instal·lar-se a l'Eixample, a la vora de la seva nova clientela. Arquitectes, artesans i empresaris participaren molt activament en el gran debat sobre el desenvolupament de la indústria i les arts aplicades que es desenvolupa al llarg de la segona meitat del segle, un període immers en la polèmica sobre la "conveniència" de les arts decoratives, els límits entre la bellesa i la utilitat, o sobre les conseqüències de la mecanització.[5] Però en la modernització de l'habitatge participaren també, a més a més d'arquitectes, industrials o decoradors, uns altres professionals, els enginyers, que foren els qui possibilitaren el procés de mecanització de la casa.

Si ens centrem en l'anàlisi de l'activitat desenvolupada per arquitectes i enginyers, sorprenen d'antuvi, la seva gran curiositat científica i la seva preparació tècnica. Hem dedicat una especial atenció a revisar els ensenyaments que rebien aquests professionals, els llibres als quals tenien accés i les revistes que llegien o publicaven.[6] Hem pogut constatar per, exemple, que un nombre molt elevat de revistes europees i americanes eren contínuament ressenyades a las dues publicacions portantveus, respectivament, de l'Associació d'Arquitectes i de l'Associació d'Enginyers Industrials, el *Anuario de la Asociación de Arquitectos de*

la segunda mitad del siglo, un período inmerso en la polémica sobre la «conveniencia» de las artes decorativas, los límites entre belleza y utilidad o las consecuencias de la mecanización.[5] Pero en la modernización de la vivienda también participaron, además de los arquitectos, industriales o decoradores, otros profesionales, los ingenieros, que fueron quienes posibilitaron el proceso de mecanización del hogar.

Si nos centramos en el análisis de la actividad desarrollada por arquitectos e ingenieros, para empezar sorprende su gran curiosidad científica y su preparación técnica. Hemos dedicado especial atención a revisar las enseñanzas que recibían estos profesionales, los libros a que tenían acceso y las revistas que leían o publicaban.[6] Hemos podido constatar, por ejemplo, que un número muy elevado de revistas europeas y americanas eran continuamente reseñadas en las dos publicaciones portavoces, respectivamente, de la Asociación de Arquitectos y de la Asociación de Ingenieros Industriales, el *Anuario de la Asociación de Arquitectos de Cataluña* o el *Boletín de la Asociación de Ingenieros*. Lo mismo podemos decir de *Arquitectura y Construcción*, la revista dirigida por el arquitecto catalán Manuel Vega i March y que tuvo una gran difusión en el resto de España. Repasando esas publicaciones se pueden conocer sus fuentes de información —tanto estilísticas como técnicas—, los modelos en que se inspiraban y cómo adaptaron una teorización elaborada en Gran Bretaña, Francia, los Estados Unidos o Alemania a la sociedad catalana.[7] Pero el gran conocimiento técnico que demuestran tener los profesionales entraba en contradicción con el conservadurismo de muchos propietarios y con una falta de demanda real, ya que eran muy pocos quienes tenían acceso a dichas novedades. Por otra parte, los mismos ingenieros, arquitectos y decoradores mantenían asimismo una actitud excesivamente conservadora respecto a la aplicación de la nueva tecnología a la vivienda.[8]

La arquitectura privada en la cultura de la Ilustración

Hasta el siglo XVIII, el Siglo de las Luces, no hallamos en los tratados de arquitectura reflexión alguna sobre la vivienda. Los del siglo XVI, sobre los que se edificó la práctica de la construcción, se fundamentaban en el estudio de los antiguos y en la definición de unos órdenes arquitectónicos que eran percibidos básicamente como la base del diseño. La arquitectura era entendida como un problema de estilo y proporción. Sólo Palladio presentaba en su tratado plantas de sus edificios, pero su distribución respondía a las leyes de la simetría o estaba supeditada a la regularidad de la fachada, no a la funcionalidad del edificio.[9] La lógica de la distribución era considerada

cuestión secundaria. Lo que podríamos llamar una cultura de «la casa» no se formuló hasta la Ilustración, momento en el que se reflexionó, de modo funcional, sobre la vivienda al mismo tiempo que se proponía una alternativa radicalmente distinta a los modelos de vida de la sociedad.

El final del Antiguo Régimen representó además un cambio radical en la organización familiar. La antigua familia patriarcal, entendida a un tiempo como núcleo familiar y estructura de trabajo, en la que el domicilio era también unidad de producción, cedió el paso al concepto de familia que ha marcado toda la historia contemporánea. Se convirtió en algo más íntimo y privado,[10] y de esa nueva mentalidad se derivó un sistema social delimitado entre un ámbito público, un mundo de producción y relación —masculino, en última instancia—, segregado del espacio íntimo o doméstico —femenino. Como consecuencia, la Ilustración generó una tratadística específica sobre la arquitectura privada.[11] Las obras de Jacques-François Blondel, *De la distribution des Maisons de plaisance et de la décoration des edifices en général* (1737) y el *Cours d'Architecture Civile. Cours d'Architecture ou Traité de la Décoration, Distribution et Construction des Bâtiments* (1771-1777),[12] fueron las primeras en definir las nuevas tipologías; Blondel inquirió sobre la disposición de las estancias, insistiendo en que hay que combinar la magnificencia de la arquitectura de los antiguos con una buena distribución. La «racionalidad» y la lógica en la distribución significaba el triunfo sobre la simetría de la planta, que Blodel definió con el término «comodidad», antes de que asumiese el moderno contenido que asimilamos a confort.[13]

Los tratadistas ilustrados españoles hicieron asimismo aportaciones decisivas al tema. Uno de los primeros en plantearse la cuestión fue Athanasio Genaro Brizgur y Bru en su libro *Escuela de Arquitectura civil en que se contienen los órdenes de arquitectura, la distribución de los planos de Templos y Casas y el conocimiento de los Materiales* (1738),[14] que tuvo amplia difusión. Y, en los últimos años del siglo, podemos destacar la obra del catalán Benet Baïls, quien dedicó la primera parte de su obra *Elementos de matemática* (1772-1783) a un *Tratado de Arquitectura Civil*.[15] Baïls, nacido en Sant Adrià del Besòs y educado en París, desarrolló su trayectoria profesional en esta ciudad y en Madrid, pero se mantuvo vinculado a Cataluña y fue miembro de la Academia de Ciencias Naturales y Artes de Barcelona. Dedicó buena parte de su libro a plantearse la lógica de la distribución del edificio, en abierta polémica con las tipologías palladianas.

Entrado el siglo XIX, la arquitectura privada era un sujeto indispensable en tratados de arquitectura como el *Traité d'architecture contenant des notions*

Cataluña i el *Boletín de la Asociación de Ingenieros*. El mateix podem dir d'*Arquitectura y Construcción*, la revista dirigida per l'arquitecte català Manuel Vega i March, que tingué una gran difusió a la resta d'Espanya. Resseguint aquestes publicacions es poden conèixer les seves fonts d'informació —tant estílisques com de tipus tècnic—, els models en què s'inspiraven i en com van adaptar una teorització feta des de la Gran Bretanya, França, els EUA o Alemanya a la societat catalana.[7] Però el gran coneixement tècnic que demostren tenir els professionals entrava en contradicció amb el conservadorisme de molts propietaris i amb una real manca de demanda, ja que eren molt pocs els qui podien tenir accés a aquestes novetats; d'una altra banda, els mateixos enginyers, arquitectes i decoradors mantenien també una actitud excessivament conservadora respecte a l'aplicació de la nova tecnologia a l'habitatge.[8]

L'arquitectura privada en la cultura de la Il·lustració

Fins al segle XVIII, el Segle de les Llums, no trobem entre la tractadística arquitectònica cap reflexió sobre l'habitatge. Els tractats d'arquitectura del segle XVI sobre els quals es va bastir la pràctica de la construcció, estaven fonamentats en l'estudi dels antics i en la definició d'uns ordres arquitectònics que eren percebuts essencialment com la base del disseny arquitectònic. L'arquitectura era entesa com un problema d'estil i proporció. Només Palladio presentava en el seu tractat plantes dels seus edificis, però la seva distribució responia a les lleis de la simetria, o estava supeditada a la regularitat de la façana, no pas a la funcionalitat de l'edifici.[9] La lògica de la distribució era considerada una qüestió secundària. El que podríem anomenar una cultura de "la casa" no es va formular fins la Il·lustració, moment en què es reflexionà, d'una manera funcional, sobre l'habitatge al mateix temps que es proposava una alternativa radicalment diferent als models de vida de la societat.

La fi de l'Antic Règim va representar, d'una altra banda, un canvi radical en l'organització familiar. L'antiga família patriarcal, entesa alhora com a nucli familiar i com a estructura de treball, en la qual el domicili era també unitat de producció, va cedir pas al concepte de família que ha marcat tota la història contemporània. Va esdevenir un àmbit més íntim i privat,[10] i d'aquesta nova mentalitat va derivar un sistema social delimitat entre un espai public, un món de producció i relació —en darrera instància masculí—, segregat de l'espai íntim o domèstic —femení. Com a conseqüència, la Il·lustració va generar una tractadística arquitectònica especí-

fica sobre l'arquitectura privada.[11] Les obres de Jacques-François Blondel *De la distribution des Maisons de plaisance et de la décoration des edifices en general* (1737) el *Cours d'Architecture Civile. Cours d'Architecture au Traité de la Décoration, Distribution et Construction des Bâtiments* (1771-1777),[12] van ser les primeres a definir les noves tipologies; Blondel va inquirir sobre la disposició de les estances, insistint en el fet que cal combinar la magnificència de l'arquitectura dels antics amb una bona distribució. La "racionalitat" i la lògica de la distribució significava el triomf sobre la simetria de la planta, que Blondel va definir amb el terme "comoditat" abans que assumís el modern contingut que assimilem al confort.[13]

Els tractadistes il·lustrats espanyols feren també decisives aportacions sobre el tema. Un dels primers a plantejar-se la qüestió va ser el llibre d'Athanasio Genaro Brizgur y Bru *Escuela de Arquitectura civil en que se contienen los órdenes de arquitectura, la distribución de los planos de Templos y Casas y el conocimiento de los Materiales* (1738),[14] que va tenir una amplia difusió. I, els darrers anys de segle, podem destacar l'obra del català Benet Baïls, que va dedicar la primera part del seu *Elementos de matemática* (1772-1783) a un *Tratado de Arquitectura Civil*.[15] Baïls, nascut a Sant Adrià del Besòs i educat a París, desenvolupà la seva trajectòria professional en aquesta ciutat i a Madrid, però va estar vinculat a Catalunya i va ser membre de l'Academia de Ciencias Naturales y Artes de Barcelona. Baïls dedicà una part important del seu llibre a plantejar-se la lògica de la distribució de l'edifici, en oberta polèmica amb les tipologies palladianes.

Ben avançat el segle XIX, l'arquitectura privada era un subjecte indispensable en els tractats d'arquitectura, com ara el *Traité d'architecture contenant des notions générales sur les principes de la construction et sur l'histoire de l'art* de Léonce Reynaud (1850),[16] i el mateix podem dir de l'obra del seu seguidor Bernardo Portuondo, *Lecciones de Arquitectura* (1877).[17] Les tipologies són encara les convencionals, el palau, l'hotel i la vil·la o casa rural, i el debat teòric domina per damunt de la lògica del funcionament domèstic. La construcció del gran París de Haussmann, va desvetllar l'atenció per la casa plurifamiliar dividida en diversos pisos que es va convertir en prototípica de les capitals de l'Europa continental.[18] La configuració del gran París va tenir un ressò extraordinari en la construcció de les grans capitals i d'altres ciutats europees. En aquest context es publicaren dos importants llibres que ja versen específicament sobre l'arquitectura domèstica plurifamiliar, el de César Daly, *L'Architecture privée au XIX siècle sous Napoléon III: nouvelles maisons de Paris et ses environs* (1864) i *Habitations modernes* (1875) d'Eugène Vio-

2. Interior del Eixample barcelonés. Josep Pascó, *Comedor de la casa de Ramon Casas en el Passeig de Gràcia, 96, de Barcelona*, 1902 (arquitecto: Antoni Rovira i Rabassa). Fotografía Arxiu Mas.

générales sur les principes de la construction et sur l'histoire de l'art, de Léonce Reynaud (1850);[16] lo mismo podemos decir de la obra *Lecciones de Arquitectura* (1877),[17] de su seguidor Bernardo Portuondo. Las tipologías todavía son las convencionales —el palacio, el hotel y la villa o casa rural— y el debate teórico domina por encima de la lógica del funcionamiento doméstico. La construcción del gran París de Haussmann, despertó la atención por la casa plurifamiliar dividida en varios pisos, que se convirtió en prototípica de las capitales de la Europa continental.[18] La configuración del gran París tuvo un eco extraordinario en la construcción de las grandes capitales y demás ciudades europeas. En ese contexto se publicaron dos importantes libros que ya versan específicamente sobre la arquitectura doméstica plurifamiliar: el de César Daly, *L'Architecture privée au XIX siècle sous Napoléon III: nouvelles maisons de Paris et ses environs* (1864), y *Habitations modernes* (1875), de Eugène Viollet-le-Duc.[19] Ambos libros se alejan de la estructura de tratado, en realidad presentan simples repertorios de la arquitectura moderna y no van dirigidos únicamente a los especialistas sino también a un público más amplio que quería tener ideas propias sobre sus viviendas.[20] Ambas obras subrayaban tanto el valor de la imagen externa de los edificios como el de su concepción interior, aunque César Daly fue más lejos al postular la distribución y la concepción del interior por encima de la representatividad de la fachada.[21]

Los «pisos» del Eixample: el punto de referencia

Las nuevas casas plurifamiliares que se construían en el Eixample barcelonés, especialmente en lo que ahora se denomina, en afortunada expresión, el Quadrat d'Or,[22] se convirtieron en el punto de referencia indiscutible para las nuevas edificaciones. Como hemos indicado anteriormente, debemos admitir que las demás tipologías que se dieron en Cataluña, unifamiliar o plurifamiliar, rural o urbana, acomodada o de promoción social, tanto en su distribución como en el aspecto de los equipamientos o en el más estrictamente ornamental o decorativo, tuvieron presentes los modelos del Eixample barcelonés.

Las últimas investigaciones llevadas a cabo[23] en torno al proceso de construcción del Eixample han permitido documentar las tipologías de vivienda desarrolladas en las distintas zonas del barrio y cómo éstas fueron evolucionando con el tiempo. Así se han podido delimitar las áreas que fueron ocupadas preferentemente por industrias de las destinadas a vivienda y, entre estas últimas, la distribución en función de las clases sociales. En todos los casos podemos hablar de una primera ocupación del barrio, en un período que podríamos prolongar hasta 1888, que fija una primera tipología edificatoria que

será desplazada, a partir de la última década del siglo, por la definición de las tipologías arquitectónicas que han sido consideradas prototípicas del Eixample: la casa con pasillo de un extremo a otro de la vivienda.

La construcción en Barcelona, como ha demostrado Tafunell en sus estudios, se desarrolló al compás de la coyuntura económica; no fue prerrogativa de un mundo de rentistas que pretendían vivir de las rentas de los alquileres.[24] Desde 1870, la construcción creció de forma continua debido a diversos factores, entre los que cabe destacar el retorno de capitales a consecuencia de la crisis cubana o del período de «la febre d'or» ('la fiebre del oro'), con viviendas de gran nivel, hasta el año 1882, después de la quiebra de la bolsa y la crisis general de la economía agraria.

El Eixample empezó a ser urbanizado por diferentes sociedades financieras[25] y según unas ordenanzas, las de 1856, redactadas con anterioridad a su urbanización.[26] La primera imagen del Eixample no tiene nada que ver con la actual. Aunque ya se podía apreciar la jerarquización por zonas que se ha mantenido hasta nuestros días, la tipología de la vivienda era, en cambio, completamente distinta,[27] desde sencillas casas populares hasta las residencias señoriales situadas en las zonas centrales. Esas edificaciones unifamiliares, derivadas del *hôtel* francés descrito por César Daly, son las que daban el tono constructivo de la zona central del primer Eixample. Las casas de pisos, por su parte, solían desdoblar la planta baja en semisótano y entresuelo, ya que situar una vivienda en el entresuelo era más rentable que un local comercial. Detrás de las ordenanzas había una voluntad homogeneizadora que tendía a la unificación de las fachadas y que promovió un estilo unitario de inequívoca raigambre ecléctica. Lo más soprendente es que en el corto plazo de diez o quince años, dichas edificaciones fueran sustituidas por casas plurifamiliares, un despilfarro constructivo sólo justificable por la fuerza especulativa de los últimos años del siglo pasado.

La construcción se activó a partir del año 1887 y durante los años posteriores a la Exposición de 1888, en los que muchos capitales invirtieron en la construcción de viviendas de alquiler,[28] iniciándose tanto un proceso de construcción de nuevas viviendas como de sustitución de las antiguas. También contribuyeron a ello razones urbanísticas: la cobertura de la Riera d'en Malla, que bajaba por lo que hoy es la Rambla de Catalunya y que definió una nueva calle emblemática de la ciudad; la urbanización de la Gran Via entre la plaza Universitat y la de Espanya, en 1886, y finalmente la urbanización, en 1902, de la plaza Catalunya. Por esas fechas se produce el desplazamiento del centro comercial, y detrás de él el residencial, hacia el Eixample cen-

2. Interior de l'Eixample barceloní. Josep Pascó, *Menjador de la casa de Ramon Casas al Passeig de Gràcia, 96 de Barcelona,* 1902 (arquitecte Antoni Rovira i Rabassa). Fotografia Arxiu Mas.

llet-le-Duc.[19] Tots dos llibres s'allunyen de l'estructura de tractat, en realitat presenten simples repertoris sobre l'arquitectura contemporània i no estan dirigits només als especialistes, sinó també a un public més ampli que volia tenir idees pròpies sobre els seus habitatges.[20] Totes dues obres destacaven el valor tant de la imatge externa dels edificis com de la seva concepció interior, però Cesar Daly va anar més enllà en defensar la distribució i la concepció de l'interior sobre la representativitat de la façana.[21]

Els "pisos" de l'Eixample: el punt de referència

Les noves cases plurifamiliars que es construïen a l'Eixample barceloní, especialment el que ara, amb expressió afortunada, s'anomena el Quadrat d'Or,[22] es convertiren en el punt de referència indiscutible per a les noves construccions. Com ja hem assenyalat anteriorment, hem d'admetre que les altres tipologies que es van donar a Catalunya, unifamiliar o plurifamiliar, rural o urbana, benestant o de promoció social, tant en la seva distribució com en la qüestió d'equipaments o en la més estrictament ornamental o decorativa, van tenir presents els models de l'Eixample barceloní.

Les darreres recerques[23] que s'han realitzat sobre el procés de construcció de l'Eixample, han permès documentar les tipologies d'habitatge que es desenvoluparen a les diferents zones del barri i com aquestes van anar evolucionant al llarg dels temps. Així, s'han pogut delimitar les àrees que foren ocupades preferentment per indústries destinades a l'habitatge i, entre aquestes darreres, la distribució en relació a les classes socials. En tots els casos podem parlar d'una primera ocupació del barri, en un període que podríem fer arribar fins al 1888, que fixa una primera tipologia edificatòria que va ser suplantada, des de la darrera dècada del segle per la definició de les tipologies arquitectòniques que han estat considerades prototípiques de l'Eixample, la casa "amb passadís, davants i darreres".

La construcció a Barcelona, com ha demostrat Tafunell en els seus estudis, es va desenvolupar al ritme de la conjuntura econòmica; no va ser prerrogativa d'un món de rendistes que prete-

2

3. Un calentador de agua en el baño. Ramon Casas i Carbó: *Antes del baño*. Firmado R. Casas en el ángulo inferior izquierdo, no fechado (c. 1894), óleo sobre lienzo, 72,5 x 60 cm, Museu de Montserrat, Donación Sala.

3

tral,[29] en tanto que el decreto de agregaciones, que significa el nacimiento de la gran Barcelona, ratifica el papel representativo de dicha zona del Eixample como eje de la nueva ciudad. Al mismo tiempo, las clases populares echaban raíces en las zonas más desfavorecidas de Ciutat Vella, la ciudad antigua, abandonada por las clases pudientes. Las condiciones de vida eran mucho más desfavorables y adolecían de las infraestructuras mínimas necesarias, de modo que el abastecimiento de agua corriente o la electrificación no se hicieron realidad hasta principios del nuevo siglo.[30] La transformación de la tipología de la vivienda es asimismo consecuencia de la aprobación de las ordenanzas de 1891. Las nuevas ordenanzas facilitaban una mayor libertad en la ornamentación de las fachadas: pagando el canon correspondiente, se podían proyectar tribunas; las balaustradas que, según las antiguas ordenanzas, debían rematar las fachadas dieron paso a todo tipo de libertades —glorietas…— que, de hecho, posibilitaron las libertades decorativas que abrieron la puerta a los elementos ornamentales eclécticos y modernistas.[31]

La modernización de la vivienda

La vivienda de los años del modernismo fue la primera que se organizó de una manera moderna:[32] el ascensor permitía eliminar las pesadas escaleras; el alumbrado —de gas o eléctrico— era una realidad; las cocinas, las modernas cocinas económicas, permitían una programación de la cocción y la existencia de agua caliente; aparecen las primeras instalaciones de calefacción central; también mejoró radicalmente el saneamiento y había agua corriente y los más completos cuartos de baño. En síntesis, llegó lo que denominamos confort. La mayoría de las innovaciones tecnológicas se experimentaron primero en las empresas, hasta que fueron introducidas en las casas acomodadas y, mucho más lentamente, fueron llegando a las demás clases sociales. A estas novedades tenían acceso, pues, un número muy limitado de hogares: tan sólo los de las familias pudientes que, además, vivían en las casas más modernas de Barcelona y demás ciudades industriales catalanas. Fuera de las capitales, las únicas casas con instalaciones modernas eran las «torres» (chalets) de vacaciones, que debemos considerar una prolongación de la primera residencia. Buena parte de esta modernización se produjo en la década de los noventa como consecuencia de la aplicación de las ordenanzas de 1891, que introducían novedades importantes sobre mejoras higiénicas e instalaciones.[33]

1. El moderno saneamiento y los cuartos de baño

Uno de los males endémicos de las ciudades y pueblos catalanes de finales de siglo era el deficiente saneamiento, que se hacía intolerable en ciudades como Barcelona y contra el que se habían levantado las voces de los higienistas desde finales del siglo XIX. La aprobación de un plan de saneamiento en 1891,[34] condicionado en buena parte por la epidemia de cólera de 1885, abrió la puerta a una serie de actuaciones nuevas. Pere Garcia Faria participó en la redacción definitiva del plan que tenía el acierto de contemplar la situación de Barcelona en conjunto con la del Eixample, así como la de los pueblos del Pla de Barcelona que todavía no se habían incorporado a la ciudad.

El problema de la captación de agua era una de las grandes cuestiones pendientes que quedó en manos particulares que no siempre aseguraban la calidad —motivo por el que los purificadores de agua fueron ingenios muy populares durante todo el siglo. La actuación de la Sociedad General de Aguas de Barcelona, como empresa promotora en el sector, permitió que en 1895 ya se dispusiera de 116 litros por habitante y día, y la traída de aguas de Garraf el año siguiente aportó una solución definitiva. El alcantarillado era otro problema

3. Un calentador d'aigua a la cambra de bany. Ramon Casas i Carbó, *Abans del bany*. Signat R. Casas a l'angle inferior esquerre, no datat (c. 1894), oli sobre tela, 72,5 x 60 cm, Museu de Montserrat, Donació Sala.

nien viure de les rendes dels lloguers.[24] Des del 1870, la construcció va créixer de manera continuada per diversos factors, entre els quals cal destacar el retorn de capitals com a conseqüència de la crisi cubana o del període de "la febre d'or", amb habitatges de gran nivell, fins a l'any 1882, després de la fallida de la borsa i la crisi general de l'economia agrària.

L'Eixample va començar a ser urbanitzat per diferents societats financeres[25] i segons unes ordenances, les de 1856, redactades amb anterioritat a la seva urbanització.[26] La primera imatge de l'Eixample no té res a veure amb l'actual. Si bé ja es podia apreciar la jerarquització per zones que s'ha mantingut fins als nostres dies, la tipologia de l'habitatge era, en canvi totalment diferent,[27] des de senzilles cases populars fins a les residències senyorials que se situaven a les zones centrals. Aquestes edificacions unifamiliars, derivades de l'*hôtel* francès, descrit per César Daly, són les que donaven el to constructiu de la zona central del primer Eixample. Les cases de pisos, per la seva banda, acostumaven a desdoblar la planta baixa en semisoterrani i entresol, ja que situar un habitatge a l'entresol era més rendible que la ubicació d'un local comercial. Darrere de les ordenances hi havia una voluntat homogeneïtzadora que tendia a la unificació de les façanes i que va promoure un estil unitari de inequívoca arrel eclèctica. El més sorprenent és que, en el curt termini de deu o quinze anys, aquestes edificacions foren substituïdes per cases plurifamiliars, un malbaratament constructiu només justificable per la força especuladora dels darrers anys de segle.

La construcció s'activà des de l'any 1887 i els anys posteriors a l'Exposició de 1888, en què molts capitals invertiren en la construcció d'habitatges de lloguer,[28] fet que va donar lloc tant a un procés de construccions de nous habitatges com de substitució dels antics. Hi contribuïren també raons urbanístiques: el cobriment de la riera d'en Malla, que davallava pel que ara és la Rambla de Catalunya i que va definir un nou carrer emblemàtic per a la ciutat, la urbanització de la Gran Via entre la plaça Universitat i la d'Espanya, el 1886, i finalment la urbanització de la plaça de Catalunya, l'any 1902. Per aquestes dates es produeix el desplaçament del centre comercial, i darrere seu el residencial, cap a l'Eixample central,[29] i el decret d'agregacions, que significa el naixement de la gran Barcelona, ratifica el paper representatiu d'aquesta zona de l'Eixample com a eix de la nova ciutat. Al mateix temps, les classes populars s'anaven arrelant a les zones, molt més desfavorides, de la Ciutat Vella, abandonades per les classes benestants. Les condicions de vida eren molt més desfavorables

i hi mancaven les mínimes infraestructures necessàries, de manera que el proveïment d'aigua corrent o l'electrificació no van ser realitat fins l'inici del nou segle.[30] La transformació de la tipologia de l'habitatge és també conseqüència de l'aprovació de les ordenances de 1891. Les noves ordenances facilitaven una major llibertat en l'ornamentació de les façanes: pagant un cànon s'hi podien projectar tribunes, les balustrades, que segons les velles ordenances havien de coronar les façanes, deixaren pas a tot tipus de variants —glorietes…— possibilitant de fet, les llibertats decoratives que obriren la porta als elements ornamentals eclèctics i modernistes.[31]

La modernització de l'habitatge

L'habitatge dels anys del modernisme és el primer que s'organitzà d'una manera moderna;[32] l'ascensor permetia eliminar les feixugues escales; l'enllumenat —de gas o electricitat— era una realitat; les cuines, les modernes cuines econòmiques, permetien una programació de la cocció i l'existència d'aigua calenta; aparegueren les primeres calefaccions centrals; s'havia millorat radicalment el sanejament, hi havia aigua corrent i les més completes habitacions de bany. En síntesi, va arribar allò que anomenem el confort. La majoria de les innovacions tecnològiques es van experimentar primerament a les empreses, fins que van ser introduïdes a les cases benestants i, amb molta lentitud, van arribar a les altres classes socials. Un nombre molt limitat de les cases tenien accés a aquestes novetats; només les famílies amb possibles i que, a més a més, vivien en cases modernes a Barcelona o a les ciutats industrials catalanes. Fora de les capitals, les úniques cases amb instal·lacions modernes eren les "torres" de vacances, que hem d'entendre com una prolongació de la primera residència. Gran part d'aquesta modernització es produí durant la dècada dels noranta com a conseqüència de l'aplicació de les ordenances de 1891, que introduïen novetats importants sobre millores higièniques i sobre les instal·lacions.[33]

1. El modern sanejament i les sales de bany

Un dels mals endèmics de les ciutats i pobles catalans de final de segle era el deficient sanejament, que es feia intolerable en ciutats com Barcelona i contra el qual s'havien aixecat les veus dels higienistes des de final del segle XIX. L'aprovació d'un pla de sanejament l'any 1891,[34] condicionat en gran part per l'epidèmia de còlera del 1885, va obrir la porta a una sèrie de noves actuacions. Pere Garcia Faria va participar en la redacció definitiva del pla, que tenia l'encert de considerar la situació de Barcelona juntament amb la de l'Eixample, així com també la dels

4. «Ascensores eléctricos para casas particulares, hoteles, edificios públicos». La Industria Eléctrica, Barcelona. Anuncio publicado en *Anuario de la Asociación de Arquitectos*, 1899, p. XLI.

que derivaba de siglos atrás, ya que siempre se habían aplicado soluciones de urgencia y era imprescindible darle un tratamiento global. La nueva red fue planeada por Garcia Faria y fue construida a pesar de la reticencia de los propietarios. Para el correcto funcionamiento de las cloacas era necesario que circulase un caudal de agua suficiente, de modo que quedaban obsoletos los antiguos sistemas de evacuación de las viviendas. La instalación de agua corriente y la popularización de los *water closet* facilitaban el correcto funcionamiento del alcantarillado. Dichas condiciones permitieron que la jofaina y la letrina dejasen paso a los modernos cuartos de baño.[35]

Los sanitarios, tal como los entendemos hoy en día, eran ya piezas de catálogo de las casas de saneamientos, para su uso hacía falta, sin embargo, un cambio de mentalidad, porque la concepción de la higiene no implicaba la limpieza del cuerpo sino la de la ropa, en concreto de la ropa «blanca», la ropa interior.[36] El baño, que se tomaba por placer o por prescripción médica, empezó a ser tomado simplemente por higiene, hecho que iba unido asimismo al creciente aprecio de lo privado. El origen del cuarto de baño está en el *boudoir* francés y el tocador, que se situaba junto al dormitorio y que fue perdiendo la imagen de habitación complementaria para convertirse en un laboratorio lleno de artefactos dedicados al cuidado del cuerpo. El baño del modernismo ocupa una situación intermedia. Es un espacio grande, en el que los sanitarios están escondidos por la decoración a la moda; el lavabo todavía es un recuerdo del antiguo tocador, una superficie plana sobre cuatro patas dominada por un gran espejo, mientras desagües y cañerías quedaban ocultos. Las bañeras recibían a menudo denominaciones suntuosas —«a la romana», por ejemplo— y los asientos de los *water closet* dibujaban formas muy elaboradas propias del gusto rococó. En contraposición, fue en el ejército y en las prisiones donde se popularizó el más democrático de los sanitarios, la ducha.[37] Tampoco podemos olvidar el papel que tuvieron los hoteles en la difusión del saneamiento moderno. Los hoteles americanos gozaban a finales de siglo de equipamientos muy avanzados, en muchos casos dispuestos en *suite* de las habitaciones.

La primera referencia que hemos encontrado sobre instalaciones de baño completas en la ciudad de Barcelona corresponde asimismo a un hotel, el Hotel Internacional que Domènech i Montaner construyó con motivo de la Exposición Internacional, equipado con retretes y cuartos de baño, así como con tocadores en las habitaciones más lujosas.[38] A finales de siglo los cuartos de baño eran ya un lujo existente en muchas casas acomodadas. Entre las empresas que ofrecían un catálogo más completo

de productos, cabe reseñar las de Francisco Sangrà, Verdaguer y Cía. O Lacoma Hnos.,[39] con todo tipo de sanitarios y modelos completos de cuartos de baño a precios muy diferentes. Todo baño moderno, por otra parte, debía ir acompañado de agua caliente, que se obtenía mediante un depósito integrado en la cocina económica o un serpentín que se calentaba sobre el fogón hasta que, nuevamente en la Exposición de 1888, se documentan los primeros calentadores a gas,[40] que se popularizan a principios del siglo XX. Los catálogos comerciales ofrecen toda la información complementaria sobre sistemas de instalación, normas de seguridad, sistemas de ventilación etcétera. Los de la casa Sangrà tenían nombres como «El Rápid» o «Vulcano», muy ilustrativos de la rapidez con que proporcionaban calor, o «El Bosque», un calentador similar que funcionaba con leña.[41]

2. Los ascensores, un mueble más del modernismo

El ascensor[42] es uno de los nuevos ingenios que identificamos con las viviendas del Eixample y, con sus formas sinuosas, es una de las más populares muestras del modernismo. Las primeras referencias que hemos encontrado corresponden a unos llamados ascensores que, en realidad, eran montacargas o montaplatos contratados por Domènech i Montaner para el Café Restaurante y el Hotel Internacional de la Exposición de 1888.[43] Se trataba de máquinas de tracción eléctrica, pero eran una excepción, ya que los primeros ascensores que se instalaron en Barcelona funcionaban con un motor hidráulico. Este tipo de motores requería gran cantidad de agua para su funcionamiento y en los últimos años del siglo pasado empezaron a ser sustituidos por motores eléctricos, de coste inferior y más seguros. La primera información sobre estos motores la encontramos en un anuncio de La Industria Eléctrica de Barcelona, concesionaria de las patentes de la Compagnie de l'Industrie Eléctrique de Ginebra, publicado en el *Anuario de la Asociación de Arquitectos* de 1898, donde se presentan los planos para su construcción, toda una lección de ingeniería mecánica. El año siguiente, *Arquitectura y Construcción*[44] publicaba una crónica de los ascensores eléctricos presentados en París y defendía la sustitución de los antiguos ascensores mediante el simple reemplazo del antiguo mecanismo hidráulico por una dinamo. Jaume Fabre y Josep M. Huertas[45] recuerdan la tradición según la cual el primer ascensor eléctrico fue instalado en 1897 en el Passeig de Sant Joan; también data de ese año el de la casa Amatller de Puig i Cadafalch, en el Passeig de Gràcia.

Al entrar en el nuevo siglo, la propaganda cambió de signo: ya no se refería tanto a las condiciones técnicas de los ascensores como a su belleza y fun-

pobles del Pla que encara no havien estat incorporats a la ciutat.

El problema de la captació d'aigua era una de les grans qüestions pendents que va quedar en mans privades, que no sempre n'asseguraven la qualitat —motiu pel qual els purificadors d'aigua van ser enginys molt populars al llarg de tot el segle. L'actuació de la Societat General d'Aigües de Barcelona com a empresa promotora en el sector va permetre que l'any 1895 ja es disposés de 116 litres per habitant i dia; i la captació d'aigües de Garraf, l'any següent, hi va aportar una solució definitiva. El clavegueram era un altre

4

problema que derivava de molts segles enrere, ja que sempre s'hi havien aplicat solucions d'urgència i era imprescindible donar-hi un tractament global. La nova xarxa va ser planejada per Garcia Faria i va ser construïda, tot i les moltes reticències dels propietaris. Per al correcte funcionament de les clavegueres calia que hi circulés un cabdal d'aigua suficient i esdevenien obsolets els antics sistemes d'evacuació dels habitatges. La instal·lació d'aigua corrent i la popularització dels *water closet* facilitaven el correcte funcionament del clavegueram. Aquestes condicions van permetre que el rentamans i la comuna deixessin pas a les modernes habitacions de bany.[35]

Els sanitaris, tal com els entenem avui dia, eren ja peces de catàleg de les cases de sanejament, calia però, per al seu ús, un canvi de men-

talitat, perquè la concepció de la higiene no implicava pas la neteja del cos, sinó la neteja de la roba, en concret de la roba "blanca", de la roba interior.[36] El bany, que es feia per plaer o per prescripció mèdica, es va començar a fer simplement per higiene, fet que anava lligat també amb el sentiment creixent de la privacitat. L'origen de la cambra de bany és el *boudoir* francès i el lligador, que se situaven al costat del dormitori i que van anar perdent la imatge d'habitació complementària per esdevenir un laboratori ple d'artefactes per a la condícia del cos. El bany del modernisme es troba en una situació intermèdia. És un espai gran, on els sanitaris estan amagats per la decoració a la moda; el lavabo és encara un record de l'antic lligador, una superfície plana sobre quatre potes dominada per un gran mirall, mentre desguassos i canonades quedaven amagats. Les banyeres portaven moltes vegades noms sumptuosos, com "a la romana", i els seients dels *water closet* dibuixaven formes molt elaborades, pròpies del gust rococó. En contraposició, va ser a l'exèrcit i a les presons on es va popularitzar el més democràtic dels sanitaris, la dutxa.[37] No podem oblidar tampoc el paper que van tenir els hotels en la difusió del sanejament modern. Els hotels americans de la darreria del segle gaudien d'equipaments molt avançats, en molts casos disposats *en suite* de les cambres.

La primera referència que hem trobat sobre instal·lacions de bany completes a la ciutat de Barcelona corresponen també a un hotel, l'Hotel Internacional, que Domènech i Montaner va construir amb motiu de l'Exposició Universal equipat amb *retretes* i cambres de bany, i també lligadors a les habitacions més luxoses[38]. Els darrers anys del segle, les cambres de bany eren ja un luxe existent en moltes cases benestants. Entre les empreses que oferien un catàleg més complet de productes, cal ressenyar les de Francisco Sangrà, Verdaguer y Cía. o Lacoma Hnos.,[39] amb tot tipus de sanitaris i models complets de cambres de bany a preus molt diferents. Tot bany modern, d'una altra banda, havia d'anar acompanyat d'aigua calenta, que s'obtenia mitjançant un dipòsit integrat en la cuina econòmica o mitjançant un serpentí que s'escalfava sobre el fogó fins que, de nou a l'Exposició del 1888, es documenten els primers calentadors de gas,[40] que es popularitzen els primers anys del segle. Els catàlegs comercials ofereixen tota la informació complementària sobre els sistemes d'instal·lació, normes de seguretat, sistema de ventilació, etcètera. Els de la casa Sangrà tenien noms com "El Rápid" o "Vulcano", prou significatius de la rapidesa amb què proporcionaven calor, o "El Bosque", un calentador similar que funcionava amb llenya.[41]

cionalidad. Se reproducían fotografías que subrayaban su seguridad, la comodidad de los pulsadores eléctricos que sustituían las antiguas palancas y la modernidad del diseño de los «camarines» —como eran denominados— o cabinas, de la más cuidada estética modernista. Entre toda la propaganda comercial queremos destacar la presentada por la casa Stigler, que da a conocer las cifras de producción: construía sesenta ascensores a la semana y había instalado 4.700 en 1905 y 6.000 en 1907.[46] Las fotografías de la propaganda comercial, así como los ascensores que aún se conservan en muchas casas, abren un amplio camino de investiga-

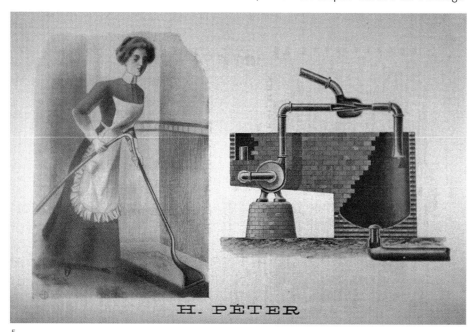

5

ción sobre el uso de la ornamentación, que va desde fórmulas plenamente eclécticas hasta las más arriesgadamente modernistas.

La luz entra en las casas

Las primeras experimentaciones que se hicieron en Cataluña y España sobre alumbrado a gas se deben a Charles Lebon y el banquero Pere Gil. En 1842, ambos constituyeron la empresa Sociedad Catalana para el Alumbrado por Gas, que sería la más importante del sector y acabaría absorbiendo al resto de pequeñas compañías catalanas.[47] En los últimos años del siglo, fundaron, conjuntamente con Gas Municipal, la Central Catalana de Electricidad con sede en el magnífico edifico de Pere Falqués (1896-1897). La creación de esta empresa, sin embargo, marcaba uno de los hitos clave para entender la gran lucha de competencias entre el gas y la nueva fuerza que acabaría dominando el mercado del alumbrado, la electricidad. También en fechas muy tempranas el físico y óptico Tomàs J. Dalmau y el ingeniero gerundense Narcís Xifra[48] constituyeron la Sociedad Española de Electricidad (1881), adelantada de muchas empresas similares diseminadas por todo el Estado. Esta entidad ini-

ció, con lámparas de arco voltaico, el alumbrado de algunas calles públicas, empresas y diversas entidades, aunque su incidencia entre los abonados particulares fue muy escasa. Cuando la empresa entró en crisis se formó la Compañía Barcelonesa de Electricidad (1894), creada con participación mayoritaria de capital extranjero —AEG y la Lyonnaise des Eaux et de l'Éclairage—, que dominó el mercado barcelonés en gran competencia con la Central Catalana de Electricidad. La competencia entre ambas empresas llevó a una búsqueda de clientes, también en los domicilios particulares, a quienes se ofrecía la instalación gratuita. Según Garrabou,[49] en tanto que la extensión del gas había quedado limitada a los núcleos urbanos, la electricidad tuvo en Cataluña una expansión muy rápida; proliferaron por doquier las pequeñas fábricas de electricidad y así, por ejemplo, en 1886 Gerona fue la segunda ciudad de Europa que dispuso de alumbrado eléctrico.

Pero los primeros pasos de la electricidad no fueron fáciles dadas las dificultades habidas en la creación de la red de transporte del fluido eléctrico. El servicio resultaba excesivamente caro i las empresas distribuidoras de gas representaban una competencia muy fuerte.[50] La gran revolución en el alumbrado eléctrico fue la introducción de la lámpara de incandescencia Edison, es decir, una pera de vidrio con un filamento interior de carbono que emitía luz por sobrecalentamiento y que se introdujo en Cataluña en 1880.[51] Las compañías de gas, a su vez, introdujeron el sistema Auer en 1893:[52] una pequeña malla en forma de pera, denominada popularmente «camiseta», que se aplicaba sobre el punto de luz y ofrecía una luz blanca, de gran intensidad y de muy fácil aplicación a todo tipo de lámpara. El sistema Auer era una clara alternativa a la luz de las bombillas eléctricas, sobre todo porque el gas resultaba mucho más económico. La aparición de la lámpara eléctrica Nerst (1902), que reducía el consumo, cambió la situación. En Barcelona, por ejemplo, la Compañía Barcelonesa de Electricidad pasó de 5.763 abonados en 1905 a 12.418 en 1910 y a 22.480 en 1912.[53] Pero el gas fue durante mucho tiempo el sistema de alumbrado doméstico más importante.[54] Hay que pensar que muchas casas tenían un sistema mixto: en entradas y pasillos se utilizaba la luz eléctrica, mientras el gas todavía era usado en las estancias de representación. Conviene subrayar tal hecho, ya que muchas de las lámparas diseñadas por los decoradores, como las de Homar, estaban preparadas para ambos sistemas.[55]

La electrificación se generalizó desde los primeros años del siglo cuando se dio la posibilidad de transportar la energía a distancia, lo que llevó a la aparición de las centrales hidroeléctricas y la consiguiente desaparición de las empresas pequeñas y

5. «Instalaciones completas de limpieza por aspiración». Talleres de Construcciones Mecánicas de H. Péter. Barcelona. Anunci aparegut a l'*Anuario de la Asociación de Arquitectos*, 1099, p. 53-54.

2. Els ascensors, un moble més del modernisme

L'ascensor[42] és un dels nous ginys que identifiquem amb els habitatges de l'Eixample i, amb les seves formes sinuoses, és una de les més populars mostres del modernisme. Les primeres referències que n'hem trobat són les d'uns anomenats ascensors que en realitat eren muntacàrregues o muntaplats que van ser contractats per Lluís Domènech i Montaner per al Cafè Restaurant i l'Hotel Internacional de l'Exposició de 1888.[43] Es tractava de màquines de tracció elèctrica, però eren una excepció, ja que els primers ascensors que es van instal·lar a Barcelona funcionaven amb un motor hidràulic. Els motors hidràulics necessitaven una gran quantitat d'aigua per funcionar i els darrers anys del segle en començava la substitució per ascensors elèctrics, que es promovien pel seu cost més baix i per la seva seguretat. Trobem la primera informació sobre els nous motors elèctrics en un anunci de la casa La Industria Eléctrica de Barcelona, concessionària de les patents de la Compagnie de l'Industrie Électrique de Ginebra, publicat a l'*Anuario de la Asociació de Arquitectos* de 1898, el qual presenta els plànols per a la seva construcció i és tota una lliçó d'enginyeria mecànica. L'any següent, *Arquitectura y Construcción*,[44] publicava una crònica dels ascensors elèctrics presentats a París i defensava la substitució dels antics ascensors simplement amb el canvi de l'antic mecanisme hidràulic per una dinamo. Jaume Fabre i Josep M. Huertas[45] recorden la tradició segons la qual el primer ascensor elèctric va ser instal·lat l'any 1897 al Passeig de Sant Joan i també data d'aquell moment el de la Casa Amatller de Puig i Cadafalch, al Passeig de Gràcia.

Entrat el nou segle, la propaganda va canviar de signe, ja no es referia tant a les condicions tècniques dels ascensors com a la seva bellesa i funcionalitat. Es reproduïen fotografies que en remarcaven la seguretat, la comoditat dels polsadors elèctrics que substituïen les antigues palanques i la modernitat del disseny dels "cambrils" —com s'anomenaven— o cabines de la més acurada estètica modernista. Entre tota la propaganda comercial volem destacar la presentada per la casa Stigler perquè dóna a conèixer les xifres de producció: construïa seixanta ascensors la setmana, i n'havia instal·lat 4.700 l'any 1905 i 6.000 l'any 1907.[46] Les fotografies de la propaganda comercial, així com també els que encara es conserven a moltes cases, obren un ampli camí de recerca sobre l'ús de l'ornamentació, que va des de fórmules plenament eclèctiques fins a les més arriscadament modernistes.

3. La llum entra a les cases

Les primeres experimentacions que es feren a Catalunya i Espanya sobre l'enllumenat per mitjà de gas es deuen a Charles Lebon i el banquer Pere Gil. L'any 1842, constituïren l'empresa Sociedad Catalana para el Alumbrado por Gas, que havia de ser la més important del sector i acabaria absorbint les altres petites companyies catalanes.[47] Els darrers anys del segle, juntament amb Gas Municipal van fundar la Central Catalana d'Electricitat, amb seu al magnífic edifici de Pere Falqués (1896-1897). La creació d'aquesta empresa, però, marcava una de les fites claus per entendre la gran lluita de competències entre el gas i la nova força que havia d'acabar dominant el mercat de l'enllumenat, l'electricitat. També en dates molt primerenques el físic i òptic Tomàs J. Dalmau i l'enginyer gironí Narcís Xifra[48] van constituir la Sociedad Española de Electricidad (1881), capdavantera de moltes empreses similars arreu de l'Estat. Aquesta entitat va iniciar, amb làmpades d'arc voltàic, l'enllumenat d'alguns carrers públics, d'empreses i també de diverses entitats, però la seva incidència va ser molt escassa entre abonats privats. Quan l'empresa va entrar en crisi es va formar la Compañía Barcelonesa de Electricidad (1894), creada amb participació majoritària de capital estranger —AEG i Lyonnaise des Eaux et de l'Éclairage— que va dominar el mercat barceloní en gran competència amb la Central Catalana d'Electricitat. La competència entre les dues empreses va portar a una recerca de clients, també als domicilis particulars, als quals s'oferia la instal·lació gratuïta. Segons afirma Garrabou,[49] com que l'extensió del gas havia quedat reduïda als nuclis urbans, l'electricitat va tenir a Catalunya una expansió molt ràpida; proliferaren les petites fàbriques d'electricitat arreu i així, per exemple, el 1886, Girona fou la segona ciutat d'Europa que va disposar d'enllumenat elèctric.

Però els primers pasos de l'electricitat no van ser fàcils per causa de les dificultats en la creació de la xarxa de transmissió del fluid elèctric: el servei resultava excessivament car i les empreses distribuïdores de gas oferien una competència molt forta.[50] La gran revolució en l'enllumenat elèctric va ser la introducció de la làmpada d'incandescència Edison, és a dir una pera de vidre amb un filament interior de carboni que emetia la llum per sobrecalentament i que es va introduir a Catalunya l'any 1880.[51] Les companyies de gas, al seu torn, hi introduïren el sistema Auer l'any 1893,[52] una petita xarxa en forma de pera que s'anomenava popularment la "camiseta" i que s'aplicava sobre el punt lumínic per oferir una llum blanca, de forta intensitat, i de molt fà-

6. «Grandes talleres de toda clase de Artículos de Fumistería, Calderería, etc. Hijos de José Precker, Barcelona». Biblioteca del Col·legi Oficial d'Arquitectes de Catalunya, Donación Catà i Catà.

el inicio de la racionalización del sector eléctrico. La generalización de la electricidad generó la proliferación de pequeños electrodomésticos, como los aspiradores, las tostadoras eléctricas y, muy especialmente, los timbres, que tuvieron gran difusión.

3. El control del calor y la cocina

La cocina es, asimismo, uno de los escenarios que cambió radicalmente en la segunda mitad del siglo XIX. *El foc engabiat* ('El fuego enjaulado'), así se titula el estudio de Carme Baqué, Jaume Clarà y Ester Pujol,[56] un título que va como anillo al dedo a la gran aportación de la cocina económica: el control del calor. Las cocinas económicas permitían racionalizar el uso del combustible, de ahí el adjetivo «económica». Además, era posible utilizar diversos modos de cocción, al horno o directamente sobre los fogones. Muchas incorporaban recipientes para el agua caliente y otros artilugios como pequeños recipientes para el baño maría, etc. Las cocinas podían ser de todos los tamaños y diseños, y estar preparadas para carbón y leña, y fueron introducidas en la mayoría de las casas. Las empresas de fumistería y las de saneamiento son las que más anuncios publican en las revistas especializadas y las que presentan catálogos comerciales más completos.[57]

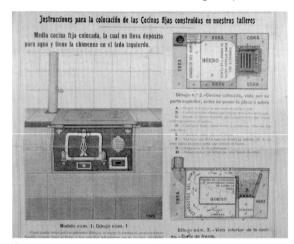

6

Uno de los aspectos más importantes del confort moderno eran las calefacciones centrales, que mediante radiadores de agua caliente mantenían el calor en las diferentes piezas de la vivienda. Hay abundante bibliografía, recogida por Fernández-Galiano, que subraya que en la segunda mitad del siglo XIX la tecnología del calor se mantenía entre el pragmatismo de la cultura anglosajona y la postura francesa, más teórica. Creemos que se puede apuntar que en Cataluña imperó la cultura francesa, ya que de esa procedencia son los tratados que hemos podido documentar en el antiguo fondo de la Universitat Politècnica de Catalunya.[58] En la Exposición Universal de 1888 ya se exponían aparatos de calefacción a vapor, agua o aire caliente.[59] Hemos constatado, sin embargo, que en revistas como el *Anuario de la Asociación de Arquitectos*, los fabricantes de aparatos de calefacción, de «caloríferos», no se anunciaron sistemáticamente hasta después de 1905.[60] Normalmente, son empresas que fabricaban cocinas económicas y en las que la producción de calderas de calefacción era una producción complementaria. La producción de radiadores era probablemente absorbida por la empresa francesa Compagnie Nationale des Radiateurs, filial de la americana American Radiator Co.[61]

Como ha señalado Fernández-Galiano,[62] el proceso que sigue el control del fuego y el calor a lo largo del siglo XIX —yo me atrevería a decir que hasta nuestros días— consiste en cerrarlo, dominarlo mediante conductos y recluirlo en los sótanos. Pero al mismo tiempo la chimenea —los enormes y magníficos hogares del modernismo— se convirtió en un elemento básico del confort, un confort que sólo era aparente porque esas espléndidas chimeneas no se encendían y su función se veía reducida a un elemento de representatividad social.

4. Las comunicaciones, el teléfono

La telefonía también entró en el hogar. Sólo un año después de la patente de Bell en Filadelfia, se hicieron los primeros experimentos en Barcelona,[63] consistentes en intercomunicar dos aulas de la Escuela Industrial. El siguiente paso fueron unas pruebas a través de la línea telegráfica del ejército y, en 1878, ya se ponían a la venta aparatos de la casa Bell y se establecían las primeras comunicaciones experimentales entre Gerona y Barcelona. Arroyo y Namh nos proporcionan la referencia de una primera empresa, la Compañía General de Electricidad, Telefonía, Fuerza y Luz Eléctrica (1882), que pidió permiso al ayuntamiento para instalar una pequeña estación telefónica con 50 líneas para uso público.[64] En los primeros años, la explotación telefónica corrió por cuenta de iniciativas particulares; fue un período lleno de controversias sobre si la explotación de la telefonía debía ser pública o privada. Finalmente, se impuso la doble explotación[65] mediante un decreto que fue recibido muy favorablemente por los técnicos catalanes, siempre desconfiados respecto a la gestión pública estatal.[66] Sin embargo, el teléfono tuvo más utilidad comercial que privada,[67] y lo que realmente se introdujo en los hogares —especialmente en las grandes «torres» fuera de los núcleos urbanos— fue el teléfono interior. Hemos hallado referencias a ese tipo de aparatos en la propaganda comercial: por ejemplo, en 1899,[68] la casa Olió Hermanos, ópticos y electricistas, un instituto de óptica con sede en el número 3 de la Rambla del Centre, que además de todo tipo de aparatos ópticos, termómetros, barómetros etc., ofrecía la instalación y el mantenimiento de luz eléctrica, así como teléfonos y tubos «acústicos». El diseño de los primeros teléfonos es, sin embargo, otra cosa: estrictamente funcional y al margen de las preocupaciones estéticas que hallamos en otros aparatos, aunque no dejen de ser insólitas piezas de museo.

A modo de conclusión. La evolución de la vivienda hacia un nuevo sentido de lo privado

La última reflexión querríamos referirla al espacio doméstico. El ámbito de lo privado, entendido como calidad de vida, se fue imponiendo a lo largo

cil aplicació a tot tipus de làmpades. El sistema Auer era una clara alternativa a la llum de les bombetes elèctriques, sobretot perquè la utilització del gas resultava molt més econòmica. L'aparició de la làmpada elèctrica Nerst (1902), que reduïa el consum, va canviar la situació; a Barcelona, per exemple, La Compañia Barcelonesa de Electricidad va passar de 5.763 abonats el 1905, a 12.418 el 1910, i a 22.480 el 1912.[53] Però el gas var ser durant molt de temps el sistema d'enllumenat domèstic més important.[54] Hem de pensar que moltes cases tenien un sistema mixt, a les entrades i passadissos, s'utilitzava el corrent elèctric, mentre el gas encara era utilitzat a les cambres de representació. Interessa remarcar aquest fet, ja que molts dels llums dissenyats pels decoradors, com ara Homar, estaven preparats per a totes dues energies.[55]

L'electrificació es generalitzà des dels primers anys del segle amb la possibilitat de transportar l'energia a distància. Això va provocar l'aparició de les centrals hidroelèctriques amb la conseqüent desaparició de petites empreses i l'inici de la racionalització del sector de l'electricitat. La generalització de l'electricitat va generar la proliferació de petits electrodomèstics com ara aspiradors, torradores elèctriques i molt especialment els timbres, que tingueren una gran difusió.

4. El control de la calor i la cuina

La cuina és, així mateix, un dels escenaris que canvià radicalment durant la segona meitat del segle XIX. *El foc engabiat*, així és com es titula l'estudi de Carme Baqué, Jaume Clarà i Ester Pujol,[56] un títol que s'ajusta perfectament a la gran aportació de la cuina econòmica, el control de la calor. Les cuines econòmiques permetien una racionalització del combustible, d'aquí el nom d'econòmica. D'una altra banda, era possible utilitzar-hi diferents tipus de cocció, amb el forn o directament sobre els fogons. Moltes portaven incorporades recipients per a l'aigua calenta i altres estris com ara petits recipients per al bany maria, etcètera. Les cuines podien ser de totes mides i dissenys i preparades per a carbó o llenya, i van ser introduïdes a la majoria de les cases. Les empreses de fumisteria, juntament amb les de sanejament són les que publiquen més anuncis a les revistes especialitzades i les que presenten catàlegs comercials més complets.[57]

Un dels aspectes més importants del confort modern eren les calefaccions centrals, que mitjançant radiadors d'aigua calenta mantenien la calor a les diferents peces de l'habitatge. Hi ha una abundant bibliografia recollida per Fernández-Galiano que remarca que la tecnologia de la calor a la segona meitat del segle XIX es mantenia entre el pragmatisme de la cultura anglosa-

xona i la postura francesa, més teòrica. Creiem que es pot apuntar que a Catalunya va imperar la cultura francesa, ja que són aquests els tractats que hem pogut documentar al fons antic de la Universitat Politècnica de Catalunya.[58] A l'Exposició Universal de 1888 ja s'exposaven aparells de calefacció per mitjà de vapor, aigua o aire calent.[59] Hem constatat, però, que en revistes com l'*Anuario de la Asociación de Arquitectos*, les cases productores d'aparells de calefacció, de *caloríferos* no s'anunciaren de manera sistemàtica fins passat l'any 1905.[60] Normalment eren empreses que fabricaven cuines econòmiques i on la producció de calderes de calefacció era una producció complementària. La producció de radiadors era probablement absorbida per l'empresa francesa Compagnie Nationale des Radiateurs, filial de l'americana American Radiator Co.[61]

Com ha assenyalat Fernández-Galiano,[62] el procés que segueix el control del foc i la calor a tot el llarg del segle XIX —i jo gosaria afegir-hi fins als nostres dies—, consisteix a tancar-lo, dominar-lo amb conductes i reduir-lo als soterranis. Però al mateix temps, la llar de foc —les enormes i magnífiques llars del modernisme— es va convertir en un element bàsic del confort, un confort que només era aparent, perquè aquestes magnífiques llars no es feien servir i la seva funció quedava relegada a un element de representativitat social.

5. Les comunicacions, el telèfon

La telefonia també va entrar a la casa. Només un any després de la patent de Bell a Filadèlfia, es van fer els primers experiments a Barcelona,[63] amb la intercomunicació de dues aules de l'Escola Industrial. El següent pas van ser proves a través de la línia telegràfica de l'exèrcit i l'any 1878 ja es posaven a la venda aparells de la casa Bell i es feien less primeres comunicacions experimentals entre Girona i Barcelona. Arroyo i Namh ens proporcionen la referència d'una primera empresa, de 1882, la Compañía General de Electricidad, Telefonía, Fuerza y Luz Eléctrica, que va demanar permís a l'Ajuntament per instal·lar una petita estació telefònica de cinquanta línies per a ús públic.[64] Els primers anys, l'explotació telefònica va anar a càrrec d'iniciatives privades, un període ple de controvèrsia sobre si l'explotació[65] de la telefonia havia de ser pública o privada. Finalment, es va imposar la doble explotació gràcies a un decret que va ser rebut molt favorablement entre els tècnics catalans, sempre desconfiats respecte a la gestió pública estatal.[66] El telèfon va tenir, però, més utilitat comercial que no pas privada,[67] allò que realment va introduir-se a les llars —i especialment a grans torres fora dels nuclis urbans— va ser el telèfon intern. D'a-

7. Casa de Sagnier en *Arquitetura y Construcción.*

8. Juan Carpinell: *Arquitectura práctica. Álbum de proyectos particulares desarrollados para la mejor interpretación de los que se dedican al arte de construir.* Barcelona. Trilla i Serra Editor, s.f., lám. 33 y 36.

del siglo XIX, al tiempo que se consolidaban la moral y las formas sociales de la familia. Resultado directo de todo ello fue la configuración de un concepto de vivienda en el que los papeles que debían representar cada uno de sus miembros eran ejemplarizados por el espacio que se les destinaba.[69] La residencia burguesa del siglo XIX se caracterizaba por la especificación, muy definida, de tres áreas, la pública o de recepción, la privada y la de servicios, mientras la vivienda popular tenía una estructura bipartita: dormitorios-cocina y WC.[70] El proceso de la arquitectura doméstica del siglo XIX se presenta como un largo camino para definir cómo

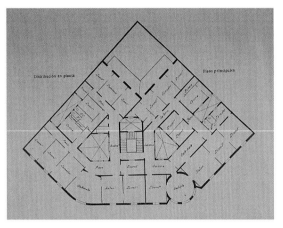

7

se tienen que integrar esas tres áreas de modo que preserven la intimidad y faciliten la entrada de la nueva tecnificación en el hogar.

Las casas plurifamiliares,[71] que son las que nos interesan más directamente, conservan en los primeros años del Eixample —aproximadamente hasta 1870—, muchos de los esquemas compositivos de la vieja Barcelona, que se habían adaptado a la nueva tipología urbana. Pervivían elementos prototípicos de la antigua distribución: la «sala y alcoba», derivada del *apartement* francés, con pluralidad de funciones, y la *enfilada*, básica como principio representativo y que, al mismo tiempo, organizaba la circulación a través de salas y antesalas.[72] Asimismo, se mantenían soluciones arcaicas, como situar los comedores en el interior, ventilados por un patio, mientras el excusado se disponía, en las casas más sencillas, en la galería posterior.

A partir de los años setenta, se empezó a configurar la que se convirtió en la distribución prototípica del Eixample. Las escaleras se desplazaron a la crujía central, al lado de un patio interior o de luces. Los servicios, cocinas y cuartos de baño se concentraron en las áreas centrales, ventiladas a través de patios secundarios, o del central si el edificio tenía poca superficie. Pero probablemente la característica más destacable de esta distribución es la ausencia de un espacio delimitado por los dormitorios, que se distribuían por toda la casa. Este hecho viene determinado porque las dos piezas de representación, el comedor y el salón prin-

cipal, se disponían a ambos extremos de la vivienda, en la fachada interior y en la que da a la calle, respectivamente. Así, el espacio más íntimo, el que únicamente es utilizado por la familia se confundía en la globalidad de la casa. Sólo la galería que da al interior de la manzana, que pasa a ser un espacio cubierto, puede ser considerada un espacio de uso estrictamente doméstico, en tanto que el despacho, al lado de la puerta de entrada, deviene la estancia masculina por excelencia. Al mismo tiempo se define el pasillo junto al patio, lo que simplifica la circulación. Esta es una característica que se mantuvo inalterable y que todavía podemos encontrar en construcciones posteriores a la guerra civil.

Las condiciones urbanísticas del Eixample y sus manzanas octogonales determinaron una tipología distributiva que ofrece muchas ventajas, como asegurar una adecuada orientación norte-sur o este-oeste, facilitar la mecanización de la casa disponiendo los servicios alrededor del patio de luces, etcétera, aunque está en abierta contradicción con lo que es una tendencia común a toda la arquitectura doméstica en la cultura occidental, preservar la intimidad del hogar. En la distribución de las casas del Eixample, en cambio, podríamos hablar de cierta «promiscuidad» del espacio en la que, a una u otra parte del pasillo, todos los espacios de la vivienda se convierten en espacios de representación, es decir, en espacios públicos o semipúblicos susceptibles de recibir una decoración suntuosa, un marco idóneo para el desarrollo de las tareas de los decoradores modernistas como Gaspar Homar.

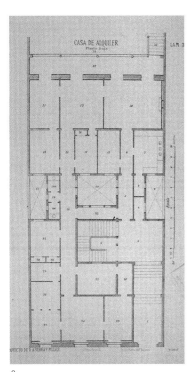

133

7. Casa de Sagnier a *Arquitectura y Construcción*.

8. Juan Carpinell, *Arquitectura pràctica. Álbum de proyectos particulares desarrollados para la mejor interpretación de los que se dedican al arte de construir*. Trilla i Serra Editor, Barcelona, s.d., làm. 33 i 36.

quest tipus d'aparells, n'hem trobat referència a la propaganda comercial, la casa Olió Hermanos l'any 1899,[68] òptics i electricistes, un institut d'òptica amb seu a la Rambla del Centre, 3, que a més a més de tot tipus d'aparells òptics, termòmetre, baròmetres etc., oferia instal·lacions i manteniment de llum elèctric, i també de telèfons i "tubs acústics". El disseny dels primers telèfons és, però, una altra cosa: són estrictament funcionals, al marge de preocupacions estètiques que trobem en altres aparells, però, tot i així, insòlites peces de museu.

A tall de conclusió. L'evolució de l'habitatge cap a un nou sentit de la privacitat

La darrera reflexió, la voldríem portar a l'àmbit de l'espai domèstic. La privacitat, entesa com a qualitat de vida, es va anar imposant al llarg del XIX, al mateix temps que es consolidaven la moral i les formes socials de la família. El resultat directe de tot això va ser la configuració d'un concepte d'habitatge en el qual els papers que havia de representar cada un dels seus membres quedava exemplaritzat per l'espai que li era destinat.[69] La residència burgesa del segle XIX es caracteritzava per l'especificació, molt definida, de tres àrees, la pública o de recepció, la privada i la de serveis, mentre que l'habitatge popular tenia una estructura bipartita: dormitoris - cuina i WC.[70] El procés de l'arquitectura domèstica del segle XIX es presenta com un llarg viarany per definir com s'han d'integrar aquestes tres àrees, de manera que preservin la intimitat i facilitin l'entrada a la casa de la nova tecnificació.

Les cases plurifamiliars,[71] que són les que ens interessen més directament, conservaven als primers anys de l'Eixample, fins al 1870 aproximadament, molts dels esquemes compositius de la vella Barcelona, que s'havien adaptat a la nova tipologia urbana. Hi pervivien elements prototípics de l'antiga distribució, la "sala i alcova", derivada de l'*apartement* francès amb pluralitat de funcions i l'"enfilada", bàsica com a principi representatiu i que, al mateix temps, organitzava la circulació a través de sales i avantsales.[72] Així mateix, es mantenien solucions arcaiques, com ara situar els menjadors a l'interior, ventilats per un pati i, a les cases més senzilles, l'excusat es disposava a les galeries posteriors.

A partir dels anys setanta es començà a configurar el que va esdevenir la distribució prototípica de l'Eixample. Les escales es van desplaçar a la crugia central, al costat d'un pati o celobert. Els serveis, cuines i cambres de bany es concentraren a les àrees centrals, ventilats per celoberts secundaris o pel central, si l'edifici era de superfície reduïda. Però probablement la característica més remarcable d'aquesta distribució és l'absèn-

cia d'un espai delimitat pels dormitoris, que es distribuïen per tota la casa. Això està determinat pel fet que les dues peces de representació, el menjador i el saló principal, es disposaven als dos extrems de l'habitatge, a la façana interior i a la que dóna al carrer, respectivament. Així, l'espai més íntim, el que és només utilitzat per la família es confonia amb la globalitat de la casa. Només la galeria, que passa a ser un espai cobert a l'interior de l'illa pot ser considerada un espai d'ús estrictament domèstic, mentre que el despatx, al costat de la porta d'entrada, va esdevenir la cambra masculina per excel·lència. Al mateix temps es defineix el passadís a la banda dels patis, que simplifica la circulació. Aquesta és una característica que es va mantenir inalterable i que es pot trobar encara en construccions posteriors a la guerra civil.

Les condicions urbanístiques de l'Eixample i les seves illes octogonals van determinar aquesta tipologia distributiva, que ofereix molts avantatges, com ara assegurar una correcta orientació a nord-sud o est-oest, facilitar la mecanització de la casa disposant els serveis al voltant dels coloberts, etcètera, però que està en clara contradicció amb el que és una tendència comuna a tota l'arquitectura domèstica a la cultura occidental, preservar la intimitat domèstica. En canvi, en la distribució de les cases de l'Eixample podríem parlar d'una certa "promiscuïtat" de l'espai, en la qual, d'una banda del passadís a l'altra, tots els espais de l'habitatge es converteixen en espais de representació, és a dir, en espais públics o semipúblics, susceptibles de rebre una decoració sumptuosa, un marc idoni per al desenvolupament de les tasques dels decoradors modernistes com Gaspar Homar.

Notas

1. Este trabajo ha sido elaborado dentro del marco del Grup de Recerca sobre Art Català del Modernisme al Noucentisme, financiado por la Secretaría General de Universidades (PB95-0849-C02-01) y la Generalitat de Catalunya (1997 SGR 00231).

2. Véase *Exposició commemorativa del centenari de l'Escola d'Arquitectura de Barcelona. 1875-1876/1975-1976,* Escola Tècnica Superior d'Arquitectura de Barcelona, Barcelona, 1977.

3. Éste era el hilo conductor de la exposición *Lluís Domènech i Montaner i el director d'orquestra*, Fundació Caixa de Barcelona, Barcelona, 1989.

4. La bibliografía sobre las artes decorativas e industriales en los años del modernismo recibió un tratamiento importante en los catálogos *Exposición de artes suntuarias del modernismo barcelonés*, Ayuntamiento de Barcelona, Barcelona, 1964, y *El Modernismo en España*, Dirección General de Bellas Artes, Madrid, 1970; también en Alexandre Cirici, *El arte modernista catalán*, Aymà Editor, Barcelona, 1951. Entre las publicaciones más recientes podemos citar el conjunto de artículos recogidos bajo el epígrafe «Arts decoratives i industrials» del catálogo *El Modernisme*, Olimpíada Cultural-Lunwerg Editores, Barcelona, 1990, y la exposición *Arts Decoratives a Barcelona. Col·leccions per a un museu*, Ajuntament de Barcelona, Barcelona, 1994, con el texto de Pilar Vélez, «A l'entorn de l'origen dels museus d'arts decoratives, de 1851 fins al modernisme», p. 20-29.

5. Ésta es una cuestión relevante que ya ha sido tratada en otros trabajos a los que nos remitimos: el catálogo *Arts decoratives a Barcelona*, citado en la nota anterior; Vicente Maestre Abad, «L'època de la industrialització (c. 1845-c. 1888). Anotacions a l'ebenisteria catalana del segle XIX» en *Moble català*, Generalitat de Catalunya, Barcelona, 1994, p. 80-111; el epígrafe «La recerca del bell en l'útil» del artículo de Teresa M. Sala en ese mismo libro, i Anna Calvera, «Los antecedentes» en «Diseño del mueble en España. 1902-1908», número monográfico de *Experimenta*, núm. 20 (1998), p. 7-14.

6. Los planes de estudio de la primera Escuela de Arquitectura están publicados como anejo a *Exposició commemorativa, op. cit.*; sobre la formación de los ingenieros, véase Ramon Garrabou, «Enginyers industrials, modernització económica i burgesia a Catalunya (1850-inicis del segle XX)», *L'Avenç*, 1982, p. 17-68; también se han consultado las revistas profesionales de la época en las bibliotecas del Colegio de Arquitectos de Cataluña y de la Asociación de Ingenieros Industriales; finalmente, en el fondo antiguo de ambas escuelas, la de arquitectos y la de ingenieros, en la actualidad Universitat Politècnica de Catalunya, se han consultado los libros y tratados de su etapa formativa.

7. Véase, por ejemplo, la relación de publicaciones que se recogen en la contraportada de la *Revista tecnológico-industrial*, boletín de la Asociación de Ingenieros Industriales de Barcelona, en 1898, que sorprende por su magnitud: sesenta revistas españolas, nueve norteamericanas, trece procedentes de América Latina, cuatro alemanas, una austríaca, cuatro belgas, cuarenta y cinco francesas, una húngara, veinte británicas, diez italianas, tres portuguesas, una suiza y dos suecas. Estas revistas son de temas generales de ingeniería, ciencia e industrias agrarias, así como de arquitectura, arte y decoración. Asimismo el Col·legi d'Arquitectes de Barcelona ha recibido donación de numerosas bibliotecas particulares y en la Escola d'Arquitectura se conservan colecciones completas de revistas, en algunos casos procedentes de colecciones de arquitectos, como *Art et Décoration, Art pour Tous, Accademy Architecture* etc., y la prestigiosa *Revue Générale de l'Architecture et des Travaux Publics*, dirigida por César Daly. Sobre las aportaciones de esta revista a la arquitectura doméstica, véase el estudio de Marc Savoya, *Presse et architecture au XIXe siècle. César Daly et la Revue Générale de l'Architecture et des Travaux Publics*, Picard Éditeur, París, 1991, p. 273-274.

8. Esta hipótesis de trabajo coincide con la descrita en dos importantes obras sobre la vivienda: Witold Rybczynski, *La casa. Historia de una idea*, Nerea, Madrid, 1992 (1986), y Monique Eleb y Anne Debarre, *L'invention de l'habitation moderne. Paris 1880-1914*, Hazan et Archives d'Architecture Moderne, 1995.

9. Andrea Palladio, *I Quattro Libri dell'architettura*, Domenico de Franscheschi, Venecia, 1570; edición facsímil en Ulrico Hoepli Editore, Milán, 1976. Véase el libro segundo, dedicado a la arquitectura privada.

10. Ver Michelle Perrot y Roger-Henry Guerrand, «Escenas y lugares» en *Historia de la vida privada*, vol. IV, Taurus, Madrid, 1988 (1897), y desde la teoría del género, Linda Nochlin, «Women, Art and Power» en *Women, Art and Power and Other Essays*, Harper and Row, Nueva York, 1989.

11. El tema ha sido tratado por Monique Eleb-Vidal y Anne Debarre, *L'architecture domestique, 1600-1914. Une bibliographie raisonée*, École d'Architecture, col. In Extenso, núm. 16, París-Villemin, 1993; Trinidad Simó, «Formación del espacio burgués», *Fragmentos*, núm. 15 y 16 (1989), p. 98-106. También es útil la consulta de Joaquín Bérchez, «Estudio introductorio», en Claude Perrault, *Compendio de los diez libros de Arquitectura de Vitruvio*, en traducción de Joseph Castañeda, Imprenta de D. Gabriel Ramírez, Impresor de la Academia, Madrid, 1761, con edición facsímil del Colegio Oficial de Aparejadores y Arquitectos Técnicos, Librería Yerba, Consejería de Cultura del Consejo Regional, Murcia, 1981; y Dora Nicolás Gómez, *La morada de los vivos y la morada de los muertos: arquitectura doméstica y funeraria del siglo XIX en Murcia*, Universidad de Murcia, Murcia, 1994, p. 65-80.

12. Hemos podido documentar esas obras en su primera edición en la biblioteca de la ETSAB: Charles Antoine Jombert, París, 1737, y Desaint, París, 1771-1777, respectivamente.

13. Sobre la evolución del concepto 'comodidad', véase Werner Szambien, *Simetría, gusto, carácter*, Akal ediciones, Madrid, 1993 (1986), p. 113-120.

14. Joseph Thomas Lucas, Valencia, 1738. También documentado en el fondo antiguo de la ETSAB, en una edición de 1804.

15. El *Tratado de Arquitectura Civil* está recogido en el Tomo IX, Parte I, Imprenta Vda. de Joaquín Ibarra, Madrid, 1796. Ésta es la fecha de la segunda edición, corregida por el propio autor, que es la que hemos podido consultar. Se conserva en la biblioteca de la ETSAB con el sello de la Academia de Bellas Artes de Barcelona. De esa misma edición, hay un facsímil del Colegio de Aparejadores y Arquitectos Técnicos, Murcia, 1986, con un estudio crítico de Pedro Navascués Palacio.

16. Carliman, París, 1850. Hemos podido documentar las cuatro primeras ediciones (1850, 1863, 1867 y 1875) en la biblioteca de la ETSAB, dato que constata el uso de esta obra como manual entre los estudiantes.

17. Sobre las relaciones de Reynaud y Portuondo, ver Julio Arrechea Miguel, «Composición e Historia en el pensamiento arquitectónico del siglo XIX», *Fragmentos*, núm. 15-16 (1989), p. 93.

18. Véase François Loyer, *Paris XIXe siècle. L'immeuble et la rue*, Hazan, París, 1987.

19. Morel et Cie., París, 1864. Describe los nuevos palacetes y las villas suburbanas de París. *Habitations modernes; recueillies par E. Viollet-le-Duc avec le concours des membres du Comité de Rédaction de l'Encyclopédie d'Architecture et la collaboration de Félix Narjoux*, Vve. Morel et Cie., París, 1875. También documentadas en la biblioteca de la ETSAB.

20. T. Simó, art. cit., p. 99-100.

21. Marc Savoya, *op. cit.,* p. 273.

22. Albert Garcia Espuche, *El Quadrat d'Or. Centre de la Barcelona Modernista*, Olimpíada Cultural, Caixa de Catalunya, Lunwerg Editores, Barcelona, 1990.

23. Ramon Grau y Marina López, «L'Exposició Universal de 1888 en la història de Barcelona» en *Exposició Universal de Barcelona. Llibre del Centenari, 1888-1898*, L'Avenç, S.A., Barcelona, 1988, p. 49-227; Manuel Guàrdia Bassols, Albert Garcia Espuche, Francisco Javier Monclús y José Luis Oyón Bañales, «La dimensió urbana» en *Arquitectura i ciutat a l'Exposició Universal de Barcelona. 1888*, Universitat Politècnica de Catalunya, Barcelona, 1988; Xavier Tafunell, «Construcció i conjuntura econòmica» en *La formació de l'Eixample de Barcelona. Aproximacions a un fenomen urbà*, Olimpíada Cultural, Barcelona, 1990, p. 175-188; Albert Garcia Espuche, «El Centre residencial burgès (1860-1914)», ibídem, p. 203-222; Manuel Guàrdia i Bassols, «Estructura urbana» en *Història de Barcelona*, Enciclopèdia Catalana, vol. VI, Barcelona, 1995, p. 74-89.

24. Xavier Tafunell, art. cit., p. 184-185.

25. Miquel Corominas, «Les societats de l'Eixample», *La formació..., op. cit.*, p. 45-60.

26. Joan Antoni Solans, «De las constituciones de los edictos de obrería, de los edictos a las ordenanzas de edificación, de las ordenanzas a las normas urbanísticas», en *Arquitectura bis*, núm. 5 (Enero de 1975), p. 23-31.

27. Joan Molet i Petit, *Barcelona entre l'enderroc de les muralles i l'Exposició Universal: arquitectura domèstica a l'Eixample*, tesis doctoral, Publicacions de la Universitat de Barcelona (microforma), Barcelona, 1995, y también Txatxo Sabater, «Primera edat de l'Eixample. Viure en una màquina de renda» en *La formació..., op. cit.*, p. 129-149.

28. Xavier Tafunell, «Els ritmes de la construcció» en *Exposició Universal de Barcelona. Llibre del Centenari, op. cit.*, p. 420-425.

29. Albert Garcia Espuche, *El Quadrat d'Or..., op. cit.*, p. 67.

30. Josep Termes y Teresa Abelló, «Conflictivitat social i maneres de viure» en *Història de Barcelona*, vol. VII, Enciclopèdia Catalana, Ajuntament de Barcelona, Barcelona, 1995, p. 134-136.

31. Santi Barjau, «Arquitectura, paisatge urbà i ordenances. L'aspecte dels edificis a l'Eixample clàssic» en *La formació..., op. cit.*, p. 223-234; del mismo autor, véase también «El paisatge arquitectònic del Quadrat d'Or» en *El Quadrat d'Or. 150 cases al centre de la Barcelona modernista. Guia*, Olimpíada Cultural, Ajuntament de Barcelona, Barcelona, 1990, p. 17-24.

32. El libro de Sigfrid Giedion, *La mecanización toma el mando*, Editorial Gustavo Gili, Barcelona, 1978, ha sido definitivo para un nuevo enfoque en la historia del objeto; sobre la historia de la tecnología, Donald Cardwell, *Història de la tecnologia*, Alianza Editorial, Madrid, 1996, o I. González Tascón et. al., dirigido por Santiago Riera i Tuèbols, *Elements d'Història de la tècnica*, Associació d'Enginyers Industrials de Catalunya, Barcelona; J.D. Bernal, *Ciencia e industria en el siglo XIX*, Martínez Roca, Barcelona, 1973. Entregado este trabajo, se publicó en el catálogo de la exposición «España fin de siglo. 1898», Fundación «la Caixa», Barcelona 1998.

33. Joan Antoni Solans, art. cit., p. 28.

34. Para este tema es fundamental el estudio de Horacio Capel y Mercè Tatger, *Cent anys de salut pública a Barcelona*, Ajuntament de Barcelona, Barcelona, 1991; también nos remitimos al resumen de este trabajo, «Reforma social, servicios sociales e higienismo en la Barcelona de fines del siglo XIX (1876-1900)», *Ciudad y Territorio*, núm. 89 (Marzo de 1991), especialmente p. 240-246.

35. Véase Roger-Henry Guerrand, *Las letrinas: historia de la higiene urbana*, Edicions Alfons el Magnànim, Institució Valenciana d'Estudis i Investigació, Valencia, 1991.

36. Dolors Llopart, «De la forma i ús del objectes» en *El Modernisme*, Olimpíada Cultural, Lunwerg Editores, Barcelona, 1990, p. 241-250; Georges Vigarello, «Higiene e intimidad del baño. Las formas de la limpieza corporal», *Arquitectura y Vivienda*, núm. 14 (1888), p. 25-32.

37. Georges Vigarello, art. cit., p. 30-31.

38. *La Exposición*, núm. 57 (22 de Agosto de 1888), p. 11-12.

39. De la casa Sangrà se conserva un completo catálogo, impreso con todo lujo por la Tipografia Henrich i Cia., en el que anuncia los diferentes modelos acompañados de las normas de instalación. Presenta, por ejemplo, dentro del más elaborado gusto modernista, un *water closet* con la taza y la cisterna trabajadas en relieve y que se acompaña de un asiento de caoba. Asimismo, las más modernas bañeras aparecen en el catálogo junto a otras con ruedas, una manera de modernizar las antiguas bañeras portátiles. También *Ver-*

Notes

1. Aquest treball s'ha fet dins del marc del Grup de Recerca sobre Art Català del Modernisme al Noucentisme, finançat per la Secretaria General de Universidades (PB95-0849-C02-01) i la Generalitat de Catalunya (1997 SGR 00231).

2. Vegeu *Exposició commemorativa del centenari de l'Escola d'Arquitectura de Barcelona. 1875-1876/1975-1976*, Escuela Técnica Superior de Arquitectura de Barcelona, Barcelona, 1977.

3. Aquest era el fil conductor de l'exposició *Lluís Domènech i Montaner i el director d'orquesta*, Fundació Caixa de Barcelona, Barcelona, 1989.

4. La bibliografia sobre les arts decoratives i industrials als anys del modernisme va rebre un tractament important als catàlegs *Exposición de artes suntuarias del modernismo barcelonés*, Ayuntamiento de Barcelona, Barcelona, 1964, i *El Modernismo en España*, Dirección General de Bellas Artes, Madrid, 1970; també a Alexandre Cirici, *El arte modernista catalán*, Aymà Editor, Barcelona, 1951. Entre les darreres publicacions podem esmentar el conjunt d'articles que es van incloure a l'epígraf "Arts decoratives i industrials" del catàleg *El Modernisme*, Olímpiada Cultural-Lunwerg Editores, Barcelona, 1990, i l'exposició *Arts Decoratives a Barcelona. Col·leccions per a un museu*, Ajuntament de Barcelona, Barcelona, 1994, amb el text de Pilar Vélez, "A l'entorn de l'origen dels museus d'arts decoratives, de 1851 fins al modernisme", p. 20-29.

5. Aquesta és una qüestió rellevant que ja ha estat tractada en altres treballs als quals ens remetem: el catàleg *Arts decoratives a Barcelona*, citat a la nota anterior; Vicente Maestre Abad, "L'època de la industrialització (c. 1845-c. 1888). Anotacions a l'ebenisteria catalana del segle XIX" a *Moble català*, Generalitat de Catalunya, Barcelona, 1994, p. 80-111; l'epígraf "La recerca del bell en l'útil", de l'article de Teresa M. Sala en aquest mateix llibre i Anna Calvera, "Los antecedentes" a "Diseño del mueble en España 1902-1908", núm monogràfic de *Experimenta*, núm. 20 (1998), p. 7-14.

6. Els plans d'estudis de la primera Escola d'Arquitectura estan publicats com a annex a *Exposició commemorativa*, *op. cit.*; sobre la formació dels enginyers, vegeu, Ramon Garrabou, *Enginyers industrials, modernització econòmica i burgesia a Catalunya (1850-inicis del segle XX)*, L'Avenç, Barcelona, 1982, p. 17-68; també s'han consultat, a les biblioteques del Col·legi d'Arquitectes de Catalunya i de l'Associació d'Enginyers Industrials, les revistes professionals; finalment, al fons antic de les respectives escoles, ara Universitat Politècnica de Catalunya, s'han consultat els llibres i tractats de la seva etapa formativa.

7. Vegeu per exemple la relació de publicacions que es recullen a la contraportada de la *Revista tecnológico-industrial*, butlletí de l'Associació d'Enginyers Industrials de Barcelona, l'any 1898, que sorprèn per la seva magnitud: seixanta revistes espanyoles, nou de nord-americanes, tretze de procedents de l'Amèrica Llatina, quatre d'alemanyes, una d'austríaca, quatre de belgues, quaranta-cinc de franceses, una d'hongaresa, vint de britàniques, deu d'italianes, tres de portugueses, una de suissa i dues de sueques. Aquestes revistes són de temes generals d'enginyeria, ciència en general, indústries agràries, però també d'arquitectura, art i decoració. Així mateix el Col·legi d'Arquitectes de Catalunya ha rebut donació de moltes biblioteques particulars, i a l'Escola d'Arquitectura es conserven col·leccions completes de revistes, algunes d'elles procedents de col·leccions d'arquitectes: *Art et Décoration*, *Art pour Tous*, *Academy Arquitecture*, etc., i la prestigiosa *Revue Générale de l'Architecture et des Travaux Publics*, dirigida per César Daly. Sobre les aportacions d'aquesta revista a l'arquitectura domèstica vegeu l'estudi de Marc Savoya, *Presse et architecture au XIX siècle. César Daly et la Revue Générale de l'Architecture et des Travaux Publics*. Picard Éditeur, París, 1991, p. 273-274.

8. Aquesta hipòtesi de treball coincideix amb la descrita en dues importants obres sobre l'habitatge, Witold Rybczynski, *La casa. Historia de una idea*, Nerea, Madrid, 1992 (1986), i Monique Eleb i Anne Debarre, *L'invencion de l'habitation moderne. Paris 1880-1914*, Hazan et Archives d'Architecture Moderne, 1995.

9. Andrea Palladio, *I Quattro Libri dell'architettura*, Domenico de Fransceschi, Venècia, 1570; edició facsímil, Ulrico Hoepli Editore, Milà, 1976; vegeu el llibre segon, dedicat a l'arquitectura privada.

10. Vegeu Michelle Perrot i Roger-Henry Guerrand, "Escenas y lugares" a *Historia de la vida privada*, vol. IV, Taurus, Madrid, 1988 (1897); des de la teoria del gènere, Linda Nochlin, "Women, Art and Power" a *Women, Art and Power and Other Essays*, Harper and Row, Nova York, 1989.

11. El tema ha estat tractat per Monique Eleb-Vidal i Anne Debarre, *L'architecture domestique, 1600-1914. Une bibliographie raisonée*, École d'Architecture, Paris-Villemin, col. In Extenso, núm 16 (1993); Trinidad Simó, "Formación del espacio burgués", *Fragmentos*, núm. 15 i 16 (1989), p. 98-106; també és útil la consulta de Joaquín Bérchez, "Estudio introductorio" a Claude Perrault, *Compendio de los diez libros de Arquitectura de Vitruvio*, en traducció de Joseph Castañeda, Imprenta de D. Gabriel Ramírez, Impresor de la Academia, Madrid, 1761; edició facsímil de Colegio Oficial de Aparejadores y Arquitectos Técnicos, Libreria Yerba, Consejería de Cultura del Consejo Regional, Múrcia, 1981; i Dora Nicolàs Gómez, *La morada de los vivos y la morada de los muertos: arquitectura doméstica y funeraria del siglo XIX en Murcia*, Universidad de Murcia, Múrcia, 1994, p. 65-80.

12. Hem pogut documentar aquestes obres en la seva primera edició a la biblioteca de l'ETSAB; Charles Antoine Jombert, París, 1737; i Desaint, París, 1771-1777, respectivament.

13. Sobre l'evolució del concepte comoditat, vegeu Werner Szambien, *Simetría, gusto, carácter*, Akal ediciones, Madrid, 1993 (1986), p.113-120.

14. Joseph Thomas Lucas, València, 1738. També documentat al fons antic de l'ESTAB, en una edició de 1804.

15. *El Tratado de Arquitectura Civil* està recollit en el Tom IX, Parte I, Imprenta Vda. de Joaquín Ibarra, Madrid, 1796. Aquesta és la data de la segona edició, corregida pel mateix autor i que és la que hem pogut consultar. Es conserva a Biblioteca de l'ETSAB amb el segell de l'Acadèmia de Belles Arts de Barcelona. D'aquesta mateixa edició, hi ha una facsímil de Colegio Oficial de Aparejadores y Arquitectos Técnicos, Múrcia, 1986, amb un estudi crític de Pedro Navascués Palacio.

16. Carliman, París, 1850. Hem pogut documentar les quatre primeres edicions (1850,1863,1867,1875) a la Biblioteca de l'ETSAB, fet que constata la utilització d'aquesta obra com a manual entre els estudiants.

17. Sobre les relacions de Reynaud i Portuondo, vegeu, Julio Arrechea Miguel, "Composición e Historia en el pensamiento arquitectónico del siglo XIX", *Fragmentos*, núms. 15-16 (1989), p. 93.

18. Vegeu François Loyer, *Paris XIXe siècle. L'immeuble et la rue*. Hazan, París, 1987.

19. Vegeu Morel et Cie, París, 1864. Descriu els nous palauets i les vil·les suburbanes de París. *Habitations modernes; recueillies par E. Viollet-le-Duc avec les concurs des membres de Comité de Rédaction de l'Encyclopédie d'Architecture et la colaboration de Félix Narjoux*. Vve. Morel et Cie, París, 1875. També documentades a la Biblioteca de l'ETSAB.

20. T. Simó, art. cit. p. 99-100.

21. Marc Savoya, *op. cit.*, p 273.

22. Albert García Espuche, *El Quadrat d'Or. Centre de la Barcelona modernista*, Olimpíada Cultural, Caixa de Catalunya, Lunwerg Editores, Barcelona, 1990.

23. Ramon Grau i Marina López, "L'Exposició Universal de 1888 en la història de Barcelona" a *Exposició Universal de Barcelona. Llibre del Centenari, 1888-1988*. L'Avenç S.A., Barcelona, 1988, p. 49-227; Manuel Guàrdia Bassols, Albert García Espuche, Francisco Javier Monclús, José Luis Oyón Bañales, "La dimensió urbana" a *Arquitectura i ciutat a l'Exposició Universal de Barcelona. 1888*, Universitat Politècnica de Catalunya, Barcelona, 1988; Xavier Tafunell, "Construcció i conjuntura econòmica" a *La formació de l'Eixample de Barcelona. Aproximacions a un fenomen urbà*, Olimpíada Cultural, Barcelona, 1990, p. 175-188; Albert García Espuche, "El Centre residencial burguès (1860-1914)", ibídem, p. 203-222; Manuel Guàrdia i Bassols, "Estructura urbana" a *Història de Barcelona*, Enciclopèdia Catalana, Barcelona, 1995, vol. VI, p. 74-89.

24. Xavier Tafunell, art. cit. p. 184-185.

25. Miquel Corominas, "Les societats de l'Eixample", *La formació...*, *op. cit.*, p. 45-60.

26. Joan Antoni Solans, "De las constituciones de los edictos de obrería, de los edictos a las ordenanzas de edificación, de las ordenanzas a las normas urbanísticas", a *Arquitecturas bis*, núm 5 (gener de 1975), p. 23-31.

27. Joan Molet i Petit, *Barcelona entre l'enderroc de les muralles i l'Exposició Universal: arquitectura domèstica de l'Eixample*, tesi doctoral, Publicacions de la Universitat de Barcelona (microforma), Barcelona, 1995; també Txatxo Sabater, "Primera edat de l'Eixample. Viure en una màquina de renda" a *La Formació...*, *op. cit.*, p. 129-149.

28. Xavier Tafunell, "Els ritmes de la construcció" a *Exposició Universal de Barcelona. Llibre del Centenari*, *op. cit.*, p. 420-425.

29. Albert García Espuche, *El Quadrat d"Or...*, *op. cit.*, p. 67.

30. Josep Termes, Teresa Abelló, "Conflictivitat social i maneres de viure" a *Història de Barcelona*, Enciclopèdia Catalana, vol. VII, Ajuntament de Barcelona, Barcelona, 1995, p. 134-136.

31. Santi Barjau, "Arquitectura, paisatge urbà i ordenances. L'aspecte dels edificis a l'Eixample clàssic", a *La formació...*, *op. cit.*, p. 223-234; del mateix autor vegeu, "El paisatge arquitectònic del Quadrat d'Or", a *El Quadrat d'Or. 150 cases al centre de la Barcelona modernista. Guia*, Olimpíada Cultural, Ajuntament de Barcelona, Barcelona, 1190, p. 17-24.

32. El llibre de Sigfrid Giedion, *La mecanización toma el mando*, Editorial Gustavo Gili, Barcelona, 1978, ha estat definitiu per a un nou enfocament de la història de l'objecte; sobre la història de la tecnologia, Donald Cardwell, *Història de la tecnología*, Alianza Editorial, Madrid, 1996; o I. González Tascón *et. al.*, amb direcció de Santiago Riera i Tuèbols, *Elements d'Història de la tècnica*. Barcelona, Associació d'Enginyers Industrilas de Catalunya; J.D. Bernal, *Ciencia e industria en el siglo XIX*, Martínez Roca, Barcelona, 1973. Entregat aquest treball, es va publicar al catàleg de l'exposició "Espanya fi de segle. 1898", Fundació "la Caixa", Barcelona, 1998.

33. Joan Antoni Solans, art. cit., p. 28.

34. Per a aquest tema és fonamental l'estudi d'Horacio Capel i Mercè Tatger, *Cent anys de salut pública a Barcelona*, Ajuntament de Barcelona, Barcelona, 1991; remetem també al resum d'aquest treball, "Reforma social, servicios asistenciales e higienismo en la Barcelona de fines del siglo XIX (1876-1900)", *Ciudad y Territorio*, núm. 89 (març de 1991), especialment p. 240-246.

35. Vegeu Roger-Henry Guerrand, *Las Letrinas: historia de la higiene urbana*, Edicions Alfons el Magnànim. Institució Valenciana d'Estudis i Investigació, València, 1991.

36. Dolors Llopart, "De la forma i ús dels objectes", a *El Modernisme*, Olimpíada Cultural, Lunwerg Editores, Barcelona, 1990, p. 241-250; Georges Vigarello, "Higiene e intimidad del baño. Las formas de la limpieza corporal", *Arquitectura y Vivienda*, num. 14 (1888) p. 25-32.

37. Georges Vigarello, art. cit. p. 30-31.

38. *La Exposición*, núm. 57 (22 d'agost de 1888) p. 11-12.

39. De la casa Sangrà, se'n conserva un complet catàleg, imprès a tot luxe per la Tipografia Henrich i Cia, en el qual anuncia els diferents models acompanyats de les normes d'instal·lació. Presenta, per exemple, dintre del més elaborat gust modernista, un *water closet* amb la tassa i la cisterna treballades en relleu i que s'acompanyava d'un seient de caoba. Així mateix, les més modernes banyeres apareixen al catàleg al costat d'altres amb rodes, una manera de modernitzar les antigues banyeres portàtils. També *Verdaguer y Cia. Fábrica para el saneamiento de habitaciones y subsuelos*, sense peu d'imprenta; o *Aparatos de saneamiento moderno. Lacoma Herma-*

daguer y Cia., *Fábrica para el Saneamiento de habitaciones y subsuelos*, sin pie de imprenta, o *Aparatos de saneamiento moderno. Lacoma Hermanos*, Imprenta y Litografía de Juan Comas, Sabadell. Este catálogo añade que «la loza procede de los mejores fabricantes ingleses. Garantizamos que no se cuartean». Estas empresas también se anuncian en el *Anuario de la Asociación de Arquitectos* desde los primeros números.

40. La casa Vermeiren presenta sus aparatos según *La Exposición*, núm. 22 (30 de Noviembre de 1888), p. 3.

41. Véase el catálogo comercial citado anteriormente, p. 139-148; también los de la casa Lacoma Hermanos.

42. Sobre la historia del ascensor, véase Jeannot Simmen y Joseph Imorde, ed., *Vertical: Lift Escalator Paternoster: a Cultural History of Vertical Transport*, Erns & Sohn, Berlín, 1994.

43. En el Hotel Internacional funcionaban montaplatos y montacargas para los equipajes (véase nota 38). La referencia al Café-restaurante, la debo a Rossend Casanovas, que está preparando una tesis doctoral dirigida por Mercè Vidal sobre ese edificio para la que ha consultado el contrato sobre la construcción de los dos ascensores.

44. Núm. 49, Año II (23 de Enero de 1899), en la sección «Crónicas industriales».

45. *Cent anys de vida quotidiana a Catalunya*, Edicions 62, Barcelona, 1993, p. 30. En la Biblioteca de la Universitat Politècnica de Catalunya hemos localizado los libros de Georges Dumont, *Les ascenseurs: ascenseurs hidrauliques, ascenseurs hidrauliques avec emploi de moteurs d'air comprimé, à gaz ou électriques, ascenseurs électriques*, Vve. Ch. Dunod et P. Vicq, París, 1897, y Henry de Graffigny, *Los ascensores modernos*, P. Orrier, Madrid, 1905.

46. Lista de anunciantes del *Anuario de la Asociación de Arquitectos* (1905), p. 87-88, y (1907), p. 81-82. Las ventajas del sistema Stigler residían en garantizar la seguridad contra posibles rupturas de cables, el exceso de velocidad en el descenso y contra los obstáculos que podía encontrar la cabina. El representante era el ingeniero Eduardo Chalaux. Otras casas constructoras eran Cardellach, que no hemos encontrado entre la propaganda comercial, y la casa británica Federico H. Bagge & Co., con oficina central en Londres y despacho en Barcelona en Ronda Universitat, 14, que ofrecían la instalación de ascensores hidráulicos y eléctricos, según el *Anuario de Asociación de Arquitectos* (1899), p. 33; Miguel Escuder e Hijos con el Nuevo Motor Ideal, construido con Real Privilegio, y más de 3.000 motores vendidos, según el *Anuario...* (1903), p. 33-34, o Ubach Hnos. y Campderà, que tenían la patente Edoux et Cie., de París, constructores de los ascensores de la torre Eiffel y del Trocadero, en el *Anuario...* del mismo año, p. 56-57.

47. Sobre la industria del gas y su aplicación al alumbrado, ver Mercedes Arroyo, «La electricidad frente al gas» en Horacio Capel, ed., *Las tres chimeneas. Implantación industrial, cambio tecnológico y transformación de un espacio urbano barcelonés*, vol. I, cap. V, FECSA, Barcelona, 1994; de la misma autora, *Alumbrado político y consumo particular de gas en Barcelona (1841-1933), innovación tecnológica, territorio y comportamientos sociales*, Publicacions de la Universitat de Barcelona (microforma), Barcelona, 1996; Ramon Garrabou, *Enginyers industrials..., op. cit.*, p. 178-181; Jordi Maluquer, «Activitats econòmiques» en *Història de Barcelona, op. cit.*, p. 202-204.

48. Sobre la historia de la industria eléctrica en Cataluña, ver Jordi Maluquer de Motes, «Els primers temps de l'electrificació» en *Exposició Universal de Barcelona, op. cit.*, p. 437-445; Horacio Capel, ed., *Las tres chimeneas..., op. cit.*, vol I; Manuel Lecuona y Manuel Martínez, «Espanya i l'electricitat» en *Mecanització de la casa. Una història de l'electrodomèstic*, col. Alfaro Hofmann, Generalitat Valenciana, Valencia, 1995, p. 14-33. Como obra general, *Electricité et électrification dans le monde (1880-1980)*, Actas del II Congreso Internacional de Historia de la Electricidad, Association pour l'histoire de l'électricité en France, París, 1992.

49. *Enginyers, industrials..., op. cit.*, p. 181.

50. Las empresas de gas piden reducción de impuestos y proponen reducir a empresas y particulares el 50% de la cuota. Ver el informe que preparó el ingeniero José Franco y Muñoz, «De las fábricas de gas para el alumbrado y calefacción bajo el punto de vista de la contribución industrial», *Boletín de la Asociación Nacional de Ingenieros Industriales*, tomo XVIII, núm. 4 (15 de Mayo de 1897), p. 197-208.

51. Luis Urteaga, «Producción térmica y extensión de la red eléctrica en Barcelona, 1896-1913», *Las tres chimeneas..., op. cit.*, p. 155.

52. *Revista técnico industrial* (Mayo de 1893), p. 196. En un artículo anónimo se comenta la inauguración de los talleres del Sr. Conde E. Lalung de Ferrol en Passeig de Sant Joan, 117, que ha patentado la lámpara de gas según el sistema Auer. Especifica, además, que se ha hecho una prueba piloto en el Gran Café del Siglo XIX. Dicho café era una estructura de hierro y vidrio que estuvo situada en la parte norte de la plaza de Catalunya entre 1888 y 1895 (Albert Garcia Espuche, *El Quadrat d'Or..., op. cit.*, p. 55).

53. Luis Urteaga, *op. cit.*, p. 154-156.

54. Mercedes Arroyo, «La electricidad frente al gas», *op. cit.*, p. 176; en la revista *Arquitectura y construcción*, núm. 51, año III (8 de Febrero de 1899), en la sección «Crónicas industriales» se defendía el alumbrado de gas como el más conveniente y económico.

55. Sobre los pequeños aparatos complementarios de las lámparas eléctricas, portalámparas, interruptores y la adaptación de las lámparas de gas a la electricidad, véase M.V. Langlois, «Material del alumbrado eléctrico», *Boletín de la Asociación de Ingenieros Industriales*, tomo XIV, núm. 11 (15 de Noviembre de 1898), p. 467-480.

56. M. Carme Baqué i Pons, Jaume Clarà i Arisa y Ester Pujol i Arderiu, *El foc engabiat. Les cuines econòmiques al tombant del nostre segle*, Associació d'Enginyers Industrials de Catalunya, 1993; véase, asimismo, Miquel Espinet, *El espacio culinario: de la taberna romana a la cocina profesional y doméstica del siglo XX*, Tusquets, Barcelona, 1984. Luis Fernández Galiano, «El fuego del hogar. La producción histórica del espacio isotérmico», *Arquitectura y vivienda*, núm. 14 (1898), p. 33-48.

57. Sólo queremos destacar la colección de catálogos conservados en la biblioteca del Col·legi Oficial d'Arquitectes de Catalunya, procedentes de la donación del arquitecto Enric Català i Català. Las empresas más destacadas eran Hijos de José Preckler, Juan Mas Bagà y Verdaguer y Cía. Asimismo proliferan los libros técnicos. Como J. Denfer, *Fumisterie, chauffage et ventilation*, Baudry et Cie., París, 1896.

58. Las obras de Eugène Péclet, por ejemplo, desde las primeras ediciones de 1827 y múltiples reimpresiones posteriores, y también, traducida al francés, *Technologie de la chaleur*, de Rinaldo Ferrini (1880), entre muchas otras publicaciones.

59. *La Exposición*, núm. 21 (Septiembre de 1887-Abril de 1888), previstos en la Sección V Industria, en el Grupo XXI, Clase 95.

60. (1905), p. 31-32, y (1909) p. 33, la casa José Cañameras. En 1909, p. 83-86, Manuel Muntadas Rovira, de Passeig de Gràcia, 85, presenta a toda plana un anuncio de las principales casas en las que se ha instalado calefacción, como la casa Heribert Pons de la Rambla de Catalunya, de Alexandre Soler i March; la casa Milà del Passeig de Gràcia, de Antoni Gaudí, o el Gran Teatre del Liceu, del que presenta los planos de ventilación y calefacción.

61. Néstor Luján, *La lucha contra el frío y el calor y a favor de la higiene. Contribución de una familia de industriales a lo largo de 75 años*, Compañía Roca Radiadores, Barcelona, 1992, p. 150-151.

62. Art. cit., p. 46.

63. Juan Antonio Cabezas, *Cien años de teléfono en España. Crónica de un proceso técnico*, Espasa Calpe, Madrid, 1974.

64. Mercedes Arroyo, *op. cit.*, p. 35.

65. Ibídem, p. 31.

66. Como podemos apreciar en un artículo anónimo de la *Revista técnico industrial* (Abril de 1891), p. 151-152.

67. En *Arquitectura y Construcción*, núm. 61, año III (8 de Septiembre de 1899), señala un artículo extraído de *Electrical Engineer* según el cual en Europa había un teléfono por cada 970 habitantes, en tanto que en EEUU la proporción se reducía a 172.

68. Anuncio publicado en el *Anuario de la Asociación de Arquitectos* (1899), p. 13 de anunciantes; en el de 1900, p. 12, anuncia también toda su producción óptica.

69. Antropólogos, geógrafos, arquitectos e historiadores del arte han iniciado líneas de investigación sobre el uso del espacio. Un trabajo pionero, que estudió el interior de la casa en toda su complejidad, es el de Mario Praz, *Histoire de la décoration d'intérieur. La philosophie de l'ameublement*, del que citamos la versión francesa de Thames and Hudson, París, 1990 (1981). Un trabajo lleno de sensibilidad del mismo autor es *La casa della vita*, Adelphi Edizioni, Milán, 1995 (1979); también recomendamos, tanto por la gran cantidad de imágenes como por la orientación del estudio, las obras de Peter Thornton, *The Authentic Decor. The Domestic Interior 1620-1920*, Weidenfeld and Nicolson, Londres, 1993 (1984), y Charlotte Gere, *L'époque et son style. La décoration interieure au XIXe siècle*, Flammarion, París, 1989; finalmente, desde el punto de vista metodológico son imprescindibles las aportaciones de Monique Eleb-Vidal y Anne Debarre-Blanchard, *Architectures de la vie privée. Maisons et mentalités. XVII-XIXe siècle*, Archives d'Architecture Moderne, 1989, y *L'invention de l'habitation moderne. Paris 1880-1914*, Hazan et Archives d'Architecture Moderne, 1995.

70. Monique Eleb y Anne Debarre, *L'invention..., op. cit.*, cap. II.

71. Para la redacción de este apartado ha sido fundamental la consulta del trabajo de Joan Molet, «Tipologies residencials de l'Eixample dels mestres d'obres» en *I Jornadas de Arquitectura Histórica y Urbanismo*, UNED, Cádiz, 1998 (en imprenta); del mismo autor, «La interpretació gaudiniana de la tipologia "casa familiar entre mitgeres"» en *Circular. Centre d'Estudis Gaudinistes*, núm. 1 (Abril de 1996), p. 2.4; muchas de las ideas de este apartado se deben muy especialmente a las conversaciones que he mantenido con Joan Molet, miembro de nuestro equipo de investigación; también Txatxo Sabater, «Primera edat de l'Eixample, viure en una màquina de renda», *La formació..., op. cit.*, p. 129-150. Respecto a las características de la vivienda en la Barcelona antigua, véase Josep M. Montaner, «Escaleras, patios, despensas y alcobas. Un análisis de la evolución de la casa artesana a la casa de vecinos en Barcelona», *Arquitecturas Bis*, núm. 51 (Septiembre de 1985), p. 2-12.

72. Véanse, por ejemplo, los planos presentados por Juan Carpinell, *Arquitectura práctica. Álbum de proyectos particulares desarrollados para la mejor interpretación de los que se dedican al arte de construir*, Trilla y Serra Editor, Barcelona, s.f., especialmente las láminas 34-37.

nos, Imprenta i Litografía de Juan Comas, Sabadell. Aquest darrer catàleg afegeix que "la loza procede de los mejores fabricantes ingleses. Garantizamos que no se cuartean". Aquestes empreses també s'anuncien a l'*Anuario de la Asociación de Arquitectos* des dels seus primers números.

40. La casa Vermeiren presenta els seus aparells segons *La Exposición*, núm. 22 (30 de novembre de1888) p. 3.

41. Vegeu el catàleg comercial esmentat més amunt, p. 139-148; també els de la casa Lacoma Hermanos.

42. Sobre la història de l'ascensor vegeu, Jeannot Simmen i Joseph Imorde eds., *Vertical: Lift Escalator Paternoster: a Cultural History of Vertical Transport*, Erns & Sonh, Berlín, 1994.

43. A l'Hotel Internacional funcionaven muntaplats i muntacàrregues per als equipatges (vegeu nota 38). La referència al Cafè-restaurant la dec a Rossend Casanovas que està preparant una tesi doctoral dirigida per Mercè Vidal sobre aquest edifici i que ha consultat el contracte per a la construcció dels dos ascensors.

44. Núm. 49, Any II, (23 de gener de 1899), a la secció "Cróncias industriales".

45. *Cent anys de vida quotidiana a Catalunya*, Edicions 62, Barcelona, 1993, p. 30. A la Biblioteca de l'Universitat Politècnica de Catalunya, hi hem localitzat els llibres de Georges Dumont, *Les ascensors: ascenseurs hidrauliques, ascenseurs hidrauliques avec emploi de moteurs d'air comprimé, à gaz ou électriques, ascenseurs électriques*, Vve. Ch. Dunod et P. Vicq, París, 1897; i Henry de Graffigny, *Los ascensores modernos*, P. Orrier, Madrid, 1905.

46. Llista d'anunciants de l'*Anuario de l'Asociación de Arquitectos*, any 1905, p. 87-88; 1907, p. 81-82. Els avantatges del sistema Stigler consistien a garantir la seguretat contra els possibles trencaments del cables, l'excés de velocitat en el descens i contra els obstacles que podia trobar la cabina. El representant era l'enginyer Eduardo Chalaux. Altres cases constructores eren Cardellach, que no hem trobat entre la propaganda comercial; la casa britànica Federico H. Bagge & Co., amb oficina central a Londres i despatx a Barcelona, a la Ronda Universitat, 14, que oferien la instal·lació d'ascensors hidràulics i elèctrics, segons l'*Anuario de Asociación de Arquitectos* de 1899, p. 33; Miguel Escuder e Hijos, amb el Nuevo Motor Ideal construït amb Real Privilegio i amb més de 3.000 motors venuts, segons l'*Anuario...* de 1903, p. 33-34; o Ubach Hnos. y Campderà que tenien la patent Édoux et Cie. de París, constructors dels ascensors de la Torre Eiffel i del Trocadero, en l'*Anuario...* del mateix any, p. 56-57.

47. Sobre la indústria del gas i la seva aplicació a l'enllumenat vegeu Mercedes Arroyo, "La electricidad frente al gas" a Horacio Capel, ed., *Las tres chimeneas. Implantación industrial, cambio tecnológico y transformación de un espacio urbano barcelonés*, vol. I, cap. V, FECSA, Barcelona, 1994, de la mateixa autora, *Alumbrado público y consumo particular de gas en Barcelona (1841-1933), innovación tecnológica, territorio y comportamientos sociales*, Publicacions de la Universitat de Barcelona (microforma), Barcelona, 1996; Ramon Garrabou, *Enginyers indus-

trials...*, op. cit., p. 178-181; Jordi Maluquer, "Activitats econòmiques" a *Història de Barcelona*, op. cit., p. 202-204.

48. Sobre la història de la indústria elèctrica a Catalunya, vegeu Jordi Maluquer de Motes, "Els primers temps de l'electrificació" a *Exposició Universal de Barcelona...*, op. cit., p. 437-445; Horacio Capel, ed. *Las tres chimeneas*. op. cit., vol. I; Manuel Lecuona, Manuel Martínez, "Espanya i l'electricitat" a *Mecanització de la casa. Una història de l'electrodomèstic*, Col·lecció Alfaro Hofmann, Generalitat Valenciana, València, 1995, p. 14-33. Com a obra general, *Électricité et électrification dans le monde (1880-1980)*, Actes del Segon Congrés Internacional d'Història de l'Electricitat, Association pour l'histoire de l'electricité en France, París, 1992.

49. *Enginyers, industrials...*, op. cit., p. 181.

50. Les empreses de gas demanen reducció d'impostos i proposen reduir a empreses i particulars el 50% de la quota. Vegeu l'informe que va preparar l'enginyer José Franco y Muñoz, "De las fábricas de gas para el alumbrado y calefacción bajo el punto de vista de la contribución industrial", *Boletín de la Asociación Nacional de Ingenieros Industriales*, tom XVIII, núm. 4 (15 de maig de 1897) p. 197-208.

51. Luis Urteaga, "Producción térmica y extensión de la red eléctrica en Barcelona, 1896-1913", *Las tres Chimeneas*, op. cit., p. 155.

52. *Revista técnico industrial* (maig de 1893), p. 196. En un article anònim es comenta la inauguració dels tallers del Sr. Conde E. Lalung de Ferrol, al Passeig de Sant Joan, 117, que ha patentat la làmpada de gas segons el sistema Auer. Especifica, a més a més, que se n'ha fet una prova pilot al Gran Café del Siglo XIX. Aquest cafè era una estructura de ferro i vidre que va estar situada a la part nord de la plaça de Catalunya entre 1888 i 1895 (Albert García Espuche, *El Quadrat d'Or*, op. cit., p. 55).

53. Luis Urteaga, op. cit., p. 154-156.

54. Mercedes Arroyo, "La electricidad frente al gas", op. cit., p. 176; a la revista *Arquitectura y construcción*, núm. 51, any III (8 de febrer de 1899), a la secció "Crónicas industriales" es defensava l'enllumenat de gas com el més convenient i econòmic.

55. Sobre els petits aparells complementaris de les làmpades elèctriques, portalàmpades, interruptors i l'adaptació de les làmpades de gas a l'electricitat, vegeu M.V. Langlois, "Material del alumbrado eléctrico", *Boletín de la Asoción de Ingenieros Industriales*, tom XIV, núm. 11 (15 de novembre de 1898) p. 467-480.

56. M. Carme Baqué i Pons, Jaume Clarà i Arisa i Ester Pujol i Arderiu, *El foc engabiat. Les cuines econòmiques al tombant del nostre segle*, Associació d'Enginyers Industrials de Catalunya, Barcelona, 1993; vegeu també, Miquel Espinet, *El espacio culinario: de la taberna romana a la cocina profesional y doméstica del siglo XX*, Tusquets, Barcelona, 1984. Luis Fernández Galiano, "El fuego del hogar. La producción histórica del espacio isotérmico", *Arquitectura y vivienda*, núm 14 (1988), p. 33-48.

57. Volem destacar només la col·lecció de catàlegs conservats a la biblioteca del Col·legi Oficial d'Arquitectes de Catalunya procedents de la donació de l'arquitecte Enric Catà i Catà. Les empreses més destacades eren Hijos de José Preckler, Juan Mas Bagá i Verdaguer i Cia. Així mateix proliferen els llibres tècnics com J. Denfer, *Fumisterie, chauffage et ventilation*, Baudry et Cia., París, 1896.

58. Les obres d'Eugène Péclet, per exemple, des de les primeres edicions de 1827 i múltiples reimpressions posteriors; també traduïda al francés la *Technologie de la chaleur* de Rinaldo Ferrini (1880), entre moltes altres publicacions.

59. *La Exposición*, núm 21 (setembre de 1887 - abril de 1888), estan previstos a la Secció V Indústria, en el Grup XXI, classe 95.

60. (1905) p. 31-32, (1909) p. 33, la Casa José Cañameras. L'any 1909, p. 83-86, Manuel Muntadas Rovira, del Passeig de Gràcia, 85, presenta a tota plana un anunci de les principals cases on s'ha instal·lat calefacció, com la casa Heribert Pons de la Rambla de Catalunya d'Alexandre Soler i March, la Casa Milà del Passeig de Gràcia d'Antoni Gaudí o el Gran Teatre del Liceu del qual presenta els plans de ventilació i calefacció.

61. Nestor Luján, *La lucha contra el frio y el calor y a favor de la higiene. Contribución de una familia de industriales a lo largo de 75 años*, Compañia Roca Radiadores, Barcelona, 1992, p. 150-151.

62. Art. cit., p. 46.

63. Juan Antonio Cabezas, *Cien años de teléfono en España. Crónica de un proceso técnico*, Espasa Calpe, Madrid, 1974.

64. Mercedes Arroyo, op. cit., p. 35.

65. Ibídem, p. 31.

66. Això ho podem apreciar en un article anònim de la *Revista técnico industrial* (abril de 1891), p. 151-152.

67. *Arquitectura y Construcción*, núm. 61, any III (8 de setembre de 1899), assenyala un article extret de l'*Electrical Ingeneer*, segons el qual a Europa hi havia un telèfon per cada 970 habitants, mentre als EUA la proporció es reduïa a 172.

68. Anunci publicat a l'*Anuario de la Asociación de Arquitectos* (1899), p. 13 d'anunciants; a l'anuari de 1900, p.12, anuncia també tota la seva producció òptica.

69. Antropòlegs, geògrafs, arquitectes i historiadors de l'art han iniciat línies de recerca sobre l'ús de l'espai. Un treball pioner que va estudiar l'interior de la casa amb tota la seva complexitat és el de Mario Praz, *Histoire de la décoration d'intérieur. La philosophie de l'ameublement*, que citem per l'edició francesa de Thames and Hudson, París, 1990, (1981); un treball ple de sensibilitat del mateix autor és *La casa della vita*, Adelphi Edizioni, Milà, 1995 (1979); també recomanem, tant per la gran quantitat d'imatges que recull com per l'orientació de l'estudi, les obres de Peter Thornton, *The Authentic Decor. The Domestic Interior 1620-1920*, Weidenfeld and Nicolson, Londres, 1993 (1984), i Charlotte Gere, *L'époque et son style. La décoration intérieure au XIXe siècle*, Flammarion, París, 1989; finalment, des del punt de vista metodològic, són imprescindibles les aportacions de Monique Eleb-Vidal i

Anne Debarre-Blanchard, *Architectures de la vie privée. Maisons et mentalités. XVII-XIXe siècles*, Archives d'Architecture Moderne, Brussel·les, 1989; i *L'invention de l'habitation moderne. Paris 1880-1914*, Hazan et Archives d'Architecture Moderne, 1995.

70. Monique Eleb, Anne Bebarre, *L'invention...*, op. cit., cap. II.

71. Per a la redacció d'aquest apartat ha estat fonamental la consulta del treball de Joan Molet, "Tipologies residencials a l'Eixample dels mestres d'Obres" a *I Jornadas de Arquitectura Histórica y Urbanismo*, UNED, Cadis, 1998, en impremta; del mateix autor, "La interpretació gaudiniana de la tipologia 'casa familiar entre mitgeres'" a *Circular. Centre d'Estudis gaudinistes*, núm. 1 (abril de 1996), p. 2.4; moltes de les idees d'aquest apartat es deuen molt especialment a les converses que he mantingut amb Joan Molet, membre del nostre equip de recerca; també Txatxo Sabater, "Primera edat de l'Eixample, viure en una màquina de renda", *La formació...*, op. cit., 129-150; respecte a les característiques de l'habitatge a la Barcelona vella, vegeu Josep M. Montaner, "Escaleras, patios, despensas y alcobas. Un análisis de la evolución de la casa artesana a la casa de vecinos en Barcelona", *Arquitecturas Bis*, núm. 51 (setembre de 1985), p. 2-12.

72. Vegeu, per exemple, els plànols presentats per Juan Carpinell, *Arquitectura práctica. Álbum de proyectos particulares desarrollados para la mejor interpretación de los que se dedican al arte de construir*, Trilla i Serra Editor, Barcelona, s.d., especialment làm. 34-37.

Talleres de mobiliario
y decoración barceloneses
en la época del Modernismo[1]

Teresa-M. Sala

1. Factura. Josep Picó. Primer depósito de muebles de Viena en Barcelona.

Los talleres que durante el modernismo se dedicaron a la construcción de mobiliario forman un sector relevante dentro del conjunto de artífices especializados en las artes decorativas.[2] A fin de acercarnos a la historia y la trayectoria de los ebanistas, así como al tipo de mueble y decoración que se realizó en esa etapa, debemos situar una serie de cuestiones relativas al mundo del oficio. Para empezar, consideramos que es fundamental determinar cuáles son sus antecedentes: el funcionamiento de los talleres y el perfil del ebanista en el contexto del siglo XIX, así como las innovaciones que no sólo afectan a las formas sino también a las técnicas de fabricación, a los materiales, a los elementos ornamentales, a cuestiones de carácter higiénico, a los cambios de gusto y a unos modelos determinados de sociabilidad que explicitan cuál era la clase de arquitectura y la ordenación interior de los edificios.[3] Es evidente que el fenómeno de la revolución industrial había comportado consecuencias en el modo de vivir y que también supuso una reorganización del consumo. En este sentido, las transformaciones que se llevaron a cabo comportan la definición de la vivienda burguesa y coinciden con un período de intenso desarrollo urbano. Al mismo tiempo, la necesidad de adecuación y mejora de la arquitectura privada se corresponde con un cambio de valores ideológicos que se manifiesta en una búsqueda del confort y de unos espacios de refugio preservados, representativos y de descanso del núcleo familiar. Así, la evolución del diseño de interiores y del mobiliario deviene una especie de laboratorio de pruebas que se va adaptando a las demandas cambiantes de la clientela, pero que a un tiempo se relaciona con los movimientos artísticos y estéticos que hacen variar las formas y los significados.[4] En resumen, una trayectoria que a grandes rasgos abarca desde el historicismo/eclecticismo hasta el Art Nouveau.

1. Algunas consideraciones sobre el ramo de la ebanistería en la Barcelona de la segunda mitad del siglo XIX

A lo largo del siglo XIX llegan a Barcelona un montón de aprendices procedentes del campo. Así lo hicieron, en fechas diferentes, desde Ripoll, Damià Ribas y Francisco Pradell; desde Mahón, los Darder; los hermanos Busquets eran originarios de Guimerà; Pere Homar y su hijo Gaspar, procedían de Bunyola (Mallorca); también eran mallorquines

Joan Corró y Josep Ferrà; Josep Ribas i Fort venía del Baix Camp... Verdaderas «hornadas de muchachos llegados de las comarcas y que registran los papeles gremiales cuando especifican los convenios de aprendizaje haciendo constar la ascendencia y el lugar de origen».[5] De esa manera, el número de obradores del ramo de la madera fue aumentando considerablemente, al mismo tiempo que se fueron especializando.[6] Este arranque de los talleres —grandes o pequeños— es fundamental porque marca el preludio de la base de infraestructuras técnicas necesarias para la consecución del nuevo estilo finisecular, el Art Nouveau.

Uno de los industriales más destacados del sector, especializado en la construcción de mesas de billar, es Francesc Amorós. Debido a su formación técnica se distingue del resto de artesanos, ya que «no es un simple artesano práctico: poseyendo las matemáticas y el dibujo lineal, y habiendo cursado por espacio de nueve años la mecánica industrial, teórica y prácticamente...».[7] Los talleres de Amorós, fundados en 1837 y ubicados en la calle del Conde del Asalto (actualmente Carrer Nou de la Rambla), 65, llegaron a construir en la década de los setenta dos mesas de billar por semana, «lo cual indudablemente se debe a que sus talleres se hallan divididos en quince secciones de la siguiente manera: sección de pies, de armazones, de tableros, de bandas, de tanteadores, de taqueros, de tacos con maza, de tacos llamados vulgarmente a la francesa, de montura para mullidos metálicos o de goma, de toda clase de tornería, de composturas y reparaciones, de ebanistería en muebles, escultura y talla, de carpintería mecánica y de cerrajería».[8] Al mismo nivel de importancia había diversas fábricas de pianos, muebles considerados de categoría, marcas como La Boisselot en el Carrer de Ponent y tienda en el Carrer Ample, donde también se hallaban la casa de Evarist Bergnes y la de Francesc Bernareggi. Tanto los pianos como los billares eran muebles chapados con maderas de calidad que embellecían al máximo la caja. Otro de los talleres más significados, especializado en ebanistería y sillería, era el de los Bonastre i Feu del Carrer dels Banys, 15, y Avemaria, 4. En la década de los setenta contaba con más de sesenta operarios y trabajaba «a grande escala; estando aquellos divididos por secciones, que comprenden la ebanistería, la sillería, tapicería, talla, tornería, cerrajería y máquinas».[9] Como vemos, todos esos talleres

Tallers de mobiliari i decoració barcelonins a l'època del modernisme[1]

Teresa-M. Sala

Els tallers que durant el modernisme es van dedicar a la construcció de mobiliari formen un sector rellevant dintre del conjunt d'artífexs especialitzats en les arts decoratives.[2]

Per tal d'acostar-nos a la història i a la trajectòria dels ebenistes, així com també al tipus de moble i decoració que es va realitzar en aquesta etapa, cal que situem tot un seguit de qüestions relatives al món de l'ofici. D'entrada considerem que és fonamental determinar quins són els antecedents: el funcionament dels tallers i el perfil de l'ebenista en el context del segle XIX, i també les innovacions que no sols afecten les formes sinó també les tècniques de fabricació, els materials, els elements ornamentals, qüestions de caire higiènic, els canvis de gust i uns determinats models de sociabilitat que expliciten quina era la classe d'arquitectura i l'ordenació interior dels edificis.[3] És evident que el fenomen de la revolució industrial havia comportat conseqüències en la manera de viure i també va implicar una reorganització del consum. En aquest sentit, les transformacions que es van dur a terme comporten la definició de l'habitatge burgès i coincideixen amb un període intens de desenvolupament urbà. Alhora, la necessitat d'adequació i millora de l'arquitectura privada correspon a un canvi de valors ideològics, els quals es manifesten en una recerca del confort i d'uns espais de refugi preservats, representatius i de descans del nucli familiar. Així, l'evolució del disseny d'interiors i del mobiliari esdevenen una mena de laboratori de proves que es va adaptant a les demandes canviants de la clientela, però que, també es relaciona amb els moviments artístics i estètics que fan variar les formes i els significats.[4] En resum, una trajectòria que a grans trets abarca des de l'historicisme/eclecticisme fins a l'Art Nouveau.

I. Algunes consideracions sobre el ram de l'ebenisteria a la Barcelona de la segona meitat del XIX

Al llarg del segle XIX arriben a Barcelona tot un seguit d'aprenents procedents del camp. Així ho feren, en dates diferents, des de Ripoll, Damià Ribas i Francisco Pradell, des de Maó vingueren els Darder, els germans Busquets eren originaris de Guimerà, Pere Homar i el seu fill de tretze anys, Gaspar, procedien de Bunyola (Mallorca), els també mallorquins Joan Corró i Josep Ferrà, Josep Ribas i Fort venia del Baix Camp..., veritables "fornades de minyons arribats de les comarques i que registren els papers gremials quan especifiquen els convenis d'aprenentatge, fent constar l'ascendència i el lloc d'origen".[5] D'aquesta manera el nombre d'obradors del ram de la fusta va anar augmentant considerablement, alhora que es van anar especialitzant.[6] Aquesta arrencada dels tallers —grans o petits— és fonamental perquè marca el preludi de la base d'infrastructures tècniques necessàries per a la consecució del nou estil finisecular, l'Art Nouveau.

Un dels industrials més destacats del sector, especialitzat en la construcció de taules de billar, és Francesc Amorós. A causa de la seva formació tècnica es diferencia de la resta d'artesans, ja que "no és un simple artesà pràctic: posseeix la matemàtica i el dibuix lineal, i ha cursat al llarg de nou anys la mecànica industrial, teòricament i pràctica".[7] Els tallers d'Amorós, fundats el 1837 i situats al carrer Asalto 65, van arribar a construir, durant la dècada dels setanta, dues taules de billar la setmana, "la qual cosa es deu sens dubte al fet que els seus tallers estan dividits en quinze seccions, de la manera següent: secció de peus, de bastiments, de taulers, de bandes, de marcadors, de taquers, de tacs amb porra, de tacs denominats vulgarment a la francesa, de muntura per a tous metàl·lics o de goma, de tota mena de torneria, d'adobs i reparacions, d'ebenisteria en mobles, escultura i talla, de fusteria mecànica i de serralleria".[8] Al mateix nivell d'importància hi havia diverses fàbriques de pianos, mobles considerats de categoria, marques com La Boisselot al carrer de Ponent i amb botiga al carrer Ample, on també hi havia la casa d'Evarist Bergnes i la de Francesc Bernareggi. Tant els pianos com els billars eren mobles aplacats amb fustes de qualitat que n'embellien al màxim la caixa. Un altre dels tallers més rellevants, especialitzat en ebenisteria i cadiratge, era el dels Bonastre i Feu del carrer dels Banys, 15, i Avemaria, 4. A la dècada dels setanta comptava amb més de seixanta operaris i treballava "a gran escala, en estar [els treballadors] dividits per seccions que comprenen l'ebenisteria, el cadiratge, tapisseria, talla, torneria, serralleria i màquines".[9] Com veiem, tots aquests tallers estan ubicats a la Ciutat Vella i al Raval, lloc de reunió de la gran majoria dels obradors d'ebenisteria, amb algunes derivacions al poble de Gràcia

1. Factura. Josep Picó. Primer dipòsit de mobles de Viena a Barcelona.

están ubicados en Ciutat Vella y el Raval, lugar de reunión de la gran mayoría de los obradores de ebanistería, con algunas derivaciones hacia el pueblo de Gràcia y la Barceloneta. Y coincidiendo con la historia urbana de Barcelona, que pasa de ser una «ciudad almacén» a convertirse en una «ciudad industrial», con una distribución de las industrias a ambos lados del centro residencial burgués, algunos de los talleres que prosperan se irán trasladando al Eixample para ampliar y mecanizar sus manufacturas.

La estructura, el funcionamiento y la ampliación de los talleres

El análisis de la evolución de los talleres del XIX que se dedican a toda clase de producción relacionada con la decoración de interiores nos demuestra que hay una serie de características muy similares. Al principio, a menudo encontramos situados los obradores en el mismo edificio que la tienda y la vivienda, y es en la década de los setenta-ochenta cuando se inicia un proceso de ampliación de locales, así como de recursos humanos, relacionado evidentemente con un importante crecimiento de la economía y el consumo. Claro ejemplo de ello es la transformación de la casa Ribas i Pradell,[10] que con el nombre de La Económica Embaladora instaló el taller y el almacén en la planta baja del Carrer del Bot, hasta trasladarse en 1845 al Carrer del Paradís. Desde el taller se accedía al primer piso por una escalera interior donde vivían la familia Ribas y la familia Pradell, que se habían repartido las habitaciones y compartían el comedor y la cocina. Entonces, la casa Ribas estaba especializada en la fabricación de embalajes y, progresivamente, se fue mecanizando con una pequeña sierra circular, otra de cinta y un cepillo mecánico. La fuerza motriz empleada era un caballo, llamado «El Niño», que hacía girar las transmisiones de las máquinas. Nos consta que en 1870 contaba con unos seis obreros y que en 1875 se inició un crecimiento espectacular que tuvo como consecuencia el traslado de la fábrica al Fort Pienc (entre la carretera de Ribes y las calles de Sicília y Ausiàs Marc). Fueron los primeros en emplear una máquina de vapor de El Vulcano. Así, la modernización de la maquinaria coincide con la importancia de la sección de carpintería y el aumento en la sección de obras. También los Pons i Ribas de la calle Ciutat trasladaron sus talleres a Consell de Cent (entre Balmes y Rambla de Catalunya) en una instalación industrial del arquitecto G. Granell. Lo mismo sucedería con una de las manufacturas artísticas más relevantes de esa etapa de la «Febre d'Or» ('fiebre del oro'), la de Francesc Vidal i Jevellí. En 1884 dejó el Passatge del Crèdit para instalarse en el cruce de las calles Diputació y Bailén, en un edificio proyectado por el arquitecto Josep Vilaseca.[11] En ese lugar convivían talleres de carpintería, ebanistería, talla y tapicería, con los de cerrajería, lampistería, vitrales, pintura, grabados al ácido y fotografía. No podía faltar un ámbito dedicado a la exhibición de estilos como el neorrenacimiento, el neopompeyano, el neogótico, el japonés etc.[12]

Muchos otros talleres, aunque no se desplazaron hacia el Eixample, también se vieron en la necesidad de ampliar su infraestructura. Es el caso de la casa Busquets, ubicada desde 1840 en Ciutat, 9, que por la fechas de la Exposición Universal aumentó el número de bancos de trabajo —según el *Inventari de 1888*, en 1880 pasó de nueve a quince. Ampliaciones que responden a una situación generalizada de expansión y de notable aumento de los encargos por parte de un público cada vez más numeroso.

Las materias primas y el tipo de decoración del período de la Febre d'Or (1876-1886)

En lo que a las materias primas empleadas en la construcción de mobiliario, había en Barcelona varios almacenes de maderas nobles nacionales y extranjeras, entre los que destacaba el de Josep Tayà en el Carrer del Pi, 3. La caoba, el jacarandá y el nogal son las maderas más empleadas en un tipo de mobiliario que a menudo se viste con tapicerías —de ahí el apelativo «moda tapicera»—, con una presencia protagonista de los cortinajes en los interiores, que se caracterizan por una acumulación excesiva relacionada con la idea de riqueza, de ostentación. En aquellos tiempos, como muy bien explicaba Narcís Oller, «la familia se ahogaba por falta de aire, con tantos cortinajes, tapices y alfombras [...]. Caterina tropezaba con tantos pufos, tantas mesillas y sillas, tantos pedestales puestos en medio del paso; renegaba de la profusión de flores de porcelana, cuadritos y *bibelots* quebradizos [...] esparcidos por todas partes».[13] Las formas pesadas y arquitectónicas de los muebles eran una constante combinatoria de apelaciones a estilos del pasado en la que convivían el neorrenacimiento, el neogótico y el Luis XV.

Muebles de madera curvada, una alternativa al mueble macizo

La primera manufactura de muebles ligeros y prácticos de madera curvada fue la del vienés Michael Thonet —después surgirían varios imitadores. A partir de la búsqueda de comodidad y funcionalidad del estilo Biedermeier, Thonet se instaló en Viena en 1842 y empezó la producción en serie hasta devenir un claro exponente del proceso de cambio de la creación artesanal a la fabricación industrial. La originalidad, la simplicidad y la calidad de las creaciones de este ebanista ofrecieron nuevos modos de sentarse cómodamente. En la Exposición Universal de Londres de 1851 obtuvo una

2. Propaganda comercial Casa B. Martínez y Comp. *Diario de la Exposición* (Barcelona, 1888).

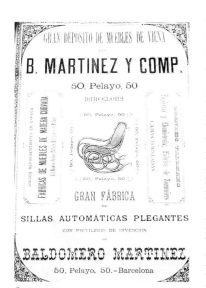

2

i la Barceloneta. I coincidint amb la història urbana de Barcelona, que passa de ser una "ciutat magatzem" a esdevenir una "ciutat industrial", amb una distribució de les indústries a tots dos costats del centre residencial burgès, alguns dels tallers que prosperen s'aniran traslladant a l'Eixample per tal d'ampliar i mecanitzar les seves manufactures.

L'estructura, el funcionament i l'ampliació dels tallers

L'anàlisi de l'evolució dels tallers vuitcentistes que es dediquen a tot tipus de producció relacionada amb la decoració d'interiors ens demostra que hi ha tot un seguit de característiques força similars. Al començament, sovint trobem ubicats els obradors al mateix edifici que la botiga i l'habitatge, i és durant la dècada dels setanta-vuitanta que s'inicia un procés d'ampliació de locals i també de recursos humans, que va evidentment relacionat amb un important creixement de l'economia i del consum. Un clar exemple d'això és la transformació de la casa Ribas i Pradell,[10] que amb el nom de La Económica Embaladora va instal·lar el taller i el magatzem a la planta baixa del carrer del Bot, tot traslladant-se el 1845 al carrer del Paradís. Des del taller s'accedia al primer pis per una escala interior on vivien la família Ribas i la família Pradell, que s'havien repartit les habitacions tot compartint el menjador i la cuina. Llavors, la casa Ribas estava especialitzada en la fabricació d'embalatges i, progressivament, es va anar mecanitzant amb una petita serra circular, una altra de cinta i un raspall mecànic. La força motriu emprada era un cavall, anomenat "El Niño", que feia girar les transmissions de les màquines. Ens consta que el 1870 comptava amb uns sis obrers i que el 1875 va iniciar-se un creixement espectacular que va tenir per conseqüència el trasllat de la fàbrica al Fort Pienc (entre la carretera de Ribes i els carrers de Sicília i Ausiàs Marc). Van ser els primers a emprar una màquina de vapor El Vulcano. Així, la modernització de la maquinària coincideix amb la importància de la Secció de Fusteria i l'augment en la secció d'obres. També els Pons i Ribas del carrer de la Ciutat van traslladar els seus tallers al carrer del Consell de Cent (entre Balmes i Rambla de Catalunya) en una instal·lació industrial de l'arquitecte G. Granell. El mateix havia de passar amb una de les manufactures artístiques més rellevants d'aquesta etapa de la Febre d'Or, la de Francesc Vidal i Jevellí. El 1884 va deixar el passatge del Crèdit per instal·lar-se a la cruïlla dels carrers Diputació i Bailén, en un edifici projectat per l'arquitecte Josep Vilaseca.[11] Allà convivien els tallers de fusteria, ebenisteria, talla, tapisseria amb els de serralleria, llauneria, vitralls, pintura, gra-

vats a l'àcid i fotografia. No hi podia faltar un àmbit dedicat a l'exhibició dels objectes fabricats on es recreaven estils com el neorenaixement, el neopompeià, el neogòtic, el japonès etc.[12]

Tanmateix, encara que molts altres tallers no es van desplaçar cap a l'Eixample també es van veure obligats a engrandir la seva infraestructura. És el cas de la casa Busquets, que des del 1840 era al carrer de la Ciutat, 9, i que pels volts de l'Exposició Universal de 1888 va augmentar el nombre de bancs —segons l'*Inventari de 1888*, de nou existents el 1880 va passar a quinze. Ampliacions que responen a una situació generalitzada d'expansió i d'un augment notable de les comandes per part d'un públic cada vegada més nombrós.

Les matèries primeres i el tipus de decoració del període de la Febre d'Or (1876-1886)

Pel que fa a les matèries primeres emprades per a la construcció de mobiliari, hi havia a Barcelona diversos magatzems de fustes fines nacionals i estrangeres, entre els quals destacava el de Josep Tayà, al carrer del Pi, 3. La caoba, la xicranda i la noguera esdevenen les fustes més emprades en un tipus de mobiliari que sovint es cobreix amb tapisseries —d'aquí el nom de "moda tapissera"—, amb una presència protagonista dels cortinatges als interiors, que es caracteritzen per una acumulació excessiva, relacionada amb la idea de riquesa, d'ostentació. En aquell temps, tal com molt bé explicava Narcís Oller, "la família s'ofegava de falta d'aire, amb tants cortinatges, tapissos i catifes... La Catarina s'entrebancava amb tants pufs, tantes tauletes i cadires, tants pedestals posats al pas; renegava de la profusió de flors de porcellana, quadrets i bibelots trencadissos... escampats per tot arreu".[13] Les formes pesants i arquitectòniques dels mobles eren una constant combinatòria d'apel·lacions als estils del passat, amb la convivència del neorenaixement, el neogòtic i el Lluís XV.

Mobles de fusta corbada, una alternativa al moble massís

La primera manufactura de mobles lleugers i pràctics de fusta corbada va ser la del vienès Michael Thonet —després en van sorgir múltiples imitadors. A partir de la recerca de comoditat i funcionalitat de l'estil Biedermeier, Thonet va instal·lar-se a Viena el 1842 i va començar la producció en sèrie, tot esdevenint un clar exponent del canvi de la creació artesanal a la fabricació industrial. L'originalitat, la simplicitat i la qualitat de les creacions d'aquest ebenista van oferir noves maneres de seure còmodament. A l'Exposició Universal de Londres de 1851 va obtenir una medalla de bronze, i, des de llavors

3. Propaganda comercial. Samuel Bing. L'Art Nouveau. Revista *L'Art Décoratif* (París, 1895).

medalla de bronce, momento en que tiene su inicio el crecimiento espectacular de la industria y traspasa el negocio a sus cinco hijos bajo el nombre Hermanos Thonet. La primera mecedora data de 1860 y se convierte en una de sus obras maestras, mueble precursor de las demás mecedoras que se instalaron en los interiores burgueses de todo el mundo.[14] El arquitecto Lluís Domènech i Montaner colocó algunas en el Gran Hotel Internacional coincidiendo con el éxito de esa clase de mobiliario en Cataluña.[15] El primer depósito de muebles de ese tipo abierto en Barcelona fue el de Josep Picó en la Rambla del Centre, 23. Después también los comercializó la casa Castelltort. En la Exposición de Artes Aplicadas al Decorado de Habitaciones, organizada por el Fomento del Trabajo Nacional en 1884, Miquel Armengol presentó cuatro sillas de fusta curvada y otra de imitación «a las llamadas de Viena».[16] Al cabo de algunos años, en la Exposición Universal de 1888 una importante representación de los Thonet y sus imitadores Jacob y Joseph Kohn[17] expusieron muestras de su producción. En el *Diario de la Exposición* aparece propaganda comercial a página entera del «Gran depósito de muebles de Viena de B. Martínez y comp.», de la calle Pelai, 50, con la famosa mecedora como modelo promocional.[18] En la misma muestra, Joan Pelegrí recibió la medalla de bronce por sus muebles de Viena. También las casas Tutó i Cia., de la calle de Santa Anna, 20, y el almacén Ros i Cia. contribuyen a la difusión y comercialización de dichos muebles. De hecho, en la década de los ochenta se convirtieron en una alternativa sin precedentes que apostaba por un mueble sin ornamentación, de producción industrial, con un elevado grado de practicidad, que iba a convivir con un mobiliario macizo de carácter historicista. No debe ser causa de extrañeza que, como sucedía en los cafés vieneses, en la mayoría de los locales públicos, como el Café de la Luna o el Hotel Colón, se utilizasen muebles de madera curvada.

Propuestas de mobiliario multifuncional e «ingenios higienistas»

En oposición a los muebles lujosos que fabricaban la mayoría de los ebanistas del momento para la burguesía, también se hace un mobiliario más económico para las clases populares, como la típica «cama de monja», de hierro colado.[19] Empiezan asimismo a aparecer algunos muebles «prácticos» que responden a la adecuación a determinadas actividades profesionales (sillones de dentista o de barbero) o el mobiliario destinado a escuelas y hospitales. Es básicamente en los EEUU donde se construyen soluciones técnicas para problemas prácticos, los denominados «muebles de ingeniero». No obstante, si analizamos algunas de las propuestas presentadas en la Exposición Universal de Barcelona de 1888, vemos algunas sugerencias interesantes en este ámbito, que vale la pena recoger. Procedente de Francia, el expositor Mr. Ferét, higienista parisiense con sede en la Rue de Étienne-Marcel, 6, presentó un modelo de «mesa higiénica» que se adapta a las diferentes tallas de los estudiantes y ha sido pensada teniendo en cuenta una serie de condiciones: saneamiento de las aulas («la mesa Ferét puede con facilidad transportarse de manera que el piso quede en poco tiempo al descubierto y en disposición de ser fregado cada mañana»), permite trabajar sentados o de pie, porque se puede elevar, posibilita un mayor grado de comodidad que las mesas fijas y evita una mala posición para la espalda, al tiempo que, debido a los movimientos de ascenso y descenso, evita la miopía. Sirve asimismo como mesa de dibujo o como atril de música. Está indicada como mesa unipersonal y permite que el cuerpo adopte varias posiciones favoreciendo el equilibrio muscular.[20] Sin embargo, a ese tipo de mobiliario se le critica a menudo la ausencia de cualidades artísticas.

II. La búsqueda de lo bello en lo útil

«Conservar y mantener la cultura de las artes que persiguen la realización de lo bello en lo útil», es el lema de la Union Centrale des Beaux-arts Appliqués à l'Industrie, fundada en Francia en 1864.[21] Esta reivindicación de la búsqueda de la belleza estará relacionada con el inicio de estudios sobre la utilidad con una reclamación de sinceridad estética en la utilización de materiales y formas.

Lo que se ha dado en denominar el debate Arte-Industria se abre después de la primera Exposición Universal de Londres de 1851 por parte de un sector reformista que intenta hallar salidas al mal gusto y a la falta de calidad de los productos presentados. Podemos decir a grandes rasgos que así nace el movimiento de revitalización de las artes y los oficios. En este contexto, la formación de los artesanos es uno de los problemas fundamentales del oficio, por lo que, por parte de varias entidades se pusieron en marcha diversas iniciativas que intentaban paliar las carencias existentes con conferencias, clases de dibujo lineal y de ornamentación. En Barcelona, las sociedades relacionadas con la industria del mueble eran muy numerosas. Tenemos constancia de que en la década de los noventa hay diez sociedades inscritas en el go-

s'inicia el creixement espectacular de la indústria, tot traspassant el negoci als seus cinc fills amb el nom Germans Thonet. El primer balancí data de 1860 i esdevingué una de les seves obres mestres, moble precursor dels altres balancins que es van instal·lar als interiors burgesos de tot el món.[14] L'arquitecte Lluís Domènech i Montaner va col·locar-ne alguns al Gran Hotel Internacional tot coincidint amb l'èxit d'aquest tipus de mobiliari a Catalunya.[15] El primer dipòsit de mobles d'aquesta mena establert a Barcelona va ser el de Josep Picó, de la Rambla del Centre, 23. Després, la casa Castelltort també en va comercialitzar. A l'Exposición de Artes Aplicadas al Decorado de Habitaciones, organitzada pel Foment del Treball Nacional el 1884, Miquel Armengol va presentar-hi quatre cadires de fusta corbada i una altra d'imitació "á las llamadas de Viena".[16] Uns anys després, a l'Exposició Universal de 1888 una important representació dels Thonet i dels seus imitadors, Jacob i Josef Kohn,[17] van exposar-hi mostres de la seva producció. Al *Diario de la Exposición* apareix propaganda comercial a pàgina sencera del "Gran depósito de muebles de Viena de B. Martínez y comp." del carrer Pelai 50, amb el "famós balancí" com a model promocional.[18] A la mateixa mostra, Joan Pelegrí va rebre la medalla de bronze pels seus mobles de Viena. També, les cases Tutó i Cia, del carrer de Santa Anna 20 i el magatzem Ros i Cia contribueixen a la difusió i comercialització d'aquests mobles. De fet, a la dècada dels vuitanta, van esdevenir una alternativa sense precedents, que apostava per un moble sense ornamentació, de producció industrial, amb un grau alt de practicitat, que conviuria amb un mobiliari massís de caire historicista. Per això no és d'estranyar, de la mateixa manera que passava als cafès vienesos, que en la majoria de locals públics, com per exemple el Cafè La Luna o l'Hotel Colón, s'utilitzessin mobles de fusta corbada.

Propostes de mobiliari multifuncional i "enginys higienistes"

En oposició als mobles luxosos que fabricaven la majoria dels ebenistes del moment per a la burgesia també es fa un mobiliari més econòmic per a les classes populars, com és per exemple el típic "llit de monja" de ferro colat.[19] I també comencen a aparèixer alguns mobles "pràctics" que responen a l'adequació a determinades funcions i necessitats. Un bon exemple d'això són els mobles concebuts per a determinades activitats professionals (els sillons de dentista o de barber) o bé el mobiliari que està destinat a les escoles o als hospitals. Bàsicament és als EUA on es construeixen solucions tècniques per a problemes pràctics, els denominats "mobles d'enginyers". No obstant això, si analitzem algunes de les propostes presentades a l'Exposició Universal de Barcelona de 1888, veiem alguns suggeriments interessants en aquest àmbit, que val la pena de recollir. Procedent de França, l'expositor Mr. Ferét, higienista parisenc amb seu a la Rue Étienne-Marcel, 6, va presentar un model de "taula higiènica" que s'adapta a les diferents talles dels estudiants i ha estat pensada tenint en compte tot un seguit de condicions: sanejament de les classes ("la taula Ferét es pot transportar amb facilitat de manera que el terra resti en poc temps al descobert i en disposició de ser fregat cada matí"), permet de treballar asseguts o bé drets perquè es pot elevar, possibilita un major grau de comoditat que les taules fixes i evita una mala posició per a l'esquena, al mateix temps que a causa dels moviments d'ascens i descens evita la miopia. Serveix també com a taula de dibuix o bé com a faristol de música. És indicada com a taula unipersonal i permet que el cos prengui diverses posicions, afavorint l'equilibri muscular.[20] Tanmateix, d'aquest tipus de mobiliari, sovint se'n critica l'absència de qualitats artístiques.

II. La recerca del bell en l'útil

"Conservar i mantenir la cultura de les arts que persegueixen la realització del bell en l'útil", això és el lema de la Union Centrale des Beaux-arts appliqués à l'Industrie, fundada el 1864 a França.[21] Aquesta reivindicació de recerca de la bellesa anirà relacionada amb l'inici d'estudis sobre la utilitat, amb un reclam de sinceritat estètica en la utilització dels materials i les formes.

El que s'ha denominat debat Art-Indústria s'enceta després de la primera Exposició Universal de Londres de 1851 per part d'un sector reformista que intenta trobar sortides al mal gust i a la manca de qualitat dels productes presentats. Podem dir a grans trets que així neix el moviment de reviscolament de les arts i els oficis. En aquest context, la formació dels artesans és un dels problemes fonamentals de l'ofici, per la qual cosa, per part d'entitats es van anar engegant iniciatives diverses que intentaven de pal·liar les mancances existents amb conferències, classes de dibuix lineal i d'ornament. A Barcelona les societats relacionades amb la indústria del moble eren força nombroses. Tenim constància que a la dècada dels noranta hi havia deu societats inscrites al govern civil: la Societat del Ram de Cadiraires de Boga de Barcelona i la seva rodalia, el Centre de Dauradors, el Centre Obrer Instructiu, les societats La Propagadora, el Tractat de la Unió, L'Activa, El Progrés i la Unió de Muntadors i Envernissadors de Mobles Tornejats, el Centre Instructiu d'Oficials Tapissers i la Societat de tapissers La Solidaritat.[22]

4. Propaganda comercial. Casa Busquets. Barcelona. C. 1900.

bierno civil: la Societat del Ram de Cadiraires de Boga ('silleros de enea') de Barcelona y sus cercanías, el Centre de Dauradors ('doradores'), el Centre Obrer Instructiu, las sociedades La Propagadora, Tractat de la Unió, L'Activa y El Progrés, la Unió de Muntadors i Envernissadors de Mobles Tornejats ('montadores y barnizadores de muebles torneados'), el Centre Instructiu d'Oficials Tapissers ('oficiales tapiceros') y la sociedad de tapiceros La Solidaritat.[22]

En 1894 se creó una de las asociaciones que mejor demuestra las preocupaciones y la mentalidad de un sector adelantado de la menestralía barcelonesa y las ansias de *instrucción y de recuperación de los oficios* desde el interior de los talleres: el Centro de Artes Decorativas. Sigue el modelo de las agrupaciones de artesanos y artistas que se habían ido creando en Inglaterra y Francia, con la pretensión de fomentar un mejor nivel de calidad y diseño, junto con la de educar a público y artesanos, consumidores y creadores de las artes decorativas. En sus estatutos[23] se exponen las intenciones de alcanzar los mismo objetivos que después de la Exposición Universal de Barcelona de 1888 se consideraban básicos para el avance de las industrias artísticas. Proponen proseguir la línea ya iniciada por el ayuntamiento de Barcelona de promover concursos públicos, propugnan la importancia de crear una biblioteca y quieren impulsar la publicación de revistas u opúsculos relacionados con las artes decorativas. El último objetivo, lo alcanzan con la publicación de la revista *El Arte Decorativo*, donde queda reflejado el ideario de la entidad.[24] Probablemente la influencia de Alexandre de Riquer debió de ser decisiva, porque precisamente en 1894 estuvo unos meses en Inglaterra, donde conoció el prerrafaelitismo y el movimiento Arts and Crafts. Así, Riquer representa al poeta-artista-artesano en busca del ideal de la época, la consecución del arte total, y junto a Josep Pascó i Mensa[25] fue el introductor del decorativismo esteticista de raigambre neogótica y japonesa en Cataluña.

De un total de cincuenta y un socios, el Centro de Artes Decorativas contaba, en lo que al ramo de la ebanistería respecta, con Joan Busquets, Àngel Garcia, Gaspar Homar, Josep Ribas y Josep Tayà. También aparecen como especialistas en dibujos de mobiliario Trinitat Llacuna y Evarist Roca. A partir de esos nombres podemos advertir que en el interior de algunos de los talleres se habían ido gestando cambios significativos respecto a sus antecesores. Así, el joven Joan Busquets i Jané (1874-1949) inicia la modernización del obrador familiar después de haber recibido formación en Llotja; Gaspar Homar i Mesquida se independiza hacia 1893 del taller de Francesc Vidal e inicia una importante relación con el arquitecto Lluís Domè-

nech i Montaner; Josep Ribas i Anguera (1876-1909) intensifica la calidad y el volumen de producción del taller Pons i Ribas con la designación de Trinitat Llacuna i Estrany como proyectista. También procedente de la clase de Carpintería y Mueble de Llotja, Evarist Roca proyectó varios tipos de propuestas; por ejemplo, una escalera neogótica.[26] Esa aparición en escena de los «especialistas en dibujos de mobiliario» representa un estadio importante en el camino hacia la profesionalización de los futuros diseñadores.

Para concluir este apartado, vale la pena subrayar algunos paralelismos con la llamada Escuela de Nancy, donde desde los talleres familiares de los Gallé y los Majorèlle (fundados respectivamente en 1845 y 1860), los hijos, Émile Gallé y Louis Majorèlle, prosiguieron dentro de la producción historicista antes de adoptar el estilo Art Nouveau.[27]

III. El movimiento pro Art Nouveau

«Le langage des fleurs et des choses muettes»
(Charles Baudelaire)

Durante la década de los noventa se fueron gestando los cambios del tránsito hacia el Art Nouveau,[28] denominación que como se sabe surge en 1895 con la apertura de la galería de Samuel Bing en la Rue de Provence, 22. En el campo del mueble uno de los primeros renovadores fue E. Gallé, volcado en la búsqueda de una gramática nueva del ornamento decorativo;[29] fue asimismo el más transgresor, ya que podemos decir que transformaba los muebles en plantas. En ese sentido, probablemente el tipo de mobiliario que años más tarde realizaría A. Gaudí para la casa Batlló o la casa Calvet tendría numerosos puntos de contacto con ese modo organicista de concebir el mueble como un ser vivo.

Las estructuras y las formas en general se dinamizan y se impone un indiscutible protagonismo de la línea, que puede seguir patrones curvilíneos —sinuosidad franco-belga— o patrones rectilíneos —escuela de Glasgow y Sezession. Además, uno de los rasgos más significativos es la importancia que se concede a la policromía. La diversidad cromática se consigue mediante la combinación de los distintos elementos que configuran un mueble o un interior.[30] Así, el contraste policromo del mobiliario de la época del modernismo se consigue a partir de la ampliación del número y variedad de las maderas utilizadas, con la presencia de innumerables especies exóticas, lo que permite componer y diferenciar múltiples matices. Las maderas claras, como el fresno, de color amarillo pálido; el abedul, blanco amarillento; el sicomoro, de color blanco marfil, y el arce real, de color gris blanquecino un poco dorado y satinado, se combinan con maderas más oscuras, como la caoba, de color ca-

4

L'any 1894 va crear-se una de les associacions que millor demostra les preocupacions i la mentalitat d'un sector capdavanter de la menestralia barcelonina, amb les ànsies *d'instrucció i de recuperació dels oficis* des de l'interior dels tallers, el Centro de Artes Decorativas. Segueix el model de les agrupacions d'artesans i artistes que s'havien anat creant a Anglaterra i a França amb la pretensió de fomentar un millor nivell de qualitat i disseny, alhora que per educar el públic i els artesans, consumidors i creadors de les arts decoratives. Als *Estatuts* [23] exposen les intencions d'assolir els mateixos objectius que després de l'Exposició Universal de Barcelona de 1888 es consideraven bàsics per tal de fer avançar les indústries artístiques. Proposen de continuar amb la línia ja encetada per l'ajuntament de Barcelona de promoure concursos públics, propugnen la importància de crear una biblioteca i volen impulsar la publicació de revistes o opuscles relacionats amb les arts decoratives. Aquest darrer objectiu l'assoleixen amb la publicació de la revista *El Arte Decorativo*, on es reflecteix l'ideari de l'entitat.[24] Probablement la influència d'Alexandre de Riquer devia ésser decisiva perquè precisament el 1894 va estar uns mesos a Anglaterra on va conèixer el prerafaelitisme i el moviment Arts and Crafts. Així, Riquer representa el poeta-artista-artesà que va a la recerca de l'ideal de l'època, la consecució de l'art total, i juntament amb Josep Pascó i Mensa[25] va ser l'introductor del decorativisme esteticista d'arrel neogòtica i japonesa a Catalunya.

D'un total de cinquanta-un socis, el Centro de Artes Decorativas comptava, pel que fa al ram de l'ebenisteria, amb Joan Busquets, Àngel Garcia, Gaspar Homar, Josep Ribas i Josep Tayà. També hi apareixen, com a especialistes en dibuixos de mobiliari, Trinitat Llacuna i Evarist Roca. A partir d'aquests noms podem veure com a l'interior d'alguns dels tallers ja existents s'havien anat gestant canvis significatius envers els seus antecessors. Així, per exemple, el jove Joan Busquets i Jané (1874-1949) inicia la modernització de l'obrador familiar després d'haver rebut formació a l'Escola de Llotja; Gaspar Homar i Mesquida (1870-1953) s'independitza cap al 1893 del taller de Francesc Vidal, tot encetant una important relació amb l'arquitecte Lluís Domènech i Montaner; Josep Ribas i Anguera (1876-1909) intensifica la qualitat i el volum de producció del taller Pons i Ribas, amb la designació de Trinitat Llacuna i Estrany com a projectista. També, procedent de la classe de Fusteria i Moble de Llotja, Evarist Roca va projectar diversos tipus de propostes, com per exemple una escala neogòtica.[26] Aquesta aparició en escena dels "especialistes en dibuixos de mobiliari" representa un estadi important en el camí de professionalització dels futurs dissenyadors.

Per concloure aquest apartat, val la pena de subratllar alguns paral·lelismes amb l'anomenada Escola de Nancy, on del taller familiar ja existent dels Gallé i dels Majorèlle (fundats el 1845 i el 1860 respectivament), els fills, Émile Gallé i Louis Majorèlle, van reprendre la producció historicista abans d'adoptar l'estil Art Nouveau.[27]

III. El moviment per l'Art Nouveau

"Le langage des fleurs et des choses muettes"
(Ch. Baudelaire)

Durant la dècada dels noranta es van anar gestant els canvis del trànsit cap a l'Art Nouveau,[28] denominació que com és sabut sorgeix el 1895 amb l'obertura de la galeria de Samuel Bing a la Rue de Provence, 22. En el camp del moble, E. Gallé va ésser-ne un dels primers renovadors en la recerca d'una gramàtica nova de l'ornament decoratiu,[29] i també el més transgressor, perquè podem dir que transformava els mobles en plantes. En aquest sentit probablement el tipus de mobiliari, que anys més tard, realitzaria A. Gaudí per a la casa Batlló o la casa Calvet tindrien força punts de contacte amb aquesta manera organicista de concebre el moble com un ésser viu.

Les estructures i les formes en general es dinamitzen i s'imposa un indiscutible protagonisme de la línia, que pot seguir patrons curvilinis —sinuositat franco-belga— o patrons rectilinis —escola de Glasgow i Sezession. A més a més, un dels trets més significatius és la importància que s'hi dóna a la policromia. La varietat cromàtica s'aconsegueix amb la combinació dels diferents elements que configuren un moble o un interior.[30] Així, el contrast policrom del mobiliari de l'època del modernisme s'aconsegueix a partir de l'ampliació i varietat de fustes utilizades, amb la presència d'innombrables espècies exòtiques, que permet de compondre i diferenciar multiplicitat de matisos. Les fustes clares com el freixe, de color groc pàl·lid, el bedoll, de color blanc grogós, el sicòmor, de color blanc ivori, i l'erable, de color gris blanc un xic daurat i setinat, es combinen amb fustes més fosques, com la caoba, de color canyella rosat, o el roure, de color bru daurat. Però, allà on millor es veu

5. Poltrona. Modelo de J. Busquets i Jané.
C. 1899. Fotografía realizada por Pau Audouard.

6. Calco coloreado a la acuarela para
marquetería. Casa Busquets.

5

nela rosado, o el roble, de color marrón dorado.
Pero donde mejor se observa la gran variedad de
especies de madera usadas es en las marqueterí-
as, en las que se han llegado a contabilizar hasta
cuarenta tipos distintos.[31]

Otra de las características comunes de la época
es que la mayoría de los mueblistas crean un re-
pertorio de modelos que se fabrican en «pequeñas
series». Un modelo original, concebido de entrada
para un cliente, da lugar a reproducciones limita-
das con pequeñas variaciones, lo que hace que el
papel de los mueblistas-decoradores se halle a
medio camino entre el del «conceptualizador indi-
vidual» y el del «artista industrial».[32]

El momento de apogeo del Art Nouveau coincide
con la Exposición Universal de París de 1900. Es
un momento de gran efervescencia en los talleres
de ebanistería y decoración, que tanto construyen
diseños propios como encargos de arquitectos
o artistas. En Cataluña, «eso del *modernismo* se
iba poniendo de moda [...]. Algunos anuncios in-
gleses, tres o cuatro revistas francesas y alemanas
de arte decorativo, y unos cuantos cortinajes, tam-
bién ingleses, hicieron el milagro…».[33] Así, de un
modo simbólico, podemos considerar la iniciativa
del Cercle Artístic, que en 1900 preparó una Expo-
sición Nacional de Arte en el Carrer de les Corts,
315. En cuanto a la exhibición de arte decorativo
cabe decir que el número de obras que concurrie-
ron fue escaso, aunque eran suficientemente re-
presentativas de lo que se hacía en Barcelona y
merecedoras de un comentario detenido en lo
que al mobiliario se refiere. El crítico de *La Van-
guardia* describe con acierto la consagración del
«nuevo estilo»: «Nuestros constructores de muebles,
bien acreditados en todo tiempo por su habilidad
manual y su sentido decorativo, han demostrado
en esta ocasión una feliz facilidad para adaptarse a
los nuevos gustos y practicar el *modernismo*, que
en suma, dentro del concepto del mueble, viene a
ser sencillamente el retorno a la congruencia y a la
naturaleza, dejando hablar a la línea y buscando
la ornamentación en la esencia misma del mate-
rial. Los motivos están inspirados, pues, en lo que
nos ofrece el reino vegetal, y se nota una plausible
afición a que cada objeto responda a su verdadero
destino».[34] De esa manera, «el modernismo [...]
arte moderno que con singular predilección se de-
sarrolla en las construcciones y ornamentación do-
méstica»,[35] inicia un nuevo concepto de interior
que rompe con el recargamiento anterior, que
aunque no se desarrolle según unos cánones pre-
cisos es una tendencia relacionada con el simbo-
lismo y el esteticismo. La interpretación de la flora
y la fauna, captadas al modo japonés, estilizando e
introduciendo la asimetría compositiva, renovaron
la manera de concebir el mundo del objeto y la
decoración.

Los mueblistas en la época del modernismo

Entre los talleres más prolíficos dedicados a la
construcción de mobiliario y decoración en gene-
ral, tenemos que destacar el de Gaspar Homar, la
casa Busquets, Juan Esteva i Hoyos y Josep Ribas i
Anguera, seguidos de otros obradores de renom-
bre como Joaquim Gassó, la empresa Casas i Bar-
dés, Antoni Ruiz, Pere Reig, Miquel Farrés, Josep
Fernández, Joan Puigdengolas, Ramon Fontanals,
Evarist Roca, Comas i Surís, Mas i Badiola…, nom-
bres que de uno u otro modo han perdurado aun-
que con toda seguridad no fueron los únicos en
popularizar las nuevas tendencias por todo el
país.[36]

Los inicios del taller de Gaspar Homar coinci-
den con los primeros síntomas de renovación en
la arquitectura y las artes decorativas, con fuerte
influencia del neogoticismo y el orientalismo. Su
período de formación en el taller de Francesc Vidal
lo distingue de otros mueblistas, comó Joan Bus-
quets i Jané, ya que no se halla inmerso en la di-
námica de un taller familiar, donde todavía el jefe
de taller es el representante de los ya «viejos gus-
tos» de la generación anterior. Según recogió A. Ci-
rici en unas conversaciones mantenidas con Ho-
mar, éste afirmaba que no obedeció al influjo de
lo que se hacía fuera sino que «solamente obede-
ció a su instinto y a la guía de Gaudí».[37] Es signifi-
cativo que aluda al arquitecto, a quien seguro que
conocía porque debía de coincidir con él en los ta-
lleres Vidal, lugar donde se construyó el mobiliario
del Palau Güell. En aquel momento el papel rector
que desarrollaron los arquitectos y algunos artistas
es esencial, aunque en el campo del mueble es
difícil discernir la cuestión de la autoría, porque la
mayor parte de la documentación de los talleres
no se ha conservado. De todos modos, podemos
reconstruir, aunque de momento sólo pueda ser
parcialmente, algunas de esas colaboraciones. De
hecho, cuando la cooperación entre el arquitecto y
el mueblista-decorador es estrecha se llega a al-
canzar perfectamente el ideal del modernismo de-
corativo, según podemos ver en algunos ejemplos
muy singulares, como el caso de la casa Navàs
(1901) y la casa Lleó Morera (c. 1904), edificios
proyectados por el arquitecto Lluís Domènech i
Montaner con la participación de Gaspar Homar.
Ambos ya habían trabajado juntos en 1894, en un
primer proyecto gótico-orientalizante para el pala-
cio Montaner. Ello no quiere decir que los arqui-
tectos confíen siempre en el mismo ebanista, por-
que, por ejemplo, cuando Domènech realiza el
Gran Hotel de Palma encarga el mobiliario a Joan
Puigdengolas del Carrer Nou de Sant Francesc, 3,
taller que se dedicaba a la construcción con toda
clase dé maderas, así como a la reconstrucción y
restauración de mobiliario antiguo.[38]

5. Cadira de braços. Model de J. Busquets i Jané. C. 1899. Fotografia realitzada per Pau Audouard.

6. Calc acolorit amb aquarel·la per a marqueteria. Casa Busquets.

6

la gran varietat d'espècies de fusta emprades és a les marqueteries, on s'han arribat a comptabilitzar fins a quaranta tipus diferents.[31]

Una altra de les característiques comunes de l'època és que la majoria dels moblistes creen un repertori de models que es fabriquen en "petites sèries". Un model original concebut d'entrada per a un client dóna lloc a reproduccions limitades amb petites variacions, que fa que el paper dels moblistes-decoradors es trobi a mig camí entre el del "conceptualitzador individual" i el de "l'artista industrial".[32]

El moment d'apogeu de l'Art Nouveau coincideix amb l'Exposició Universal de París de 1900. És un moment d'una gran efervescència als tallers d'ebenisteria i decoració, que tant construeixen dissenys propis com encàrrecs d'arquitectes o artistes. A Catalunya "això del *modernisme* s'anava fent de moda [...]. Alguns anuncis anglesos, tres o quatre revistes franceses y alemanyas d'art decoratiu, y uns quants cortinatjes, anglesos també, van fer el miracle...".[33] Així, de forma simbòlica, podem prendre la iniciativa del Cercle Artístic, que l'any 1900 va preparar una Exposició Nacional d'Art al carrer de les Corts, 315. Pel que fa a l'exhibició d'art decoratiu s'ha de dir que hi van concórrer un nombre petit d'obres, encara que són prou representatives del que es fa a Barcelona i mereixen un comentari detingut pel que fa al mobiliari. El crític de *La Vanguardia*, encertadament, ens descriu la consagració del "nou estil": "Els nostres constructors de mobles, ben acreditats en tot temps per la seva habilitat manual i el seu sentit decoratiu, han demostrat en aquesta ocasió una feliç facilitat per adaptar-se als nous gustos i practicar el modernisme, que en resum, dintre del concepte de moble, ve a ser senzillament el retorn a la congruència i a la natura, deixant que parli la línia i cercant l'ornamentació en l'essència mateixa del material. Els motius estan inspirats, doncs, en allò que ens ofereix el regne vegetal, i s'hi nota una plausible afecció perquè cada objecte respongui al seu destí veritable".[34] D'aquesta manera, "el modernisme [...] art modern que amb singular predilecció es desplega a les construccions i ornamentació domèstica",[35] enceta un nou concepte d'interior que trenca amb el recarregament anterior, i malgrat que no es desenvolupi segons uns cànons precisos, és una tendència relacionada amb el simbolisme i l'esteticisme. La interpretació de la flora i la fauna, captades a la manera japonesa, estilitzant i introduint l'asimetria compositiva, van renovar la manera de concebre el món de l'objecte i la decoració.

Els moblistes a l'època del modernisme

Entre els tallers més prolífics dedicats a la construcció de mobiliari i decoració en general, hem de destacar el de Gaspar Homar, la casa Busquets, Juan Esteva i Hoyos i Josep Ribas i Anguera, seguits d'altres obradors de renom, com Joaquim Gassó, l'empresa Casas i Bardés, Antoni Ruiz, Pere Reig, Miquel Farrés, Josep Fernández, Joan Puigdengolas, Ramon Fontanals, Evarist Roca, Comas i Surís, Mas i Badiola..., noms que d'una manera o altra han perdurat, però que de ben segur no van ser els únics que van popularitzar les noves tendències arreu del país.[36]

Els inicis del taller de Gaspar Homar coincideixen amb els primers símptomes de renovació en l'arquitectura i les arts decoratives, amb una forta influència del neogoticisme i l'orientalisme. El seu període de formació al taller de Francesc Vidal el diferencia d'altres moblistes, com per exemple Joan Busquets i Jané, perquè no es troba immers en la dinàmica d'un taller familiar, on encara el cap de taller és el representant dels ja "vells gustos" de la generació anterior. Segons va recollir A. Cirici, en unes converses tingudes amb Homar, aquest afirmava que no va obeir l'influx del que es feia a fora sinó que "només va obeir el seu instint i el guiatge de Gaudí".[37] És significatiu que al·ludeixi a l'arquitecte, que de ben segur coneixia perquè hi devia coincidir als tallers Vidal, lloc on es va construir el mobiliari del Palau Güell. En aquell moment el paper rector que van desenvolupar els arquitectes i alguns artistes és essencial, encara que en el camp del moble és difícil destriar la qüestió de l'autoria, perquè la major part de la documentació dels tallers no s'ha conservat. De tota manera, podem reconstruir, encara que de moment només pugui ser parcialment, algunes d'aquestes col·laboracions. De fet, quan la cooperació entre l'arquitecte i el moblista-decorador és estreta s'arriba a assolir perfectament l'ideal del modernisme decoratiu, tal com veiem en alguns exemples molt singulars, com és el cas de la casa Navàs (1901) i també el de la Lleó Morera (c. 1904), edificis projectats per l'arquitecte Lluís Domènech i Montaner amb la participació de Gaspar Homar. Tots dos ja havien treballat plegats l'any 1894 en un primer projecte gòtico-orientalitzant per al Palau Montaner. Això no vol dir que els arquitectes confiïn sempre en un mateix ebenista, perquè, per exemple, quan Domènech realitza el Gran Hotel de Palma encarrega el mobiliari a Joan Puigdengolas, del carrer Nou de Sant Francesc, 3, taller que es dedicava a la construcció amb tota mena de fustes, així com també a la reconstrucció i restauració de mobiliari antic.[38]

Sembla que J. Puig i Cadafalch i A. Gaudí van dissenyar mobles que després es van construir a la fàbrica de fusteria, ebenisteria i serralleria Casas i Bardés (denominació que rep a partir de 1900, la societat Bardés i Cia.). Se li atribueixen

7. Banco de roble de la casa Calvet (1898-1901), diseñado por A. Gaudí y ejecutado en los talleres Casas i Bardés.

8. Biombo pirograbado y pintado, con aplicaciones de metal de Víctor Masriera, probablemente realizado en los talleres de Miquel Farrés.

7

Según parece, J. Puig i Cadafalch y A. Gaudí diseñaron muebles que después se construyeron en la fábrica de carpintería, ebanistería y cerrajería Casas i Bardés (denominación que recibe a partir de 1900 la sociedad Bardés i Cia.). Se le atribuyen la construcción de los muebles neogóticos de la casa Amatller —aunque Cirici los asignaba a Homar— y el mobiliario de la casa Calvet.[39] Además de en mobiliario, la casa Bardés tenía la especialidad en esmaltes y dorados de fantasía, artesonados de madera, suelos de madera, puertas, balcones, altares, despachos, tiendas…

La actividad de Puig i Cadafalch en la decoración de interiores se iniciaba en el proyecto primerizo para la joyería Macià, de la que Raimon Casellas destacaba «aquella combinación refinadísima de obscuras maderas».[40] Bajo su dirección artística, ejecutaban sus proyectos carpinteros o ebanistas diversos, como Ramon Fontanals, quien construyó un aparador de estilo neogótico con dorados y aplicaciones en Argentona, reproducido en la revista *Materiales y Documentos de Arte Español*. En cambio, el mobiliario del Hotel Terminus,[41] lo encarga a la casa Antoni Ruiz (fundada en 1875). Con talleres en la calle Sepúlveda y exposición en la Ronda de Sant Antoni, 59, Ruiz trabaja asimismo sobre modelos propios, algunos de regusto neogótico.[42] Habitualmente, empleaba la caoba, adornada con marqueterías y botones de nácar.

Por su parte, Enric Sagnier confió el mobiliario del Palau Juncadella a la casa Busquets. A pesar de que los encargos «modernistas» de Joan Busquets i Jané provienen de una clientela eminentemente burguesa que quiere estar al día siguiendo la moda, en muchos casos también continúa pidiendo mobiliario de estilo Luis XV, neorrenacimiento y neogótico, según el tipo de estancia. Los proyectos modernistas de Busquets son bastante variados, con una galería de asientos característicos (con el acabado de los reposapiés en pliegues sinuosos y travesaños oblicuos) y un marcado protagonismo de la línea curva, que a partir de 1902 irá evolucionando hacia un diseño de influencia secesionista, lo que también sucederá en otros talleres.

Muchos mueblistas como los que hemos mencionado hasta ahora también proyectaban lámparas y otros objetos decorativos, al tiempo que ejecutaban otros proyectos de artistas que en uno u otro momento se dedicaron al diseño de mobiliario. En ese sentido cabe subrayar las colaboraciones entre Alexandre de Riquer y Gaspar Homar, en algunos casos bien documentadas (por ejemplo, la farmacia Grau Inglada). Otra relación importante, la cual tuvimos ocasión de reconstruir por completo, es la que se establece entre Sebastià Junyent y Gaspar Homar. Por su parte, Junyent dibuja la imagen gráfica de la propaganda comercial de la tien-

da de Canuda, 4, y lleva a cabo una serie de encargos decorativos para el taller de Homar (proyectos de marqueterías, tapices pintados etc.), contando con la ayuda de su hermano Oleguer y Josep Pey. Uno de los muebles más interesantes construido por Homar, a partir de un diseño de S. Junyent, es el secreter de paulina Quinquer.[43]

En este tipo de estrecha relación artista-artesano, también Sebastià Junyent llevó a cabo proyectos de marqueterías y tapices para la casa Busquets, repitiendo en muchos casos los mismos modelos que había destinado a Homar. Sin embargo, el proyecto del comedor del domicilio particular de la familia Junyent, lo ejecutó el ebanista Evarist Roca, cuyo aparador fue expuesto en 1900 en el Cercle Artístic.[44]

En cuanto a la construcción de pianos, a pesar de que no hay mucha innovación en ese tipo de mueble, vale la pena subrayar una excepción singular como la iniciativa de la casa Estela (antigua casa Benareggi), que confía al artista Víctor Masriera la decoración del piano número 25.000 con formas completamente Art Nouveau y un dibujo con el mito de Orfeo.[45] A su vez, Víctor Masriera diseñó varios objetos decorativos: biombos, muebles o paneles pirograbados, como el que lleva el simbolista título de *La vida i la mort* ('La vida y la muerte').[46] Colaboraba con el ebanista Miquel Farrés, destacado cultivador de la técnica del pirograbado y de los adornos de bronce.[47]

Otro taller importante del momento es la casa Hoyos, Esteva i Cia., en Passeig de Gràcia, 18. Joan Esteva era un decorador que tenía el despacho en Cardenal Casañas, 4, y que creó sociedad con su hijastro Hoyos. A destacar la decoración original del palcio Pérez Samanillo en un estilo floral, casi rococó.[48] También se independizó el antiguo escultor de Homar, Joaquim Gassó, casado con una hermana del primero, que abrió tienda en Cucurulla, 1-3, con talleres en Mallorca, 92. Para acabar no queremos dejar de citar, en la especialidad de carpintería artística, los talleres de José Fernández en Passeig de Sant Joan, 243 y 245, (aunque también realizaban «muebles artísticos» originales) y R. Calonja e Hijo. Estos últimos participaron, dirigidos por Ricard Campmany, en la decoración de uno de los establecimientos más representativos del momento: el desaparecido bar Torino.[49]

A guisa de epílogo, baste decir que la burguesía adoptó el nuevo estilo parcialmente, ya que bajo la presunción de modernidad continuaba vigente la voluntad de ostentación y el simulacro del lujo ficticio que caracterizan la vivienda burguesa. Las formas fueron evolucionando, así como los mueblistas-decoradores, en contextos diferentes, como el Noucentisme y más tarde el Déco. Pero eso ya es otra historia.

7. Banc de roure de la casa Calvet (1898-1901) dissenyat per A. Gaudí i executat als tallers Casas i Bardés.

8. Paravent pirogravat i pintat, amb aplicacions de metall, de Víctor Masriera, probablement executat als tallers de Miquel Farrés.

8

la construcció dels mobles neogòtics de la casa Amatller —encara que Cirici els assignava a Homar— i el mobiliari de la casa Calvet.[39] A més del mobiliari, els Casas Bardés tenien l'especialitat en esmalts i daurats de fantasia, enteixinats de fusta, parquets, portes, balcons, altars, despatxos, botigues...

L'activitat de Puig i Cadafalch en el decorat d'interiors s'iniciava amb el projecte primerenc per a la joieria Macià, de la qual Raimon Casellas destacava "aquella combinació refinadíssima de fustes obscures".[40] Sota la seva direcció artística, executaven els seus projectes fusters o ebenistes diversos, com per exemple Ramon Fontanals, que va construir un aparador d'estil neogòtic amb daurats i aplicacions a Argentona, reproduït a la revista *Materiales y Documentos de Arte Español*. En canvi, el moblament de l'Hotel Terminus[41] l'encarrega a la casa Antoni Ruiz (fundada el 1875). Amb tallers al carrer Sepúlveda i exposició a la Ronda de Sant Antoni, 59, Ruiz treballava també amb models propis, alguns de regust neogòtic.[42] Habitualment emprava la caoba, ornada amb marqueteries i botons de nacre.

Per la seva banda, Enric Sagnier va confiar els mobles del Palau Juncadella a la casa Busquets. Malgrat que les comandes "modernistes" de Joan Busquets i Jané provenen d'una clientela eminentment burgesa que vol estar al dia seguint la moda, en molts casos també continua demanant mobiliari d'estil neolluís XV, neorenaixement i neogòtic, segons el tipus d'estança. Els projectes modernistes busquetians són força variats, amb una galeria de seients característics (amb l'acabament de les petges en sinuosos plegaments i travessers oblics) i un marcat protagonisme de la línia corba, que a partir de 1902 anirà evolucionant cap a un disseny d'influència Sezession, la qual cosa també passarà en altres tallers.

Molts moblistes com els que hem anomenat fins ara també projectaven llums i altres objectes decoratius, al mateix temps que executaven altres projectes d'artistes que en un moment o altre es van dedicar al disseny de mobiliari. En aquest sentit cal destacar les col·laboracions entre Alexandre de Riquer i Gaspar Homar, algunes de les quals estan ben documentades (per exemple, la farmàcia Grau Inglada). Una altra relació important, i que vàrem tenir l'ocasió de reconstruir de forma completa, és la que s'estableix entre Sebastià Junyent i Gaspar Homar. Per una banda, Junyent dibuixa la imatge gràfica de la propaganda comercial de la botiga del carrer Canuda, 4, i realitza tot un seguit d'encàrrecs decoratius per al taller Homar (projectes de marqueteries, tapissos pintats etc.), comptant amb l'ajuda del seu germà Oleguer i de Josep Pey. Un dels mobles més interessants construït per Homar, a partir d'un disseny de S. Junyent, és el secreter de Paulina Quinquer.[43]

Dins aquest tipus de relació estreta artista-artesà, també Sebastià Junyent va realitzar projectes de marqueteries i tapissos per a la casa Busquets, en molts casos repetint els mateixos models que havia fet per a Homar. Tanmateix, el projecte del menjador del domicili particular de la família Junyent, el va executar l'ebenista Evarist Roca, el buffet del qual va ser exposat l'any 1900 al Cercle Artístic.[44]

Pel que fa a la construcció de pianos, malgrat que no hi ha gaire innovació en aquest tipus de moble, val la pena remarcar una excepció singular que és la iniciativa de la casa Estela (antiga casa Bernareggi) que confia a l'artista Víctor Masriera la decoració del piano número 25.000, amb formes del tot Art Nouveau i un dibuix amb el mite d'Orfeu.[45] Per la seva banda, Víctor Masriera va dissenyar diversos objectes decoratius: paravents, mobles o plafons pirogravats, com el que porta el títol simbolista de *La vida i la mort*.[46] Col·laborava amb l'ebenista Miquel Farrés, amb un destacat conreu de la tècnica del pirogravat i dels ornaments de bronze.[47]

Un altre taller important del moment és la Casa Hoyos, Esteva i Cia, al Passeig de Gràcia, 18. Joan Esteva era un decorador que tenia el despatx al carrer Cardenal Casañas, 4, i que conjuntament amb el seu fillastre Hoyos van crear societat. Cal destacar la decoració original del Palau Pérez Samanillo en un estil floral, quasi rococó.[48] També cal destacar l'antic escultor d'Homar, Joaquim Gassó, casat amb una germana d'aquest, va independitzar-se obrint botiga al carrer Cucurulla, 1-3, i amb tallers al carrer de Mallorca, 92. I finalment, no volem deixar d'esmentar, en l'especialitat de fusteria artística, els tallers de José Fernández al Passeig de Sant Joan, 243 i 245 (encara que també realitzava "mobles artístics" originals) i el de R. Calonja e Hijo. Aquests darrers, sota la direcció de Ricard Campmany van participar en la decoració d'un dels establiments més representatius del moment, el desaparegut bar Torino.[49]

A manera d'epíleg, cal dir que la burgesia va adoptar el nou estil de forma parcial, perquè sota la presumpció de modernitat continuava vigent la voluntat d'ostentació, el simulacre del luxe fictici que caracteritzen l'habitatge burgès. Les formes van anar evolucionant i també ho feren els moblistes-decoradors, en contextos diferents com el Noucentisme i més tard l'Art Déco. Però això ja és una altra història.

Notas

1. Este trabajo ha sido llevado a cabo en el seno del Grup de Recerca sobre Art Català del Modernisme al Noucentisme (1875-1936) del Departament d'Història de l'Art de la Universitat de Barcelona (PB 95-0899-CO2-01).

2. Con motivo de la exposición *El Modernisme* ya situamos el papel y funcionamiento de los talleres a finales de siglo. Véase «Tallers i artífex en el Modernisme» en *El Modernisme*, Olimpíada Cultural-Lunwerg, Barcelona, 1990, p. 259-268. Después, con motivo de la exposición *Moble català*, hicimos explícito cuál era el tipo de mobiliario que se construyó durante el período. Véase «El mobiliari dels interiors de l'època del Modernisme» en *Moble català*, Electa-Generalitat de Catalunya, Barcelona, 1994, p. 112-124.

3. Artistas y artesanos colaboraban en el diseño de los objetos —artefactos— que configuran la vida cotidiana. Dentro del mismo registro, en lo que se refiere a la reconstrucción de lo que podríamos llamar «universos simbólicos» del modernismo y con motivo del Congrés Internacional d'Història: Catalunya i la Restauració (1875-1923), que tuvo lugar en Manresa en el mes de mayo de 1992, presentamos una comunicación en la que analizábamos cómo eran los interiores donde los artistas «se reunían, bebían, se divertían, discutían [...], las viviendas y los objetos que los rodeaban, que prefiguran el universo simbólico de un modo de vida». Véase «Interiors d'artistes del Modernisme», *Actes*, Centre d'Estudis del Bages, Manresa, 1992, p. 425-429. También tuvimos ocasión de reconstruir documentalmente el universo decorativo de un espacio de relación privilegiado de la burguesía barcelonesa como el Gran Teatre del Liceu. Véase «Metamorfosis decoratives al Gran Teatre del Liceu», catálogo de *Òpera-Liceu, una exposició en cinc actes*, Museu d'Història de Catalunya, Generalitat de Catalunya-Proa, Barcelona, 1997, p. 41-51. Siguiendo la misma línea de investigación, actualmente continuamos trabajando sobre los interiores de los siglos XIX-XX, a fin de definir cómo era el hábitat de la burguesía, las *arquitecturas privadas* en el período comprendido entre 1875 y 1914. Ese es el tema del curso de doctorado que impartiremos en el curso 1998-1999 dentro del ciclo de doctorado «Pensar la ciutat» en el Departament d'Història de l'Art de la Universitat de Barcelona.

4. La historia del mueble en Cataluña no ha alcanzado todavía el nivel de investigación de otros países como Inglaterra o Francia. Los primeros estudios históricos sobre el mueble surgieron, a partir del siglo XIX, relacionados con el coleccionismo de muebles antiguos, según indica Peter Thorton, conservador de las colecciones de muebles del Victoria and Albert Museum, en «L'étude des meubles anciens», en VVAA, *Le meuble des grands ébénistes et des designers*, F. Nathan, París, 1984 (1983), p. 9-10. En ese sentido, son de cita obligada los estudios de Pugin sobre el mobiliario medieval: *Gothic Furniture*, Londres, 1830, o el *Dictionnaire raisonné du meuble français de l'époque carolingienne à la Renaissance*, París, 1874-1875, realizado por Viollet-le-Duc. En aquella época, en la península empiezan a aparecer escritos sobre mobiliario en la revista *La Ilustración Artística*, del año 1882, artículos firmados por Francisco Giner de los Ríos, que después hallaremos ampliados en la recopilación escrita por el mismo autor en *Estudios sobre las artes industriales*, Madrid, 1892. Coincidiendo con esas fechas también cabe citar la aportación de Josep de Manjarrés i de Bofarull, quien después de la publicación de *Las Bellas Artes*, en el momento (1882) en que llegó a ser director de la escuela de Llotja, publicó *Las artes suntuarias*. No obstante, como aportación monográfica al tema que nos ocupa, nos interesa destacar el libro editado por la editorial Montaner y Simón del crítico Francesc Miquel i Badia: *Historia del mueble, tejido, bordado y tapiz*, aparecido en 1897. Este volumen se complementaba con el de Antoni Garcia i Llansó, intitulado *Metalistería, cerámica, vidrio*. En su momento ya desarrollamos *in extenso* el estado de la cuestión referente a los estudios sobre el mueble catalán se habían llevado a cabo. Véase «Precisions historiogràfiques sobre la història del moble català» en *La Casa Busquets (1840-1929)*, tesis doctoral, Universitat de Barcelona, 1993, p. 19-24.

5. J. Mainar, *El moble català*, Destino, Barcelona, 1976, p. 225.

6. Véase el capítulo «Romanticisme», ibídem, p. 219, que Mainar dedica al ramo del mueble en Cataluña, situando a los pequeños y medianos industriales del mueble en Barcelona entre 1844 y 1856.

7. *Reseña completa, descriptiva y crítica de la Exposición Industrial y Artística de Productos del Principado de Cataluña*, Est. Tip. De Jaime Jepús, Barcelona, 1860, p. 241.

8. *Exposición General Catalana de 1871. Historia y reseña de dicho concurso, por D. Agustín Urgellés de Tovar*, Imp. de Leopoldo Doménech, Barcelona, 1871. El taller de F. Amorós había crecido en seis secciones más hacia 1860.

9. Ibídem, p. 242.

10. Véase *Ribas y Pradell S.A: 1845-1945*, Oliva de Vilanova, 1945 (con motivo del Centenario de la Casa, publicación ilustrada con grabados al boj de E.C. Ricart).

11. Con motivo de la muerte de J. Vilaseca aparece en la revista *Arquitectura y Construcción* (Barcelona, 1910), p. 133, un artículo y reportaje gráfico sobre el arquitecto y los talleres Vidal.

12. Véase J. Mainar, «Francesc Vidal», *op. cit.*, p. 276-286. *La Ilustración* de 1884 se hacía eco de ello y describía con detalle la nueva ubicación.

13. *La Febre d'Or*, Les Millors Obres de la Literatura Catalana, vol. I, Barcelona, 1980, p. 48.

14. Véase George Candilis *et al.*, *Muebles Thonet. Historia de los muebles de madera curvada*, G. Gili, Barcelona, 1981. En el Museo Austríaco de Artes Aplicadas de Viena se conserva una muestra representativa de los modelos de la casa Thonet. La reestructuración del museo es muy interesante porque presenta de modo novedoso las colecciones de artes decorativas. Véase P. Noever, MAK. *Museo Austriaco di Arti Applicate Vienna*, Prestel, Viena, 1995.

15. Fotografía del interior del Hotel Internacional conservadas en el Arxiu Mas. Falta un estudio en profundidad sobre la utilización de los muebles de Viena en Cataluña y Valencia, lugares donde consta documentalmente que tuvieron una aceptación importante.

16. Con taller en Passeig de Sant Joan. Véase *Catálogo de los objetos que figuran en la Exposición de Artes Industriales con aplicación al decorado de habitaciones* (inaugurada el 16 de Diciembre de 1884), Barcelona, 1884, p. 14-16.

17. Los muebles Thonet de Viena se vendían en Pelai, 40, y los Kohn en Elisabets, 3.

18. Propaganda comercial en la que, además, se hace constar que la casa Martínez y Comp. era la única representante en España de los muebles de madera curvada de procedencia húngara, además de ser taller de tapicería, ebanistería, fábrica de somiers y camas torneadas. También hacen propaganda de ser la fábrica de «sillas automáticas plegantes con privilegio e invención de Baldomero Martínez». *La Exposición* (Septiembre de 1887-Octubre de 1888), p. 15.

19. Podríamos añadir algunas fábricas especializadas en muebles rústicos como la de Antoni Miranda en la plaza de Santa Anna, 4.

20. Greiner, «Sección francesa», «Monsieur A. Ferét. Miembro del Jurado de Premios de la Exposición de Barcelona y expositor de las mesas "Ferét" higiénicas, para escritura y dibujo», *Diario de la Exposición* (10 de Noviembre de 1888), Barcelona, p. 4.

21. Véase Y. Brunhammer, *Le beau dans l'utile. Un Musée pour les arts décoratifs*, Découvertes Gallimard, París, 1992.

22. Entre 1887 y 1894 M. Vicente recoge un inventario de 137 sociedades, entre las cuales sólo hemos referenciado las del ramo de ebanistería. Véase «El moviment societari obrer a Barcelona i la seva rodalia (1890-1893). Proliferació de societats, activitat societària i moviment vaguístic», *Actes del Congrés Internacional d'Història Catalunya i la Restauració (1875-1923)*, Centre d'Estudis del Bages, Manresa, 1992, p. 367-378. También se puede consultar el trabajo de A. Rodón, *Inventari de les Associacions polítiques, sindicals i obreres, inscrites al Govern Civil de Barcelona des de 1887-1936*, Barcelona, 1982.

23. *Estatutos del Centro de Artes Decorativas de Barcelona*, Tip. Luis Taso, Barcelona, 1894.

24. La cabecera goticista de los dos primeros años fue diseñada por Alexandre de Riquer, quien en los últimos números cambia al estilo gráfico del Art Nouveau, con motivos decorativos de hadas, flores y amorcillos. Probablemente se inspiran en la revista *Art et décoration* que dependía de la Union Centrale des Arts Décoratifs parisiense.

25. La interpretación de la flora y la fauna, captadas a la manera japonesa, estilizando e introduciendo la asimetría eran los modelos compositivos que Pascó enseñaba como catedrático de dibujo y composición decorativa en Llotja.

26. *Anuari de l'Associació d'Arquitectes de Catalunya* (1903), p. 64. La propaganda de su taller, con sede en la calle València, núm. 282, aparece en la página siguiente. Se dedica a la construcción de muebles artísticos, a la decoración completa de edificios, especialidad en altares, templetes, oratorios, púlpitos, reclinatorios etc., privilegio exclusivo en la fabricación de cómodas

Notes

1. Aquest treball s'ha realitzat dins l'àmbit del Grup de Recerca sobre Art Català del Modernisme al Noucentisme (1875-1936). Departament d'Història de l'Art. Universitat de Barcelona. PB 95-0899-CO2-01.

2. Amb motiu de l'exposició *El Modernisme* ja vàrem situar el paper i el funcionament dels tallers a la fi de segle. Vegeu "Tallers i artífexs en el Modernisme" a *El Modernisme*, Olimpiada Cultural-Lunwerg, Barcelona, 1990. p. 259-268. Després, amb motiu de l'exposició *Moble català*, vàrem explicitar quin era el tipus de mobiliari que es va realitzar durant el període. Vegeu "El mobiliari dels interiors de l'època del Modernisme" a *Moble català*, Electa-Generalitat de Catalunya, Barcelona, 1994. p. 112-124.

3. Els artistes i els artesans col·laboraven en el disseny dels objectes —artefactes— que configuren la vida quotidiana. En aquest mateix registre, pel que fa a la reconstrucció del que podríem anomenar *universos simbòlics* del modernisme, amb motiu del Congrés Internacional d'Història "Catalunya i la Restauració (1875-1923)" que va celebrar-se a Manresa al maig de 1992, vàrem presentar una comunicació on analitzàvem com eren els interiors on els artistes "es reunien, bevien, es divertien, discutien [...] els habitatges i els objectes que els envoltaven, que prefiguren l'univers simbòlic d'una manera de viure". Vegeu "Interiors d'artistes del Modernisme", *Actes*, Centre d'Estudis del Bages, Manresa, 1992. p. 425-429. També vàrem tenir l'ocasió de reconstruir documentalment l'univers decoratiu d'un espai de relació privilegiat de la burgesia barcelonina com era el Gran Teatre del Liceu. Vegeu "Metamorfosis decoratives al Gran Teatre del Liceu", Catàleg de l'Exposició *Opera-Liceu, una exposició en cinc actes*, Museu d'Història de Catalunya, Generalitat de Catalunya-Proa, Barcelona, 1997, p. 41-51. Així, seguint en aquesta línia de recerca, actualment continuem treballant sobre els interiors dels segles XIX-XX, per tal de definir com era l'hàbitat de la burgesia, les *arquitectures privades* en el període comprès entre 1875 i 1914. Aquest és el tema del curs de doctorat que impartirem el curs 1998-1999 dintre del cicle de doctorat "Pensar la ciutat" al Departament d'Història de l'Art de la Universitat de Barcelona.

4. La història del moble a Catalunya no ha assolit encara el nivell d'investigació existent en altres països com Anglaterra o França. Els primers estudis històrics sobre el moble van sorgir, a partir del segle XIX, relacionats amb el fenomen del col·leccionisme de mobiliari antic, tal com indica Peter Thorton, conservador de les col·leccions de mobles del Victoria and Albert Museum, a "L'étude des meubles anciens" a A.D. *Le meuble des grands ébénistes et des designers*, F. Nathan, París, 1984 (1983) p. 9-10. En aquest sentit, són de citació obligada els estudis de Pugin sobre el mobiliari medieval: *Gothic Furniture*, London, 1830, o el *Dictionnaire raisonné du meuble français de l'époque carolingienne à la Renaissance*, París, 1874-75, realitzat per Viollet-le-Duc.

En aquella època, a la Península comencen a aparèixer escrits sobre mobiliari a la revista *La Ilustración Artística* de l'any 1882, articles signats per Francisco Giner de los Ríos, que després trobarem ampliats a la recopilació escrita pel mateix autor a *Estudios sobre artes industriales*, Madrid, 1892. Coincidint amb aquestes dates també cal citar l'aportació de Josep de Manjarrés i de Bofarull, el qual, després de la publicació de *Las Bellas Artes*, en el moment en què va esdevenir director de l'Escola de Llotja, l'any 1882, va publicar *Las artes suntuarias*. No obstant això, com a aportació monogràfica del tema que ens ocupa, ens interessa remarcar el llibre editat per l'editorial Montaner y Simon del crític Francesc Miquel i Badia: *Historia del mueble, tejido, bordado y tapiz*, aparegut l'any 1897. Aquest volum es complementava amb el d'Antoni García i Llansó intitulat *Metalistería, cerámica, vidrio*. En el seu moment ja vàrem desenvolupar *in extenso* l'estat de la qüestió referida als estudis que sobre el moble català s'havien dut a terme. Vegeu "Precisions historiogràfiques sobre la història del moble català" a *La Casa Busquets (1840-1929)*, tesi doctoral, Universitat de Barcelona, 1993. p. 19-24.

5. J. Mainar, *El moble català*, Destino, Barcelona, 1976. p. 225.

6. Vegeu el capítol "Romanticisme" que Mainar dedica al ram del moble a Catalunya. Ibídem, p. 219. Situa els industrials petits i mitjans de la indústria del moble a Barcelona entre 1844 i 1856.

7. *Reseña completa. Descriptiva y crítica de la Exposición Industrial y Artística de Productos del Principado de Cataluña*. Est. Tip. de Jaime Jepús, Barcelona, 1860, p. 241.

8. *Exposición General Catalana de 1871. Historia y reseña de dicho concurso, por D. Agustín Urgellés de Tovar*. Imp. de Leopoldo Doménech, Barcelona, 1871. El taller de F. Amorós havia crescut envers l'any 1860 en sis seccions més.

9. Ibídem p. 242.

10. Vegeu *Ribas y Pradell S.A. 1845-1945*, Oliva de Vilanova, 1945 (amb motiu del Centenari de la Casa, publicació il·lustrada amb gravats al boix d'E.C. Ricart).

11. Amb motiu de la mort de J. Vilaseca apareix a la revista *Arquitectura y Construcción* un article i reportatge gràfic sobre l'arquitecte i els tallers Vidal (Barcelona, 1910), p. 133.

12. Vegeu J. Mainar, *op. cit.*, Francesc Vidal a les p. 276-286. *La Ilustración* de 1884 se'n feia ressò i descrivia amb detall aquesta nova ubicació.

13. *La Febre d'Or*, Les millors obres de la literatura catalana, vol. I, Barcelona, 1980, p. 48.

14. Vegeu George Candilis et al. *Muebles Thonet. Historia de los muebles de madera curvada*, G. Gili, Barcelona, 1981.

Al Museu Austríac d'Arts Aplicades de Viena es conserva una mostra representativa dels models de la Casa Thonet. La restructuració del museu és molt interessant perquè presenta d'una manera novedosa les col·leccions d'arts decoratives. Vegeu P. Noever, *MAK. Museo Austriaco di Arti Applicate VIenna*, Prestel, Viena, 1995.

15. Fotografia de l'interior de l'Hotel Internacional conservada a l'Arxiu Mas.

16. Amb taller al Passeig de Sant Joan. Vegeu *Catálogo de los objetos que figuran en la Exposición de Artes Industriales con aplicación al decorado de habitaciones*, inaugurada el 16 de desembre de 1884, Barcelona, 1884, p. 14-16.

17. Els mobles Thonet de Viena es venien al carrer Pelai, 50, i els Kohn al carrer Elisabets, 3.

18. Propaganda comercial on a més a més es fa constar que la Casa "Martínez y Comp." era l'única representant a Espanya dels mobles de fusta corbada de procedència húngara, a més de ser un taller de tapisseria, ebenisteria, fàbrica de somiers i llits tornejats. També fan propaganda de ser la fàbrica de "sillas automáticas plegantes con privilegio e invención de Baldomero Martínez". *La Exposición*, setembre de 1887-octubre de 1888, p. 15.

19. Podríem afegir-hi algunes fàbriques especialitzades en mobles rústics com la d'Antoni Miranda a la plaça de Santa Anna, 4.

20. Greiner. "Sección francesa". "Monsieur A. Ferét. Miembro del Jurado de Premios de la Exposición de Barcelona y expositor de las mesas 'Ferét' higiénicas, para escritura y dibujo", *Diario de la Exposición* (Barcelona, 10 de noviembre de 1888), p. 4.

21. Vegeu Y. Brunhammer, *Le beau dans l'utile. Un Musée pour les arts décoratifs*, Découvertes Gallimard, París, 1992.

22. Entre 1887-1894 M. Vicente recull un inventari de 137 societats, entre les quals només hem referenciat les del ram de l'ebenisteria. Vegeu "El moviment societari obrer a Barcelona i la seva rodalia (1890-1893). Proliferació de societats, activitat societària i moviment vaguístic", *Actes del Congrés Internacional d'Història Catalunya i la Restauració (1875-1923)*, Centre d'Estudis del Bages, Manresa, 1992, p. 367-378. També es pot consultar el treball d'A. Rodón, *Inventari de les Associacions polítiques, sindicals i obreres, inscrites al Govern Civil de Barcelona des de 1887-1936*, Barcelona, 1982.

23. *Estatutos del Centro de Artes Decorativas de Barcelona*, Tip. Luís Taso, Barcelona, 1894.

24. La capçalera goticista dels dos primers anys va ser dissenyada per Alexandre de Riquer, el qual en els darrers números canvia cap a l'estil gràfic de l'Art Nouveau, amb motius decoratius de fades, flors i amorets. Probablement s'inspiren en la revista *Art et décoration* que depenia de la Union Centrale des Arts Décoratifs parisenca.

25. La interpretació de la flora i la fauna, captades a la manera japonesa tot estilitzant i introduint l'asimetria eren els models compositius que Pascó ensenyava com a catedràtic de dibuix i composició decorativa a l'Escola de Llotja.

26. *Anuari de l'Associació d'Arquitectes de Catalunya* (1903), p. 64. La propaganda del seu taller apareix a la pàgina següent, amb seu al carrer de València núm. 282. Es dedica a la construcció de mobles ar-

y lujosas mecedoras JUCUNDA PEDEFIRA, fabricación de cabinas para ascensores...

27. Observación recogida por A. Duncan, *Majorèlle*, Flammarion, París, 1991, p. 16.

28. La denominación Art Nouveau International ha sido reconocida unánimente por la historiografía a partir de la publicación de la obra de S. Tschudi Madsen, *Sources of Art Nouveau*, G. Witterborn, Nueva York, 1956.

29. Véase E. Gallé, *Le décor symbolique*, discurso de ingreso en la Académie de Stanislas en Nancy (17 de Mayo de 1900), Rumeur des Âges, La Rochelle, 1995 (1900). Se trata de un texto teórico excepcional porque nos ayuda a entender mejor el trabajo del constructor de vitrales y ebanista de Nancy. En ese discurso de ingreso en la Academia, Gallé expone cuáles son los elementos de su actividad, en un conjunto documental revelador, que podríamos resumir, en palabras suyas, como sigue: «Es, por lo tanto, a un compositor ornamentista, a un agrupador de imágenes a quien habéis dado la palabra para hablaros del simbolismo en la decoración».

30. M. Rodríguez Codolà escribió un artículo sobre «El color en los interiores» en *Estilo*, núm. 4, año I (Barcelona, 1906), que acaba diciendo: «...el problema del color atañe, pues, no sólo a la pintura decorativa —a los plafones del muro o del techo—, sino a cuanto entra a integrar el conjunto: al mueble, al cuadro, a la estampa, a los bibelots, a los cortinajes, a la alfombra, al store, a los aparatos de iluminación: a todo, en fin, porque cada cosa es una nota en el concierto, y es fuerza que ni una discrepe. Si esto se logra, un interior será cual un cuadro harmónico que hubiese tomado plasticidad».

31. La ornamentación con marqueterías, técnica artística de gran tradición en Cataluña, se puede considerar como uno de los componentes más característicos del mueble modernista catalán junto al pirograbado, procedimiento que distingue sobre todo a la casa Busquets. Para el análisis de las maderas, sus características y aplicaciones es muy útil el libro de J. Bergós *Maderas de construcción, decoración y artesanía*, Ed. G. Gili, Barcelona, 1959.

32. La misma apreciación sirve para los mueblistas-decoradores de la escuela de Nancy y muchos otros de la época. Así lo recoge A. Duncan en *Majorèlle, op. cit.*, p. 52.

33. J.M. Jordà, *Joventut* (Barcelona, 15 de Febrero de 1900).

34. «Exposición de Arte Decorativo en el Círculo Artístico», *La Vanguardia* (Barcelona, 7 de Febrero de 1900).

35. *Hojas Selectas* (Barcelona, 1902), p. 69.

36. Aparece una relación muy detallada en el *Anuari Riera. Guia General de Cataluña*, Barcelona, 1896. Sin embargo, se trata de un tema que todavía estamos investigando y sobre el que faltan estudios de índole monográfica. Actualmente, desde la Universidad se ha desvelado cierto interés por estudios relacionados con las artes decorativas y, más concretamente, sobre la historia del mueble. Aunque de forma muy embrionaria, hemos empezado a dirigir una futura tesis doctoral sobre el taller de los Ribas. Por eso, el acercamiento que podemos hacer hasta el momento sólo puede ser muy fragmentario.

37. *El arte modernista catalán*, Aymà, Barcelona, 1951, p. 226.

38. Véase la sala escritorio y de conversación en *Materiales y Documentos de Arte Español*, año VI, lám. 49.

39. De todos modos, la mayor parte del mobiliario que había en la vivienda de los Calvet no fue diseñado por Gaudí. La casa Busquets trabajó mucho para la familia Calvet, incluso en la decoración de su palco de propiedad en el Liceu. Cabe destacar el mobiliario «modernista», con pirograbados con el motivo del girasol, para el dormitorio del joven soltero, reproducido en *Arquitectura y Construcción* (1901).

40. «José Puig y Cadafalch», *Hispania* (Barcelona, 28 de Febrero de 1902).

41. Véase B.P., «Nuevo Hotel Términus en Barcelona», *Arquitectura y Construcción* (Barcelona, Mayo de 1903), p. 200-203.

42. Como vemos en *L'Anuari de l'Associació d'Arquitectes de Catalunya* (Barcelona, 1907), p. 22. Además, fue «proveedor de la Casa Real» y construyó un gabinete y dormitorio de estilo para los monarcas Don Alfonso y Doña Victoria.

43. Regalo para su mujer, Paulina Quinquer, reproducido en la revista *Arquitectura y Construcción* (Barcelona, 1904), p. 28. Cuestiones contrastadas con el *Dietari* del artista, donde constan los gastos y también las entradas económicas por las tareas que Junyent realizó como ilustrador y diseñador. Tesis de licenciatura *Sebastià Junyent i Sans (1865-1908), pintor, il·lustrador i dissenyador modernista*, Universitat de Barcelona, 1985.

44. Actualmente, el aparador, la mesa y las sillas se conservan en el Museu d'Art Modern, Donació Maria Junyent.

45. Reproducido en *L'Ilustració Catalana* (Barcelona, 14 de Agosto de 1904), p. 536.

46. Reproducido en el apartado «Arts decoratives i industrials» en *Arquitectura y Construcción* (Barcelona, 1902), p. 123.

47. Aparecen un mueble-secreter y una silla diseñada por Víctor Masriera y ejecutada por Farrés en *Materiales y Documentos de Arte Español* (Barcelona, año VI, lám. 81).

48. R. Garriga Marqués, *Círculo Ecuestre 1856-1981*, Borrás Ed., Barcelona, 1982.

49. El establecimiento estaba ubicado en la esquina de Passeig de Gràcia con Gran Via. Los trabajos de decoración los dirigió R. Campmany, aunque también intervinieron los arquitectos Pere Falqués, J. Puig i Cadafalch y A. Gaudí. Véase B.P., «Artes decorativas e industriales»: «Decoración del establecimiento de bebidas Torino en Barcelona», *Arquitectura y Construcción* (Barcelona, 1902), p. 374.

tístics, a la decoració completa d'edificis, especialitat en altars, temples, oratoris, trones, reclinatoris, etc., privilegi exclusiu en la fabricació de calaixeres i luxosos balancins JUCUNDA PEDEFIRA, fabricació de cabines per a ascensors...

27. Observació recollida per A. Duncan, *Majorèlle*, Flammarion, París, 1991. p. 16.

28. La denominació d'Art Nouveau Internacional ha estat reconeguda de forma unànime per la historiografia, a partir de la publicació de l'obra de S. Tschudi Madsen, *Sources of Art Nouveau*, G. Witterborn, Nova York, 1956.

29. Vegeu E. Gallé, *Le décor symbolique, Discours de réception à l'Académie de Stanislas à Nancy, le 17 de mai 1900*, Rumeur des Ages, La Rochelle, 1995 (1900). Es tracta d'un text teòric excepcional perquè ens ajuda a entendre millor el treball de l'artesà vitraller i ebenista de Nancy. En aquest discurs d'ingrés a l'Acadèmia, Gallé exposa quins són els elements de la seva activitat, en un conjunt documental revelador, que podríem resumir de la manera següent, tot emprant les seves paraules: "És doncs a un compositor ornamentista, a un agrupador d'imatges a qui vosaltres heu donat la paraula per parlar-vos del simbolisme en la decoració".

30. M. Rodríguez Codolà va escriure un article sobre "El color en los interiores" a Estilo, núm. 4, Any I (Barcelona, 1906) i acaba dient: "el problema del color atañe, pues, no solo á la pintura decorativa, —á los plafones del muro ó del techo—, sinó á cuanto entra á integrar el conjunto: al mueble, al cuadro, a la estampa, á los bibelots, á los cortinajes, á la alfombra, al store, á los aparatos de iluminación: á todo, en fin, porque cada cosa es una nota en el concierto, y es fuerza que ni una discrepe. Si esto se logra, un interior será cual un cuadro harmónico que hubiese tomado plasticidad".

31. L'ornamentació amb marqueteries, tècnica artística de gran tradició a Catalunya, es pot considerar un dels components més característics del moble modernista català, al costat del pirogravat, procediment que distingeix sobretot la casa Busquets. Per a l'anàlisi de les fustes, les seves característiques i aplicacions és molt útil el llibre de J. Bergós, *Maderas de construcción, decoración y artesanía*, Ed. G. Gili, Barcelona, 1959.

32. Aquesta mateixa apreciació serveix per als moblistes-decoradors de l'Escola de Nancy, i molts altres de l'època. Aixi ho recull A. Duncan a *Majorèlle, op. cit.*, p. 52.

33. J.M. Jordà, *Joventut* (Barcelona, 15 de febrer de 1900).

34. "Exposición de Arte Decorativo en el Círculo Artístico", *La Vanguardia* (Barcelona, 7 de febrer de 1900).

35. *Hojas Selectas* (Barcelona, 1902), p. 69.

36. Hi ha una relació força detallada a l'*Anuari Riera. Guia General de Cataluña*, Barcelona, 1896. Tanmateix, es tracta d'un tema que encara investiguem i sobre el qual manquen estudis de caire monogràfic. Actualment, des de la Universitat s'ha desvetllat un cert interès per estudis relacionats amb les arts decoratives i, més en concret sobre la història del moble. Encara que de forma força embrionària, hem començat a dirigir una futura tesi doctoral sobre el taller dels Ribas. Per això, l'acostament que podem fer fins al moment només pot ser de caràcter força fragmentari.

37. *El arte modernista catalán*, Aymà, Barcelona, 1951, p. 226.

38. Vegeu-ne la sala escriptori i de conversa a *Materiales y Documentos de Arte Español*, Any VI, làm. 49.

39. De tota manera, la major part del mobiliari que hi havia a l'habitatge dels Calvet no va ser dissenyat per Gaudí. La Casa Busquets va treballar força per a la família Calvet, fins i tot en la decoració de la llotja de propietat del Liceu. Hi destaca el mobiliari "modernista", amb pirogravats amb el motiu del gira-sol, per al dormitori del jove solter, reproduït a *Arquitectura y Construcción* (1901).

40. "José Puig y Cadafalch", *Hispania* (Barcelona, 28 de febrer de 1902).

41. Vegeu B.P., "Nuevo Hotel Términus en Barcelona", *Arquitectura y Construcción* (Barcelona, maig, 1903), p. 200-203.

42. Com veiem a l'*Anuari de l'Associació d'Arquitectes de Catalunya* (Barcelona, 1907), p. 22. A més a més, va ser "proveedor de la Real Casa", tot construint un gabinet i dormitori d'estil per als monarques D. Alfonso i D. Victòria.

43. Regal per a la seva dona, Paulina Quinquer, reproduït a la revista *Arquitectura y Construcción* (Barcelona, 1904), p. 28. Al Dietari de l'artista consten les despeses i també les entrades econòmiques per les tasques que Junyent va fer com a il·lustrador i dissenyador, tesi de llicenciatura, *Sebastià Junyent i Sans (1865-1908), pintor, il·lustrador i dissenyador modernista*, Universitat de Barcelona, 1985.

44. Actualment el bufet, la taula i les cadires es conserven al Museu d'Art Modern. Donació Maria Junyent.

45. Reproduït a *La Ilustració catalana* (Barcelona, 14 d'agost de 1904), p. 536.

46. Reproduït a l'apartat dedicat a les "Arts decoratives i industrials" a *Arquitectura y Construcción* (Barcelona, 1902), p. 123.

47. Hi ha un moble-secreter i una cadira dissenyada per Víctor Masriera i executada per Farrés a *Materiales y documentos de Arte Español* (Barcelona, any VI, làm. 81).

48. R. Garriga Marqués, *Círculo Ecuestre 1856-1981*, Borrás Ed., Barcelona, 1982.

49. L'establiment era a la cantonada del Passeig de Gràcia amb la Gran Via. Els treballs de decoració els va dirigir R. Campmany, però també hi van intervenir els arquitectes Pere Falqués, J. Puig i Cadafalch i A. Gaudí. Vegeu B.P., "Artes decorativas é industriales: Decoración del establecimiento de bebidas Torino en Barcelona", *Arquitectura y Construcción* (Barcelona, 1902), p. 374.

Josep Pey, anónimo colaborador de mueblistas y decoradores

Magdala Pey

Josep Pey i Farriol (Barcelona, 1875-1956), pintor, decorador, ilustrador, diseñador de esgrafiados, vitrales, mosaicos, marqueterías y porcelanas, así como restaurador de obras antiguas, fue un artista hábil y polifacético que se amoldaba a cualquier

1

encargo, dado que era buen conocedor de las más diversas técnicas. Extremadamente metódico, utilizó durante más de cincuenta años unas pequeñas agendas donde apuntaba todo lo relacionado con los distintos encargos que recibía (tipo de encargo, horas dedicadas a cada trabajo, para quién era, lo que cobraba, si utilizaba modelo del natural etc.). En las agendas se reflejaban muchos detalles, como excursiones, viajes, alguna cena relevante y precios de cosas que compraba. Más tarde puso en limpio los datos más importantes, sintetizados por años en una libreta a la cual hemos denominado *Agenda*, pieza clave para el estudio de la obra de Josep Pey. Era hombre culto y curioso, modesto en extremo pero con humor y cierta socarronería. Era pulcro en el trabajo y en el vestir. Vestía siempre correctamente, con sombrero y corbata. Lector empedernido, llegó a poseer una biblioteca muy bien

organizada y con títulos variados que demuestran la amplitud de sus intereses.[1] Una característica de su talante discreto es la escasa importancia que concedió a firmar sus obras y a participar en exposiciones.

Empezó a estudiar dibujo a los nueve años en el Ateneu Obrer de Barcelona y con trece —en 1888— ingresó en la Escola de Llotja, donde prosiguió sus estudios hasta el año 1895 bajo el magisterio de Antoni Caba. Ese mismo año recibió una bolsa de estudios de Llotja de mil pesetas y ganó varios concursos de pintura. Sus amigos y condiscípulos eran, entre otros, Joan Carreras, Manolo Hugué, Xavier Gosé, Sebastià y Oleguer Junyent, Joan Busquets, Isidre Nonell, Joaquim Mir, Ricard Canals y Pablo R. Picasso. Con muchos de ellos compartió durante muchos años trabajos y amistades.

Sea por el magisterio de Caba o por la influencia de los pintores con quienes estuvo inicialmente vinculado (Monserdà, Galofré Oller, Fèlix Mestres y particularmente Sebastià Junyent, con quien compartió taller), al principio hizo una pintura académica, pero muy pronto se decantó por la pintura decorativa o, como dice Oriol Bohigas,[2] se planteó —conscientemente o por casualidad— la profesión de «proyectista industrial» que le llevó a colaborar asiduamente con mueblistas y decoradores.

Desde 1897, Pey colaboraba regularmente con Sebastià Junyent y otros pintores. Al principio ayudaba en el taller de un pintor llamado Coll, de quien sólo sabemos el apellido y que tenía su taller en el Carrer Nou, núm. 25.[3] Para él realizó las ilustraciones de algún cuento y diseños para tapices, y le ayudó en la ejecución de cuadros, como el denominado *Niña perdida*. A partir de 1897 Pey deja de citar a Coll en su Agenda. También colaboraba con Fèlix Mestres, para quien trabajó entre 1898 y 1918, año en que le ayudó en la decoración de paneles y cuadros para el Colegio de Notarios de Barcelona.[4] Con Enric Monserdà colaboró en el diseño de tapices y vidrieras, y haciendo copias de cuadros, así como con Francesc Galofré i Oller, para quien hizo varias copias del cuadro *Bòria avall* (pintado en 1892), de gran éxito en la época y del cual Pey realizó, por encargo directo del propio Galofré i Oller, copias en 1895, 1897 y 1899.[5] Para todos ellos continuó trabajando durante algunos años ejecutando los encargos más variados. También en esa época empieza a hacer

1. Tarjeta diseñada por Pey para la casa Homar en enero de 1906.

2. Josep Pey en el taller de la calle Bonavista, 21. C. 1910.

Josep Pey, anònim col·laborador de moblistes i decoradors

Magdala Pey

Josep Pey i Farriol (Barcelona 1875-1956), pintor, decorador, il·lustrador, dissenyador d'esgrafiats, vitralls, mosaics, marqueteries i porcellanes, i també restaurador d'obres antigues, fou un artista hàbil i polifacètic, que s'emmotllava a qualsevol comanda ja que era bon coneixedor de les més variades tècniques. Extremadament metòdic, utilitzà durant més de cinquanta anys unes petites agendes on ho apuntava tot per fer les diferents comandes que rebia (tipus d'encàrrecs, hores dedicades a cada feina, per a qui era, què en cobrava, si utilitzava model del natural, etc.). A les agendes, s'hi reflecteixen molts detalls, com excursions, viatges, algun sopar rellevant i preus de coses que comprava. Més tard passà en net les dades més importants i ho sintetitzà per anys en una llibreta, la qual hem denominat Agenda, peça clau per a l'estudi de l'obra de Josep Pey. Era un home culte i curiós, modest en extrem però amb un humor fi i una certa sornegueria. Era pulcre en la feina i en el vestir. Vestia sempre correctament, amb barret i corbata. Llegidor empedreït, arribà a posseir una biblioteca molt ben organitzada i amb títols variats que demostren els seus amplis interessos.[1] Una característica del seu tarannà discret és la poca importància que donà al fet de signar les seves obres ni a participar en exposicions.

Començà a estudiar dibuix a nou anys a l'Ateneu Obrer de Barcelona i a tretze anys —el 1888— ingressà a l'Escola de Llotja on seguí els estudis fins a l'any 1895 sota el mestratge d'Antoni Caba. Aquell mateix any rebé una Borsa de Llotja, de 1.000 pessetes i guanyà diversos premis de pintura. Els seus amics i companys d'estudis eren Joan Carreras, Manolo Hugué, Xavier Gosé, Sebastià i Oleguer Junyent, Joan Busquets, Isidre Nonell, Joaquim Mir, Ricard Canals i Pablo R. Picasso entre d'altres. Amb molts d'ells seguí compartint, durant molts anys, feines i amistat.

Ja sigui pel mestratge de Caba o per la influència dels pintors amb els quals estigué vinculat inicialment (Monserdà, Galofré Oller, Fèlix Mestres i particularment Sebastià Junyent, amb qui compartí taller) al començament realitzà una pintura acadèmica, però ben aviat es decantà per la pintura decorativa o, com diu Oriol Bohigas,[2] es plantejà —conscientment o per atzar— la professió de "projectista industrial" col·laborant habitualment amb moblistes i decoradors.

Pey col·laborava regularment, des del 1897, amb Sebastià Junyent i amb altres pintors. Al començament ajudava al taller d'un pintor anomenat Coll, del qual sols sabem el cognom i que tenia el taller al carrer Nou, 25.[3] Per a ell va fer il·lustracions d'algun conte, dissenys per a tapissos i l'ajudà en la realització de quadres, com per exemple l'anomenat *Niña perdida*. A partir de l'any 1897 ja no cita més Coll a la seva Agenda. Col·laborava també amb Fèlix Mestres, per a qui treballà des del 1898 fins al 1918, any que l'ajudà en la decoració de plafons i quadres per al Col·legi de Notaris de Barcelona.[4] Amb Enric Monserdà col·laborà en el disseny de tapissos, vidrieres i fent còpies de quadres, com també ho féu amb Francesc Galofré i Oller, per al qual realitzà diverses còpies del quadre *Bòria Avall* (pintat el 1892), de gran èxit a l'època i del qual Pey, per encàrrec directe del propi Galofré Oller, en realitzà còpies els anys 1895, 1897 i 1899.[5] Per a tots ells seguí treballant durant uns quants anys realitzant encàrrecs ben variats. També en aquesta època començà a fer dissenys per al decorador i director artístic Alexandre Vilaró, col·laboració que durà fins als darrers anys de la seva vida professional.

Pel desembre de l'any 1899 és esmentat per primer cop el nom de Gaspar Homar a l'Agenda de Josep Pey. Diu textualment: "S. Junyent pintar frisos botiga Homar, 150 pessetes".

L'any 1897, Gaspar Homar traslladà la botiga al carrer Canuda, 4, a tocar de l'Ateneu Barcelonès. El desembre de 1899, Sebastià Junyent, ajudat per Josep Pey,[6] pintava uns frisos a la botiga d'Homar.[7] És a partir d'aquestes dates que començà l'estreta col·laboració entre Gaspar Homar i Josep Pey, i alhora començà també una gran, sincera i respectuosa amistat que durà tota la vida.

Amb Gaspar Homar i els Junyent, a més de la feina, compartiren sortides, excursions i viatges.

2

1. Targeta dissenyada per Pey per a la casa Homar el gener de 1906.

2. Josep Pey al taller del carrer Bonavista, 21. C. 1910.

3. Excursión a Palamós (30 de octubre de 1915): Gaspar Homar, Josep Pey, Sres. Ferran y Taxonera.

4. Tapiz realizado por Josep Pey. C. 1901.

5. Cabecera de cama en marquetería representando a la Virgen de Montserrat. C. 1904.

diseños para el decorador y director artístico Alexandre Vilaró, colaboración que perduró hasta los últimos años de su vida profesional.

En diciembre de 1899 aparece citado por primera vez el nombre de Gaspar Homar en la Agenda de Josep Pey. Dice textualmente: «S. Junyent pintar frisos botiga Homar, 150 pessetes».

En 1897, Gaspar Homar trasladó su tienda a Canuda, núm. 4, junto al Ateneu Barcelonès. En diciembre de 1899, Sebastià Junyent, ayudado por Josep Pey,[6] pintaba unos frisos en la tienda de Homar.[7] Es por esas fechas cuando empieza la estrecha colaboración entre Homar y Pey, al

3

tiempo que nace una gran, sincera y respetuosa amistad que duraría toda la vida.

Con Gaspar Homar y los Junyent, además del trabajo, compartió salidas, excursiones y viajes. Muchos veranos se encontraban en Mallorca, estancias de las que tenemos testimonios escritos y gráficos (postales, fotografías y notas coloreadas). También hacían excursiones a la Costa Brava y, con el matrimonio Homar, algunos viajes y excursiones a Tarragona y Zaragoza, aprovechando la visita para comprar piezas antiguas (ropa, bordados, marcos etc.).

En 1900 pintó, junto a Sebastià Junyent, un tapiz titulado *Dia i nit* ('Día y noche') para Homar. El año siguiente, esta vez en solitario, Pey recibió varios encargos de Homar. Se trataba de diversos paneles para armarios y camas. No especifica la clase de técnica pero hay que suponer que se trataba de paneles pintados al óleo. Los proyectos para marqueterías vendrían más adelante y suelen estar bien consignados en la Agenda.

1900 fue el año de la gran Exposición Universal de París. Todo el grupo de amigos fue a la misma. Pey lo hizo en octubre con Ricard Canals i Alexandre de Cabanyes, según consta en su Agenda. Las revistas especializadas de la época mostraban y comentaban las novedades que se exhibían y aquel arte nuevo que desde allí se proclamaba fue impregnando todos los diseños que se hacían en

nuestro país con influencias de Guimard, Majorelle, Grasset, Gallé, de Feure etc.

En cuanto al diseño de tapices, entre 1895 y 1934 llevó a cabo más de doscientos. Eran piezas generalmente de grandes dimensiones, pintadas al óleo, que imitaban los tapices tejidos, y encargadas por Gaspar Homar, Joan Busquets, Alexandre Vilaró, Oleguer Junyent y algunos particulares para decorar salas, comedores o dormitorios. Los temas que más se repetían eran los dedicados a vírgenes y santos para poner sobre las cabeceras de las camas. Entre 1916 y 1918 dominaban las copias de Goya y Murillo, después se prefirió a Boticelli, Watteau, Garofallo o Boucher. A partir de la segunda década del siglo los encargos fueron en su mayor parte de Busquets y Vilaró.[8]

En el archivo Pey se conservan algunas fotografías de tapices. En general, el resultado final no es muy afortunado. Toda la gracia y espontaneidad que Pey nos muestra en sus proyectos y bosquejos se pierden en las obras mayores, voluntariamente «bien acabadas».

Hay fotografías de dos tapices, muy parecidos, que representan a la Virgen de Montserrat. No consta fecha alguna, pero es posible que se tratase de los primeros encargos de Homar, en 1901. A pesar del movimiento que podría ofrecer el fondo de guirnaldas de flores, ambos tapices tienen un aire estático dado por la imagen representada en forma triangular que ocupa el centro de la composición.

El 7 de mayo de 1905, la revista *Ilustració Catalana* (p. 302) reproduce un panel decorativo realizado con marquetería por Gaspar Homar. Aquí vemos exactamente el mismo tipo de imagen de los tapices y resuelto del mismo modo, en triángulo. Las montañas del fondo se han estilizado y con pocos trazos se logra un movimiento que no se apreciaba en los tapices. La decoración del manto se ha sintetizado para poderla realizar con maderas de distintos tipos. La imagen de la virgen, en el interior de una almendra —solución muy frecuente en paneles de marquetería para cabeceras de cama realizados por Homar en esa época—, está rodeada por un adorno cuadrático de talla; en este caso, ejecutado en madera de sicomoro.[9]

La relación con Sebastià Junyent debió de ser muy estrecha, ya que compartían taller y muchos trabajos. En noviembre de 1897, pintan conjuntamente un tapiz de 3 x 3 metros para Joan Busquets.[10] En 1899 hacen juntos otro tapiz para Busquets (185 x 265 m) titulado *Mosqueteros*, así como un tapiz con la imagen de San Jorge. En diciembre del mismo año realizan unos paneles de flores y los frisos para la tienda de Homar. En 1900, pintan al alimón el tapiz *Dia y noche*, también para Homar, y otro titulado *Corona de rosas* para el propio Sebastià Junyent. El año siguiente,

3. Excursió a Palamós (30 d'octubre de 1915) Gaspar Homar, Josep Pey, Srs. Ferran i Taxonera.

4. Tapís realitzat per Josep Pey. C. 1901.

5. Capçal de llit de marqueteria representant la Mare de Déu de Montserrat. C. 1904.

4

5

Molts estius es trobaven a Mallorca, estades de les quals tenim testimonis escrits i gràfics (postals, fotografies i notes pintades). També feien excursions a la Costa Brava i amb el matrimoni Homar feren alguns viatges i excursions a Tarragona i Saragossa, aprofitant per comprar-hi peces antigues (robes, brodats, marcs etc.).

L'any 1900, juntament amb Sebastià Junyent, pintaren un tapís per a Homar titulat *Dia i nit*. L'any següent, ara ja en solitari, Pey rebé diversos encàrrecs d'Homar. Es tractava de diversos plafons per a armaris i llits. No especifica el tipus de tècnica, però cal suposar que es tractava de plafons pintats a l'oli. Els projectes per a marqueteries vindrien més endavant i solen estar ben ressenyats a l'Agenda.

El 1900 fou l'any de la gran Exposició Universal de París. Tota la colla d'amics hi anaren. Pey ho féu pel mes d'octubre, amb Ricard Canals i Alexandre de Cabanyes, segons que consta a l'Agenda. Les revistes especialitzades de l'època mostraven i comentaven les novetats que s'hi exhibien i aquell art nou que des d'allí es proclamava anà impregnant tots els dissenys que es feien a casa nostra, amb influències de Guimard, Majorelle, Grasset, Gallé, de Feure etc.

Pel que fa al disseny de tapissos, des de 1895 fins el 1934 en va fer més de dos-cents. Eren peces generalment de grans dimensions, pintades a l'oli, imitant els tapissos teixits, que li encarregaven Gaspar Homar, Joan Busquets, Alexandre Vilaró, Oleguer Junyent i alguns particulars per decorar sales, menjadors o dormitoris. Els temes que més es repetien eren els dedicats a mares-de-déu i sants per posar sobre els capçals dels llits. Cap als anys 1916 i 1918 dominaven les còpies de Goya i Murillo, després es preferiren Boticelli, Watteau, Garofallo o Boucher. A partir dels anys deu, els encàrrecs foren majoritàriament de Busquets i de Vilaró.[8]

A l'arxiu Pey es conserven algunes fotografies de tapissos. Generalment el resultat final no és gaire afortunat. Tota la gràcia i espontaneïtat que Pey ens mostra en els seus projectes i esbossos es perd a les obres grans, volgudament "ben acabades".

Hi ha fotografies de dos tapissos, molt semblants, que representen la Mare de Déu de Montserrat. No hi consta cap data, però és possible que es tractés dels primers encàrrecs d'Homar, del 1901. Malgrat el moviment que hi podria oferir el fons amb garlandes de flors, tots dos tapissos tenen un aire estàtic, donat per la imatge representada de forma triangular, al centre de la composició.

El 7 de maig de 1905, la revista *Ilustració Catalana* (p.302), reprodueix un plafó decoratiu realitzat amb marqueteria per Gaspar Homar. Aquí veiem exactament el mateix tipus d'imatge, que als tapissos i resolt idènticament, de forma triangular. Les muntanyes del fons s'han estilitzat i amb pocs traços s'aconsegueix un moviment que no s'apreciava als tapissos. La decoració del mantell s'ha sintetitzat per poder-la realitzar amb diferents tipus de fustes. La imatge de la Mare de Déu, dins d'una forma ametllada —molt freqüent en plafons de marqueteria per a capçal de llit realitzats per Homar durant aquesta època— és envoltat d'un ornament quadràtic de talla, en aquest cas executat amb fusta de sicòmor.[9]

La relació amb Sebastià Junyent degué ésser molt estreta, car compartien taller i moltes feines. El novembre del 1897 pinten conjuntament un tapís de 3 x 3 metres per a Joan Busquets.[10] El 1899 feien junts un nou tapís per a Busquets (de 185 x 265 cm) titulat *Mosqueteros* i també pintaven un tapís amb una imatge de Sant Jordi. Pel desembre del mateix any fan uns plafons de flors i els frisos per a la botiga d'Homar. El 1900 pinten conjuntament el tapis *Dia i Nit*, també per a Homar i un altre de titulat *Corona de roses*, que és per al mateix Sebastià Junyent. L'any següent, el 1901, pel mes d'agost, Pey té anotat a la seva Agenda "Anunciació, de Junyent (quadre)". No queda clar el tipus de col·laboració que hi va aportar. Per la data, el que ell titula "Anunciació" bé podria tractar-se del quadre *Ave Maria*, datat el 1902, i que Pey traslladaria uns anys més tard a un gerro de porcellana d'Antoni Serra, el 1907.[11] La versió que en féu Pey sobre porcellana és molt decorativista, dins l'esperit de l'Art Nouveau, en particular l'àngel amb les grans ales desplegades que donen força i ritme a la composició. La figura de Maria, de línies més austeres i sintètiques, és més propera a la pintura de Junyent.

Als projectes que realitzà Pey per a les arts decoratives veiem que parteix, en molts casos, d'un tema o d'una obra ja existent, com s'ha pogut constatar en exemples anteriors. El plafó de marqueteria de Gaspar Homar titulat *La Dansa de les Fades* (MAM-MNAC), fou documentat per l'historiador txec Pavel Stépanek en un article aparegut a la revista *Serra d'Or* l'any 1977.[12] L'adaptació de la pintura de Sergius Hruby, *Frühling-Reigen* la realitzà Pey, com ho constaten les formes del rostres, tan característiques en la seva obra, l'ornamentació dels vestits i les semblances i paral·lelismes amb altres marqueteries dissenyades per ell. Ho confirma, a més, una anotació de l'Agenda, on trobem apuntat el mes de juny del 1902: "Homar, plafó marqueteria, Kunst, 1 x 0'50,

6. Sergius Hruby: *Frühling Reigen*, pintura publicada en *Deutsche Kunst und Dekoration*. 1901.

7. Gaspar Homar, Josep Pey, *Danza de las hadas* en marquetería. 1902.

6

en agosto, Pey anota en su agenda: «Anunciació, de Junyent (quadre)». No queda claro qué tipo de colaboración aportó Pey. Dada la fecha, lo que él titula «Anunciació» podría tratarse del cuadro *Ave María*, datado en 1902, que Pey trasladó al cabo de unos años, en 1907, a un jarrón de porcelana de Antoni Serra.[11] La versión que del mismo hizo Pey sobre porcelana es muy decorativista, dentro del espíritu del Art Nouveau, en particular el ángel con las grandes alas desplegadas que dan fuerza y ritmo a la composición. La figura de María, de líneas más austeras y sintéticas, se halla más cerca de la pintura de Junyent.

En los proyectos que llevó a cabo para las artes decorativas vemos que Pey parte, en muchos casos, de un tema u obra existentes, como se ha podido constatar en ejemplos anteriores. El panel de marquetería de Gaspar Homar titulado *La Dansa de les Fades* ('La danza de las hadas', MAM-MNAC), fue documentado por el historiador checo Pavel Stépanek, en un artículo aparecido en la revista *Serra d'Or* (1977).[12] La adaptación de la pintura de Sergius Hruby *Frühling-Reigen*, la realizó Pey, como se constata en la forma de los rostros, tan característicos en toda su obra, la ornamentación de los vestidos y las semejanzas y paralelismos con otras marqueterías diseñadas por él. Lo confirma, asimismo una anotación de la Agenda, donde en junio de 1902 anota: «Homar, plafó marqueteria, Kunst, 1x0,50, 115 pessetes». Las medidas coinciden con las del panel denominado *La Danza de las Hadas* (90x45 cm), en tanto que la palabra «Kunst» se refiere, en mi opinión, a la revista *Deutsche Kunst und Dekoration*, donde en 1901 se reproducía la pintura de Hruby. Como dice Pavel Stépanek, en el panel no se han puesto detalles inútiles. Se ha sintetizado para poderlo reproducir en marquetería. Con la sintetización de las formas se consiguen un dinamismo y una frescura superiores. El resultado final se resuelve con el juego de tonos y la textura de las vetas irregulares de las maderas, seleccionadas con extraordinaria delicadeza por el taller de Homar. Ésta es la obra paradigmática en que, partiendo de una pintura convencional con cierto anecdotismo kitsch, el tándem Pey-Homar consiguió una obra maestra del Art Nouveau.[13]

Otro ejemplo característico de copia prácticamente literal, pero de resultado excepcional, lo hallamos en los vitrales del Círculo del Liceo de Barcelona. Oleguer Junyent fue el encargado de decorar el vestíbulo con las cuatro vidrieras de tema wagneriano de la fachada que da al Carrer de Sant Pau. Junyent le encargó a Pey el diseño de los cuatro vitrales. Éste inició los proyectos en agosto de 1903 y los finalizó en noviembre del mismo año. También pintó, por encargo de Junyent, los frisos del comedor del Círculo del Liceo.

Sobre los vitrales del Círculo del Liceo, Alexandre Cirici dijo que «eran decorados por Alexandre de Riquer, en 1905, sobre proyecto de Oleguer Junyent... con un estilo desconcertante que recuerda a Puvis de Chavannes».[14]

En la *Ilustració Catalana* de 1905 aparecieron reproducidos los cartones de los cuatro vitrales. No hay duda de que han salido de la mano de Pey, dados el trazo y en especial la tipología de los rostros. No obstante, al pie de las fotografías se dice que son composiciones de Oleguer Junyent y el nombre de Pey es completamente silenciado. Los vitrales originales, hay que evidenciarlo, llevan la firma de Oleguer Junyent.

De esos cuatro vitrales, el que representa *L'encantament de Brunilda* ('El encantamiento de Brunilda') me sorprendió cuando comprobé, por casualidad, el modelo del que había partido para realizarlo. Se trata del cartel *La Walkyrie*, hecho por Eugène Grasset en 1893.[15] Es una copia literal del cartel, trasladado al cartón para convertirlo en vitral. Las figuras de Grasset tienen un aire ingenuo, mientras las de Pey nos transmiten las emociones y la grandiosidad del drama wagneriano. El constructor de vitrales Bordalba acabó maravillosamente la obra, con los juegos de luces y el estallido de color de los vidrios, que permiten percibir el cromatismo expresivo de la música de Wagner.

La trayectoria artística de Pey es poco conocida. Alexandre Cirici, que era amigo de la familia, proporciona alguna referencia, aunque también transmiten muchos errores que no se pusieron en duda durante muchos años. Antes, en 1949, J.F. Ràfols citó los diseños de Pey para las marqueterías de Homar y las cerámicas ejecutadas con Antoni Serra, aunque siempre de paso, sin profundizar mucho.[16]

Un artículo publicado por Joan Bassegoda en 1973[17] hace un resumen biográfico de Oleguer Junyent, a quien atribuye la autoría de muchas obras, cuando en realidad la mayoría de las mismas surgieron de manos de Josep Pey. Junyent recibía los encargos como director artístico y daba a hacer los distintos proyectos y diseños a Pey u otros especialistas. Bassegoda dice textualmente, hablando de Junyent (p. 169): «Su labor en el Círculo del Liceo entre 1903 y 1905, después de terminar la Casa Burés y coincidiendo con su estancia en París, es decir, en su mejor momento, es considerable... pintó los muros de la Pecera, decoró el vestíbulo de entrada... y las cuatro vidrieras de tema wagneriano... hizo también el arrimadero del antiguo comedor en el entresuelo y el vestíbulo del primer piso...». También dice que son de Junyent las pinturas del comedor, la sala de estar y la de juegos de la casa Burés, en la Ronda, así como los dibujos de las marqueterías. Todo ello coincidiendo con su estancia en París, entre 1903 y

7

115 pessetes". Les mides coincideixen amb les del plafó anomenat *La Dansa de les Fades* (90 x 45 cm), i la paraula "Kunst" crec que fa referència a la revista *Deutsche Kunst und Dekoration*, on es reproduïa la pintura de Hruby l'any 1901. Com diu Pavel Stépanek, al plafó no s'han posat detalls inútils. S'ha sintetitzat per poder reproduir-lo amb marqueteria. S'aconsegueix més dinamisme i frescor amb el sintetisme de les formes. El resultat final es resol amb el joc de tons i la textura de les vetes irregulars de les fustes, seleccionades amb extraordinària delicadesa pel taller d'Homar. Aquesta és l'obra paradigmàtica en què, partint d'una pintura convencional amb un cert anecdotisme kitsch, el tàndem Pey-Homar aconseguí una obra mestra de l'Art Nouveau.[13]

Un altre exemple característic de còpia pràcticament literal, però de resultat excepcional, el trobem als vitralls del Cercle del Liceu de Barcelona. Oleguer Junyent fou l'encarregat de decorar el vestíbul amb les quatre vidrieres de tema wagnerià de la façana que dóna al carrer Sant Pau. Junyent encomanà a Pey el disseny dels quatre vitralls. Aquest començà els projectes l'agost de 1903 i els acabava pel novembre del mateix any. També per encàrrec de Junyent, pintà els frisos del menjador del Cercle del Liceu.

Sobre els vitralls del Cercle del Liceu, Alexandre Cirici digué que "eren decorats per Alexandre de Riquer, el 1905, sobre projecte d'Oleguer Junyent... amb un estil desconcertant que recorda Puvis de Chavannes".[14]

A la *Il·lustració Catalana* de 1905, aparegueren reproduïts els cartrons dels quatre vitralls. No hi ha cap dubte que són sortits de la mà de Pey, pel traç i en especial per la tipologia dels rostres. No obstant això, al peu de les fotografies diu que són composicions d'Oleguer Junyent i el nom de Pey hi és totalment silenciat. Els vitralls originals, cal evidenciar-ho, porten la signatura d'Oleguer Junyent.

D'aquests quatre vitralls, el que representa *L'encantament de Brunilda*, em sorprengué quan vaig comprovar, per casualitat, el model del qual havia partit per realitzar-lo. Es tracta del cartell *La Walkyrie*, fet per Eugène Grasset el 1893.[15] És una còpia literal del cartell, traslladat a un cartró per fer-ne un vitrall. Les figures de Grasset tenen un aire ingenu, mentre que les de Pey ens transmeten les emocions i la grandiositat del drama wagnerià. El vitraller Bordalba acabà meravellosament l'obra, amb els jocs de llums i l'esclat de colors dels vidres, fent que es percebi el cromatisme expressiu de la música de Wagner.

La trajectòria artística de Pey es coneix poc. Alexandre Cirici, que era amic de la família, en donà alguna referència, però també transmeté moltes errades que no es qüestionaren durant

molts anys. Abans, el 1949, J.F. Ràfols esmentà els dissenys de Pey per a les marqueteries d'Homar i les ceràmiques executades conjuntament amb Antoni Serra, però sempre de passada, sense aprofundir-hi gaire.[16]

Un article publicat per Joan Bassegoda l'any 1973[17] fa un resum biogràfic d'Oleguer Junyent, al qual atribueix l'autoria de moltes obres, quan en realitat la majoria d'aquestes van sorgir de les mans de Josep Pey. Junyent rebia les comandes com a director artístic i donava a fer els diferents projectes i dissenys a Pey o a d'altres especialistes. Bassegoda diu textualment, parlant de Junyent (p. 169): "La seva tasca al Cercle del Liceu entre 1903 i 1905, un cop acabada la casa Burés i coincidint amb la seva estada a París, és a dir, en el seu moment millor, és considerable [...] va pintar els murs de la Peixera, va decorar el vestíbul d'entrada [...] i les quatre vidrieres de tema wagnerià [...] també va fer l'arrambador de l'antic menjador entre l'entresol i el vestíbul del primer pis...". També diu que són de Junyent les pintures del menjador, la sala d'estar i la de jocs de la casa Burés, a la Ronda, així com també els dibuixos per a les marqueteries. Tot això coincidint amb la seva estada a París, entre el 1903 i el 1905, dirigint el taller d'escenografia de Carpezat.[18]

La seva producció per a les arts gràfiques fou força important i extensa (anuncis, menús, ex-libris, llibres de bibliòfil etc.). Solia il·lustrar articles i contes per a revistes de divulgació, com *Hojas Selectas*, *D'Ací d'Allà*, *Mercurio* i *Lecturas*. També va fer il·lustracions per a diverses editorials, entre les que cal destacar Salvat, Calpe, Espasa i l'Institut Gallach. Els dibuixos són generalment fets amb ploma, de traç ferm i ben estructurats, molt detallats i il·lustratius sempre. A partir de 1924, possiblement a causa de la introducció de noves tecnologies en el camp de les arts gràfiques i de la possibilitat de reproduir fotografies documentant articles, la seva tasca com a il·lustrador decaigué sobtadament.

En endinsar-me en l'obra de Pey, m'ha cridat fortament l'atenció que, en el cas de treballs per a les arts gràfiques, generalment signà amb l'inicial del nom i el cognom complert ("J. PEY") o bé sols amb les inicials ("J.P."). En canvi en les obres de més volada com poden ser vitralls, mosaics, pintura decorativa de sostres, cúpules o frisos, tapissos o esgrafiats, mai no signà res. És això el que ha portat a tantes falses interpretacions i autories equivocades. És gràcies al valuós llegat de la seva Agenda que podem reconèixer les seves obres.

Els anys 1905 i 1906 Pey va fer la majoria dels dissenys de marqueteries i mosaics per a la casa Lleó Morera,[19] que decorava Gaspar Homar.

8. Detalle de los frisos *Música y Danza*, de la casa Pladellorens. 1911.

9. Cartel de *La Walkyrie*, realizado por Eugène Grasset. 1893.

1905, dirigiendo el taller de escenografía de Carpezat.[18]

Su producción para las artes gráficas fue muy importante y extensa (anuncios, menús, ex-libris, libros de bibliófilo etc.). Solía ilustrar artículos y cuentos para revistas de divulgación como *Hojas Selectas, D'Ací d'Allà, Mercurio* y *Lecturas*. También hizo ilustraciones para diversas editoriales, entre las que cabe destacar Salvat, Calpe, Espasa e Instituto Gallach. Los dibujos son generalmente realizados a pluma, de trazo firme y bien estructurados, muy detallados y siempre ilustrativos. A partir de 1924, posiblemente a causa de la introducción de nuevas

8

tecnologías en el campo de las artes gráficas y de la posibilidad de reproducir fotografías para documentar los artículos, su tarea como ilustrador decayó repentinamente.

Al adentrarme en la obra de Pey, me ha llamado intensamente la atención que, en los trabajos para artes gráficas, generalmente firmó con la inicial del nombre y el apellido completo («J. PEY»), o sólo con las iniciales («J.P.»). En cambio, en las obras de mayor alcance, como vitrales, mosaicos, pintura decorativa de techos, cúpulas o frisos, tapices o esgrafiados, no firmó nunca. Eso es lo que ha llevado a tantas falsas interpretaciones y autorías erróneas, aunque gracias al valioso legado que es su Agenda podamos ahora reconocer sus obras.

En 1905 y 1906 Pey hizo la mayoría de los diseños de marqueterías y mosaicos para la casa Lleó Morera,[19] que decoraba Gaspar Homar. En 1906 y 1907 llevó a cabo varios mosaicos para la casa Navàs de Reus, entre los cuales los de la gran escalera. Más adelante, la demanda de diseños de marqueterías decrece, a pesar de que en 1913 todavía hace el proyecto de un ángel en oración para una cabecera de cama. En 1911 diseñó las puertas de un reclinatorio para la casa Pladellorens, casa que Homar decoró con formas más simplificadas, alejándose de la corriente modernista, y para la que Pey pintó asimismo los frisos del salón con el tema *Música y Danza.*[20]

En enero de 1906, Pey diseñó una tarjeta para la casa Homar.[21] Se conservan diversos esbozos a lápiz y acuarela. En sus archivos encontré una separata de la revista alemana *Deutsche Kunst und Dekoration*, de Darmstadt. Es una reproducción del cartel de Leonardo Bistolfi anunciando la Exposición Internacional de Arte de Turín de 1902.[22] El fondo de la tarjeta para la casa Homar es ese cartel con pequeñas variaciones. La propuesta se transformaría en otra nueva, más trabajada pero con las mismas características. Ya se ha adaptado el texto: «Homar / mobles / llànties / decoració / Canuda, 4/ Barcelona» ('Homar / muebles / lámparas / decoración / Canuda, 4 / Barcelona'). Una vez impresa, la tarjeta —sin firmar— lleva la fecha acompañando el titular «Primera Medalla: Barcelona 1907». La figura femenina del impreso está dentro de la línea de las figuras que Pey suele representar en sus proyectos de marqueterías y mosaicos. El dibujo y el texto de la tarjeta están separados por una cenefa que organiza el espacio. Las figuras femeninas conservan un regusto modernista, aunque el conjunto se acerca más a los nuevos aires de orden y sobriedad del Noucentisme. Esta tarjeta se utilizó para la propaganda de la casa en diarios y revistas.[23] También para la casa Homar hizo un dibujo para el anuncio del catálogo de la Exposición de 1907.

En 1903 escribe en su dietario que Homar le encarga un esbozo de figuras para un comedor «moderno». No especifica nada más y desconozco si la obra se llegó a realizar.

Sintió una gran admiración por Puvis de Chavannes.[24] Los paneles decorativos y los tapices de Pey dejan entrever un regusto del simbolismo, del tratamiento del color, de la ausencia de movimiento, del modelado y de los paisajes intemporales de este artista. También le interesaban los prerrafaelitas y el simbolismo.

En la especialidad de pintura decorativa, como en otros campos, su producción fue tan prolífica como anónima. A partir de 1897 recibió varios encargos de Alexandre Vilaró para realizar techos de gran tamaño en los que dominaban generalmente las representaciones de figuras alegóricas y ángeles. Solían ser pinturas al óleo sobre tela, realizadas en el taller, que después se encolaban sobre paredes y techos. Para los grandes formatos se tenían que hacer casar varias telas. Muchas veces se pretendía imitar la pintura al fresco jugando con las tonalidades agrisadas de la piedra.[25] En 1898 pintó un tímpano para una capilla de la iglesia del monasterio de Montserrat; en 1909, un techo para el Café Colón; en 1916, un altar en la iglesia de Betlem, y así hasta más de un centenar de grandes pinturas que decoraban bibliotecas, despa-

8. Detall dels frisos *Música i Dansa* de la casa Pladellorens. 1911.

9. Cartell *La Walkyrie*, realitzat per Eugène Grasset el 1893.

El 1906 i 1907 va fer diversos mosaics per a la casa Navàs de Reus, entre els quals de la gran escala. Més endavant, la demanda de dissenys de marqueteries decreix, malgrat que el 1913 encara fa el projecte per a un capçal de llit d'un àngel en oració. El 1911 dissenyà les portes d'un un reclinatori per a la casa Pladellorens, que Homar decorà amb formes ja més simplificades, allunyant-se del corrent modernista i per a la qual Pey pintà també els frisos del saló amb el tema *Música i Dansa*.[20]

Pey dissenyà una targeta per a la casa Homar, el gener de 1906.[21] Se'n conserven diversos es-

9

bossos fets amb llapis i aquarel·la. Als seus arxius vaig trobar una separata de la revista alemanya *Deutsche Kunst und Dekoration*, de Darmstadt. És una reproducció del cartell de Leonardo Bistolfi anunciant l'Exposició Internacional d'Art de Torí del 1902.[22] El fons de la targeta per a la casa Homar és extret d'aquest cartell, amb petites variacions. Aquesta proposta es transformaria en una de nova, ja més treballada, però amb les mateixes característiques. Ara hi trobem adaptat el text: "Homar/ mobles/ llànties/ decoració/ Canuda, 4/ Barcelona". La targeta, un cop impresa —i sense signar— porta la data acompanyant el titular "Primera Medalla: Barcelona 1907". La figura femenina de l'imprès està dins la línia de les figures que Pey sol representar als seus pro-

jectes de marqueteries i mosaics. El dibuix i el text de la targeta estan separats per una sanefa que organitza l'espai. Les figures femenines conserven un regust modernista, però el conjunt de l'imprès s'acosta més als nous aires d'ordre i sobrietat del Noucentisme. Aquesta targeta serví com a propaganda de la casa per a diaris i revistes.[23] També va fer un dibuix per a l'anunci del Catàleg de l'Exposició de 1907, i igualment per a la casa Homar.

El 1930 escriu al seu dietari que Homar li encarrega un esbós de figures per a menjador "modern". No en diu res més i desconec si l'obra s'arribà a realitzar.

Sentí una gran admiració per Puvis de Chavannes.[24] Els plafons decoratius i els tapissos de Pey deixen entreveure un regust del simbolisme, del tractament del color, de l'absència de moviment, del modelat i dels paisatges intemporals d'aquest artista. També l'interessaven els prerafaelites i el simbolisme.

En l'especialitat de pintura decorativa, com en altres camps, la seva producció fou tan prolífica com anònima. Ja a partir de 1897 rebé diversos encàrrecs d'Alexandre Vilaró per realitzar sostres de grans dimensions en els quals dominaven generalment les representacions de figures al·legòriques i d'àngels. Solien ser pintures a l'oli sobre tela, realitzades al taller, que després s'encolaven sobre les parets o els sostres. Per als grans formats s'havien de fer ràcords encolant diverses teles l'una al costat de l'altra. Moltes vegades es pretenia imitar el fresc jugant amb les tonalitats grisoses de la pedra.[25] El 1898 pintà un timpà per a una capella de l'església del monestir de Montserrat; el 1909 un sostre per al Café Colón, el 1916 un altar a l'església de Betlem i, així, més d'un centenar de grans pintures que decoraven biblioteques, despatxos, sales, menjadors, esglésies, capelles i edificis oficials.

Amb motiu de l'Exposició Internacional de Barcelona de l'any 1929 les comandes augmentaren. La casa Vilaró i Valls li encarregà la majoria de treballs de decoració per a edificis oficials, entre els quals cal citar uns plafons per al Govern Civil; quatre plafons sobre tema *Les Estacions*, per al menjador de Capitania; altres plafons i un sostre rodó per al Pavelló Reial (avui Palauet Albéniz) de l'Exposició de Montjuïc; i les pintures i plafons per al saló del despatx de l'alcalde a l'Ajuntament.[26] També realitzà aquell mateix any diverses pintures per a la Sala d'Actes del Col·legi de Notaris, amb temes al·legòrics als diferents drets (romà, canònic etc.) i dues teles representant la Justícia i la Fe. El 1932 pintà vint-i-quatre plafons per al vestíbul del primer pis del Parlament de Catalunya, també per encàrrec de Vilaró i Valls.[27]

10. Proyecto para la decoración del techo del despacho del alcalde en el Ayuntamiento de Barcelona. 1929.

11. Estudios para los veinticuatro paneles del vestíbulo del Parlamento de Cataluña. 1932.

chos, salas, comedores, iglesias, capillas y edificios oficiales.

Con motivo de la Exposición Internacional de Barcelona de 1929, los encargos aumentaron. La casa Vilaró i Valls le encargó la mayoría de los trabajos de decoración de edificios oficiales, ente los que cabe citar unos paneles para el Gobierno Civil; cuatro más sobre el tema de las estaciones para el comedor de Capitanía General; otros paneles y un techo redondo para el Pabellón Real (hoy Palacete Albéniz) de la Exposición de Montjuïc, y las pinturas y paneles para el salón del despacho del alcalde en el Ayuntamiento.[26] Ese mismo año también realizó varias pinturas para la sala de actos del Colegio de Notarios, con temas alegóricos a los diferentes derechos (romano, canónico etcétera) y dos telas representando a la Justicia y la Fe. En 1932 pintó veinticuatro paneles para el vestíbulo del primer piso del Parlamento de Cataluña, también por encargo de Vilaró i Valls.[27]

Durante los años de la guerra no hizo ningún trabajo para Homar. En general, recibió pocos encargos, aunque sobre todo trabajó para Vilaró i Valls y Oleguer Junyent. En ese período combinó esas actividades con su labor como profesor de dibujo artístico de la Escuela de Artes y Oficios del Distrito V (1912-1946).

Gracias a su gran sentido de la perspectiva dibujó mucho para arquitectos como Cèsar Martinell, Puig i Cadafalch, Pau Salvat, Joan Alsina y, sobre todo, Jeroni Martorell, del Servicio de Conservación de Monumentos Históricos. En su Agenda podemos ver que hizo más de cincuenta trabajos de ese tipo entre 1913 y 1940. La inmensa mayoría son perspectivas de monumentos, iglesias, mercados, escuelas etcétera. Muchos de esos dibujos han sido publicados sin que se supiera que son de Pey.[28] Entre los trabajos importantes que hizo para Jeroni Martorell cabe destacar los vitrales para la Caixa d'Estalvis de Sabadell (1913, salvo el gran vitral de la sala de actos, que es obra de Francesc Labarta).[29] Son asimismo de Pey los diseños de los vitrales de la Casa dels Canonges (1928-1929) y la restauración de los esgrafiados de la Casa dels Velers (1930) de Barcelona.

Se hace difícil comprender cómo aceptó Pey permanecer siempre en la sombra. Era un hombre extremadamente discreto. Como dice Francesc Fontbona, un hombre que tuvo un papel tan importante como anónimo en el campo de las artes del modernismo.[30] No solía firmar sus diseños, es-

pecialmente si se trataba de obras destinadas a las artes decorativas. No daba mucha importancia a su actividad y debió considerarla más un oficio que un arte. A pesar de ello sabía que sus diseños eran importantes, dado que en 1907 escribió una postal a su hermano Jaume en la que le explicaba que las porcelanas de Serra habían tenido mucho éxito y habían recibido medalla de primera clase, Carreras había obtenido una tercera medalla y Homar, que había enviado algunos paneles y marqueterías, también había recibido una primera medalla. Añadía: «…al único a quien no le ha tocado nada es a mí […], pero eso indirectamente también me corresponde, sea por los proyectos y dirección de los mosaicos y marqueterías, sea por la decoración de las porcelanas, de las que el Ayuntamiento comprará algunas para el museo.»

En los años postreros de su vida continuó trabajando, sobre todo diseñando esgrafiados para Ferdinandus Serra. Para él había realizado, en 1941, la decoración de las fachadas de la casa Sastre de Piera y la casa de la Font del Lleó de Barcelona, y diseñó los esgrafiados para casas en Barcelona, Lérida, Terrassa, Sabadell y muchos otros lugares de la geografía catalana. Diseñó diversos relojes de sol y capillas, lápidas y panteones se llenaron de esgrafiados suyos de estilos muy variados.

Josep Pey murió el 2 de diciembre de 1956 y hasta los últimos momentos no abandonó los lápices y el papel, tomando notas y apuntes mientras contemplaba sentado a la lumbre las formas ondulantes de las llamas y el resplandor de las brasas.

10

10. Projecte per a la decoració del sostre del despatx de l'alcalde. Ajuntament de Barcelona. 1929.

11. Estudis per als vint-i-quatre plafons del vestíbul del Parlament de Catalunya. 1932.

Durant els anys de la guerra no realitzà cap feina per a Homar. En general rebé pocs encàrrecs, però majoritàriament treballà per a Vilaró i Valls i per a Oleguer Junyent. Durant tots aquells anys combinà aquestes activitats amb la seva tasca com a professor de dibuix artístic a l'Escola d'Arts i Oficis del Districte V (1912-1946).

Gràcies al seu gran sentit de la perspectiva dibuixà molt per a arquitectes, com César Martinell, Puig i Cadafalch, Pau Salvat, Joan Alsina,

11

però sobretot per a Jeroni Martorell, del Servei de Conservació de Monuments Històrics. En l'Agenda podem veure que va fer més de cinquanta treballs d'aquest tipus entre els anys 1913 i 1940. La majoria són perspectives de monuments, esglésies, mercats, escoles etc. Molts d'aquests dibuixos han estat publicats sense saber-se que són de Pey.[28] Com a treballs importants que féu per a Jeroni Martorell cal destacar els vitralls per a la Caixa d'Estalvis de Sabadell, el 1913 (a excepció del gran vitrall de la Sala d'Actes, que és obra de Francesc Labarta).[29] També són de Pey els dissenys dels vitralls de la Casa dels Canonges (1928-1929) i la restauració dels esgrafiats de la Casa dels Velers (1930) de Barcelona.

És difícil de comprendre com va ser que Pey acceptà de quedar sempre a l'ombra. Era un home extremadament discret. Com diu Francesc Fontbona, un home que tingué un paper tan important com anònim en el camp de les arts del modernisme.[30] No solia signar els seus dissenys, especialment si es tractava d'obres per a les arts decoratives. No hi donava gaire importància i ho degué considerar un ofici, més que no pas un art. Malgrat tot sabia que els seus dissenys eren importants, atès que escrigué una postal al seu germà Jaume, el 1907, explicant-li que les porcellanes de Serra havien tingut molt d'èxit i havien rebut medalla de primera classe, Carreras hi

havia obtingut una tercera medalla i Homar, que hi havia enviat alguns plafons i marqueteries, també havia rebut primera medalla. Hi afegia: "a l'únic que no li ha tocat rés he sigut yo... però això indirectament també em correspón, ya per los projectes y direcció dels mosaics y marqueteries, com per la decoració de las porcelanas, de las cuals alguna en comprará l'Ajuntament per lo museo" (sic).

Els darrers anys de la seva vida seguí treballant, especialment fent dissenys d'esgrafiats per a Ferdinandus Serra, per a qui havia realitzat, el 1941, la decoració de les façanes de la casa Sastre   de Piera i la casa de la Font del Lleó, de Barcelona, i dissenyà esgrafiats per a cases a Barcelona, Lleida, Terrassa, Sabadell i molts altres indrets de la geografia catalana. Dissenyà diversos rellotges de sol i capelles, làpides i panteons s'ompliren d'esgrafiats seus d'estils ben variats.

Josep Pey morí el 2 de desembre de 1956 i fins als últims moments no abandonà els llapis i el paper, fent notes i apunts, tot mirant les formes ondulants de les flames i la resplendor de les brases, assegut a l'escalfor del foc.

Notas

1. Se conserva un fichero de libros de la biblioteca de Pey, así como un exhaustivo vaciado de revistas. Entre los muchos títulos podemos encontrar diversas ediciones antiguas del Quijote y otras obras de Cervantes y de los clásicos castellanos. De la literatura catalana hay obras de Verdaguer, Llull, Guimerà, Pi i Suñer, Milà i Fontanals, Ausiàs Marc etc., y crónicas medievales. También las obras clásicas de las literaturas griega y romana están bien representadas, así como de la literatura francesa. Hay asimismo libros especializados en arquitectura, arqueología, historia del arte, escultura encuadernación, cerámica, esmalte, arte del metal, grabado, catálogos de museos y exposiciones, y un largo etcétera. Las revistas más representadas son *The Studio, Art et Décoration, The Magazine of Fine Arts, Ilustració Catalana, Die Kunst, Les Arts* y *Vell i Nou*. Podemos ver que le interesaban los artículos dedicados a artistas de actualidad en aquel momento, como Rodin, Segantini, Rossetti, Whisler, Israels, Sheringham y demás, pero especialmente los dedicados a las artes decorativas: pintura mural, vitrales, ilustración de libros etc.

2. Oriol Bohigas, *Reseña y Catálogo de la Arquitectura Modernista*, vol. I, Lumen, Barcelona, 1968, p. 61.

3. Hay dos fotografías de 1894 en las que una cuadrilla de jóvenes con ganas de juerga posan disfrazados en la azotea del taller de Coll. Entre ellos podemos ver a Josep Pey, Manolo Hugué y Antoni Coll i Pi —probablemente hijo o pariente del propietario del taller.

4. Según la Agenda, trabajó en ello durante 51 mañanas. Sobre este tema, véase Alexandre Cirici, *El arte modernista catalán*, Aymà, Barcelona, 1959, p. 71.

5. Véase F. Fontbona y F. Miralles, *Del Modernisme al Noucentisme 1888-1917*, Història de l'Art Català, vol. VII, p. 30, 62 y 63.

6. En aquel tiempo Pey empezó a compartir taller con Sebastià Junyent en el Carrer Bonavista, 21, de Gràcia. Más tarde lo continuaría compartiendo con su hermano Oleguer Junyent, con quién también le unió una intensa amistad y trabajó en estrecha colaboración. Hasta 1914, cuando Oleguer trasladó su taller unos metros más arriba en la misma calle (núm. 22), no se quedó para él solo dicho taller.

7. En el archivo Pey se conserva una postal, fechada en el 12 de junio de 1900 y enviada por Sebastià Junyent a Josep Pey desde Roma, en la que dice: «Amigo Pey, recibí su apreciada [carta] que me dio una alegría. Escríbame sobre qué efecto hacen los frisos que pintamos para Homar...».

8. De esa gran cantidad de obra no he conseguido localizar pieza alguna. Acaso se deterioraron con el paso del tiempo, sin contar con que los gustos cambian y debieron de perder su valor decorativo.

9. Véase Josep Mainar, *El moble català*, Destino, Barcelona, 1976, p. 342 y 343, así como el catálogo *El Modernisme*, vol. 2, MAMB, Barcelona, 1990, p. 123 y 232.

10. Pey anota en su Agenda que cobra 135 pesetas por dicho trabajo.

11. Véase Francesc Fontbona, «Sebastià Junyent (1865-1908), artista y teórico», *Estudios Pro-Arte*, núm. 3, p. 45-60, así como F. Fontbona y F. Miralles, *Del Modernisme al..., op. cit.*, p. 80-81.

12. Véase Pavel Stépanek, «La inspiració txeca de Gaspar Homar», *Serra d'Or*, núm. 209 (15 de Febrero de 1977), Montserrat, p. 50-51 (114-115).

13. Véase Fontbona y Miralles, *Del Modernisme al..., op. cit.*, p. 82-83.

14. Véase Alexandre Cirici, *El arte modernista..., op. cit.*, p. 272 y s.

15. Véase Yves Plantin y François Blondel, ed., *Eugène Grasset (1841-1917)*, Impr. Marchand, París, 1980, p. 114, y Marcel Schneider, *Wagner*, Éditions du Seuil, París, 1989 (1960), p. 109.

16. J.F. Ràfols, *Modernismo y Modernistas*, Destino, Barcelona, 1949, p. 280, 375 y 405.

17. Véase Joan Bassegoda Nonell, *El Círculo del Liceo, 125 aniversario (1847-1972)*, Círculo del Liceo, Barcelona, 1973, p. 169.

18. El 11 de agosto de 1903 Oleguer Junyent envía a Pey una postal desde París preguntando cómo están los «vitreaux» *(sic)*. En París, según dice, los ha visto muy bonitos. En la Agenda consta que en 1903 hace las vidrieras y el friso del comedor del Círculo del Liceo, cobrando por todo 1.158 pesetas. En 1904 recibe 100 pesetas más en concepto de liquidación del Círculo del Liceo y la casa Burés. En 1905 realiza cuatro paneles para el comedor de ésta última.

19. Véase Manuel García-Martín, *La Casa Lleó Morera*, Catalana de Gas, Barcelona, 1988, y Magdala Pey y Neus Juárez, *Colaboración Homar-Pey en la casa Lleó Morera de Barcelona*, Actas del Congreso de Historia del Arte, Universidad de Murcia, 1992, p. 653.

20. Véase Alexandre Cirici, *El arte modernista..., op. cit.*, p. 241.

21. Sebastià Junyent ya había diseñado una en 1900, la cual podemos ver reproducida en E. Trenc Ballester, *Las Artes Gráficas de la época modernista en Barcelona*, Gremio de Industrias Gráficas de Barcelona, Barcelona, 1977, p. 171.

22. Véase el catálogo de la exposición *Modernismen i Katalonien*, Kulturhuset, Generalitat de Catalunya, Estocolmo, 1989, p. 165 y 166.

23. Se puede ver un ejemplo en *La Veu de Catalunya* (18 de Agosto de 1910).

24. En su taller expuso siempre en lugar preferente unas láminas que reproducían las pinturas murales del Panteón de París. Puvis de Chavannes fascinó a muchos artistas de la época, como Gauguin, Seurat, Maurice Denis y también Picasso y Torres García.

25. Puvis de Chavannes utilizaba esa técnica en sus murales, pintados al óleo sobre lienzo y no al verdadero fresco, aunque imitando su apariencia. Véase *Le triomphe des mairies. Grands décors republicaines à Paris, 1870-1914*, Musée du Petit Palais, París, 1986.

26. Véase F. Miralles, *L'època de les avantguardes. 1917-1970*, Història de l'Art Català, vol. VIII, p. 116.

27. Todos esos encargos evidencian una fuerte influencia de la pintura oficial francesa, con regusto de Prouvé, Besnard, Bonnard, Laurens o Benjamin-Constant.

28. Véase el catálogo *El Noucentisme, un projecte de modernitat*, CCCB, Generalitat de Catalunya, Enciclopèdia Catalana, Barcelona, 1994, p. 167 y 171.

29. Santiago Alcolea, *Els edificis de la Caixa d'Estalvis de Sabadell*, Fundació Caixa de Sabadell, Sabadell, 1994, p. 118 y s.

30. Véase Fontbona y Miralles, *op. cit.*, p. 80.

Notes

1. Es conserva un fitxer de llibres de la biblioteca de Pey, com també un exhaustiu buidatge de revistes. Entre els molts títols podem trobar diverses edicions antigues del Quixot i altres obres de Cervantes i dels clàssics castellans. De la literatura catalana hi ha obres de Verdaguer, Llull, Guimerà, Pi i Suñer, Milà i Fontanals, Ausiàs Marc, etc.; i cròniques medievals. També les obres clàssiques de la literatura grega i romana hi són ben representades, i les de literatura francesa. Hi ha molts llibres especialitzats en arquitectura, arqueologia, història de l'art, escultura, enquadernació, ceràmica, esmalt, art del metall, gravat, catàlegs de museus i exposicions, i un llarg etcétera. Les revistes més representades són *The Studio, Art et Décoration, The Magazine of fines Arts, Il·lustració Catalana, Die Kunst, Les Arts i Vell i Nou.* Podem veure que l'interessaven els articles dedicats a pintors d'actualitat en aquell moment, entre els quals Rodin, Segantini, Rossetti, Whisler, Israels, Sheringham i d'altres, però especialment els dedicats a les arts decoratives: pintura mural, vitralls, il·lustració de llibres etc.

2. Oriol Bohigas, *Reseña y Catálogo de la Arquitectura Modernista*, vol. I, Lumen, Barcelona, 1968, p. 61.

3. Hi ha dues fotografies de l'any 1894 on una colla de joves amb ganes de gresca posen disfressats al terrat del taller d'en Coll. Entre ells podem veure Josep Pey, Manolo Hugué i Antoni Coll i Pi —probablement fill o parent del propietari del taller.

4. Segons l'Agenda, hi treballà 51 matins. Sobre aquest tema vegeu A. Cirici, *El Arte Modernista Catalán*, Aymà, Barcelona, 1959, p. 71.

5. Vegeu F. Fontbona, F. Miralles, *Del Modernisme al Noucentisme 1888-1917*, Història de l'Art Català, vol. VII, p. 30, 62 i 63.

6. Per aquell temps Pey començà a compartir el taller amb Sebastià Junyent, al carrer Bonavista, 21, a Gràcia. Més tard el seguiria compartint amb el seu germà Oleguer Junyent, amb el qual també l'uní una forta amistat i treballà molt estretament. No va ser fins l'any 1914 que Pey es quedà per a ell sol el taller de Bonavista, 21, quan Oleguer Junyent traslladà el seu taller uns metres més enllà, al mateix carrer Bonavista, al número 22.

7. A l'Arxiu Pey es conserva una postal, datada el 12 de juny de 1900 i enviada per Sebastià Junyent a Josep Pey des de Roma, on diu: "Amich Pey, vareig rebrer la seva apreciada [carta] que me va dar una alegria. Escriguim quin efecte fan els frisos que varem pintar per a l'Homar..."

8. D'aquesta gran quantitat d'obra, no n'he aconseguit localitzar cap peça. Possiblement amb el temps es degueren deteriorar, sense comptar que els gustos canvien i degueren perdre el seu valor decoratiu.

9. Vegeu Josep Mainar, *El Moble Català*, Destino, Barcelona, 1976, p. 342 i 343, i també al catàleg *El Modernisme*, vol 2, MAMB, Barcelona, 1990, p. 123 i 232.

10. Pey anota a la seva Agenda que cobra 135 pessetes per aquesta feina.

11. Vegeu F. Fontbona, "Sebastià Junyent (1865-1908) artista y teórico", *Estudios Pro-Arte*, núm 3, p. 45-60, com també F. Fontbona; F. Miralles. *Del Modernisme al Noucentisme, op. cit.*, p. 80-81.

12. Vegeu Pavel Stépanek, "La inspiració txeca de Gaspar Homar", *Serra d'Or*, Montserrat, 209 (15 de febrer de 1977), p. 50-51 (114-115).

13. Vegeu F. Fontbona; F. Miralles, *Del Modernisme al Noucentisme, op. cit.*, p. 82 i 83.

14. Vegeu A. Cirici, *El Arte Modernista Catalán*, Aymà, Barcelona, 1951, p. 272 i s.

15. Vegeu Yves Plantin, François Blondel (ed.), *Eugène Grasset (1841-1917)*, Impr. Marchand, París, 1980, p. 114 i Marcel Schneider, *Wagner*, Éditions du Seuil, París (1960) 1989, p. 109.

16. J.F. Ràfols, *Modernismo y Modernistas*, Destino, Barcelona, 1949, p. 280, 375, 405.

17. Vegeu Joan Bassegoda Nonell, *El Círculo del Liceo, 125 aniversario (1847-1972)*, Círculo del Liceo, Barcelona, 1973, p. 169.

18. L'11 d'agost de 1903, Oleguer Junyent envia a Pey una postal des de París demanant com estan els "vitreaux" (sic). A París, diu, n'ha vist de molt bonics. A l'Agenda consta que l'any 1903 fa les vidrieres i el fris del menjador del Cercle del Liceu, cobrant per tot plegat 1.158 pessetes. L'any 1904 rep 100 pessetes més en concepte de liquidació del Cercle de Liceu i la Casa Burés. El 1905 fa quatre plafons per al menjador de la casa Burés.

19. Vegeu Manuel García-Martín, *La Casa Lleó Morera*, Catalana de Gas, Barcelona, 1988, i Magdala Pey, Neus Juárez, *Colaboración Homar-Pey en la casa Lleó Morera de Barcelona*, Actas del Congreso de Historia del Arte, Universidad de Murcia, 1992, p. 653

20. Vegeu A. Cirici, *El Arte Modernista Catalán, op. cit.*, p.241

21. Sebastià Junyent n'havia dissenyat ja una l'any 1900, la qual podem veure reproduïda a E. Trenc Ballester, *Las Artes Gráficas de la época modernista en Barcelona*, Gremio de Industrias Gráficas de Barcelona, Barcelona, 1977, p. 171

22. Vegeu el catàleg de l'exposició *Modernismen i Katalonien*, Kulturhuset, Generalitat de Catalunya, Estocolm, 1989, p. 165 i 166.

23. Podeu veure'n un exemple a *La Veu de Catalunya* (8 d'agost de 1910).

24. Al seu taller, hi tingué sempre en lloc preferent unes làmines reproduint les pintures murals del Panteó de París. Puvis de Chavannes fascinà molts artistes de l'època, com Gauguin, Seurat, Maurice Denis i també Picasso i Torres García.

25. Puvis de Chavannes utilitzava aquesta tècnica als seus murals, pintats a l'oli sobre tela i no al veritable fresc, però imitant-ne l'aparença. Vegeu *Le triomphe des mairies, Grands décors républicaines à Paris, 1870-1914*, Musée du Petit Palais, París, 1986.

26. Vegeu F. Miralles, "L'època de les avantguardes, 1917-1970", *Història de l'Art Català* vol. VIII, p. 116

27. Totes aquestes comandes evidencien una forta influència de la pintura oficial francesa, amb regust de Prouvé, Besnard, Bonnard, Laurens o Benjamin-Constant.

28. Vegeu el catàleg *El Noucentisme, un projecte de modernitat*, CCCB, Generalitat de Catalunya, Enciclopèdia Catalana, Barcelona, 1994, p. 167 i 171

29. Santiago Alcolea, *Els edificis de la Caixa d'Estalvis de Sabadell*, Fundació Caixa de Sabadell, Sabadell, 1994, p. 118 i s.

30. Vegeu F. Fontbona, F. Miralles, *op. cit.*, p. 80.

La Exposición Nacional de Industrias Artísticas de 1892
y las artes industriales en las exposiciones generales de Bellas Artes de Barcelona

Cristina Mendoza

La extraordinaria calidad de las artes decorativas modernistas, de las que sin duda Gaspar Homar es uno de los representantes más genuinos, puede llevar a pensar que las artes industriales catalanas vivían desde hacía mucho tiempo una situación plenamente consolidada y que contaban con el soporte institucional. Sin embargo, aunque a lo largo del siglo XIX se celebraron en Barcelona diversas manifestaciones dedicadas a las Artes Industriales, el primer apoyo oficial importante que trataba a las Artes Industriales en pie de igualdad con las llamadas Bellas Artes no se produjo hasta 1892. En aquel año, concretamente el 8 de octubre de 1892, se inauguró en Barcelona la Exposición Nacional de Industrias Artísticas, la primera de carácter oficial que se celebraba en España. Se cumplía de esta manera con el acuerdo tomado por el Ayuntamiento de Barcelona dos años antes, según el cual se celebraría una exposición oficial con carácter anual, alternándose una dedicada a las Bellas Artes con otra destinada a acoger las Artes Industriales. Recordemos que en 1891 había tenido lugar la Primera Exposición General de Bellas Artes.

1

Dado el carácter pionero de la Exposición Nacional de Industrias Artísticas de 1892, esta manifestación se ha considerado siempre un hito decisivo en la historia de las artes industriales de nuestro país. Y efectivamente lo fue. La iniciativa del Ayuntamiento de Barcelona de celebrar la mencionada exposición fue encomiable y teóricamente el proyecto era muy ambicioso. Ahora bien, una cosa fue el espíritu que presidía el proyecto, el objetivo que perseguían los organizadores de la exposición, y otra muy distinta el interés de la propia exposición, es decir, su contenido. Pere Bohigas i Tarragó en su utilísimo estudio sobre las exposiciones oficiales de arte celebradas en Barcelona, para cuya elaboración dispuso de los expedientes de estas exposiciones, que actualmente se conservan en el Museu d'Art Modern del MNAC, limita su comentario a la exposición de 1892 a unas breves líneas, de las que extraemos un fragmento harto elocuente: «la exposición respondió magnificamente al anhelo de los que sólo deseaban continuar la brillantez de fiesta pública que tuvo la Universal de 1888, pero en realidad no aportó nada al progreso de las artes, porque la inmensa mayoría de los 552 expositores nacionales que concurrieron a ella fueron exclusivamente industriales, cuyos productos carecían de valor artístico».[1] Por nuestra parte, y con la finalidad de confirmar la rotunda afirmación de Bohigas, hemos leído atentamente los expedientes relativos a aquella exposición. A la vista de éstos así como de los comentarios en la prensa,[2] podemos completar la opinión de Bohigas con algunos datos adicionales. De los primeros, que en buena parte reúnen documentación administrativa de escaso interés, vale la pena destacar las dos memorias redactadas por la comisión organizadora[3] de la muestra para ser leídas en la inauguración[4] y en la clausura,[5] respectivamente, y que, a nuestro entender, son muy esclarecedoras. La primera se centra básicamente en el criterio seguido en la organización de la exposición y en el objetivo de la misma. La segunda, aunque más breve, es más interesante, ya que hace balance de la efemérides y sale al paso de las contundentes críticas negativas que la exposición había recibido.

Aunque el evento se planteó como una «Exposición Nacional de Artes Industriales», no se trató tanto de una exposición de estas características, con el consiguiente control de calidad por parte del jurado de admisión de obras,[6] como de un gran esfuerzo que, bajo la denominación de «Exposición Nacional», tenía dos objetivos primordiales: aprovechar el capital industrial y mercantil del que disponía entonces Barcelona y sacar a las artes industriales de una situación de precariedad

1. Proyecto de la entrada a la Exposición de Industrias Artísticas de Barcelona de 1892.

L'Exposició Nacional d'Indústries Artístiques de 1892 i les arts industrials a les exposicions generals de Belles Arts de Barcelona

Cristina Mendoza

L'extraordinària qualitat de les arts decoratives modernistes, de les quals Gaspar Homar és sens dubte un dels representants més genuïns, pot fer pensar que les arts industrials catalanes vivien de feia molt de temps una situació plenament consolidada i que disposaven de suport institucional. Tanmateix, tot i que al llarg del segle XIX hi va haver a Barcelona diverses manifestacions dedicades a les Arts Industrials, el primer suport oficial important que les tractava en peu d'igualtat amb les denominades Belles Arts no es va produir fins el 1892. Aquell any, concretament el 8 d'octubre de 1892, es va inaugurar a Barcelona l'Exposició Nacional d'Indústries Artístiques, la primera de caràcter oficial que tenia lloc a Espanya. Es complia d'aquesta manera l'acord pres per l'Ajuntament de Barcelona dos anys abans, segons el qual hi hauria una exposició oficial de caràcter anual tot alternant-ne una de dedicada a les Belles Arts i una altra d'adreçada a acollir les Arts Industrials. Cal recordar que el 1891 havia tingut lloc la Primera Exposició General de Belles Arts.

Atès el caràcter pioner de l'Exposició Nacional d'Indústries Artístiques de 1892, aquesta manifestació s'ha considerat sempre una fita decisiva de la història de les arts industrials del nostre país. I efectivament ho va ser. La iniciativa de l'Ajuntament de Barcelona de celebrar l'exposició esmentada va ser digna d'encomi i, teòricament, el projecte era força ambiciós. Ara bé, una cosa va ser l'esperit que presidia el projecte, l'objectiu que pretenien els organitzadors de l'exposició, i una altra de ben diferent l'interès que tenia l'exposició com a tal, és a dir, el seu contingut. Pere Bohigas i Tarragó en el seu utílissim estudi sobre les exposicions oficials d'art celebrades a Barcelona, per a l'elaboració del qual va disposar dels expedients d'aquestes exposicions, que actualment es conserven al Museu d'Art Modern del MNAC, limita el seu comentari a l'exposició del 1892 a unes línies breus, de les quals extraiem un fragment força eloqüent: «L'exposició va respondre magníficament a l'afany dels qui només volien continuar la brillantor de festa pública que va tenir l'Exposició Universal de 1888, però en realitat no va aportar res al progrés de les arts, perquè la immensa majoria dels 552 expositors nacionals que hi van concórrer van ser exclusivament industrials els productes dels quals no tenien cap valor artístic».[1] Per part nostra, i amb la finalitat de confirmar la rotunda afirmació de Bohigas, hem llegit atentament els expedients relatius a aquella exposició. A la vista d'aquests informes, així com també dels comentaris de la premsa,[2] podem completar l'opinió de Bohigas amb algunes dades addicionals. Dels primers, que en bona part reuneixen documentació administrativa d'un interès escàs, val la pena remarcar les dues memòries redactades per la comissió organitzadora[3] de la mostra per ser llegides respectivament en la inauguració[4] i en la clausura,[5] i que, a parer nostre, són força esclaridores. La primera se centra bàsicament en el criteri seguit en l'organització de l'exposició i en el seu objectiu. La segona, tot i ser més breu, és més interessant, ja que fa balanç de l'efemèride i afronta les contundents crítiques negatives que havia rebut l'exposició.

Tot i que l'esdeveniment es va plantejar com una Exposició Nacional d'Arts Industrials, no es va tractar d'una exposició d'aquestes característiques, amb el conseqüent control de qualitat per part del jurat d'admissió d'obres,[6] sinó d'un gran esforç que, sota la denominació d'«exposició nacional», tenia dos objectius primordials: aprofitar el capital industrial de què disposava Barcelona aleshores i treure les arts industrials d'una situació precària a fi de recuperar l'esplendor d'èpoques passades. Pretenien, al capdavall, com s'afirma en la primera de les memòries esmentades, seguir l'exemple d'«Anglaterra, que en la seva primera Exposició Universal va veure com eren d'imperfectes i deficients les seves indústries d'índole artística i va fer un esforç suprem i patriòtic que va tenir el resultat meravellós de la creació del museu immens que coneixem amb el nom de South Kensington…», o el de «París, que amb les seves repetides exposicions d'Art Industrial va conquerir per molt de temps el monopoli mercantil d'Europa i un crèdit exuberant per a la seva indústria». La comissió organitzadora de l'exposició tenia ben clar, doncs, que «la restitució de la supremacia artístico-industrial cal intentar-la i s'ha d'assolir molt princi-

1. Projecte de l'entrada a l'Exposició d'Indústries Artístiques de Barcelona. 1892.

2. Plano de emplazamiento de la Exposición Nacional de Industrias Artísticas de Barcelona de 1892.

para recuperar el esplendor de épocas pasadas. Pretendían, en definitiva, como se afirma en la primera de las memorias mencionadas, seguir el ejemplo de «Inglaterra que en su primera Exposición Universal vió cuan imperfectas y deficientes eran sus industrias de carácter artístico, e hizo un supremo y patriótico esfuerzo que dió por maravilloso resultado la creación de ese inmenso Museo conocido por el South Kensignton...», o el de «París que con sus repetidas Exposiciones de Arte Industrial conquistó por mucho tiempo el monopolio mercantil de Europa y un crédito exuberante para su industria». La comisión organizadora de la exposición tenía claro, pues, que «la restitución de la supremacía artístico industrial ha de intentarse y que ha de lograrse principalísimamente por medio de las Exposiciones de Arte aplicado a la Industria».

Sin embargo, la comisión encargada de organizar la exposición tuvo que enfrentarse a muchas dificultades de diversa índole. Por una parte el poco tiempo de que disponían para llevar a cabo una tarea de tanta envergadura por primera vez en España y, por lo tanto, sin experiencia. El acuerdo oficial de celebrar esta exposición se tomó el 19 de enero del mismo año 1892; el primer escrito referente a la convocatoria de la muestra es del 1 de febrero y su publicación definitiva no vio la luz hasta el día 20 de aquel mes. Es decir, escasamente ocho meses antes de su inauguración.

Por otra parte la comisión organizadora tenía que decidir el alcance que convenía dar a la muestra. Es decir, si debía ceñirse sólo a la participación catalana, si debía incluir la de toda España o si era preferible darle carácter internacional. Finalmente, y después de debatir ampliamente este asunto, «tanto por la modestia de un primer intento como por el patriotismo más rudimentario», se optó por la segunda posibilidad —que incluía las posesiones españolas de Ultramar por el interés y calidad de sus producciones, especialmente las asiáticas.[7] Sin embargo, para evitar que esta decisión se pudiera interpretar como menosprecio o temor a las industrias suntuarias de otros países, se tomó la decisión de ampliar la exposición con una sección de carácter internacional que reuniera reproducciones artísticas desde la Antiguedad hasta principios del siglo XIX. En realidad la iniciativa de complementar la exposición con esta sección, acuerdo tomado por la comisión organizadora el 14 de marzo, era de Salvador Sanpere i Miquel, que consideraba que las reproducciones artísticas debían figurar en la exposición tanto por constituir éstas una de las ramas de la Industrias Artísticas como por el hecho de que su presencia serviría de estímulo y emulación entre los industriales a la vez que les proporcionaría un mejor conocimiento de las obras maestras de la Antigüedad. Al mismo tiempo, las posibles adquisiciones que se llevaran a cabo podrían pasar al Museo de Reproducciones que se acababa de crear en Barcelona. Los participantes en esta sección sólo podían presentar una obra y para que fuera admitida debía constar en la pieza donde estaba en aquel momento la obra original.

La comisión organizadora debió ocuparse también de subsanar las deficiencias que presentaba el Palacio de Bellas Artes, sede de la exposición, y que se habían puesto de manifiesto el año anterior al celebrarse la Primera Exposición General de Bellas Artes. Se trataba principalmente de mejorar el Salón Central del palacio, que había acogido la escultura de la mencionada exposición, y que carecía de iluminación y de calefacción. Por otra parte, dado que la exposición que entonces iba a celebrarse debía acoger lógicamente numerosas piezas de vidriería polícroma, de cerámica y de musivaria y, aduciendo la comisión organizadora que el Palacio de Bellas Artes no era el lugar adecuado para exponerlas, decidieron construir a tal efecto en un solar anexo al palacio (situado en la confluencia del Carrer Comerç, Passeig Pujades y Passeig Picasso) unas galerías que quedaban unidas a la sede central por un ampuloso puente cuyo diseño corrió a cargo de Pere Falqués, entonces arquitecto municipal. Aunque las galerías y el puente fueron una arquitectura efímera, el hecho cierto es que el Salón Central del Palacio de Bellas Artes mejoró considerablemente y, en consecuencia, fue un marco mucho más idóneo para las sucesivas exposiciones que se celebraron en este edificio. La nueva decoración del mencionado salón fue encomendada al prestigioso escenógrafo Francesc Soler i Rovirosa.[8]

A pesar de que en la memoria leída en el acto inaugural, la comisión organizadora insiste en las dificultades que ha tenido que superar para poder llevar a cabo la exposición, acaba expresando una gran satisfacción tanto porque acontecimientos como éste, acompañados de una «protección constante y un estímulo creciente ayudan a levantar del estado de postración en que se hallan gran número de industrias artísticas que en pasadas epocas florecieron» como por la numerosa concurrencia de expositores que, según se afirma, ascendía a 515 participantes —de los cuales las dos terceras partes aproximadamente eran de Barcelona y su provincia—, distribuidos en las catorce secciones de que consta el reglamento y una destinada a objetos varios,[9] y cincuenta en la Sección Internacional de Reproducciones.

Aunque los organizadores de la exposición habían considerado como un factor muy positivo hacer coincidir la inauguración de la muestra con los importantes festejos organizados en Barcelona para conmemorar el IV Centenario del Descubrimiento de América, la idea resultó desafortunada

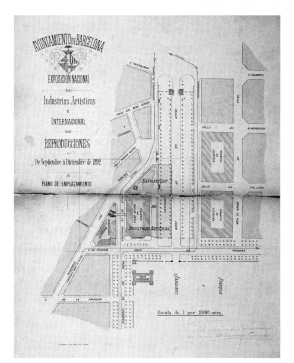

2

palment mitjançant les exposicions d'Art aplicat a la Indústria».

Tanmateix, la comissió encarregada d'organitzar l'exposició es va haver d'enfrontar amb moltes dificultats d'índole ben diversa. Per una part, el poc temps que tenien per dur a terme una tasca de tanta envergadura per primer cop a Espanya i, per tant, sense cap mena d'experiència. L'acord oficial de celebrar aquesta exposició es va prendre el 19 de gener del mateix 1892; el primer escrit referent a la convocatòria de la mostra és del primer de febrer i la seva publicació definitiva no va veure la llum fins el dia 20 del mateix mes. És a dir, menys de vuit mesos abans de la inauguració.

D'una altra part, la comissió organitzadora havia de decidir l'abast que convenia donar a la mostra. És a dir, si calia cenyir-se només a la participació catalana, si havia d'incloure la de tot Espanya o si era preferible donar-li un caràcter internacional. Finalment, i després de debatre àmpliament aquest assumpte, «tant per la modèstia d'un primer intent com pel patriotisme més rudimentari», es va optar per la segona d'aquestes possibilitats —que incloïa les possessions espanyoles d'Ultramar per causa de l'interès i la qualitat de les seves produccions, especialment les asiàtiques—.[7] Tanmateix, a fi d'evitar que aquesta decisió pogués ser interpretada com un menyspreu o temor a les indústries sumptuàries d'altres països, es va prendre la decisió d'ampliar l'exposició amb una secció de caràcter internacional que aplegués reproduccions artístiques des de l'Antiguitat fins al començament del segle XIX. De fet, la iniciativa de complementar l'exposició amb aquesta secció, acord adoptat per la comissió organitzadora el 14 de març, va ser de Salvador Sanpere i Miquel, que considerava que les reproduccions artístiques havien de figurar a l'exposició, tant perquè constituïen una de les branques de les indústries artístiques com pel fet que la seva presència serviria d'estímul i emulació entre els industrials i alhora els proporcionaria un coneixement millor de les obres mestres de l'Antiguitat. Al mateix temps, les possibles adquisicions podrien passar al Museu de Reproduccions que s'acabava de crear a Barcelona. Els participants en aquesta secció només hi podien presentar una obra, que per ser admesa havia de fer constar on es trobava la peça original.

La comissió organitzadora també es va haver d'ocupar de corregir les deficiències que presentava el Palau de Belles Arts, seu de l'exposició, les quals s'havien fet paleses un any abans, quan hi va tenir lloc la Primera Exposició General de Belles Arts. Es tractava principalment de millorar el saló central del palau, que havia acollit l'escultura de l'exposició esmentada i que no disposava d'il·luminació ni de calefacció. A més a més, atès que l'exposició que s'havia de presentar havia d'acollir lògicament nombroses peces de vidrieria policroma, de ceràmica i de musivària i, havent adduït la comissió organitzadora que el Palau de Belles Arts no era lloc apropiat per exposar-les, van decidir de construir en un solar annex al palau (situat a la confluència del carrer del Comerç, el Passeig Pujades i el Passeig Picasso) unes galeries unides a la seu central mitjançant un ampul·lós pont dissenyat per Pere Falqués, aleshores arquitecte municipal. Tot i que les galeries i el pont van ser arquitectures efímeres, el cert és que el saló central del Palau de Belles Arts va millorar considerablement i, en conseqüència, va ser un marc molt més idoni per a les successives exposicions que van tenir lloc en aquest edifici. La nova decoració del saló esmentat va ser encomanada al prestigiós escenògraf Francesc Soler i Rovirosa.[8]

Malgrat que, en la memòria llegida en l'acte inaugural, la comissió organitzadora insisteix en les dificultats que ha hagut de superar per tal de poder dur a terme l'exposició, acaba expressant una gran satisfacció, tant perquè esdeveniments d'aquesta mena, acompanyats d'una «protecció constant i un estímul creixent, ajuden a elevar de l'estat de prostració en què es troben un gran nombre d'indústries artístiques que van florir en èpoques passades» com per la nombrosa concurrència d'expositors que, segons que s'afirma, pujava a 515 participants —dues terceres parts dels quals, aproximadament, eren de Barcelona i la seva província—, distribuïts en les catorze seccions de què consta el reglament i una de destinada a objectes diversos,[9] i 50 en la secció internacional de reproduccions.

Tot i que els organitzadors de l'exposició havien considerat un factor molt positiu fer coincidir la inauguració de la mostra amb els importants festeigs organitzats a Barcelona per commemorar el IV Centenari del Descobriment d'Amèrica, la idea va resultar desencertada perquè la concentració d'esforços en aquest esdeveniment va fer que moltes de les instal·lacions de l'exposició no fossin acabades a temps i perquè l'atenció dels barcelonins en aquell moment es va centrar únicament en la celebració esmentada i «durant els festeigs l'Exposició d'Arts Decoratives ha estat gairebé en la soledat [...] ni els

porque la concentración de esfuerzos en aquél hizo que muchas de las instalaciones de la exposición no se acabaran a tiempo y porque la atención de los barceloneses en aquel momento se centró únicamente en aquellos fastos y «...durante los festejos la Exposición de Artes Decorativas ha permanecido casi en la soledad... ni los periódicos tenían tiempo de emplearse en tales elevados oficios ni el público iba a encerrarse entre las cuatro paredes del grandioso palacio, discurriendo por entre muebles, tapices, lámparas, hierros más o menos artísticos, libros y fotografías».[10] Probablemente por este motivo las primeras crónicas extensas sobre la exposición no aparecieron en la prensa hasta unos quince días después de su inauguración. Entonces los principales periódicos de la ciudad se emplearon a fondo y *La Vanguardia,* el *Diario de Barcelona, La Dinastía* y *La Renaixensa* le dedicaron extensos artículos en sucesivas entregas, que, en algunos casos, se prolongaron hasta prácticamente la clausura de la exposición. Todos ellos hacen una descripción tan detallada de las diferentes secciones que integraban la muestra que puede parecer excesiva para aparecer en las páginas de un periódico. Seguramente el hecho de que a finales de noviembre, es decir casi dos meses después de la inauguración de la muestra, no se hubiera publicado todavía el catálogo debió de ser la causa de una explicación tan prolija, que en cierto modo hizo las veces de catálogo de la muestra.[11] Los comentaristas de los diarios mencionados coinciden en lamentar la excesiva benevolencia que había tenido el jurado de admisión de obras a la hora de establecer el control de calidad de éstas, de forma que junto a piezas artísticas de interés figuraban otras muchas «que tienen tanto de artísticas como un chino de español».[12] F. Miquel y Badía, por su parte, se pregunta: «¿Entendieron con tanta latitud la palabra artístico los encargados de la admisión de productos en la Exposición de Industrias Artísticas? Decímoslo porque al visitante menos entendido en tales materias apenas penetre en el Gran Salón del Palacio de Bellas Artes ha de causarle grande extrañeza que en una exposición en la que debía dominar la nota del Arte, figura en sitio preferente una instalación de *somiers* metálicos, aisladores eléctricos y puntas de pararrayos, alambiques y retortas y algunos otros objetos muy adecuados para una exposición general de industria, mas no en manera alguna para la que llevaba por principal, y casi diríamos único fin, poner de relieve la preponderancia del Arte y de los artistas de veras en los productos de la industria».[13] En la misma línea que los anteriores, B. Bassegoda afirma que «salvando honrosas excepciones la falta de carácter artístico de muchos de los objetos expuestos es potentísima. Todos son aplicaciones más o menos felices de la industria a la construc-

ción y decoración, pero industrias exclusivamente artísticas hay muy pocas. Para nosotros industria artística no es la fabricación de aparatos topográficos, pararrayos, timbres eléctricos, monumentos de chocolate, zuecos decorados, pastillas de jabón, *somiers* o soldaditos de plomo. Aunque sin duda ello represente un gran avance en la producción nacional, no significa en absoluto que estas industrias estén al servicio del Arte».[14] Sin embargo ninguno de ellos culpa de esta situación al Ayuntamiento a quien, por el contrario, felicitan por la iniciativa de celebrar la exposición. Más bien opinan estos comentaristas, especialmente Bassegoda y Miquel i Badía, que el problema ha sido la falta de respuesta de los industriales importantes que se han desentendido del llamamiento institucional. «No tratamos de hacer cargos a nadie. En todo caso quien se los merece (triste es confesarlo) es el elemento del país que pudiendo presentar muestras magníficas y dignas de competir con el extranjero, por apatía o desidia deje de concurrir a estas luchas del trabajo y del arte. Después vienen las quejas de que no se nos hace suficiente caso ¿si no se concurre a las exposiciones de casa, puede venir después la queja de que no se nos tenga en buen concepto? ¿Es preferible ir al extranjero donde sabemos de sobra que no podemos competir con ventaja?».[15] En el mismo sentido Miquel i Badía afirma que «ni los industriales catalanes, ni siquiera los de Barcelona y menos los españoles en general han respondido al llamamiento que se les hizo. Desengañados unos de exposiciones que van perdiendo cada día en importancia, desengañados otros poque en la lucha industrial los beneficios no corresponden muchas veces a la cuantía de los esfuerzos [...] lo cierto es que las industrias artísticas de Cataluña y menos las del resto de España tienen la representación que hubieran deseado para ellas los que propusieron que las exhibiciones de esta clase alternaran con las de Pintura, Escultura y Grabado».[16] Por último, la mayoría de los comentaristas coinciden en afirmar que, a pesar de lo dicho anteriormente, en las secciones de metalistería, cerámica, vidriería, ebanistería y fotografía hay representaciones muy notables y destacan unánimemente que quizás el ámbito más interesante de la exposición es el dedicado a las reproducciones artísticas.

Como es lógico, la comisión organizadora de la exposición en la memoria que leyó en el acto de clausura no pasó por alto las críticas recibidas y dedicó buena parte del discurso a paliarlas. «Podrá objetársenos, tal vez con fundamento, que ni estábamos todos ni estaban los mejores; pero a esta afirmación preguntar cabe, en dónde estaba el patriotismo y buen sentido, si en los que a la voz del hermano respondieron para gloria de la Patria y del trabajo o los que sordos al clamor de Cataluña

3. Gaspar Homar. Plafó ceràmic, 1905. Museu d'Art Modern del MNAC.

periòdics tenien temps d'ocupar-se d'aquests elevats oficis ni el públic es tancaria entre les quatre parets del grandiós palau, discorrent entre mobles, tapissos, llums, ferros més artístics o menys, llibres i fotografies».[10] Probablement per aquest motiu les primeres cròniques extenses sobre l'exposició no van sortir a la premsa fins al cap de quinze dies de la inauguració. Aleshores els principals periòdics de la ciutat s'en van ocupar àmpliament i *La Vanguardia*, el *Diario de Barcelona*, *La Dinastía* i *La Renaixensa* hi van dedicar llargs articles en lliuraments successius que, en alguns casos, es van prolongar gairebé fins a la clausura de l'exposició. Tots fan una descripció tan detallada de les diferents seccions que integraven la mostra que pot semblar excessiva per aparèixer a les pàgines d'un periòdic. Segurament, el fet que a final de novembre, és a dir gairebé dos mesos després de la inauguració de la mostra, encara no se n'hagués publicat el catàleg degué ser la causa d'una explicació tan prolixa, que en un cert sentit fes la funció del catàleg.[11] Els comentaristes dels diaris esmentats coincideixen a lamentar l'excessiva benvolença que havia tingut el jurat d'admissió d'obres a l'hora d'establir el control de qualitat, de manera que al costat de peces artístiques d'interès n'hi havia moltes que «tenen tant d'artístiques com un xinès d'espanyol».[12] F. Miquel i Badia, per la seva banda, es demana: «¿Van entendre amb tanta mànega ampla la paraula artístic els encarregats de l'admissió de productes a l'Exposició d'Indústries Artístiques? Això ho diem perquè al visitant menys entès en aquestes matèries, tan aviat com penetri en el Gran Saló del Palau de Belles Arts, li ha de causar una gran estranyesa que en una exposició en la qual havia de dominar la nota de l'Art figuri en lloc preferent una instal·lació de somiers metàl·lics, aïlladors elèctrics i punxes de para-llamps, alambins i retortes, i alguns altres objectes força adequats per a una exposició general de la Indústria, però de cap manera per a la que duia per finalitat principal, i gairebé única, remarcar la preponderància de l'Art i dels artistes de debò en els productes de la indústria».[13] En la mateixa línia, B. Bassegoda afirma: «Salvant honroses escepcions la falta de caràcter artístich de molts dels objectes exposats es potentíssima. Tots élls son aplicacions més ó menos felissas de la industria á la construcció y decoració, més d'industria esclusivament artística n'hi ha gran falla. Per nosaltres industria artística no es la fabricació d'aparells y enginys topográfichs, de para-llamps y timbres eléctrichs, de monuments de xacolata, d'esclops decorats, de pastillas de sabó, de sommicrs, ni de soldadets de plom. Tot aixó no hi ha dupte de que representa un gran d'avens en la producció nacional, més de cap manera significa que aquestas industrias estigan al servey del Art».[14] Tanmateix, ningú no culpa d'aquesta situació l'Ajuntament, que, ben al contrari, és felicitat per la iniciativa de celebrar l'exposició. Més aviat, aquests comentaristes opinen, sobretot Bassegoda i Miquel i Badia, que el problema ha estat la manca de resposta dels industrials importants, que s'han desentès de la crida institucional. «No tractem de fer cárrechs á ningú. En tot cas qui'ls mereix de valent (trist es confesar-ho) es l'element del país que podent presentar mostras magníficas y dignas de competir ab l'extranger, per apatía ó desidia deixi de concorrer á aquestes lluytas del treball y del art. Després venen las queixas de que no's fa prou cas de nosaltres. Y aquí vé que ni pintada la pregunta. ¿Si no's concorre á las Exposicions de casa, pot venir després la queixa de que no'ns tingan en bon concepte? ¿Es preferible anar al extranger ahont sabém de sobras que no podém competir ab ventatja?»[15] En el mateix sentit, Miquel i Badia afirma que «ni els industrials catalans, ni tan sols els de Barcelona, ni encara menys els espanyols en general no han respost a la crida que se'ls va fer. Desenganyats els uns d'exposicions que cada dia perden importància, desenganyats els altres perquè en la lluita industrial els beneficis no corresponen tot sovint a la quantia dels esforços [...] el cert és que les indústries artístiques de Catalunya i no tant les de la resta d'Espanya tenen la representació que haurien desitjat els qui van proposar que les exhibicions d'aquesta mena alternessin amb les de Pintura, Escultura i Gravat».[16] Finalment, la majoria dels comentaristes coincideixen a afirmar que, malgrat el que s'ha dit anteriorment, a les seccions de metal·listeria, ceràmica, vidrieria, ebenisteria i fotografia hi ha representacions molt notables i destaquen únicament que potser l'àmbit més interessant de l'exposició és el dedicat a les reproduccions artístiques.

Com és lògic, la comissió organitzadora de l'exposició no va defugir, en la memòria que va llegir en l'acte de clausura, les crítiques rebudes i va dedicar bona part del discurs a pal·liar-les. «Es pot objectar, potser amb fonament, que ni hi érem tots ni hi eren els millors; però davant

4. Portada de la revista *El Arte Decorativo*.

dejaron de formar en la vanguardia de esa pacífica falange de artífices y obreros, que comienzan animosos y resueltos la campaña victoriosa de nuestra reconquista industrial. Pretender que las amplias crugías de nuestro extenso palacio se llenaran por completo de obras y de proyectos que causaran la maravilla y la sorpresa del visitante inteligente habría sido no tan sólo una pretensión injustificada sino un milagro». En estas palabras estaba implícita, pues, la situación más que precaria de las artes industriales del país, cosa que había complicado extraordinariamente el trabajo del jurado de admisión de obras, que, «teniendo en cuenta no tan sólo que ha sido ésta la primera manifestación de las Artes Decorativas y de aplicación industrial sino también el estado de nuestras producciones y el estímulo que conviene despertar entre nuestros artistas e industriales ha preferido inspirarse en los sublimes preceptos de la Divinidad que brilla siempre más por su infinita misericordia que por su recta e inexorable justicia».

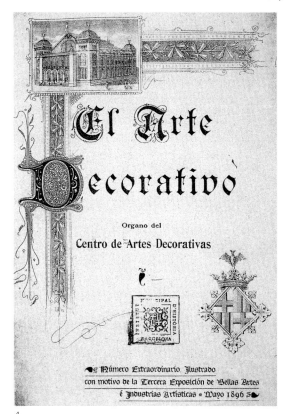

4

La comisión organizadora, llevada de ese mismo afán pedagógico y proteccionista de las Artes Industriales, decidió organizar unos concursos entre los artífices e industriales que premiaran las mejores obras de las diferentes secciones que integraban la exposición.[17] Asimismo se organizó una serie de seis conferencias, que se celebraron en la misma sede de la exposición durante seis domingos consecutivos, destinadas a los obreros y artífices con el fin de «hermanar los conocimientos teóricos del Arte Industrial, que educan y preparan al obrero y al artífice, con la contemplación práctica de las obras».[18] Tras agradecer muy especialmente el apoyo dado a la exposición tanto por el Fomento del Trabajo Nacional como por el Centro Industrial de Cataluña, el discurso de la comisión organizadora en el acto de clausura de la exposición acaba diciendo «no cierre, pues, con temor ni con disgusto esta puerta, a abrirla vendrán tiempos mejores y los próximos progresos indudables de nuestras Artes e Industrias Nacionales».

De lo expuesto hasta ahora puede deducirse que la taxativa afirmación de Bohigas, relativa al escaso interés de esta muestra, se ajustaba a la realidad. La Exposición de Artes Industriales de 1892, si se compara por ejemplo con la de Bellas Artes celebrada el año anterior fue un fracaso porque, a diferencia de lo que sucedió en 1891, no se cumplieron las expectativas previstas; en el ám-

bito económico se había creído que los ingresos superarían a los gastos y, al parecer, la exposición fue claramente deficitaria;[19] la afluencia de público fue mucho menor de lo que se había supuesto; la crítica, como ya hemos visto, se mostró benevolente por el esfuerzo llevado a cabo, pero no dejó de manifestar un cierto desengaño por la heterogeneidad y la poca calidad de su contenido; las adquisiciones que se realizaron con destino al museo de la ciudad no pudieron tener, en consecuencia, especial relieve. Sin duda por todo ello la exposición de 1892, que tenía que prolongarse en sucesivas manifestaciones oficiales dedicadas a las Artes Industriales, fue la primera y la última que se celebró en Barcelona. Paradójicamente el excesivo entusiamo de los organizadores de esta manifestación fue la causa de su infortunio, ya que en lugar de plantear una muestra más restrictiva, en la que solamente fueran llamados a participar quienes cultivaban industrias artísticas, abrieron excesivamente las puertas y, en consecuencia, se colaron muchos más industriales que artistas industriales.

Ahora bien, con la perspectiva que da el tiempo, sería injusto e inexacto concluir que la Exposición Nacional de Artes Industriales de 1892 fue un esfuerzo inútil. Por una parte, aunque, como se lamentaban los organizadores, no acudieron a la cita algunas de las figuras mas relevantes —como, por ejemplo, Esteve Andorrà en el ámbito de la metalistería o en el del mobiliario José Ribas y muy especialmente Francesc Vidal o incluso el propio Gaspar Homar que, aunque en aquella fecha trabajaba aún a las órdenes de éste, ya había realizado algunas piezas individualmente— sí estuvieron presentes los principales artífices catalanes del momento —entre otros, en metalistería, M. Ballarín, C. González e hijos o F. Masriera; en vidriería, A. Rigalt; en mobiliario, E. Roca o J. Busquets; en grabados, E. Bobes; en fotografía, Napoleón; en bordados, J. Fiter; en proyectos, J. Busquets i Jané y A. de Riquer. Por otra parte, se cumplió sobradamente el objetivo primordial que perseguían los organizadores, es decir, brindar el apoyo institucional necesario para sacar a las artes industriales del estancamiento y de la precariedad en que se encontraban. Buena prueba de ello fue que «al iniciarse en esta ciudad la Exposición de Artes Decorativas de 1892, cundió entre varios artistas industriales la idea de constituir una asociación que viniera a concentrar los propósitos de cuantos cultivan las industrias relacionadas con el arte, por si cabía dar mayor esplendor y grandeza al expresado certamen. Durante el período del mismo (pues no fue posible antes, por no conocerse y no ser fácil reunirse) pudo observarse que si bien resultaba escaso aquel concurso, así en cuanto al número de expositores como al de objetos presentados, presentaban valer artístico algunas de las varias in-

d'aquesta afirmació cal demanar on eren el patriotisme i el seny, si en aquells que van respondre a la veu del germà per a glòria de la Pàtria i del treball o en aquells que, sords al clamor de Catalunya, van deixar de formar a l'avantguarda d'aquesta pacífica falange d'artífexs i obrers, que comencen animosos i decidits la campanya victoriosa de la nostra reconquesta industrial. Pretendre que les àmplies crugies del nostre gran palau s'omplissin completament d'obres i de projectes que causessin la meravella i la sorpresa del visitant intel·ligent hauria estat no tan sols una pretensió injustificada sinó un miracle.» En aquestes paraules hi havia implícita, doncs, la situació més que precària de les arts industrials del país, fet que havia complicat extraordinàriament la tasca del jurat d'admissió d'obres, que, «tenint en compte no tan sols que ha estat la primera manifestació de les Arts Decoratives i d'aplicació industrial sinó també l'estat de les nostres produccions i l'estímul que convé desvetllar entre els nostres artistes i industrials, ha preferit inspirar-se en els sublims preceptes de la Divinitat que sempre lluex més per la seva infinita misericòrdia que per la seva recta i inexorable justícia».

La comissió organitzadora, empesa per aquest mateix afany pedagògic i proteccionista de les arts industrials, va decidir d'organitzar uns concursos entre els artífexs i industrials que premiessin les millors obres de les diferents seccions que integraven l'exposició.[17] Així mateix, es va organitzar una sèrie de sis conferències, les quals van tenir lloc a la mateixa seu de l'exposició al llarg de sis diumenges consecutius, adreçades als obrers i artífexs amb la finalitat d'«agermanar els coneixements teòrics de l'Art Industrial, que eduquen i preparen l'obrer i l'artífex , amb la contemplació pràctica de les obres».[18] Després d'agrair molt especialment el suport prestat a l'exposició tant pel Foment del Treball Nacional com pel Centre Industrial de Catalunya, el discurs de la comissió organitzadora a l'acte de clausura de l'exposició acaba dient: «No tanqui, doncs, amb temença ni amb disgust aquesta porta, a obrir-la vindran temps millors i els propers progressos indubtables de les nostres Arts i Indústries Nacionals».

Del que hem exposat fins ara, se'n pot deduir que la taxativa afirmació de Bohigas relativa a l'escàs interès d'aquesta mostra s'ajustava a la veritat. L'Exposició d'Arts Industrials del 1892, si la comparem, per exemple, amb la de Belles Arts celebrada un any abans, va ser un fracàs, perquè a diferència del que va succeir el 1891 no s'hi van satisfer les expectatives previstes; en l'àmbit econòmic s'havia cregut que els ingressos superarien les despeses i, segons que sembla, l'exposició va ser clarament deficitària;[19] l'afluència de públic va ser força inferior a l'esperada; la críti-

ca, com ja hem vist, es va mostrar benvolent per l'esforç dut a terme, però no es va estar de manifestar un cert desengany per l'heterogeneïtat i l'escassa qualitat del contingut; les adquisicions fetes amb destinació al museu de la ciutat no van tenir, doncs, un relleu gaire especial. Per tot plegat, sens dubte, l'exposició del 1892, que s'havia de perllongar en successives manifestacions oficials dedicades a les Arts Industrials, va ser la primera i l'última que va tenir lloc a Barcelona. Paradoxalment, l'entusiasme excessiu dels organitzadors d'aquesta manifestació va ser la causa de la seva dissort, ja que en comptes de plantejar una mostra més restrictiva, en la qual només fossin cridats a participar els qui cultivaven indústries artístiques, van obrir excessivament les portes i, en conseqüència, hi van tenir entrada molts més industrials que no pas artistes industrials.

Ara bé, amb la perspectiva que dóna el temps, fóra injust i inexacte concloure que l'Exposició Nacional d'Arts Industrials de 1892 va ser un esforç inútil. Per un costat, tot i que, com es lamentaven els organitzadors, no van acudir a la cita algunes de les figures més significatives —com ara Esteve Andorrà, en l'àmbit de la metal·listeria, o en el del mobiliari Josep Ribas i molt especialment Francesc Vidal i fins el mateix Gaspar Homar que, malgrat que en aquella data encara treballava a les ordres de Vidal, ja havia dut a terme algunes peces individualment—, sí que hi van estar presents els principals artífexs catalans del moment: M. Ballarín, C. Gonzàlez i fills, o F. Masriera, en metal·listeria; A. Rigalt, en vidrieria; E. Roca o J. Busquets, en mobiliari; E. Bobes, en gravat; Napoleón, en fotografia; J. Fiter, en brodats; J. Busquets i Jané i A. de Riquer, en projectes, etc. Per un altre costat, es va complir amb escreix l'objectiu primordial que perseguien els organitzadors, és a dir, brindar el suport institucional necessari per tal de treure les arts industrials de l'estancament i la precarietat en què es trobaven. En va ser bona prova el fet que «en iniciar-se en aquesta ciutat l'Exposició d'Arts Decoratives de 1892, es va estendre entre diversos artistes industrials la idea de constituir una associació que concentrés els propòsits de tothom que cultivés les indústries relacionades amb l'art, per si era possible donar més esplendor i grandesa al certamen esmentat. Durant la celebració d'aquest (ja que abans no va ser pas possible, atès que no es coneixien i no els era gens fàcil reunir-se) es va poder observar que si bé el concurs resultava escàs, tant pel que feia al nombre d'expositors com al d'objectes presentats, algunes de les diverses indústries congregades tenien vàlua artística».[20] Segons que sembla, el primer nucli d'artífexs que es va mobilitzar

dustrias allí congregadas».[20] Al parecer el primer núcleo de artífices que se movilizó para formar la asociación, y que incluso con esta finalidad se reunió en la propia sede de la exposición de 1892, lo integraban entre otros Francesc Sala, Josep Santafé, Concordio González, Manuel Beristain, Jaume Brugarolas i Joan Sarrado, todos ellos participantes en la mencionada exposición. El esfuerzo y el entusiasmo de los integrantes de este primer núcleo, que contó con el apoyo del Fomento del Trabajo Nacional, dio como resultado el que otros artífices se sumaran al proyecto y acabaran constituyendo en 1894 el Centro de Artes Decorativas, asociación que, como es sabido, aglutinó a los principales artífices del momento, publicó una revista mensual —El Arte Decorativo— y organizó exposiciones con carácter anual dedicadas lógicamente a las artes decorativas.

La siguiente exposición de carácter oficial que se celebró en Barcelona, la de 1894, se dedicó, como estaba previsto, solamente a las Bellas Artes. En cambio, la de 1896, en la que le tocaba el turno de nuevo a las Artes Industriales exclusivamente, ya no llegó a celebrarse: en esta ocasión, como en las sucesivas (1898, 1907 y 1911), se presentaron conjuntamente las Bellas Artes y las Artes Industriales, éstas en clara inferioridad numérica. Aunque la limitación de este texto no permite analizar extensamente las secciones de Artes Industriales de estas otras cuatro manifestaciones, intentaremos apuntar algunas particularidades.

La experiencia de 1892 llevó a los organizadores de la exposición de 1896 a un planteamiento bien distinto de la sección de Industrias Artísticas, ahora denominadas «Industrias de marcado carácter artístico». Se agruparon éstas en cuatro ámbitos —Metalistería; Cerámica y Vidriería; Carpintería y Ebanistería en su concepto de Aplicación Artística, y Tapicería— frente a las catorce secciones que contemplaba la manifestación de 1892; los artistas y artífices fueron convocados personalmente el 1 de abril de 1895, es decir, algo más de un año antes de la inauguración de la exposición, a diferencia de lo ocurrido en la ocasión anterior. Es interesante indicar que precisamente Gaspar Homar, que entonces ya estaba instalado independientemente en un local sito en Rambla de Cataluña, 129, fue uno de ellos, aunque declinó el ofrecimiento;[21] el jurado de admisión de obras actuó con un criterio claramente restrictivo y todas aquellas obras que no tenían un marcado carácter artístico fueron rechazadas;[22] por último, es interesante destacar que el Centro de Artes Decorativas, que precisamente dedicó un número especial de su revista a la exposición de 1896,[23] formó parte de la comisión organizadora del certamen. En cuanto a la presencia catalana, tanto en la exposición de 1896 como en la de 1898, participaron más o menos

los mismos artífices que habían concurrido a la de 1892. Es de señalar el hecho de que, aun siendo los participantes los mismos, los comentarios relativos a las dos últimas exposiciones coinciden en destacar el progreso manifiesto de las artes industriales del país y la evidencia de que los artífices habían logrado encaminarse hacia un derrotero acertado al buscar la inspiración en elementos nacionales de épocas pretéritas, especialmente en el arte gótico. García Llansó, por ejemplo, afirma que «es buena la senda emprendida porque se persigue amoldar al gusto moderno los elementos que en otros siglos determinaron el engradecimiento artístico industrial de nuestra patria».[24] Miquel y Badía, por su parte, ahonda un poco más en el comentario anterior y atribuye el importante avance que han experimentado las Artes Industriales no sólo al estudio y a la imitación de lo antiguo sino muy especialmente a la labor de «los jóvenes arquitectos entusiastas del arte medieval que se han propuesto aplicarlo, con su cuenta y razón, a los edificios modernos»[25] y, en este sentido cita como ejemplo un farol realizado por el metalista Manuel Ballarín que tenía por destino el Colegio de Abogados —que entonces tenía su sede en la Casa del Arcediano—, cuyo diseño había corrido a cargo de Lluis Doménech i Montaner. En esta misma línea es muy elocuente el hecho de que en el dictamen del jurado de recompensas de la exposición de 1896, B. Bassegoda proponga que junto al premio concedido al metalista Esteve Andorrà por su proyecto de lámpara se otorgue también algún tipo de reconocimiento al arquitecto Josep Puig i Cadafalch, autor del diseño, «por estimar que en las obras de Arte Industrial era factor importantísimo el proyecto y dirección».[26] Estas consideraciones son de un gran interés no tanto por lo que tienen de reconocimiento del papel decisivo de los arquitectos en relación a las artes industriales sino por el hecho de que manifiestan la importancia y la necesidad de que se produzca una verdadera comunión entre arquitectos y artífices, actitud que llevará inmediatamente al concepto de obra total y, en definitiva, al esplendor del modernismo.

Después de la celebración de la exposición de 1898, y por diversos avatares, se interrumpió la organización de este tipo de manifestaciones hasta 1907, año en el que tuvo lugar la V Exposición Internacional de Bellas Artes e Indústrias Artísticas, sin duda la más importante de todas las celebradas en Barcelona. Antes de comentar lo relativo a las Industrias Artísticas de esta exposición, es importante recordar que en el período transcurrido entre 1898 y 1907 se produjo el momento de esplendor de las artes decorativas modernistas al que no había sido ajena la colaboración entre arquitectos y artífices. Gaspar Homar, por ejemplo, había realizado ya sus conjuntos más notables en

per formar l'associació, i que amb aquesta finalitat fins i tot es va reunir a la seu de l'exposició del 1892, l'integraven, entre altres, Francesc Sala, Josep Santafé, Concordi Gonzàlez, Manuel Beristain, Jaume Brugarolas i Joan Sarrado, tots ells representats a l'exposició. L'esforç i l'entusiasme dels integrants d'aquest primer nucli, que va comptar amb el suport del Foment del Treball Nacional, va tenir per resultat que altres artífexs s'afegissin al projecte i acabessin constituint, el 1894, el Centre d'Arts Decoratives, associació que, com és sabut, va aglutinar els principals artífexs del moment, va publicar una revista men-

5

sual —El *Arte Decorativo*— i va organitzar exposicions de caràcter anyal dedicades lògicament a les arts decoratives.

La següent exposició oficial que va tenir lloc a Barcelona, la del 1894, es va dedicar, com estava previst, únicament a les Belles Arts. En canvi, la del 1896, quan tocava novament el torn a les Arts Industrials en exclusiva, ja no va arribar a tenir lloc: en aquesta ocasió, i també en les successives (1898, 1907 i 1911), es van presentar conjuntament les Belles Arts i les Arts Industrials, amb les segones en clara inferioritat numèrica. Tot i que la limitació d'aquest text no permet d'analitzar amb detall les seccions d'Arts Industrials d'aquestes quatre manifestacions, intentarem assenyalar-ne algunes particularitats.

L'experiència del 1892 va menar els organitzadors de l'exposició del 1896 a un plantejament ben diferent de la secció d'indústries artístiques, ara denominades «indústries de marcat caràcter

artístic». Es van agrupar en quatre àmbits —Metal·listeria; Ceràmica i Vidrieria; Fusteria i Ebenisteria, en el seu concepte d'Aplicació Artística, i Tapisseria—, davant de les catorze seccions que preveia la manifestació del 1892; artistes i artífexs hi van ser personalment convocats el primer d'abril del 1895, és a dir, poc més d'un any abans de la inauguració de l'exposició, a diferència de la precipitació de l'ocasió anterior. És interessant fer notar que Gaspar Homar, ja instal·lat per compte seu en un local de la Rambla de Catalunya, 129, en va ser justament un, tot i que va declinar l'oferiment;[21] el jurat d'admissió d'obres va actuar amb un criteri clarament restrictiu i totes aquelles obres que no tenien un caràcter marcadament artístic van ser rebutjades;[22] finalment, cal remarcar que el Centre d'Arts Decoratives, que precisament va dedicar un número especial de la seva revista a l'exposició del 1896,[23] va formar part de la comissió organitzadora del certamen. Pel que fa a la presència catalana, tant en l'exposició del 1896 com en la del 1898, hi van participar més o menys els mateixos artífexs que havien concorregut a la del 1892. Cal assenyalar el fet que, fins i tot essent els participants els mateixos, els comentaris relatius a les dues últimes exposicions coincideixen a remarcar el progrés manifest de les arts industrials del país i l'evidència que els artífexs havien aconseguit trobar un camí adequat cercant la inspiració en elements nacionals d'èpoques pretèrites, especialment en l'art gòtic. García Llansó, per exemple, afirma: «...és bo el viarany triat perquè es persegueix adaptar al gust modern els elements que en altres segles van determinar l'engrandiment artístic industrial de la nostra pàtria».[24] Miquel i Badia, per la seva banda, aprofundeix una mica més en el comentari anterior i atribueix l'important avenç que han experimentat les arts industrials no sols a l'estudi i la imitació de l'antic, sinó ben especialment a la tasca dels «joves arquitectes entusiastes de l'art medieval que s'han proposat d'aplicar-lo, a compte i raó seves, als edificis moderns»;[25] en aquest sentit posa d'exemple un fanal realitzat pel metal·lista Manuel Ballarín que tenia per destinació el Col·legi d'Advocats —amb seu, aleshores, a la Casa de l'Ardiaca—, el disseny del qual havia anat a càrrec de Lluís Domènech i Montaner. En la mateixa línia, és força eloqüent el fet que en el dictamen del jurat de recompenses de l'exposició del 1896, B. Bassegoda proposi que, juntament amb el premi atorgat al metal·lista Esteve Andorrà pel seu projecte de llum, es concedeixi algun tipus de reconeixement a l'arquitecte Josep Puig i Cadafalch, autor del disseny, «en considerar que en les obres d'Art Industrial eren factor importan-

6. Aspecto del *stand* de Gaspar Homar en la Exposición Internacional de Arte de Barcelona de 1907.

la casa Lleó Morera de Barcelona o en la casa Navàs de Reus, edificios proyectados por Lluís Domènech i Montaner, que había confiado a Homar el interiorismo. Sin embargo, y a pesar del reconocimiento de que gozaban en aquel momento los principales artífices, su presencia en la Exposición Internacional de 1907 fue un tanto particular porque las obras pertenecientes a la sección de Industrias Artísticas debían formar parte de la decoración de las salas.[27] Según el reglamento de la mencionada exposición, «la Comisión Ejecutiva, de acuerdo con el Jurado de Admisión y colocación, podrá confiar a agrupaciones especiales de artistas

6

y artífices el encargo de organizar, decorar e instalar cada una de las salas en que está dividida la exposición. Los industriales que contribuyan a la decoración y arreglo de dichas salas gozarán de todos los derechos concedidos a los artistas expositores».[28] Acogiéndose a este artículo del reglamento, con fecha 31 de octubre de 1906, los artífices A. Serra, Rigalt, Granell y Cía, J. Carreras, G. Homar y J. Pey solicitan que se les conceda «una sala o espacio cerrado de unos cuarenta metros cuadrados que los firmantes se comprometen a decorar de su cuenta, sirviendo dicho espacio para emplazar sus respectivas instalaciones de Industrias Artísticas».[29] Esta petición les fue denegada porque, según los organizadores, el hecho de que se encargara a agrupaciones de artistas y artífices la decoración de las diversas salas de la exposición «no implica que los respectivos locales puedan ser utilizados para la exhibición de obras propias de los artistas que precisamente las hayan decorado, sino para los expositores en general, a criterio de la Comisión Ejecutiva, lo cual es manifiestamente contrario a la concesión del deseo expuesto en su comunicación y, en consecuencia, esta Comisión

se ve en el sensible caso de no poder acceder a lo instado».[30] A pesar del ya mencionado apogeo de las artes decorativas y del reconocimiento que tenían sus autores en 1907, en un principio su participación en la exposición debía limitarse a la decoración de una sala, en el caso de que fueran elegidos para ello, pero en ningún caso podían incluir en ella sus producciones.

Para decorar las 33 salas de que constó la muestra, fueron elegidos 22 responsables,[31] los cuales a su vez podían buscar las colaboraciones que consideraran oportunas. A excepción de la decoración de la sala XXIII, cuya dirección fue encargada al ebanista y decorador Joan Busquets Jané, el resto de direcciones las asumieron figuras procedentes más bien del ámbito de la arquitectura o de la pintura. Por lo tanto, aunque a los artífices se les instaba a participar en la exposición mediante la decoración de las salas, prácticamente ninguno de ellos fue elegido como director de algún proyecto.

Sin embargo, algunas de las personas a quienes se encomendó la dirección de alguna sala buscaron la colaboración de diferentes artífices. Este fue el caso, por ejemplo del arquitecto Bonaventura Conill, a quien se le adjudicó la decoración de la sala XXXIII, que debía acoger la producción italiana. Conill buscó la colaboración de diferentes artífices, entre los que destacaba muy especialmente Gaspar Homar.[32] Por lo que puede apreciarse por la escasa documentación gráfica que se ha conservado de la citada sala, la decoración general no tiene nada especialmente relevante a excepción de un *stand* realizado por Gaspar Homar cuyo interior mostraba una reducida antología de sus obras modernistas más relevantes, desde la ebanistería a la marquetería, pasando por la metalistería, los cortinajes y otros accesorios. Según el boletín de admisión cumplimentado por Homar,[33] su instalación, que formaba parte de la decoración de la sala asignada a B. Conill, constaba de un techo de marquetería, un pavimento de mosaico mármol,[34] un frente de instalación con un panel de marquetería con figuras, siete lámparas, cuatro sillas, dos sillones, un sofá, una banqueta, un pedestal, un secreter de majagua con un panel de marquetería con figuras, dos paneles de mosaico, cristal y porcelana, un panel de marquetería con una danza, un panel de madera, metal y marfil con un San Jorge y un mueble de amaranto de estilo gótico.[35] Por lo tanto, a pesar de que se denegó con tanta arbitrariedad a los artífices que pudieran disponer de un espacio propio para mostrar sus obras, indirectamente algunos consiguieron su objetivo mediante un subterfugio absolutamente injusto, dada su categoría profesional, al hacer pasar estas instalaciones como parte de la decoración de una sala determinada. El otro mueblista relevante de aquel momen-

6. Aspecte de l'estand de Gaspar Homar a l'Exposició Internacional d'Art de Barcelona de 1907.

tíssims el projecte i la direcció».[26] Aquestes consideracions són de gran interès no tant pel que tenen de reconeixement del paper decisiu dels arquitectes en relació a les arts industrials com pel fet que palesen la importància i la necessitat que es produeixi una veritable comunió entre arquitectes i artífexs, actitud que portarà tot seguit al concepte d'obra total i, en definitiva, a l'esplendor del modernisme.

Després de la celebració de l'exposició del 1898, i per causes diverses, es va interrompre l'organització d'aquesta mena de manifestacions fins al 1907, l'any que va tenir lloc la V Exposició Internacional de Belles Arts i Indústries Artístiques, la més important, sens dubte, de totes les celebrades a Barcelona. Abans de comentar el que es refereix a les indústries artístiques en aquesta exposició, és important recordar que durant el període transcorregut entre 1898 i 1907 es va produir el moment d'esplendor de les arts decoratives modernistes, al qual no havia estat pas aliena la col·laboració entre arquitectes i artífexs. Gaspar Homar, per exemple, ja havia fet els seus conjunts més notables a la casa Lleó Morera de Barcelona o a la casa Navàs de Reus, edificis projectats per Lluís Domènech i Montaner, que n'havia confiat a Homar l'interiorisme. Tanmateix i malgrat el reconeixement de què gaudien aleshores els principals artífexs, la seva participació en l'Exposició Internacional de 1907 va ser una mica particular perquè les obres pertanyents a la secció d'Indústries Artístiques havien de formar part de la decoració de les sales.[27] Segons el reglament de l'exposició esmentada: «La Comissió Executiva, d'acord amb el Jurat d'Admissió i Col·locació, podrà confiar a agrupacions especials d'artistes i artífexs l'encàrrec d'organitzar, decorar i instal·lar cada una de les sales en què està dividida l'exposició. Els industrials que contribueixen a la decoració i agençament de les dites sales gaudiran de tots els drets concedits als artistes expositors».[28] Acollint-se a aquest article del reglament, amb data 31 d'octubre de 1906, els artífexs A. Serra, Rigalt, Granell i Cia, J. Carreras, G. Homar i J. Pey sol·liciten que se'ls concedeixi «una sala o espai tancat d'uns quaranta metres quadrats que els signants es comprometen a decorar per compte seu, de manera que aquest espai serveixi per emplaçar les respectives instal·lacions d'Indústries Artístiques»[29] Aquesta petició els va ser denegada perquè, segons els organitzadors, el fet que s'encarregués a agrupacions d'artistes i artífexs la decoració de les diverses sales de l'exposició «no implica que els respectius locals puguin ser emprats per a l'exhibició d'obres dels mateixos artistes que justament les hagin decorades, sinó per als expositors en general, a criteri de la Co-

missió Executiva, fet que és palesament contrari a la concessió del desig exposat en la seva comunicació i, en conseqüència, aquesta Comissió es veu en el sensible cas de no poder accedir-hi».[30] Tot i l'esmentat apogeu de les arts decoratives i del reconeixement que tenien els seus autors el 1907, en principi la seva participació en l'exposició s'havia de limitar a la decoració d'una sala, si eren elegits, però en cap cas no podien incloure-hi les seves produccions.

Per decorar les trenta-tres sales de què va constar la mostra, van ser elegits vint-i-dos responsables,[31] els quals podien cercar les col·laboracions que consideressin adients. Llevat de la decoració de la sala XXIII, la direcció de la qual va ser encarregada a l'ebenista i decorador Joan Busquets i Jané, la resta de direccions les van assumir figures procedents més aviat de l'àmbit de l'arquitectura o de la pintura. Així doncs, tot i que els artífexs eren instats a participar en l'exposició mitjançant la decoració de sales, gairebé cap d'ells no va ser elegit com a director de cap projecte.

Tanmateix, algunes de les persones a qui es va encomanar la direcció d'una sala van cercar la col·laboració de diferents artífexs. Va ser el cas, per exemple, de l'arquitecte Bonaventura Conill, a qui va ser encomanada la decoració de la sala XXIII, que havia d'acollir la producció italiana. Conill va cercar la col·laboració de diferents artífexs, entre els quals destacava especialment Gaspar Homar.[32] Pel que es pot apreciar en l'escassa documentació gràfica conservada de la sala esmentada, la decoració general no té res d'especialment rellevant, llevat d'un estand dut a terme per Gaspar Homar l'interior del qual mostrava una reduïda antologia de les seves obres modernistes més significatives, des de l'ebenisteria fins a la marqueteria passant per la metal·listeria, els cortinatges i altres accessoris. Segons el butlletí d'admissió emplenat per Homar,[33] la seva instal·lació, que formava part de la decoració de la sala assignada a B. Conill, constava d'un sostre de marqueteria, un paviment de mosaic de marbre,[34] un front d'instal·lació amb un plafó de marqueteria amb figures, set llums, quatre cadires, dues butaques, un sofà, una banqueta, un pedestal, un secreter de majagua amb un plafó de marqueteria amb figures, dos plafons de mosaic ceràmics, cristall i porcellana, plafó de marqueteria amb una dansa, un panel de fusta, metall i ivori amb un Sant Jordi i un moble d'amarant d'estil gòtic.[35] Per tant, malgrat que es va denegar tan arbitràriament als artífexs que poguessin disposar d'un espai propi per mostrar les seves obres, alguns van aconseguir indirectament el seu objectiu mitjançant un subterfugi absolutament injust, atesa la seva categoria professio-

to, Joan Busquets i Jané, pudo también instalar su propio ámbito al habérsele nombrado director de la decoración de una sala, que decoró con sus propias creaciones. Por último, hay que añadir que por alguna razón que no nos ha sido posible aclarar, algunos artífices, en cambio, presentaron sus obras en el marco habitual de la muestra, como cualquier otro expositor. Tal es el caso de Manuel Beristain, Joan Riera Casanovas, Antoni Serra, Rigalt, Granell y Cía, por citar a algunos de los catalanes mas destacados, cuyas obras, formaron parte del catálogo de la exposición, a diferencia de las que quedaban integradas en una decoración conjunta. Pero, al margen de las circunstancias poco afortunadas que acabamos de exponer, el hecho que más interesa destacar es que el Jurado de Recompensas,[36] que debía decidir los premios y medallas a los participantes en la exposición —recordemos que a estos efectos los que colaboraban en la decoración de las salas tenían los mismos derechos que los expositores— concedió la medalla de primera clase de la sección de Ebanistería, Mobiliario y Carpintería en su concepto artístico a Gaspar Homar «por su instalación de mosaicos y muebles en la sala XXXIII», omitiendo, ahora sí, cualquier referencia a que dicho conjunto había tenido que formar parte de la decoración de la sala de Italia. Por lo tanto, finalmente Gaspar Homar acabaría por ser el gran triunfador, en su especialidad, de la importante Exposición Internacional de Arte e Industrias Artísticas celebrada en Barcelona en 1907. Sin embargo, desde el punto de vista institucional, se desaprovechó la ocasión de adquirir alguna de estas piezas, teniendo en cuenta tanto su excepcional categoría como el hecho de que las colecciones públicas de Barcelona no tenían ninguna obra de mobiliario o de musivaria plenamente modernista.[37]

Finalmente hay que apuntar que en 1911, momento en el que las artes decorativas modernistas habían entrado ya en una fase de declive, se celebró la VI Exposición Internacional de Arte, que sería la última manifestación de estas características celebrada en Barcelona. En esta exposición las Artes Industriales, englobadas bajo la denominación Arte Decorativo, tuvieron una presencia claramente inferior a la que habían tenido en los certámenes anteriores. Sin embargo, es interesante destacar que, a diferencia de lo que había ocurrido en anteriores ocasiones, se adquirieron dos piezas singulares de la sección de mobiliario: una chimenea de nogal de estilo neogótico de Joan Riera i Casanovas decorada con un gran panel de mosaico de Lluís Bru y un armario-licorero de Joan Busquets i Jané con esmaltes de Lluís Masriera.[38]

Esas dos obras, junto con un bargueño, también de Busquets, que se adquirió en la exposición de 1898, constituyeron hasta entrada la década de 1960 el único fondo de mobiliario modernista en las colecciones públicas de Barcelona. En 1964, en cambio, cuando el modernismo estaba absolutamente infravalorado, Joan Ainaud de Lasarte, entonces director general de los museos barceloneses, tuvo el acierto de impulsar la exposición Las Artes Suntuarias del Modernismo Barcelonés. A raíz de esta exposición y de la titulada El Modernismo en España, celebrada en Barcelona y en Madrid cinco años más tarde, ingresaron en el museo numerosas piezas y conjuntos muy relevantes, entre los que destacan muy especialmente el mobiliario de Gaspar Homar procedente del piso principal de la casa Lleó Morera y un centenar de proyectos coloreados a la acuarela del propio Homar, que constituyen el núcleo fundamental de las excepcionales colecciones de artes decorativas modernistas que conserva el Museu d'Art Modern del MNAC.[39]

7. Gaspar Homar: plafó de marqueteria amb la Immaculada que va figurar en la instal·lació de Gaspar Homar a l'Exposició Internacional d'Art de Barcelona de 1907.

7

nal, en fer passar aquestes instal·lacions com si formessin part de la decoració d'una sala determinada. L'altre moblista significatiu del moment, Joan Busquets i Jané, també va poder instal·lar-hi un àmbit en haver estat nomenat director de la decoració d'una sala que va decorar amb creacions seves. Finalment, cal afegir que per alguna raó que no ens ha estat possible aclarir, alguns artífexs van presentar les seves obres, en canvi, dins el marc habitual de la mostra, com un expositor qualsevol. És el cas de Manuel Beristain, Joan Riera Casanovas, Antoni Serra, Rigalt, Granell i Cia., per esmentar alguns dels catalans més destacats, les obres dels quals van formar part del catàleg de l'exposició, a diferència de les que restaven integrades dins una decoració conjunta. Però, deixant de banda les circumstàncies poc afortunades que acabem d'exposar, el fet que més convé remarcar és que el Jurat de Recompenses,[36] que havia de decidir els premis i medalles als participants en l'exposició —cal recordar que, a aquests efectes, els que col·laboraven a la decoració de les sales tenien els mateixos drets que els expositors—, va concedir la medalla de primera classe de la Secció d'Ebenisteria, Mobiliari i Fusteria en el seu concepte artístic a Gaspar Homar «per la seva instal·lació de mosaics i mobles a la sala XXIII», tot ometent, ara sí, cap referència al fet que el conjunt esmentat havia hagut de formar part de la decoració de la sala d'Itàlia. Finalment, doncs, Gaspar Homar havia de ser el gran triomfador, en la seva especialitat, de la important Exposició Internacional d'Art i Indústries Artístiques que va tenir lloc a Barcelona el 1907. Tanmateix, des del punt de vista institucional, es va desaprofitar l'ocasió d'adquirir alguna d'aquestes peces, sobretot si tenim en compte tant la seva categoria excepcional com el fet que les col·leccions públiques de Barcelona no tenien cap obra plenament modernista de mobiliari ni de musivària.[37]

Finalment, cal apuntar que el 1911, moment en què les arts decoratives modernistes ja havien entrat en una etapa de davallada, va tenir lloc la VI Exposició Internacional d'Art, que havia de ser la darrera manifestació d'aquestes característiques celebrada a Barcelona. En aquesta exposició, les arts industrials, englobades dins la denominació Art Decoratiu, van tenir una presència clarament inferior a la dels certàmens anteriors. Tanmateix, convé remarcar que, a diferència del que s'havia esdevingut en ocasions anteriors, es van adquirir dues peces singulars de la secció de mobiliari: una xemeneia de noguera d'estil neogòtic de Joan Riera i Casanovas, decorada amb un gran plafó de mosaic de Lluís Bru, i un armari-licorer de Joan Busquets i Jané amb esmalts de Lluís Masriera.[38]

Aquestes dues obres, juntament amb una arquimesa, també de Busquets, que va ser adquirida a l'exposició del 1898, van constituir fins ben entrada la dècada dels seixanta l'únic fons de mobiliari modernista a les col·leccions públiques de Barcelona. El 1964, en canvi, quan el modernisme estava totalment infravalorat, Joan Ainaud de Lasarte, aleshores director general dels museus de Barcelona, va tenir l'encert d'impulsar l'exposició Las Artes Suntuarias del Modernismo Barcelonés. Arran d'aquesta exposició i de la titulada El Modernismo en España, presentada a Barcelona i Madrid cinc anys més tard, van ingressar en el museu nombroses peces i conjunts força significatius, entre els quals cal remarcar el mobiliari de Gaspar Homar procedent del pis principal de la casa Lleó Morera i un centenar de projectes a l'aquarel·la del mateix Homar, que constitueixen el nucli fonamental de les excepcionals col·leccions d'arts decoratives modernistes que conserva el Museu d'Art Modern del MNAC.[39]

Notas

1. Véase P. Bohigas, «Apuntes para la historia de las Exposiciones Oficiales de Arte de Barcelona» en *Anales y Boletín de los Museos de Arte de Barcelona*, Barcelona, 1945, p. 38.

2. Agradezco a Carme Arnau, documentalista del Museu d'Art Modern del MNAC, su eficaz rastreo por la hemerografía de la época.

3. La comisión organizadora, cuya primera sesión tuvo lugar el 30 de enero de 1892, estaba integrada por M. Fossas i Pi (teniente de alcalde y presidente de la comisión), C. Pirozzini (secretario), J.L. Pellicer (director del Museo de Bellas Artes) y J. Roca, A. Bastinos y E. Pasarell (concejales) y J. Martorell, F. Soler i Rovirosa, M. Planella, J. Campderà, M. Bochons, J. Coll, F. Rich, J.O. Mestres, S. Sampere i Miquel, A. Sánchez Pérez, A. Vallmitjana, F. de P. Villar, L. Domènech i Montaner, M. Fuster, J. Masriera y L. Roca. Asimismo, para agilizar los trabajos de esta comisión, se eligió una comisión gestora integrada por los tres concejales y Planella, Soler i Rovirosa y Masriera. También se decidió que se hicieran cargo de la redacción de la convocatoria Pellicer, Pirozzini y Sanpere i Miquel.

4. La memoria redactada por la comisión organizadora en el momento de procederse a la inauguración de la exposición está manuscrita y consta de 22 folios; fue leída en el acto de inauguración por Carles Pirozzini, secretario de la comisión organizadora.

5. La memoria redactada por la comisión organizadora con motivo de la clausura de la exposición es manuscrita y consta de 11 folios.

6. El jurado de admisión y clasificación de obras, acordado en sesión del 9 de julio, lo integraban A. Caba y F. Soler i Rovirosa (en representación de la comisión organizadora), y A. Font, J. Vilaseca, T. Sabater, E. Llorens, A. de Riquer, J. Torné, J. Thomas, M. Matarrodona, M. Fuxà y M. Henrich para el primer grupo, que incluía Proyectos de conjunto, Pintura y dibujo, Escultura, Grabado, Fotografía e Imprenta; M. Fita, A. Rigalt y Escofet y Cía, para el segundo grupo, que incluía Cerámica, Vidriería y Mosaicos; J. Macià y P. Sancristófol, para el tercer grupo, que incluía Metalistería; Sert Hermanos, Ricart y Cía. E. Lange, J. Vallhonesta, G. Codina, J. Fiter i Fargas y Vilaseca, para el cuarto grupo, que incluía Tapicería, Estampados, Encajes y Guardamacilería; F. Rosell y Pons y Ribas (posteriormente la razón social Pons y Ribas renunciaría al cargo y sería sustituida por J. Tayà), para el quinto grupo, que incluía Carpintería y Ebanistería.

7. Finalmente las colonias españolas no participaron. Según se expone en la memoria de la exposición la razón de esta ausencia se debió tanto a la premura de tiempo como al desconocimiento que tenían de este tipo de manifestaciones artísticas.

8. De la premura de tiempo con que se organizó esta exposición da idea también el hecho de que la decoración de Soler i Rovirosa para el Salón Central del Palacio de Bellas Artes se aprobó el 3 de septiembre, es decir cuando faltaba poco más de un mes para inaugurar la muestra.

9. Secciones de la Exposición de 1892: Proyectos de conjunto; Pintura y dibujo decorativos; Escultura decorativa; Grabado; Cerámica; Metalistería, joyería, platería, cerrajería, lampistería y fundición; Carpintería y ebanistería; Vidriería; Guardamacilería; Mosaicos; Encajes y bordados; Imprenta y encuadernación; Fotografía. Asimismo había una sección que incluía Objetos varios.

10. «Exposición Nacional de Industrias Artísticas I», en *La Vanguardia* (23 de Octubre de 1892), Barcelona.

11. Véase B. Bassegoda, «Exposició Nacional d'Industrias Artísticas» en *La Renaixensa* (27 de Noviembre de 1892), Barcelona. En este artículo Bassegoda empieza por afirmar que el hecho de no haberse publicado el catálogo de la exposición es una de las causas que ha retrasado la aparición de su comentario.

12. «Exposición Nacional de Industrias Artísticas. VIII» en *La Vanguardia* (6 de Enero de 1893), Barcelona.

13. F. Miquel y Badía, «Exposición Nacional de Industrias Artísticas e Internacional de Reproducciones. I» en *Diario de Barcelona* (8 de Noviembre de 1892), Barcelona.

14. B. Bassegoda, *op. cit.* (en catalán, en el original).

15. B. Bassegoda, *op. cit.* (en catalán, en el original).

16. F. Miquel y Badía, *op. cit.*

17. De los diez concursos, cinco resultaron desiertos. Fueron premiados Joaquim Mirabent i Soler, por la mejor serie de dibujos de Baldosas, Losas o Azulejos; Antoni Rigalt, por el mejor Cristal grabado; Manuel Ballarín, por el mejor Remate de verja o Candelero en hierro fundido; Esteban Canals, por el mejor mobiliario destinado a comedor de carácter económico y Evarist Roca, por la mejor serie de dibujos de un mobiliario de comedor de carácter suntuoso.

18. Relación de conferenciantes, temas que trataron y fechas de las mismas: A. García Llansó, *La encuadernación y los progresos realizados por esta indústria en España y especialmente en Barcelona* (11 de Diciembre de 1892); G. Guitart, *Examen retrospectivo y contemporáneo de las obras propias del carpintero y ebanista y sus relaciones con las enseñanzas teórico-prácticas y demás organizaciones que tiendan al perfeccionamiento de las mismas* (18 de Diciembre); J. Fontanals, *Consideraciones acerca del arte decorativo útiles a los artistas, industriales y expositores* (26 de Diciembre); J. Puig i Cadafalch, *El sentimiento regional en la decoración de las obras del arte catalán* (1 de Enero de 1893); B. Bassegoda, *La cerámica en la Exposición Nacional de Indústrias Artísticas de 1892* (6 de Enero), y J. Fiter, *Consideraciones relativas a los encajes, su carácter artístico y proceso histórico, especialmente en España* (8 de Enero).

19. Según el presupuesto inicial se preveían unos gastos de 109.700 ptas. y unos ingresos de 110.000 ptas. La escasa afluencia de público dio al traste con esas perspectivas, ya que, al parecer, no llegaron a recaudarse ni 20.000. Véase Expediente I *Exposición Nacional de Industrias Artísticas* (Museu d'Art Modern del MNAC).

20. Véase «Memoria» en *El Arte Decorativo*, núm. 3, año I (Diciembre de 1894), Barcelona.

21. Véase Expediente de la Exposición de 1896 (Museu d'Art Modern del MNAC).

22. El jurado de admisión de obras rechazó 95 obras presentadas. (Véase relación de autores y piezas en el Expediente de esta exposición.)

23. Véase *El Arte Decorativo, Número extraordinario con motivo de la Tercera Exposición de Bellas Artes e Industrias Artísticas* (Mayo de 1896), Barcelona.

24. A. García Llansó, «Exposición de Bellas Artes e Industrias Artísticas de Barcelona», *La Ilustración Artística*, núm. 748 (27 de Abril de 1896), Barcelona.

25. F. Miquel y Badía, «Tercera Exposición de Bellas Artes e Industrias Artísticas VII» en *Diario de Barcelona* (17 de Junio de 1896), Barcelona.

26. Véase Expediente Exposición de 1896 (Museu d'Art Modern del MNAC).

27. Véase Artículo VI del Reglamento de la V Exposición Internacional de Arte. Véase Expediente I de la mencionada exposición (Museu d'Art Modern del MNAC).

28. Artículo IV del Reglamento de la V Exposición Internacional de Arte. Véase Expediente I de la mencionada exposición (Museu d'Art Modern del MNAC).

29. Véase carta manuscrita en el expediente de la Exposición Internacional de 1907 (Museu d'Art Modern del MNAC).

30. Escrito fechado el 3 de Noviembre de 1906. Véase Expediente de la Exposición de 1907 (Museu d'Art Modern del MNAC).

31. Los elegidos para la decoración de las salas fueron D. Baixeras, J. Boada, J. Busquets Cornet, Círculo Artístico, B. Conill, F. Elías, M. Fuxà, J. Goday, A. Gual, O. Junyent, L. Masriera, J. Puig i Cadafalch, P. Roig, J. Renart, A. de Riquer, E. Sagnier, Cercle de Sant Lluc, J. Triadó y M. Utrillo. Algunos de ellos se encargaron de la decoración de varias salas.

32. Junto con Gaspar Homar colaboraron también en la decoración de esta sala los Hermanos Badía (lámpara de hierro repujado), Casas y Bardés (parquets y techos), Pedro Coll (artesonados, moldes de yeso y columnas), José Santana (escalera de granito artificial), Tarrés y Macià (pavimento de mosaico, Nolla (arrimaderos de azulejos).

33. Véase *Boletín de admisión,* núm. 2434 del Expediente de la Exposición de 1907. (Museu d'Art Modern del MNAC).

34. Este mismo diseño lo utilizó para el pavimento de la farmacia del Dr. Fita, que estaba en la Gran Via de les Corts Catalanes, núm. 611.

35. Aunque en el *Boletín de admisión* no se mencionan un panel de marquetería con la Inmaculada ni otro panel de marquetería con una mujer junto a un estanque en el que se representa a un cisne, por la documentación gráfica que se conserva, se pueden ver ambas obras decorando el *stand* de Homar.

36. El Jurado de Recompensas de la Sección de Industrias Artísticas lo constituyeron Enric Sagnier, Emili Cabot, General Guitart, Salvador Alarma i Enric Moncerdà. Véase Expediente Exposición de 1907 (Museu d'Art Modern del MNAC).

37. En la Exposición General de Bellas Artes se había adquirido con destino al Museo de la ciudad un bargueño de Joan Busquets, que actualmente se conserva en el Palacio de Pedralbes de Barcelona.

38. En realidad la obra de Busquets premiada con primera medalla y, por lo tanto con destino al museo, era un sofá con panel de marquetería en su parte superior. Al parecer, ese sofá sufrió un serio percance que, en opinión del propio Busquets, era dificilmente recuperable. Por este motivo, Busquets propuso que se comprara en su lugar el mencionado armario licorero, que también figuraba en esta exposición (Véanse dos cartas de Joan Busquets, fechadas en Barcelona el 26 de Julio y el 19 de Agosto de 1911, respectivamente, relativas a este asunto en el expediente de la Exposición de 1911 (Museu d'Art Modern del MNAC).

39. En los últimos años las colecciones de mobiliario modernista del Museu d'Art Modern se han incrementado con algunos conjuntos notorios, entre los que destaca una sala de estar de Gaspar Homar, donada por Lluís Domènech i Roura en 1984; un dormitorio también de Homar que adquirió Olimpíada Cultural en 1991 con destino al Museo y un dormitorio de Joan Busquets, adquirido por el MNAC en 1992.

Notes

1. Vegeu P. Bohigas, «Apuntes para la historia de las Exposiciones Oficiales de Arte de Barcelona» dins *Anales y Boletín de los Museos de Arte de Barcelona*, Barcelona, 1945, p. 38.

2. Agraeixo a Carme Arnau, documentalista del Museu d'Art Modern del MNAC, el seu eficaç rastreig per l'hemerografia de l'època.

3. La comissió organitzadora, la primera sessió de la qual va tenir lloc el 30 de gener de 1892, era integrada per M. Fossas i Pi (tinent d'alcalde i president de la comissió), C. Pirozzini (secretari), J.L. Pellicer (director del Museu de Belles Arts) i J. Roca, A. Bastinos i E. Passarell (regidors), i J. Martorell, F. Soler i Rovirosa, M. Planella, J. Campderà, M. Bochons, J. Coll, F. Rich, J.O. Mestres, S. Sampere i Miquel, A. Sánchez Pérez, A. Vallmitjana, F. de P. Villar, L. Domènech i Montaner, M. Fuster, J. Masriera i L. Roca. Igualment, per tal d'agilitar els treballs d'aquesta comissió es va elegir una comissió gestora integrada pels tres regidors i Planella, Soler i Rovirosa i Masriera. També es va decidir que Pellicer, Pirozzini i Sanpere i Miquel es fessin càrrec de la redacció de la convocatòria.

4. La memòria redactada per la comissió organitzadora en el moment de procedir a la inauguració de l'exposició és manuscrita i consta de 22 folis; va ser llegida en l'acte d'inauguració per Carles Pirozzini, secretari de la comissió organitzadora.

5. La memòria redactada per la comissió organitzadora amb motiu de la clausura de l'exposició és manuscrita i consta d'11 folis.

6. EL jurat d'admissió i classificació d'obres, acordat en sessió del 9 de juliol, l'integraven A. Caba i F. Soler i Rovirosa (en representació de la comissió organitzadora) i A. Font, J. Vilaseca, T. Sabater, E. Llorens, A. de Riquer, J. Torné, J. Thomas, M. Matarrodona, M. Fuxà i M. Henrich per al primer grup, que incloïa projectes de conjunt, pintura i dibuix, escultura, gravat, fotografia i impremta; M. Fita, A. Rigalt i Escofet i Cia., per al segon grup, que incloïa ceràmica, vidrieria i mosaics; J. Macià i P. Sancristòfol per al tercer grup, que incloïa metal·listeria; Sert Hermanos, Ricart i Cia., E. Lange, J. Vallhonesta, G. Codina, J. Fiter i Fargas i Vilaseca, per al quart grup, que incloïa tapisseria, estampats, puntes i guadamassils; i F. Rosell i Pons i Ribas (posteriorment la raó social Pons i Ribas va renunciar al càrrec i va ser substituïda per J. Tayà) per al cinquè grup, que incloïa fusteria i ebenisteria.

7. Finalment, les colònies espanyoles no hi van participar. Segons que s'exposa en la memòria de l'exposició, la raó d'aquesta absència es va deure tant a la urgència com al desconeixement que tenien d'aquesta mena de manifestacions artístiques.

8. De la urgència amb què es va organitzar aquesta exposició, en dóna idea el fet que la decoració de Soler i Rovirosa per al saló central del Palau de Belles Arts es va aprovar el 3 de setembre, és a dir, quan mancava poc més d'un mes per inaugurar la mostra.

9. Seccions de l'exposició de 1892: projectes de conjunt; pintura i dibuix decoratius; escultura decorativa; gravat; ceràmica; metal·listeria, joieria, argenteria, serralleria i fosa; fusteria i ebenisteria; vidrieria; guadamassils; mosaics; puntes i brodats; impremta i enquadernació; fotografia. Igualment, hi havia una secció d'«objectes diversos».

10. «Exposición Nacional de Industrias Artísticas I», *La Vanguardia* (23 d'octubre de 1892), Barcelona.

11. Vegeu B. Bassegoda, «Exposició Nacional d'Indústries Artístiques», *La Reinaxensa* (27 de novembre de 1892), Barcelona. En aquest article, Bassegoda comença afirmant que el fet que el catàleg de l'exposició no s'hagués publicat era una de les causes que havien endarrerit l'aparició del seu comentari.

12. «Exposición Nacional de Industrias Artísticas VIII», *La Vanguardia* (6 de gener de 1893), Barcelona.

13. F. Miquel y Badia, «Exposición Nacional de Industrias Artísticas e Internacional de Reproducciones. I», *Diario de Barcelona* (8 de novembre de 1892), Barcelona.

14. B. Bassegoda, *op. cit.*

15. B. Bassegoda, *op. cit.*

16. F. Miquel y Badia, *op. cit.*

17. Cinc dels deu concursos hi van resultar deserts. Hi van ser premiats Joaquim Mirabent i Soler, per la millor sèrie de dibuixos de rajoles, lloses o rajoles de València, Antoni Rigalt, pel millor vidre gravat; Manuel Ballarís, pel millor coronament de reixa o candeler de ferro forjat; Esteve Canals, pel millor mobiliari destinat a menjador de caràcter econòmic, i Evarist Roca, per la millor sèrie de dibuixos d'un mobiliari de menjador de caràcter sumptuós.

18. Relació de conferenciants, assumptes que van tractar i dates de les conferències: A. García Llansó, «La encuadernación y los progresos realizados por esta industria en España y especialmente en Barcelona» (11 de desembre de 1892); G. Guitart, «Examen retrospectivo y contemporáneo de las obras propias del carpintero y ebanista y sus relaciones con las enseñanzas teórico-prácticas y demás organizaciones que tiendan al perfeccionamiento de las mismas» (18 de desembre); J. Fontanals, «Consideraciones acerca del arte decorativo útiles a los artistas, industriales y expositores» (26 de desembre); J. Puig i Cadafalch, «El sentimiento regional en la decoración de las obras del arte catalán» (1 de gener de 1893); B. Bassegoda, «La cerámica en la Exposición Nacional de Industrias Artísticas de 1892» (6 de gener), i J. Fiter, «Consideraciones relativas a los encajes, su carácter artístico y proceso histórico, especialmente en España» (8 de gener).

19. Segons el pressupost inicial s'hi preveien unes despeses de 109.700 pessetes i uns ingressos de 110.000. L'escassa afluència de públic va anorrear aquestes perspectives, ja que, segons que sembla, no se'n van recaptar ni 20.000. (Vegeu Expedient I, Exposición Nacional d'Indústries Artístiques [Museu d'Art Modern del MNAC].)

20. Vegeu «Memoria», *El Arte Decorativo*, núm. 3, any I (desembre de 1894), Barcelona.

21. Vegeu l'expedient de l'exposició del 1896 (Museu d'Art Modern del MNAC).

22. El jurat d'admissió d'obres va refusar 95 de les presentades. (Vegeu relació d'autors i peces en l'expedient d'aquesta exposició.)

23. Vegeu *El Arte Decorativo. Número extraordinario con motivo de la Tercera Exposición de Bellas Artes e Industrias Artísticas*, Barcelona, maig de 1896.

24. A. García Llansó, «Exposición de Bellas Artes e Industrias Artísticas de Barcelona», *La Ilustración Artística* núm. 748 (27 d'abril de 1896), Barcelona.

25. F. Miquel y Badia, «Tercera Exposición de Bellas Artes e Industrias Artísticas. VII», *Diario de Barcelona* (17 de juny de 1896), Barcelona.

26. Vegeu l'expedient de l'exposició de 1896 (Museu d'Art Modern del MNAC).

27. Vegeu l'article VI del «Reglamento de la V Exposición Internacional de Arte». Vegeu l'expedient primer de l'exposició esmentada al Museu d'Art Modern del MNAC.

28. Article IV del «Reglamento de la V Exposición Internacional de Arte». Vegeu l'expedient primer de l'exposició esmentada al Museu d'Art Modern del MNAC.

29. Vegeu carta manuscrita a l'expedient de l'exposició internacional del 1907 (Museu d'Art Modern del MNAC).

30. Escrit datat el 3 de novembre de 1906. Vegeu l'expedient de l'exposició del 1907 (Museu d'Art Modern del MNAC).

31. Els elegits per a la decoració de les sales van ser D. Baixeras, J. Boada, J. Busquets Cornet, Círculo Artístico, B. Conill, F. Elías, M. Fuxà, J. Goday, A. Gual, O. Junyent, L. Masriera, J. Puig i Cadafalch, P. Roig, J. Renart, A. de Riquer, E. Sagnier, Cercle de Sant Lluc, J. Triadó i M. Utrillo, alguns dels quals es van ocupar de la decoració de diverses sales.

32. Juntament amb Gaspar Homar van col·laborar en la decoració d'aquesta sala els germans Badia (llum de ferro repussat), Casas i Bardés (parquets i sostres), Pere Coll (teginats, motlles de guix i columnes), Josep Santana (escala de granit artificial), Tarrés i Macià (paviment de mosaic) i Nolla (arrimadors de rajoles de València).

33. Vegeu el butlletí d'admissió núm. 2.434, de l'expedient de l'exposició del 1907 (Museu d'Art Modern del MNAC).

34. Va emprar el mateix disseny per al paviment de la farmàcia del Dr. Fita, que era a la Gran Via de les Corts Catalanes, núm. 611.

35. Tot i que al butlletí d'admissió no s'esmenten ni un plafó de marqueteria amb la Immaculada ni un altre de marqueteria amb una dona al costat d'un estany amb un cigne, gràcies a la documentació gràfica que se'n conserva, podem veure aquestes dues obres decorant l'estand d'Homar.

36. El Jurat de Recompenses de la Secció d'Indústries Artístiques el van constituir Enric Sagnier, Emili Cabot, General Guitart, Salvador Alarma i Enric Moncerdà. Vegeu l'expedient de l'exposició del 1907 (Museu d'Art Modern del MNAC).

37. A l'Exposició Internacional de Belles Arts s'havia adquirit amb destinació al museu de la ciutat una arquimesa de Joan Busquets que a hores d'ara es conserva al Palau de Pedralbes de Barcelona.

38. De fet, l'obra de Busquets premiada amb la primera medalla i, per tant, destinada al museu era un sofà amb un plafó de marqueteria a la part superior. Segons que sembla aquest sofà va sofrir un seriós contratemps que, en opinió del mateix Busquets, el feia difícilment recuperable. Per aquest motiu, Busquets va proposar que en comptes del sofà es comprés l'esmentat armari de licors, que també figurava en aquesta exposició. (Vegeu dues cartes de Joan Busquets, datades a Barcelona el 26 de juliol i el 19 d'agost del 1911, respectivament, referents a aquest assumpte a l'expedient de l'exposició del 1911 [Museu d'Art Modern del MNAC].)

39. Els darrers anys les col·leccions de mobiliari modernista del Museu d'Art Modern s'han incrementat amb alguns conjunts notables, entre els quals sobresurten una sala d'estar de Gaspar Homar donada per Lluís Domènech i Roura el 1984, un dormitori —també d'Homar— que va adquirir l'Olimpíada Cultural el 1991 amb destinació al museu i un altre de Joan Busquets, adquirit pel MNAC el 1992.

Gaspar Homar

Catalogació/Catalogación

1

Autoretrat de Gaspar Homar
Autorretrato de Gaspar Homar

C. 1888

Llapis plom, ploma i aquarel·la sobre paper
Lápiz plomo, pluma y acuarela sobre papel

37 x 37 cm

Signat *G. HOMAR* al marc circular que envolta l'autoretrat.
No datat
Firmado G. HOMAR *en el círculo que rodea el autorretrato.
No fechado*

Col. particular

Rep. p. 46

2

Composició oriental
Composición oriental

1888

Llapis plom, ploma i aquarel·la sobre paper
Lápiz plomo, pluma y acuarela sobre papel

39 x 28,5 cm

Signada i datada *G. Homar s/88* a l'angle inferior dret
Firmada y fechada G. Homar s/88 *en el ángulo inferior derecho*

Col. particular

Rep. p. 46

OBSERVACIONS / *OBSERVACIONES*

Dins l'eclecticisme dels artesans de l'època del modernisme, hi tenia cabuda, també, un estil inspirat en l'art oriental. Aquesta composició s'inspira literalment en una làmina d'un manual decoratiu i té com a elements protagonistes les formes rectes amb derivacions variades (hexàgons, quadrilàters, rombes) i semicirculars, amb elements florals i una insecte.

Al que fou domicili particular de Gaspar Homar, al carrer Bonavista, encara es conserven les estampes japoneses que col·leccionava. Probablement, Homar va tenir coneixement de l'art oriental a partir de l'experiència del seu mestre Francesc Vidal, que el 1878 va organitzar una àmplia exposició d'objectes de la Xina i del Japó a l'establiment que regentava al Passatge del Crèdit.

Dentro del eclecticismo de los artesanos de la época del modernismo también tenía cabida un estilo inspirado en el arte oriental. Esta composición se inspira literalmente en una lámina de un manual decorativo y tiene como elementos protagonistas las formas rectas con derivaciones variadas (hexágonos, cuadriláteros, rombos) y semicirculares, con elementos florales y un insecto.

En lo que fue domicilio particular de Gaspar Homar, en la calle Bonavista, todavía se conservan las estampas japonesas que coleccionaba. Probablemente, Homar tuvo conocimiento del arte oriental a partir de la experiencia de su maestro Francesc Vidal, quien en 1878 organizó una amplia exposición de objetos de la China y el Japón en el establecimiento que regentaba en el Passatge del Crèdit.

3

Bufet
Aparador

Barcelona. Tallers Vidal

C. 1888

Llapis plom sobre paper
Lápiz plomo sobre papel

31,5 x 42 cm

Col. Montserrat Mainar

Rep. p. 47

4

Bufet
Aparador

Barcelona. Tallers Vidal

C. 1888

Llapis plom sobre paper
Lápiz plomo sobre papel

34 x 39 cm

Col. Montserrat Mainar

Rep. p. 47

5

Fanals
Farolas

Barcelona. Tallers Vidal

C. 1888

Llapis plom sobre paper
Lápiz plomo sobre papel

41 x 35,5 cm

Col. Montserrat Mainar

Rep. p. 47

6

Sofà-escó d'inspiració renaixentista
Sofá-escaño de inspiración renacentista

C. 1895

Ploma, aquarel·la i purpurina sobre cartolina; a l'angle inferior esquerre, escrit amb ploma, *plano 130*. Al revers, estampat, el segell de la casa *G.Homar/Canuda, 4/Barcelona*
Pluma, acuarela y purpurina sobre cartolina; en el ángulo inferior izquierdo, escrito a pluma plano 130. *En el reverso, estampado, el sello de la casa* G.Homar/Canuda, 4/Barcelona

30 x 23,5 cm

Ni signada ni datada
Ni firmada ni fechada

Col. particular

Rep. p. 48

7

Armari-sofà amb elements de talla, metal·listeria i tapisseria amb motius cop de fuet
Armario-sofá con elementos de talla, metalistería y tapicería con motivos coup de fouet

C. 1895

Ploma, aquarel·la i llapis sobre cartolina; a l'angle inferior esquerre, escrit amb ploma, *plano 303*
Pluma, acuarela y lápiz sobre cartolina; en el ángulo inferior izquierdo, escrito a pluma, plano 303

33 x 31,5 cm

Ni signada ni datada
Ni firmada ni fechada

Col. particular

Rep. p. 48

8

Armari-vitrina de sala
Armario-vitrina de sala

C. 1891

Fusta de noguera amb talla amb baix i alt relleu
Madera de nogal con talla en bajorrelieve y altorrelieve

177 x 74 x 33 cm

Col. particular

Rep. p. 49

EXPOSICIONS / *EXPOSICIONES*

El *Modernisme*, Barcelona, Museu d'Art Modern, 10-X-1990 - 13-I-1991.

BIBLIOGRAFIA / *BIBLIOGRAFÍA*

El *Modernisme*, 2 vol., Lunwerg, Barcelona, 1990, vol. II, p. 17, cat. núm. 15, fig.

9

Cadira
Silla

C. 1891

Fusta de noguera blanca tenyida amb treballs de talla calada. Entapissat de vellut pintat original
Madera de nogal blanca teñida con trabajos de talla calada. Tapizado de terciopelo pintado original

85 x 38 x 37 cm

Adquisició, 1971
Adquisición, 1971

Museu d'Art Modern del MNAC, Barcelona (MNAC/MAM 108259)

Rep. p. 49

OBSERVACIONS / *OBSERVACIONES*

Com documenten les fotografies d'època, la cadira presentava una policromia amb daurats que el pas del temps ha deteriorat. A l'Arxiu Històric de la Ciutat / Arxiu Fotogràfic hi ha la fotografia del projecte original d'aquesta peça amb variacions que conjumina elements decoratius mecanicistes, propis de l'estil vidalenc, amb les formes sinuoses del "cop de fuet" de l'Art Nouveau.

Como documentan las fotografías de época, la silla presentaba una policromía con dorados que el paso del tiempo ha deteriorado. En el Arxiu Històric de la Ciutat / Arxiu Fotogràfic se halla la fotografía del proyecto original de esta pieza con variaciones que conjuga elementos decorativos mecanicistas, propios del estilo de Vidal, con las formas sinuosas del coup de fouet del Art Nouveau.

EXPOSICIONS / *EXPOSICIONES*

El *Modernisme*, Barcelona, Museu d'Art Modern, 10-X-1990 - 13-I-1991.

BIBLIOGRAFIA / *BIBLIOGRAFÍA*

Mainar, J., El moble català, Barcelona, 1976, fig. p. 277.

El *Modernisme*, 2 vol., Lunwerg, Barcelona, 1990, p. 17, cat. núm. 16, fig.

10

Llit amb capçal representant la Immaculada Concepció dins un arc apuntat
Cama con cabecera representando a la Inmaculada Concepción dentro de un arco apuntado

C. 1900-1904

Fusta de noguera espanyola, talla de sicòmor, marqueteria de freixe, xicranda, arrel de noguera, bedoll, eucaliptus i daurats
Madera de nogal español, talla de sicomoro, marquetería de fresno, jacarandá, raíz de nogal, abedul, eucaliptus y dorados

303,5 x 111,5 cm (capçalera/*cabecera*)

89 x 119,5 cm (peus/*pies*)

Donació d'OCSA, 1991
Donación de OCSA, 1991

Museu d'Art Modern del MNAC, Barcelona (MNAC/MAM 153240)

Rep. p. 52

11

Cadira
Silla

C. 1900-1904

Fusta de roure
Madera de roble

117 x 43,5 x 43,5 cm

Donació d'OCSA, 1991
Donación de OCSA, 1991

Museu d'Art Modern del MNAC, Barcelona (MNAC/MAM 153244/47)

Rep. p. 52

EXPOSICIONS / *EXPOSICIONES*

El *Modernisme*, Barcelona, Museu d'Art Modern, 10-X-1990 - 13-I-1991.

BIBLIOGRAFIA / *BIBLIOGRAFÍA*

El *Modernisme*, 2 vol., Lunwerg, Barcelona, 1990 vol. ll, p. 122, cat. núm. 287.

12

Tauleta de nit
Mesilla de noche

C. 1900-1904

Estructura de fusta de roure, arrels als plafons i marbre, talla, marqueteria i daurats
Estructura de madera de roble, raíces en los paneles y mármol, talla, marquetería y dorados

146 x 51,5 x 42,5 cm

Donació d'OCSA, 1991
Donación de OCSA, 1991

Museu d'Art Modern del MNAC, Barcelona (MNAC/MAM 153241/42)

Rep. p. 52

OBSERVACIONS / *OBSERVACIONES*

Conjunt de mobiliari de dormitori integrat per un llit, dues tauletes i dues cadires, probablement procedent de la casa Thomas de Lluís Domènech i Montaner, al carrer Mallorca de Barcelona.

Conjunto de mobiliario de dormitorio integrado por una cama, dos mesillas y dos sillas, probablemente procedente de la casa Thomas de Lluís Doménech i Montaner, en la calle Mallorca de Barcelona.

13
Sofà-escó amb tauleta auxiliar
Sofá-escaño con mesilla auxiliar

C. 1900

Fusta de caoba, boix, talla, repicat amb burí i daurats
Madera de caoba, boj, talla, repicado con buril y dorados

222 x 201,5 x 75 cm

Col. particular

Rep. p. 53

OBSERVACIONS / *OBSERVACIONES*

Tot inspirant-se en les formes del passat, Homar va dissenyar aquest model de sofà-escó del qual hi ha versions diferents. El cos central està decorat amb tres medallons de fusta de boix amb talles en baix relleu, signades per l'escultor Joan Carreras, que representan figures simbòliques de la Música i la Dansa, i que s'intercalen amb motius d'espiadimonis i elements florals daurats. A la part de dalt hi ha una cornisa decorada amb uns cargols de talla. A la part central de l'espatllera hi ha uns claus que permeten de suposar que servien per penjar-hi cortinatges, fet habitual en aquesta tipologia de moble que va posar de moda Philip Webb, de la Morris & Co.

Inspirándose en las formas del pasado, Homar diseñó este modelo de sofá-escaño del cual hay versiones distintas. El cuerpo central está decorado con tres medallones de madera de boj con tallas en bajorrelieve, firmadas por el escultor Joan Carreras, que representan figuras simbólicas de la Música y la Danza, y que se intercalan con motivos de libélulas y elementos florales dorados. En la parte superior hay una cornisa decorada con unos caracoles de talla. En la parte central de la espaldera hay unos clavos que permiten suponer que servían para colgar cortinajes, hecho habitual en esta tipología de mueble que puso de moda Philip Webb, de la Morris & Co.

14
Arquilla de saló de Sebastià Junyent
Arquilla de salón de Sebastià Junyent

C. 1900

Fusta de noguera amb marqueteria d'arrel de tuia, sicomor, noguera i boix i aplicacions de metall
Madera de nogal con marquetería de raíz de tuya, sicomoro, nogal y boj y aplicaciones de metal

170 x 82 x 43 cm

Col. particular

Rep. p. 54

OBSERVACIONS / *OBSERVACIONES*

Amb motiu del casament de Sebastià Junyent amb Paulina Quinquer, Junyent va encarregar la pràctica totalitat del mobiliari de casa seva a Gaspar Homar. L'ebenista, aleshores associat amb el seu cunyat Joaquim Gassó, va construir-li els mobles del dormitori, un paraigüer i un secreter. Aquestes peces repeteixen l'element ornamental del lliri i les aplicacions de metall. Entre tot el conjunt de mobiliari excel·leix aquesta "arquilla de saló", com és designada a la revista *Arquitectura y Construcción* i de la qual es conserva el projecte original, acolorit amb aquarel·la (MNAC/GDG 107388/D).

Con motivo de su boda con Paulina Quinquer, Sebastià Junyent encargó la práctica totalidad del mobiliario de su hogar a Gaspar Homar. El ebanista, en aquel entonces asociado con su cuñado Joaquim Gassó, le construyó los muebles del dormitorio, un paragüero y un secreter. Dichas piezas repiten

el elemento ornamental del lirio y las aplicaciones de metal. Entre todo el conjunto de mobiliario destaca esta "arquilla de salón", como se designa en la revista Arquitectura y Construcción y de la que se conserva el proyecto original, coloreado a la acuarela (MNAC/GDG 107388/D).

EXPOSICIONS / *EXPOSICIONES*

Exposición de Artes Suntuarias del Modernismo Barcelonés, Barcelona, Palau de la Virreina, X-XI de1964.

El Modernisme, Barcelona, Museu d'Art Modern, X-1990 - I-1991.

Arts Decoratives a Barcelona. Col·leccions per a un Museu, Barcelona, Palau de la Virreina, 23-IX-1994 - 8-I-1995.

BIBLIOGRAFIA / *BIBLIOGRAFÍA*

Arquitectura y construcción, Barcelona, 1904, p. 28, fig.

Exposición de Artes Suntuarias del Modernismo Barcelonés, Ajuntament de Barcelona, Barcelona, 1964, p. 21, cat. núm. 59.

Fontbona, F., *Sebastià Junyent (1865-1908), artista y teórico*, Estudios Pro-Arte, Barcelona, 1975, núm. 3, p. 55.

Sala, M.T., *Junyent*, Nou Art Thor, Barcelona, 1988, p. 16.

El Modernisme, 2 vol, Lunwerg, Barcelona, 1990, vol. II, p. 123, cat. núm. 290.

Arts Decoratives a Barcelona. Col·leccions per a un Museu, Ajuntament de Barcelona, Barcelona, 1994, p. 111, cat. núm. 3.3, fig.

15
Cosidor
Costurero

C. 1900

Fusta de sicòmor
Madera de sicomoro

Col. particular

Rep. p. 54

16
Escó amb un plafó central decorat amb el tema al·legòric "La botànica", segons el projecte que Alexandre de Riquer va fer servir per al plafó decoratiu de la farmàcia Grau Inglada del carrer Conde del Asalto
Escaño con un panel central decorado con el tema alegórico "La botánica", según el proyecto que Alexandre de Riquer utilizó para el panel decorativo de la farmacia Grau Inglada de la calle Conde del Asalto

1900

Llapis plom, ploma i aquarel·la sobre paper tipus Canson enganxat sobre una cartolina de color gris al revers de la qual hi figura el segell de la casa *G. Homar/Canuda,4/Barcelona*
Lápiz plomo, pluma y acuarela sobre papel tipo Canson pegado en una cartulina de color gris en cuyo reverso figura el sello de la casa G. Homar/Canuda,4/Barcelona

23,3 x 20,4 cm

Ni signada ni datada
Ni firmada ni fechada

Adquisició, 1975
Adquisición, 1975

Gabinet de Dibuixos i Gravats del MNAC, Barcelona (MNAC/GDG 107426/D)

Rep. p. 55

EXPOSICIONS / *EXPOSICIONES*

Exposición de Artes Suntuarias del Modernismo Barcelonés, Barcelona, Palau de la Virreina, 1964.

BIBLIOGRAFIA / *BIBLIOGRAFÍA*

Exposición de Artes Suntuarias del Modernismo Barcelonés, Ajuntament de Barcelona, Barcelona, 1964, p. 31, cat. núm. 204.

17
Bufet de tres cossos amb marqueteria i vidres emplomats
Aparador de tres cuerpos con marquetería y cristales emplomados

Llapis plom, ploma, aquarel·la i purpurina sobre paper tipus Canson enganxat sobre una cartolina de color verdós, al revers de la qual hi figura estampat el segell de la casa *G. Homar/Canuda,4/Barcelona*
Lápiz plomo, pluma, acuarela y purpurina sobre papel tipo Canson pegado en una cartulina de color verdoso en cuyo reverso figura estampado el sello de la casa G. Homar/Canuda,4/Barcelona

27,8 x 25, 7 cm

Ni signada ni datada
Ni firmada ni fechada

Adquisició, 1975
Adquisición, 1975

Gabinet de Dibuixos i Gravats del MNAC, Barcelona (MNAC/GDG 107423/D)

Rep. p. 55

EXPOSICIONS / *EXPOSICIONES*

Exposición de Artes Suntuarias del Modernismo Barcelonés, Barcelona, Palau de la Virreina, 1964.

BIBLIOGRAFIA / *BIBLIOGRAFÍA*

Exposición de Artes Suntuarias del Modernismo Barcelonés, Ajuntament de Barcelona, Barcelona, 1964, p. 31, cat. núm 214.

18
Escó amb plafó de marqueteria amb la representació de Sant Miquel Arcàngel portant l'escut de Sant Jordi
Escaño con panel de marquetería con la representación de San Miguel Arcángel llevando el escudo de San Jorge

C. 1900

Ploma, aquarel·la i purpurina sobre paper tipus Canson enganxat sobre una cartolina de color verdós, a l'angle inferior esquerre de la qual hi ha escrit amb ploma 1479 *Plano*, i al costat dret, amb llapis plom, m/m *cuatricromia/17*. Al revers, estampat, el segell de la casa *G. Homar/Canuda, 4/Barcelona*
Pluma, acuarela y purpurina sobre papel tipo Canson pegado en una cartulina de color verdoso, en cuyo ángulo inferior izquierdo está escrito a pluma 1479 Plano, y en el lado derecho, con lápiz plomo, m/m cuatricromia/17. En el reverso, estampado, el sello de la casa G. Homar/Canuda, 4/Barcelona

32 x 25 cm

Ni signada ni datada
Ni firmada ni fechada

Adquisició, 1975
Adquisición, 1975

Gabinet de Dibuixos i Gravats del MNAC, Barcelona (MNAC/GDG 107410/D)

Rep. p. 55

OBSERVACIONS / *OBSERVACIONES*

Els elements de talla són de l'escultor Joan Carreras i Farré; la marqueteria, de Josep Pey i Farriol, i les aplicacions de metall i la tapisseria, del taller de Gaspar Homar. Hi ha diverses variants d'aquest mateix model.

Los elementos de talla son del escultor Joan Carreras i Farré; la marquetería, de Josep Pey i Farriol, y las aplicaciones de metal y la tapicería, del taller de Gaspar Homar. Hay diversas variantes de ese mismo modelo.

EXPOSICIONS / *EXPOSICIONES*

Exposición de Artes Suntuarias del Modernismo Barcelonés, Barcelona, Palau de la Virreina, 1964.

BIBLIOGRAFIA / *BIBLIOGRAFÍA*

Cirici, A., *El Arte Modernista Catalan*, Aymà editor, Barcelona, 1951, fig. làm. color entre p. 258-259.

Exposición de Artes Suntuarias del Modernismo Barcelonés, Ajuntament de Barcelona, Barcelona, 1964, p. 26, cat. núm. 137.

19
Taula d'estil nòrdic per al menjador de la casa Burés
Mesa de estilo nórdico para el comedor de la casa Burés

C. 1900-1905

Llapis plom, ploma i aquarel·la sobre paper tipus Canson, enganxat sobre una cartolina de color gris, a l'angle inferior esquerre de la qual hi figura amb tinta núm. 1617 i, al revers, el segell de la casa, *G. Homar/Canuda,4/Barcelona*
Lápiz plomo, pluma y acuarela sobre papel tipo Canson pegado en una cartulina de color gris, en cuyo ángulo inferior izquierdo figura en tinta núm. 1617 y, en su reverso, el sello de la casa, G. Homar/Canuda,4/Barcelona

11,8 x 26,5 cm

Ni signada ni datada
Ni firmada ni fechada
Adquisició, 1975
Adquisición, 1975

Gabinet de Dibuixos i Gravats del MNAC, Barcelona (MNAC/GDG 107403/D)
Rep. p. 56

OBSERVACIONS / *OBSERVACIONES*

Els motius decoratius de les talles inspirats en motius celtes, molt divulgats a l'època, van ser dibuixats pel pintor Pau Roig i Cisa.
Los motivos decorativos de las tallas inspirados en motivos celtas, muy divulgados por aquel entonces, fueron dibujados por el pintor Pau Roig i Cisa.

EXPOSICIONS / *EXPOSICIONES*

Exposición de Artes Suntuarias del Modernismo Barcelonés, Barcelona, Palau de la Virreina, 1964.

BIBLIOGRAFIA / *BIBLIOGRAFÍA*

Cirici, A., *El Arte Modernista Catalan*, Aymà editor, Barcelona, 1951, p. 228, fig. p. 231.

Exposición de Artes Suntuarias del Modernismo Barcelonés, Ajuntament de Barcelona, Barcelona, 1964, p. 25, cat. núm. 124.

20

Porta d'entrada de la botiga d'instruments musicals Cassadó
Puerta de entrada de la tienda de instrumentos musicales Cassadó
C. 1900

Llapis plom, ploma i aquarel·la sobre paper tipus Canson
Lápiz plomo, pluma y acuarela sobre papel tipo Canson
53 x 39,4 cm

Ni signada ni datada
Ni firmada ni fechada
Adquisició, 1975
Adquisición, 1975

Gabinet de Dibuixos i Gravats del MNAC, Barcelona (MNAC/GDG 107377/D)
Rep. p. 56

OBSERVACIONS / *OBSERVACIONES*

En la decoració d'aquesta botiga, hi va intervenir el pintor Pau Roig i Cisa (1879-1955).
En la decoración de esta tienda intervino el pintor Pau Roig i Cisa (1879-1955).

EXPOSICIONS / *EXPOSICIONES*

Exposición de Artes Suntuarias del Modernismo Barcelonés, Barcelona, Palau de la Virreina, 1964.

BIBLIOGRAFIA / *BIBLIOGRAFÍA*

Exposición de Artes Suntuarias del Modernismo Barcelonés, Ajuntament de Barcelona, Barcelona, 1964, p. 32, cat. núm. 226.

21

Paravent de quatre cossos
Biombo de cuatro cuerpos
C. 1900

Ploma i aquarel·la sobre paper tipus Canson enganxat sobre una cartolina de color verdós a l'angle inferior esquerre de la qual hi ha escrit amb ploma Plano 1086
Pluma y acuarela sobre papel tipo Canson pegado en una cartolina de color verdoso en cuyo ángulo inferior izquierdo está escrito a pluma Plano 1086
20,6 x 25,3 cm.

Ni signada ni datada
Ni firmada ni fechada
Adquisició, 1975
Adquisición, 1975

Gabinet de Dibuixos i Gravats del MNAC, Barcelona (MNAC/GDG 107409/D)
Rep. p. 56

OBSERVACIONS / *OBSERVACIONES*

Al revers, hi figura estampat el segell de la casa, G. Homar, Canuda,4/Barcelona.
En el reverso figura estampado el sello de la casa, G. Homar, Canuda,4/Barcelona.

EXPOSICIONS / *EXPOSICIONES*

Exposición de Artes Suntuarias del Modernismo Barcelonés, Barcelona, Palau de la Virreina, 1964.

BIBLIOGRAFIA / *BIBLIOGRAFÍA*

Cirici, A., *El Arte Modernista Catalan*, Aymà editor, Barcelona, 1951, fig. p. 239.

Exposición de Artes Suntuarias del Modernismo Barcelonés, Ajuntament de Barcelona, Barcelona, Palau de la Virreina, 1964, p. 26, cat. núm 135.

22

Llit de baranes amb capçal de marqueteria amb motiu inspirat en el poema d'Apel·les Mestres "L'Àngel de la Son"
Cama con barandas y cabecera de marquetería con motivo inspirado en el poema de Apel·les Mestres "El Ángel del Sueño"
C. 1903-1908

Fusta de caoba, talla i marqueteria de sicòmor, xicranda, arrel de tuia, freixe d'Hongria, manzonia, cirerer i aplicacions de metall i nacre
Madera de caoba, talla y marquetería de sicómoro, jacarandá, raíz de tuya, fresno de Hungría, manzonia, cerezo y aplicaciones de metal y nácar
121 x 119 x 65 cm

Col. particular
Rep. p. 57

OBSERVACIONS / *OBSERVACIONES*

La fotografia del projecte original d'aquest llit infantil es troba a l'Arxiu Històric de la Ciutat/Servei Fotogràfic. La marqueteria del capçal del llit, que representa la figura d'un àngel amb la carnació en baix relleu segons una composició de Josep Pey, es repeteix amb lleugeres variants en altres peces que hem tingut ocasió de contemplar en diferents col·leccions particulars, així com també al Museu de les Arts Decoratives de Barcelona.

La fotografía del proyecto original de esta cama infantil se halla en el Arxiu Històric de la Ciutat/Servei Fotogràfic. La marquetería de la cabecera del lecho, que representa la figura de un ángel con las carnaciones en bajorrelieve según una composición de Josep Pey, se repite con ligeras variantes en otras piezas que hemos tenido ocasión de contemplar en diferentes colecciones particulares, así como en el Museu de les Arts Decoratives de Barcelona.

EXPOSICIONS / *EXPOSICIONES*

Da Gaudí a Picasso Il modernismo catalano, Venècia, Fondazione Girogo Cini, 1-I - 24-XI-1991.

BIBLIOGRAFIA / *BIBLIOGRAFÍA*

Da Gaudí a Picasso Il modernismo catalano, Venècia, 1991, cat. núm. 159, fig. p. 141.

23

Mirall amb talla de roses
Espejo con talla de rosas
C. 1905

Fusta de roure i talla
Madera de roble y talla
120 x 123 x 4 cm

Col. Sala-Donado
Rep. p. 57

24

Sofà-vitrina amb plafó de marqueteria "La sardana"
Sofá-vitrina con panel de marquetería "La sardana"
C. 1903

Fusta de xicranda, limoncillo, talla i marqueteria de xicranda, manzonia, roure, banús, sicòmor, doradillo, boix, cirerer i freixe d'Hongria amb aplicacions de metall. Vidre emplomat i bisellat
Madera de jacarandá, limoncillo, talla y marquetería de jacarandá, manzonia, roble, ébano, sicomoro, doradillo, boj, cerezo y fresno de Hungría con aplicaciones de metal. Cristal emplomado y biselado
240 x 256,5 x 70 cm

Ajuntament de Badalona. Residència d'avis Vicenç Bosch
Rep. p. 58

OBSERVACIONS / *OBSERVACIONES*

Vicenç Bosch, industrial badaloní propietari de la fàbrica de licors Anís del Mono, va encarregar part del mobiliari de casa seva, construïda per Jaume Botey i ubicada al carrer Soledat, a Gaspar Homar. El plafó de marqueteria que hi figura representa el motiu de la Sardana, tema que veiem repetir-se en altres conjunts i que fou dissenyat per Josep Pey.

Vicenç Bosch, industrial de Badalona propietario de la fàbrica de licores Anís del Mono, encargó parte del mobiliario de su hogar, construido por Jaume Botey y ubicado en la calle Soledat, a Gaspar Homar. El panel de marquetería que figura representa el motivo de la Sardana, tema que se repite en otros conjuntos y que fue diseñado por Josep Pey.

BIBLIOGRAFIA / *BIBLIOGRAFÍA*

Ilustració Catalana, núm. 6 (12-VII-1903), Barcelona, fig. p. 92.

Vilarrolla Font, J., i Górriz, M, *Badalona*, Ajuntament de Badalona, 1992, fig.

25

Moble auxiliar amb plafó de marqueteria "La sardana"
Mueble auxiliar con panel de marquetería "La sardana"
C. 1903

Llapis plom, ploma i aquarel·la sobre paper tipus Canson, enganxat sobre una cartolina de color verd que porta el núm. 163. Inscripció amb ploma, Plano 1350, a l'angle inferior esquerre. Al revers, hi figura estampat el segell de la casa G. Homar/Canuda,4/Barcelona
Lápiz plomo, pluma y acuarela sobre papel tipo Canson, pegado en una cartolina de color verde que lleva el núm. 163. Inscripción a pluma, Plano 1350, en el ángulo inferior izquierdo. En el reverso figura estampado el sello de la casa G. Homar/Canuda,4/Barcelona
25 x 13 cm

Ni signada ni datada
Ni firmada ni fechada
Adquisició, 1975
Adquisición, 1975

Gabinet de Dibuixos i Gravats del MNAC, Barcelona (MNAC/GDG 107459/D)
Rep. p. 59

EXPOSICIONS / *EXPOSICIONES*

Exposición de Artes Suntuarias del Modernismo Barcelonés, Barcelona, Palau de la Virreina, 1964.

El Modernismo en España, Madrid, Casón del Buen Retiro, X-XII 1969; Barcelona, Museu d'Art Modern, I-II 1970.

BIBLIOGRAFIA / *BIBLIOGRAFÍA*

Exposición de Artes Suntuarias del Modernismo Barcelonés, Ajuntament de Barcelona, Barcelona, 1964, p. 28, cat. núm. 163.

El Modernismo en España, Ministerio de Cultura, Madrid, 1969, p. 100, cat. núm. VII-14.

26

Moble auxiliar decoratiu
Mueble auxiliar decorativo
C. 1905

Llapis, ploma i aquarel·la sobre cartolina. Al revers, hi figura estampat el segell de la casa G. Homar/Canuda,4/Barcelona
Lápiz, pluma y acuarela sobre cartolina. En el reverso figura estampado el sello de la casa G. Homar/Canuda,4/Barcelona
33,5 x 23 cm

Ni signada ni datada
Ni firmada ni fechada

Col. particular
Rep. p. 59

27

Escó amb plafons de marqueteria
Escaño con paneles de marquetería
C. 1905

Llapis plom, ploma i aquarel·la sobre paper tipus Canson enganxat sobre una cartolina de color verd. Plano 1860. Al revers, a l'angle superior dret, hi figuren l'anotació manuscrita Sra. Robert/Claris 59 pl.2, i el segell de la casa G. Homar /Canuda,4/Barcelona

Lápiz plomo, pluma y acuarela sobre papel tipo Canson pegado en una cartulina de color verde. Plano 1860. *En el reverso, en el ángulo superior derecho, figuran la anotación manuscrita* Sra. Robert/Claris 59 pl.2, *y el sello de la casa* G. Homar/Canuda,4/Barcelona

27 x 25,3 cm

Ni signada ni datada
Ni firmada ni fechada

Adquisició, 1975
Adquisición, 1975

Gabinet de Dibuixos i Gravats del MNAC, Barcelona (MNAC/GDG 107411/D)

Rep. p. 59

OBSERVACIONS / *OBSERVACIONES*

Aquest mateix model amb variants el trobem a la casa Navàs de Reus. Els plafons de marqueteria van ser dibuixats per Josep Pey.

El mismo modelo, con variantes, lo hallamos en la casa Navàs de Reus. Los paneles de marquetería fueron dibujados por Josep Pey.

EXPOSICIONS / *EXPOSICIONES*

Exposición de Artes Suntuarias del Modernismo Barcelonés, Barcelona, Palau de la Virreina, 1964.

BIBLIOGRAFIA / *BIBLIOGRAFÍA*

Cirici, A., *El Arte Modernista Catalan*, Aymà editor, Barcelona, 1951, fig. p. 285.

Exposición de Artes Suntuarias del Modernismo Barcelonés, Ajuntament de Barcelona, Barcelona, 1964, p. 26, cat. núm. 139.

28

Peanya
Peana

C. 1905

Fusta de roure
Madera de roble

112 x 40 x 40 cm

Casa Navàs. Reus

Rep. p. 60

29

Armari
Armario

C. 1905

Fusta de cirerer, vidre emplomat i marqueteria de llimoner, caoba i banús
Madera de cerezo, vidrio emplomado y marquetería de limonero, caoba y ébano

191 x 100 x 43,5 cm

Casa Navàs. Reus

Rep. p. 60

30

Motius decoratius per a l'ornamentació del sostre del saló-menjador de la casa Navàs. Reus
Motivos decorativos para la ornamentación del techo del salón-comedor de la casa Navàs. Reus

C. 1905

Llapis plom, ploma i aquarel·la sobre paper tipus Canson, senyalat amb el núm. 126 i amb anotacions amb llapis plom referents a l'execució del projecte
Lápiz plomo, pluma y acuarela sobre papel tipo Canson, señalado con el núm. 126 y con anotaciones a lápiz plomo referentes a la ejecución del proyecto

39,4 x 43, 6 cm

Ni signada ni datada
Ni firmada ni fechada

Adquisició, 1975
Adquisición, 1975

Gabinet de Dibuixos i Gravats del MNAC, Barcelona (MNAC/GDG 107473/D)

Rep. p. 61

OBSERVACIONS / *OBSERVACIONES*

L'ornamentació d'aquest sostre és semblant al del saló de la casa Lleó Morera.

La ornamentación de este techo es parecida a la del salón de la casa Lleó Morera.

EXPOSICIONS / *EXPOSICIONES*

Exposición de Artes Suntuarias del Modernismo Barcelonés, Barcelona, Palau de la Virreina, 1964.

El Modernismo en España, Madrid, Cáson del Buen Retiro, X-XII 1969; Barcelona, Museu d'Art Modern, I-II 1970.

BIBLIOGRAFIA / *BIBLIOGRAFÍA*

Cirici, A., *El Arte modernista catalán*, Aymà editor, Barcelona, 1951, p. 235, lám. color entre p. 232-233.

Exposición de Artes Suntuarias del Modernismo Barcelonés, Ajuntament de Barcelona, Barcelona, 1964, p. 25, cat. núm. 126.

El Modernismo en España, Ministerio de Cultura, Madrid, 1969, p. 99, cat. núm. VII-8.

31

Sofà-vitrina amb plafons de marqueteria, projecte decoratiu per al saló de la casa Navàs de Reus
Sofá-vitrina con paneles de marquetería, proyecto decorativo para el salón de la casa Navàs de Reus

C. 1905

Llapis plom, ploma i aquarel·la sobre paper tipus Canson senyalat amb llapis plom amb el núm. 234 i diverses anotacions referents a l'execució del projecte
Lápiz plomo, pluma y acuarela sobre papel tipo Canson señalado con lápiz plomo con el núm. 234 y varias anotaciones referentes a la ejecución del proyecto

54,7 x 49 cm

Ni signada ni datada
Ni firmada ni fechada

Adquisició, 1975
Adquisición, 1975

Gabinet de Dibuixos i Gravats del MNAC, Barcelona (MNAC/GDG 107472/D)

Rep. p. 61

OBSERVACIONS / *OBSERVACIONES*

Aquest mateix model amb variants el trobem a la casa Lleó Morera.

El mismo modelo, lo hallamos con variantes en la casa Lleó Morera.

EXPOSICIONS / *EXPOSICIONES*

Exposición de Artes Suntuarias del Modernismo Barcelonés, Barcelona, Palau de la Virreina, 1964.

El Modernismo en España, Madrid, Cáson del Buen Retiro, X-XII 1969; Barcelona, Museu d'Art Modern, I-II 1970.

BIBLIOGRAFIA / *BIBLIOGRAFÍA*

Exposición de Artes Suntuarias del Modernismo Barcelonés, Ajuntament de Barcelona, Barcelona, 1964, p. 33, cat. núm. 234.

El Modernismo en España, Ministerio de Cultura, Madrid, 1969, p. 101, cat. núm. VII-24.

32

Projecte decoratiu per a un saló de la casa Navàs de Reus
Proyecto decorativo para un salón de la casa Navàs de Reus

C. 1905

Llapis plom, ploma i aquarel·la sobre paper tipus Canson
Lápiz plomo, pluma y acuarela sobre papel tipo Canson

55,5 x 43,6 cm

Ni signada ni datada
Ni firmada ni fechada

Adquisició, 1975
Adquisición, 1975

Gabinet de Dibuixos i Gravats del MNAC, Barcelona (MNAC/GDG 107469/D)

Rep. p. 61

OBSERVACIONS / *OBSERVACIONES*

Al marge superior dret, hi figura amb llapis plom el núm. 236. A la part inferior, la paraula Saló i al 300.

En el margen superior derecho figura a lápiz plomo el núm. 236. En la parte inferior, la palabra Saló y al 300.

EXPOSICIONS / *EXPOSICIONES*

Exposición de Artes Suntuarias del Modernismo Barcelonés, Barcelona, Palau de la Virreina, 1964.

El Modernismo en España, Madrid, Cáson del Buen Retiro, X-XII 1969; Barcelona, Museu d'Art Modern, I-II 1970.

BIBLIOGRAFIA / *BIBLIOGRAFÍA*

Exposición de Artes Suntuarias del Modernismo Barcelonés, Ajuntament de Barcelona, Barcelona, 1964, p. 33, cat. núm. 236.

El modernismo en España, Ministerio de Cultura, Madrid, p. 101, cat. núm. VII-26.

33

Sofà amb vitrines laterals i plafó decoratiu de marqueteria amb dues figures en un jardí
Sofá con vitrinas laterales y panel decorativo de marquetería con dos figuras en un jardín

C. 1905

Fusta de roure americà amb plafons d'olivera, daurats, vidre emplomat i entapissat de vellut verd no original. Talla i marqueteria de freixe, sicòmor, falsa caoba, xicranda, bubinga, majagua i rabassa d'om
Madera de roble americano con paneles de olivo, dorados, vidrio emplomado y tapizado de color verde no original. Talla y marquetería de fresno, sicomoro, falsa caoba, jacarandá, bubinga, damajagua y cepa de olmo

267 x 259 x 68 cm (sofà amb vitrines / *sofá con vitrinas*)

100 x 137,5 cm (plafó de marqueteria / *panel de marquetería*)

Adquisició, 1967
Adquisición , 1967

Museu d'Art Modern del MNAC, Barcelona (MNAC/ MAM 71703)

Rep. p. 62-63

33.1

Noia amb garlanda de cintes i flors. Plafó decoratiu de l'arrambador lateral dret
Muchacha con guirnalda de cintas y flores. Panel decorativo del arrimadero lateral derecho

C. 1905

Plafó de marqueteria de bedoll, sicòmor, noguera, roure, llimoner de Ceilan, majagua i freixe
Panel de marquetería de abedul, sicomoro, nogal, roble, citron ceylan, damajagua y fresno

175 x 92,5 cm

Adquisició, 1967
Adquisición, 1967

Museu d'Art Modern del MNAC, Barcelona (MNAC/MAM 71719)

Rep. p. 62

33.2

Noia amb garlanda de cintes i flors. Plafó decoratiu de l'arrambador lateral esquerre
Muchacha con guirnalda de cintas y flores. Panel decorativo del arrimadero lateral izquierdo

C. 1905

Plafó de marqueteria d'arrel de tuia, bedoll, xicranda, sicòmor i freixe
Panel de marquetería de raíz de tuya, abedul, jacarandá, sicomoro y fresno

175 x 92,5 cm

Adquisició, 1967
Adquisición, 1967

Museu d'Art Modern del MNAC, Barcelona (MNAC/MAM 71720)

Rep. p. 62

OBSERVACIONS / *OBSERVACIONES*

Els dibuixos de les marqueteries són de Josep Pey; la talla, de Joan Carreras i Farré, i el treball de marqueteria, de Joan Sagarra i Fills.

Aquest sofà amb vitrines laterals i plafons de marqueteria formava part del mobiliari del saló del pis principal de la casa Lleó Morera del Passeig de Gràcia de Barcelona.

El sofà està flanquejat per dues vitrines de vidres emplomats amb motius florals, acabades respectivament en quatre pinacles coronats per roses esculpides. Les roses estan presents en tot el moble, fins i tot en l'entapissat original que a hores d'ara no es conserva. Aquest element ornamental té afinitats amb els dissenys de Beardsley. Alguns artistes com Mackintosch i M. Mcdonald adopten també aquesta decoració floral d'una forma més abstracta.

Los dibujos de las marqueterías son de Josep Pey; la talla, de Joan Carreras i Farré, y el trabajo de marquetería, de Joan Sagarra e Hijos.

Este sofá con vitrinas laterales y paneles de marquetería formaba parte del mobiliario del salón del piso principal de la casa Lleó Morera del Passeig de Gràcia de Barcelona.

El sofá está flanqueado por dos vitrinas de cristales emplomados con motivos florales, ambas coronadas por cuatro pináculos rematados por rosas esculpidas. Las rosas se hallan presentes en todo el mueble, incluso en su tapizado original óque actualmente no se conserva. Dicho elemento ornamental guarda afinidades con los diseños de Beardsley. Algunos artistas, como Mackintosch y M. Mcdonald, adoptan también esa decoración floral de un modo más abstracto.

EXPOSICIONS / *EXPOSICIONS*

Exposición de Artes Suntuarias del Modernismo Barcelonés, Barcelona, Palau de la Virreina, X-XI de 1964.

El modernismo en España, Madrid, Casón del Buen Retiro, X-XII 1969; Barcelona, Museu d'Art Modern, I-II 1970.

Homage to Barcelona. The city and its art 1888-1936, Londres, Hayward Gallery, 14-XI-1985 - 23-II-1986.

Homenatge a Barcelona. La ciutat i les seves arts 1888-1936, Barcelona, Palau de la Virreina, 21-I - 29-IV 1987

El Modernisme, Barcelona, Museu d'Art Modern, 10-X-1990 - 13-I-1991.

BIBLIOGRAFIA / *BIBLIOGRAFÍA*

Cirici, A., El *Arte modernista catalán*, Aymà editor, Barcelona, 1951, fig. p. 232.

Exposición de Artes Suntuarias del Modernismo Barcelonés, Ayuntamiento de Barcelona, Barcelona, 1964, p. 19, cat. núm. 7.

El modernismo en España, Madrid, 1970, p. 103, cat. núm. Vll-33.

Mainar, J, El moble català, Destino, Barcelona, 1976, fig. p. 327-328.

Homage to Barcelona. The city and its art 1888-1936, Arts Council of Great Britain, Londres, 1985, p. 228, cat. núm. 247, fig.

Homenatge a Barcelona. La ciutat i les seves arts 1888-1936, Ajuntament de Barcelona, Barcelona, 1987, p. 228, cat. núm. 247, fig.

Giralt-Miracle, D., "Les Arts Decoratives en la vida quotidiana", Homenatge a Barcelona, la Ciutat i les seves Arts, Barcelona, 1987, fig. p. 228.

Cirici, A., "El Modernismo", Historia del Arte, Salvat Editores, S.A, fig. p. 98.

García-Martín, M., La Casa Lleó Morera, Catalana de Gas, Barcelona, 1988, fig. p. 192-193.

Mendoza, E.C., Barcelona modernista, Planeta, 1989, fig. p. 107.

El Mueble del siglo XlX. Modernismo, Planeta-Agostini, 1989, fig. p. 51.

A.D., L'Art du XlXè siècle 1850-1905, Editions Citadelles, París, 1990, p. 497, fig.

El Modernisme, 2 vol, Lunwerg, Barcelona, 1990, vol. II, p. 94, cat. núm. 216, fig.

Pey, M., i Juárez, N., "Colaboración Homar-Pey en la Casa Lleó Morera de Barcelona", Vll Congreso Español de Historia del Arte, Universidad de Murcia, 1992, fig. p. 655.

34
Armari de tres cossos amb plafons decoratius de marqueteria
Armario de tres cuerpos con paneles decorativos de marquetería

C. 1905

Fusta de roure americà, vidre bisellat, aram repussat i marqueteria de caoba, sicòmor, rabassa de doradillo, manzonia i freixe
Madera de roble americano, cristal biselado, cobre repujado y marquetería de caoba, sicomoro, cepa de doradillo, manzonia y fresno

190 x 190,5 x 51 cm (armari / *armario*)

54,5 x 78,5 cm (marqueteria / *marquetería*)

Adquisició, 1967
Adquisición, 1967

Museu d'Art Modern del MNAC, Barcelona
(MNAC/ MAM 71704)

Rep. p.65

34.1
Dues noies assegudes a la vora de l'estany. Plafó decoratiu de l'arrambador lateral dret
Dos muchachas sentadas junto al estanque. Panel decorativo del arrimadero lateral derecho

C. 1905

Fusta de caoba, sicòmor, rabassa de doradillo, manzonia i freixe, amb incrustacions de metall
Madera de caoba, sicomoro, cepa de doradillo, manzonia y fresno, e incrustaciones de metal

175,5 x 119 cm

Adquisició, 1967
Adquisición, 1967

Museu d'Art Modern del MNAC, Barcelona
(MNAC/ MAM 71723)

Rep. p. 64

34.2
Dues noies assegudes a la vora de l'estany. Plafó decoratiu de l'arrambador lateral esquerre
Dos muchachas sentadas junto al estanque. Panel decorativo del arrimadero lateral izquierdo

C. 1905

Fusata de caoba, sicòmor, rabassa de doradillo, mansònia i freixe, amb incrustacions de metall
Madera de caoba, sicomoro, cepa de doradillo, manzonia y fresno, e incrustaciones de metal

175,5 x 119 cm

Adquisició, 1967
Adquisición, 1967

Museu d'Art Modern del MNAC, Barcelona
(MNAC/ MAM 71724)

Rep. p. 64

OBSERVACIONS / *OBSERVACIONES*

Els dibuixos de les marqueteries són de Josep Pey; les talles, de Joan Carreras, i les marqueteries, de Joan Sagarra i Fills. El conjunt formava part del mobiliari del saló del pis principal de la casa Lleó Morera de Barcelona.

Armari vitrina de tres cossos. A les portes laterals hi ha vidre bisellat i un prestatge obert sota un arc guarnit amb roses tallades. Al centre, dues portes amb aplicacions simètriques de metall daurat (fulles d'esbarzer i móres). A la part superior, una porta abatible de marqueteria amb un motiu decoratiu inspirat en el Quattrocento italià que es repeteix en altres mobles, com ara un secreter que va figurar a l'Exposició Internacional de Belles Arts i Indústries Artístiques, que va tenir lloc a Barcelona el 1907.

Los dibujos de las marqueterías son de Josep Pey; las tallas, de Joan Carreras, y las marqueterías, de Joan Sagarra e Hijos. El conjunto formaba parte del mobiliario del salón del piso principal de la casa Lleó Morera de Barcelona.

Armario vitrina de tres cuerpos. En las puertas laterales hay cristal biselado y un estante abierto bajo un arco adornado con rosas talladas. En el centro, dos puertas con aplicaciones simétricas de metal dorado (hojas de zarza y moras). En la parte superior, una puerta abatible de marquetería con un motivo decorativo inspirado en el Quattrocento italiano que se repite en otros muebles, como un secreter que figuró en la Exposición Internacional de Bellas Artes e Industrias Artísticas celebrada en Barcelona en 1907.

EXPOSICIONS / *EXPOSICIONES*

Exposición de Artes Suntuarias del Modernismo Barcelonés, Barcelona, Palau de la Virreina, X-XI 1964.

El modernismo en España, Madrid, Casón del Buen Retiro, X-XII 1969; Barcelona, Museu d'Art Modern, I-II 1970.

Cien Años de Cultura Catalana, Madrid, Palacio Velázquez, VI-X 1980.

El Modernisme, Barcelona, Museu d'Art Modern, 10-X-1990 - 13-I-1991.

BIBLIOGRAFIA / *BIBLIOGRAFÍA*

Cirici, A., El Arte modernista catalán, Aymà editor, Barcelona, 1951, p. 232, fig.

Exposición de Artes Suntuarias del Modernismo Barcelonés, Ayuntamiento de Barcelona, Barcelona, 1964, cat. núm. 8, p. 39-40.

El modernismo en España, Ministerio de Cultura, Madrid, 1969, cat. núm. Vll-34, p. 62-63.

Cirici, A., "Les Arts Decoratives", L'Art Contemporani, Aymà, Barcelona, 1972, p. 91, fig.

Mainar, J., El moble català, Destino, Barcelona, 1976, p. 324-326, fig.

Cien Años de Cultura Catalana, 1980, Ministerio de Cultura, Madrid, p. 66, cat. núm. 1.3.92.

García Martín, M., La Casa Lleó Morera, Catalana de Gas, Barcelona, 1988, p. 190-191, fig.

El Modernisme, 2 vol, Lunwerg, Barcelona, 1990, vol. II, cat. núm. 219, 220, 221, p. 96-97.

Pey, M.; Juárez, N., "Colaboración Homar-Pey en la Casa Lleó Morera de Barcelona", Vll Congreso Español de Historia del Arte, Universidad de Murcia, 1992, p. 654, fig.

35
Projecte original de Josep Pey per al plafó de marqueteria de l'arrambador lateral d'un armari de tres cossos per a la casa Lleó Morera
Proyecto original de Josep Pey para el panel de marquetería del arrimadero lateral de un armario de tres cuerpos para la casa Lleó Morera

C. 1905

Llapis plom, ploma i aquarel·la sobre paper tipus Whatman
Lápiz plomo, pluma y acuarela sobre papel tipo Whatman

9,8 x 15,8 cm

Ni signada ni datada
Ni firmada ni fechada

Adquisició, 1975
Adquisición, 1975

Gabinet de Dibuixos i Gravats del MNAC, Barcelona
(MNAC/ GDG 107455/D)

Rep. p. 64

OBSERVACIONS / *OBSERVACIONES*

Anotacions amb llapis plom. Als angles superiors del dibuix, 58-9/185.

Anotaciones a lápiz plomo. En los ángulos superiores del dibujo, 58-9/185.

EXPOSICIONS / *EXPOSICIONES*

Exposición de Artes Suntuarias del Modernismo Barcelonés, Barcelona, Palau de la Virreina, 1964.

BIBLIOGRAFIA / *BIBLIOGRAFÍA*

Exposición de Artes Suntuarias del Modernismo Barcelonés, Ayuntamiento de Barcelona, Barcelona, 1964, p. 29, cat. núm. 185.

Pey, M.; Juárez, N., "Colaboración Homar-Pey en la casa lLeó Morera de Barcelona", VII Congreso Español de Historia del Arte, Universidad de Murcia, 1992, fig. p. 657.

36
Donzella sostenint una branca. Plafó decoratiu d'arrambador
Doncella sosteniendo una rama. Panel decorativo de arrimadero

C. 1905

Marqueteria
Marquetería

175 x 65,5 cm

Adquisició, 1967
Adquisición, 1967

Museu d'Art Modern del MNAC, Barcelona
(MNAC/ MAM 71725)

Rep. p. 66

OBSERVACIONS / *OBSERVACIONES*

El dibuix és de Josep Pey; la talla, de Joan Carreras i Farré, i la marqueteria, de Joan Sagarra i Fills. Formava part del mobiliari del saló del pis principal de la casa Lleó Morera de Barcelona.

El dibujo es de Josep Pey; la talla, de Joan Carreras i Farré, y la marquetería, de Joan Sagarra e Hijos. Formaba parte del mobiliario del salón del piso principal de la casa Lleó Morera de Barcelona.

EXPOSICIONS / *EXPOSICIONES*

Exposición de Artes Suntuarias del Modernismo Barcelonés, Barcelona, Palau de la Virreina, X-XI de 1964.

El modernismo en España, Madrid, Casón del Buen Retiro, X-XII 1969; Barcelona, Museu d'Art Modern, I-II 1970.

El Modernisme, Barcelona, Museu d'Art Modern, 10-X-1990 - 13-I-1991.

BIBLIOGRAFIA / *BIBLIOGRAFÍA*

Cirici, A., El Arte modernista catalán, Aymà editor, Barcelona, 1951, p. 232, fig.

Exposición de *Artes Suntuarias del Modernismo Barcelonés*, Ayuntamiento de Barcelona, Barcelona, 1964, p. 20, cat. núm. 42.

El modernismo en España, Ministerio de Cultura, Madrid, 1969, cat. núm. Vll-65.

García Martín, M., *La Casa Lleó Morera*, Catalana de Gas, Barcelona, 1988, p. 189.

El Modernisme, 2 vol, Museu d'Art Modern, Barcelona, 10-X-1990 - 13-I-1991, vol. ll, p. 99, cat. núm. 227.

37

Donzella asseguda al jardí. Plafó decoratiu d'arrambador
Doncella sentada en el jardín. Panel decorativo de arrimadero

C. 1905

Marqueteria amb inscrustacions d'aram i nacre, freixe d'Hongria, caoba, xicranda, noguera i sicòmor
Marquetería con incrustaciones de cobre y nácar, fresno de Hungría, caoba, jacarandá, nogal y sicomoro

175 x 77 cm

Adquisició, 1967
Adquisición, 1967

Museu d'Art Modern del MNAC, Barcelona (MNAC/MAM 71722)

Rep. p. 66

OBSERVACIONS / *OBSERVACIONES*

El dibuix és de Josep Pey; la talla, de Joan Carreras, i la marqueteria, de Joan Sagarra i Fills. Formava part del mobiliari del saló del pis principal de la casa Lleó Morera de Barcelona. Aquesta mateixa composició va servir de model per a les marqueteries de la casa Busquets.

El dibujo es de Josep Pey; la talla, de Joan Carreras, y la marquetería, de Joan Sagarra e Hijos. Formaba parte del mobiliario del salón del piso principal de la casa Lleó Morera de Barcelona. La misma composición sirvió de modelo para las marqueterías de la casa Busquets.

EXPOSICIONS / *EXPOSICIONES*

Exposición de *Artes Suntuarias del Modernismo Barcelonés*, Barcelona, Palau de la Virreina, X-XI de 1964.

El modernismo en España, Madrid, Casón del Buen Retiro, X-XII 1969; Barcelona, Museu d'Art Modern, I-II 1970.

El Modernisme, Barcelona, Museu d'Art Modern, 10-X-1990 - 13-I-1991.

BIBLIOGRAFIA / *BIBLIOGRAFÍA*

Exposición de *Artes Suntuarias del Modernismo Barcelonés*, Ayuntamiento de Barcelona, Barcelona, 1964, p. 20, cat. núm. 38.

El modernismo en España, Ministerio de Cultura, Madrid, 1969, p. 105, cat. núm. Vll-61.

García Martín, M., *La Casa Lleó Morera*, Catalana de Gas, Barcelona, 1988, p. 188.

El Modernisme, 2 vol, Lunwerg, Barcelona, 1990, vol. II, p. 98, cat. núm. 225, fig.

38

Donzella agafant-se les faldilles. Plafó decoratiu d'arrambador
Doncella cogiéndose la falda. Panel decorativo de arrimadero

C. 1905

Marqueteria amb inscrustacions d'aram i nacre, freixe d'Hongria, caoba, xicranda, noguera i sicòmor
Marquetería con incrustaciones de cobre y nácar, fresno de Hungría, caoba, jacarandá, nogal y sicomoro

175 x 31 cm

Adquisició, 1967
Adquisición, 1967

Museu d'Art Modern del MNAC, Barcelona (MNAC/MAM 71721)

Rep. p. 67

OBSERVACIONS / *OBSERVACIONES*

El dibuix és de Joan Pey; la talla, de Joan Carreras i Farré, i la marqueteria, de Joan Sagarra i Fills. Formava part del mobiliari del saló del pis principal de la casa Lleó Morera de Barcelona.

El dibujo es de Joan Pey; la talla, de Joan Carreras i Farré, y la marquetería, de Joan Sagarra e Hijos. Formaba parte del mobiliario del salón del piso principal de la casa Lleó Morera de Barcelona.

EXPOSICIONS / *EXPOSICIONES*

Exposición de *Artes Suntuarias del Modernismo Barcelonés*, Palau de la Virreina, X-XI de 1964.

El modernismo en España, Madrid, Casón del Buen Retiro, X-XII 1969; Barcelona, Museu d'Art Modern, I-II 1970.

El Modernisme, Barcelona, Museu d'Art Modern, 10-X-1990 - 13-I-1991, p. 99, cat. núm. 228.

L'arquitecte Lluís Domènech i Montaner, Palma de Mallorca, Fundació "La Caixa", II-IV de 1996; Lleida, Centre Cultural "La Caixa", VI-VII de 1996.

BIBLIOGRAFIA / *BIBLIOGRAFÍA*

Exposición de *Artes Suntuarias del Modernismo Barcelonés*, Ayuntamiento de Barcelona, Barcelona, 1964, p. 20, cat. núm. 37.

El modernismo en España, Ministerio de Cultura, Madrid, 1969, p. 105, cat. núm. Vll-60.

García Martín, M., *La Casa Lleó Morera*, Catalana de Gas, Barcelona, 1988, p. 189.

El Modernisme, 2 vol, Lunwerg, Barcelona, 1990, p. 99, cat. núm. 228.

L'arquitecte Lluís Domènech i Montaner, Fundació "La Caixa", Barcelona, 1996, p. 121, cat. núm. 56, p. 122, cat. núm. 64, 68 i 69 i p. 124, cat. núm. 95-98.

39

Donzella collint flors. Plafó decoratiu d'arrambador
Doncella recogiendo flores. Panel decorativo de arrimadero

C. 1905

Marqueteria de sicòmor, arrel de tuia, erable gris, manzonia i caoba
Marquetería de sicomoro, raíz de tuya, arce gris, manzonia y caoba

175 x 59,5 cm

Adquisició, 1967
Adquisición, 1967

Museu d'Art Modern del MNAC, Barcelona (MNAC/MAM 71726)

Rep. p. 67

OBSERVACIONS / *OBSERVACIONES*

El dibuix és de Josep Pey; la talla, de Joan Carreras i Farré, i la marqueteria, de Joan Sagarra i Fills. Formava part del mobiliari del saló del pis principal de la casa Lleó Morera de Barcelona.

El dibujo es de Josep Pey; la talla, de Joan Carreras i Farré, y la marquetería, de Joan Sagarra e Hijos. Formaba parte del mobiliario del salón del piso principal de la casa Lleó Morera de Barcelona.

EXPOSICIONS / *EXPOSICIONES*

Exposición de *Artes Suntuarias del Modernismo Barcelonés*, Palau de la Virreina, X-XI de 1964.

El modernismo en España, Madrid, Casón del Buen Retiro, X-XII 1969; Barcelona, Museu d'Art Modern, I-II 1970.

El Modernisme, Barcelona, Museu d'Art Modern, 10-X-1990 - 13-I-1991.

BIBLIOGRAFIA / *BIBLIOGRAFÍA*

Cirici, A., *El Arte modernista catalán*, Aymà editor, Barcelona, 1951, p. 221.

Exposición de *Artes Suntuarias del Modernismo Barcelonés*, Ayuntamiento de Barcelona, Barcelona, 1964, p. 20, cat. núm. 41.

El modernismo en España, Ministerio de Cultura, Madrid, 1969, p. 105, cat. núm. Vll-64, fig.

García Martín, M., *La Casa Lleó Morera*, Catalana de Gas, Barcelona, 1988, p. 187.

El Modernisme, 2 vol, Lunwerg, Barcelona, 1990, vol. II, p. 99, cat. núm. 226.

40

Tauleta de centre
Mesita de centro

C. 1905

Sobre xapat d'olivera amb regruix lateral de roure americà i marqueteria de noguera, sicòmor, xicranda i caoba
Superficie superior chapada de olivo con resalte lateral de roble americano y marquetería de nogal, sicomoro, jacarandá y caoba

81 x 98 x 62,5 cm

Adquisició, 1967
Adquisición, 1967

Museu d'Art Modern del MNAC, Barcelona (MNAC/MAM 71705)

Rep. p. 68

OBSERVACIONS / *OBSERVACIONES*

Formava part del mobiliari del saló del pis principal de la casa Lleó Morera de Barcelona.

Formaba parte del mobiliario del salón del piso principal de la casa Lleó Morera de Barcelona.

EXPOSICIONS / *EXPOSICIONES*

Exposición de *Artes Suntuarias del Modernismo Barcelonés*, Palau de la Virreina, X-XI de 1964.

El modernismo en España, Madrid, Casón del Buen Retiro, X-XII 1969; Barcelona, Museu d'Art Modern, I-II 1970.

Gaudí in context, New York, I-1984, (sense catàleg / *sin catálogo*).

El Modernisme, Barcelona, Museu d'Art Modern, 10-X-1990 - 13-I-1991.

Da Gaudí a Picasso. Il Modernismo catalano, Venèzia, 1-IX - 24-XI de 1991.

BIBLIOGRAFIA / *BIBLIOGRAFÍA*

Cirici, A., *El Arte modernista catalán*, Aymà editor, Barcelona, 1951, p. 232, fig.

Exposición de *Artes Suntuarias del Modernismo Barcelonés*, Ayuntamiento de Barcelona, Barcelona, 1964, p. 19, cat. núm. 9.

El modernismo en España, Ministerio de Cultura, Madrid, 1969, p. 103, cat. núm. Vll-35.

García Martín, M, *La Casa Lleó Morera*, Catalana de Gas, Barcelona, 1988, p. 29 i 30, fig.

El Modernisme, 2 vol, Lunwerg, Barcelona, 1990, vol. II, p. 97, cat. núm. 222, fig.

Da Gaudí a Picasso. Il Modernismo catalano, Olivetti/Electa, Milano, 1991, p. 138, cat. núm. 155, fig.

41

Cadira
Silla

C. 1905

Fusta de roure amb aplicacions de marqueteria
Madera de roble con aplicaciones de marquetería

99,5 x 37 x 41 cm

Adquisició, 1967
Adquisición, 1967

Museu d'Art Modern del MNAC, Barcelona (MNAC/MAM 71715-16)

Rep. p. 68

OBSERVACIONS / *OBSERVACIONES*

Formava part del mobiliari de la llar de foc del pis principal de la casa Lleó Morera de Barcelona.

Formaba parte del mobiliario del hogar del piso principal de la casa Lleó Morera de Barcelona.

EXPOSICIONS / *EXPOSICIONES*

Exposición de *Artes Suntuarias del Modernismo Barcelonés*, Barcelona, Palau de la Virreina, X-XI 1964.

El modernismo en España, Madrid, Casón del Buen Retiro, X-XII 1969; Barcelona, Museu d'Art Modern, I-II 1970.

Gaudí in context, New York, I-1984.

BIBLIOGRAFIA / *BIBLIOGRAFÍA*

Cirici, A., *El Arte modernista catalán*, Aymà editor, Barcelona, 1951, p. 221, fig.

Exposición de *Artes Suntuarias del Modernismo Barcelonés*, Ayuntament de Barcelona, Barcelona, 1964, p. 19, cat. núm. 24-26.

El modernismo en España, Generalitat de Catalunya, Madrid, 1969, p. 104, cat. núm. VII-49-52, fig.

42

Cadira
Silla

C. 1905

Fusta de roure i talla amb motius de roses
Madera de roble y talla con motivos de rosas

112,5 x 40,5 x 46,5 cm

Adquisició, 1967
Adquisición, 1967

Museu d'Art Modern del MNAC, Barcelona
(MNAC/MAM 71710-14)
Rep. p. 68

OBSERVACIONS / *OBSERVACIONES*

Conjunt integrat per cinc cadires que formaven part del mobiliari del saló del pis principal de la casa Lleó Morera de Barcelona. Es conserva el número original de registre a la part inferior de la cadira, 1789. El model és idèntic al de les cadires de la casa Navàs de Reus.

Conjunto integrado por cinco sillas que formaban parte del mobiliario del salón del piso principal de la casa Lleó Morera de Barcelona. Se conserva el número original de registro en la parte inferior de la silla, 1789. El modelo es idéntico al de las sillas de la casa Navàs de Reus.

EXPOSICIONS / *EXPOSICIONES*

Exposición de Artes Suntuarias del Modernismo Barcelonés, Barcelona, Palau de la Virreina, X-XI de 1964.

El modernismo en España, Madrid, Casón del Buen Retiro, X-XII 1969; Barcelona, Museu d'Art Modern, I-II 1970.

El Modernisme, Barcelona, Museu d'Art Modern, 10-X-1990 - 13-I-1991.

BIBLIOGRAFIA / *BIBLIOGRAFÍA*

Cirici, A., *El Arte modernista catalán*, Aymà editor, Barcelona, 1951, p. 232, fig.

Exposición de Artes Suntuarias del Modernismo Barcelonés, Ayuntamiento de Barcelona, Barcelona, 1964, p. 19, cat. núm. 15-18.

El modernismo en España, Ministerio de Cultura, Madrid, 1969, p. 103, cat. núm. Vll-40-43.

García Martín, M., *La Casa Lleó Morera*, Catalana de Gas, Barcelona, 1988, p. 29 i 30, fig.

El Modernisme, 2 vol, Lunwerg, Barcelona, 1990, vol. ll, p. 98, cat. núm. 224, fig.

43
Cadira de braços
Poltrona

C. 1905

Fusta de roure americà, talla i marqueteria de doradillo, majagua, bedoll i rabassa de noguera
Madera de roble americano, talla y marquetería de doradillo, damajagua, abedul y cepa de nogal

86,5 x 56,5 x 61,5 cm

Adquisició, 1967
Adquisición, 1967

Museu d'Art Modern del MNAC, Barcelona
(MNAC/MAM 71780-83)
Rep. p. 69

OBSERVACIONS / *OBSERVACIONES*

Conjunt integrat per quatre cadires de braços que formaven part del mobiliari de la llar de foc del pis principal de la casa Lleó Morera de Barcelona.

Conjunto integrado por cuatro poltronas que formaban parte del mobiliario del hogar del piso principal de la casa Lleó Morera de Barcelona.

EXPOSICIONS / *EXPOSICIONES*

Exposición de Artes Suntuarias del Modernismo Barcelonés, Palau de la Virreina, X-XI 1964.
El modernismo en España, Madrid, Casón del Buen Retiro, X-XII 1969; Barcelona, Museu d'Art Modern, I-II 1970.
Catalunya en la España Moderna 1714-1983, Madrid, Centro Cultural de la Villa de Madrid, 24-V - 24-VI 1983.
Gaudí in context, New York, I-1984.
Diseño Barcelonés del siglo XX: De Gaudí a las Olimpiadas, Washington, Banco Interamericano de Desarrollo, 20-II - 18-IV 1997.
Prefiguració del Museu Nacional d'art de Catalunya, Barcelona, Palau Nacional, 27-VII - 30-XI 1992.

BIBLIOGRAFIA / *BIBLIOGRAFÍA*

Cirici, A., *El Arte modernista catalán*, Aymà editor, Barcelona, 1951, p. 221-232.
Exposición de Artes Suntuarias del Modernismo Barcelonés, Ajuntament de Barcelona, Barcelona, 1964, p. 19, cat. núm. 20-23.
El modernismo en España, Ministerio de Cultura, Madrid, 1969, p. 103, cat. núm. VII-45-48.

Catalunya en la España Moderna 1714-1983, Generalitat de Catalunya, Madrid, 1983, p. 174, cat. s/núm, fig. p. 169.
García-Martín, M., *L'Hospital de Sant Pau*, Catalana de Gas, Barcelona, 1990, p. 30, fig.
Prefiguració del Museu Nacional d'art de Catalunya, Lunwerg, Barcelona, 1992, p. 432.

44
Dibuix de la peça anterior
Dibujo de la pieza anterior

C. 1905

Ploma i aquarel·la sobre paper tipus Canson, al revers de la qual figura estampat el segell de la casa G. Homar/ Canuda,4/Barcelona
Pluma y acuarela sobre papel de tipo Canson, en cuyo reverso figura estampado el sello de la casa G. Homar/ Canuda,4/Barcelona

15 x 18,5 cm

Ni signada ni datada
Ni firmada ni fechada

Adquisició, 1975
Adquisición, 1975

Gabinet de Dibuixos i Gravats del MNAC, Barcelona
(MNAC/GDG 107464/D)
Rep. p. 69

OBSERVACIONS / *OBSERVACIONES*

Al costat dret del dibuix, amb ploma, hi figura la xifra 2.302 i, al mateix costat, en vertical i amb llapis plom, 181.

En el lado derecho del dibujo, a pluma, figura la cifra 2.302 y, en el mismo lado, en vertical y con lápiz plomo, 181.

EXPOSICIONS / *EXPOSICIONES*

Exposición de Artes Suntuarias del Modernismo Barcelonés, Barcelona, Palau de la Virreina, 1964.

El modernismo en España, Madrid, Casón del Buen Retiro, X-XII 1969; Barcelona, Museu d'Art Modern, I-II 1970.

BIBLIOGRAFIA / *BIBLIOGRAFÍA*

Exposición de Artes Suntuarias del Modernismo Barcelonés, Ajuntament de Barcelona, Barcelona, 1964, p. 29, cat. núm. 181.
El modernismo en España, Ministerio de Cultura, Madrid, 1969, p. 100, cat. núm. VII-15.

45
Cadira de braços
Poltrona

C. 1905

Fusta de roure amb talla de roses
Madera de roble con talla de rosas

96 x 78,5 x 48,5 cm (cada peça / *cada pieza*)

Adquisició, 1967
Adquisición, 1967

Museu d'Art Modern del MNAC, Barcelona
(MNAC/MAM 71706-09)
Rep. p. 69

OBSERVACIONS / *OBSERVACIONES*

Conjunt de quatre cadires de braços que formaven part del mobiliari del saló del pis principal de la casa Lleó Morera de Barcelona. Originàriament l'entapissat era de vellut verd amb motius florals i els braços eren guarnits amb passamaneria. Hi ha un número de registre original a la part inferior de la peça, 1844, que correspon al número de plànol del projecte acolorit amb aquarel·la original. El seu model és idèntic al de les de la casa Navàs de Reus. A les factures consultades, Homar denomina aquestes peces "sillons romans".

Conjunto de cuatro poltronas que formaban parte del mobiliario del salón del piso principal de la casa Lleó Morera de Barcelona. Originariamente el tapizado era de terciopelo verde con motivos florales y los brazos estaban adornados con pasamanería. Hay un número de registro original en la parte inferior de la pieza, 1844, que corresponde al número de plano del proyecto coloreado a acuarela original. Su modelo es idéntico al de las de la casa Navàs de Reus. En las facturas consultadas, Homar denomina a estas piezas "sillones romanos".

EXPOSICIONS / *EXPOSICIONES*

Exposición de Artes Suntuarias del Modernismo Barcelonés, Barcelona, Palau de la Virreina, X-XI de 1964.

Catalunya en la España Moderna 1714-1983, Generalitat de Catalunya, Madrid, 1983, p. 174, cat. s/núm, fig. p. 169.

El modernismo en España, Madrid, Casón del Buen Retiro, X-XII 1969; Barcelona, Museu d'Art Modern, I-II 1970.
El Modernisme, Barcelona, Museu d'Art Modern, 10-X-1990 - 13-I-1991.
Da Gaudí a Picasso. Il Modernismo Catalano, Venèzia, 1-IX - 24-XI 1991.

BIBLIOGRAFIA / *BIBLIOGRAFÍA*

Exposición de Artes Suntuarias del Modernismo Barcelonés, Ayuntamiento de Barcelona, Barcelona, 1964, p. 19, cat. núm. 10-14.

El modernismo en España, Ministerio de Cultura, Madrid, 1969, p. 103, cat. núm. Vll-36-39.

García Martín, M., *La Casa Lleó Morera*, Catalana de Gas, Barcelona, 1988, p. 29-30, fig.

El Modernisme, 2 vol, Lunwerg, Barcelona, 1990, vol. ll, p. 98, cat. núm. 223.

Da Gaudí a Picasso. Il Modernismo Catalano, Venèzia, 1-IX - 24-XI 1991, p. 138, cat. núm. 154.

46
Dibuix de la peça anterior
Dibujo de la pieza anterior

Ploma i aquarel·la sobre paper tipus Canson enganxat sobre una cartolina de color gris senyalada amb el núm. 179, al revers de la qual figura estampat el segell de la casa G. Homar/Canuda,4/Barcelona
Pluma y acuarela sobre papel tipo Canson pegado en una cartulina de color gris señalada con el múm. 179, en cuyo reverso figura estampado el sello de la casa G. Homar/ Canuda,4/Barcelona

11 x 9,8 cm

Ni signada ni datada
Ni firmada ni fechada

Adquisició, 1975
Adquisición, 1975

Gabinet de Dibuixos i Gravats del MNAC, Barcelona
(MNAC/GDG 107465/D)
Rep. p. 69

OBSERVACIONS / *OBSERVACIONES*

A l'angle inferior esquerre, anotació manuscrita amb ploma: Plano 1844.

En el ángulo inferior izquierdo, anotación manuscrita a pluma: Plano 1844.

EXPOSICIONS / *EXPOSICIONES*

Exposición de Artes Suntuarias del Modernismo Barcelonés, Barcelona, Palau de la Virreina, 1964.

BIBLIOGRAFIA / *BIBLIOGRAFÍA*

Exposición de Artes Suntuarias del Modernismo Barcelonés, Ajuntament de Barcelona, Barcelona, 1964, p. 29, cat. núm. 179.

47
Tauleta raconera octogonal
Mesita de rincón octogonal

C. 1905

Fusta de falsa noguera i bubinga
Madera de falso nogal y bubinga

77 x 53 cm

Adquisició, 1967
Adquisición, 1967

Museu d'Art Modern del MNAC, Barcelona
(MNAC/MAM 71787)
Rep. p. 70

OBSERVACIONS / *OBSERVACIONES*

Formava part del mobiliari del saló del pis principal de la casa Lleó Morera de Barcelona. Hem vist repetit aquest model de taula en altres col·leccions particulars.

Formaba parte del mobiliario del salón del piso principal de la casa Lleó Morera de Barcelona. Hemos visto repetido este modelo de mesa en otras colecciones particulares.

EXPOSICIONS / *EXPOSICIONES*

Exposición de Artes Suntuarias del Modernismo Barcelonés, Barcelona, Palau de la Virreina, X-XI 1964.

El modernismo en España, Madrid, Casón del Buen Retiro, X-XII 1969; Barcelona, Museu d'Art Modern, I-II 1970.

El Modernisme, Barcelona, Museu d'Art Modern, 10-X-1990 - 13-I-1991.

BIBLIOGRAFIA / *BIBLIOGRAFÍA*

Exposición de Artes Suntuarias del Modernismo Barcelonés,
Ayuntamiento de Barcelona, Barcelona, 1964, p. 19,
cat. núm. 19.

El modernismo en España, Ministerio de Cultura, Madrid,
1969, p. 103, cat. núm. Vll-44.

Mainar, J., *El moble català,* Destino, Barcelona, 1976, p. 330-
332, fig.

El Modernisme, 2 vol, Lunwerg, Barcelona, 1990, vol. II,
p. 100, cat. núm. 231.

48

Taula auxiliar
Mesa auxiliar

C. 1905

Arrel de fusta d'olivera amb aplicacions de xicranda,
roure i castanyer
*Raíz de madera de olivo con aplicaciones de jacarandá,
roble y castaño*

78,5 x 50 cm

Adquisició, 1967
Adquisición, 1967

**Museu d'Art Modern del MNAC, Barcelona
(MNAC/MAM 71788)**

Rep. p. 70

OBSERVACIONS / *OBSERVACIONES*

Formava part del mobiliari de la llar de foc del saló del
pis principal de la casa Lleó Morera de Barcelona.
*Formaba parte del mobiliario del hogar del salón del piso
principal de la casa Lleó Morera de Barcelona.*

EXPOSICIONS / *EXPOSICIONES*

Exposición de Artes Suntuarias del Modernismo Barcelonés, Barcelona,
Palau de la Virreina, X-XI 1964.

El modernismo en España, Madrid, Casón del Buen Retiro,
X-XII 1969; Barcelona, Museu d'Art Modern, I-II 1970.

Catalunya en la España Moderna 1714-1983, Madrid, Centro
Cultural de la Villa de Madrid, 24-V - 24-VI 1983.

Prefiguració del Museu Nacional d'Art de Catalunya, Barcelona,
Palau de Montjuïc, 27-VII - 30-XI 1992.

BIBLIOGRAFIA / *BIBLIOGRAFÍA*

Cirici, A., *El Arte modernista catalán,* Aymà editor, Barcelona,
1951, p. 221, fig.

Exposición de Artes Suntuarias del Modernismo Barcelonés,
Ayuntamiento de Barcelona, Barcelona, 1964, p. 19,
cat. núm. 28.

El modernismo en España, Ministerio de Cultura, Madrid,
1969, p. 104, cat. núm. VII-53.

Catalunya en la España Moderna 1714-1983, Generalitat de Ca-
talunya, Madrid, 1983, p. 174, cat. s/núm, fig. p. 169.

Prefiguració del Museu Nacional d'Art de Catalunya, Lunwerg, Bar-
celona, 1992, p. 432, fig.

49

Tauleta auxiliar
Mesilla auxiliar

C. 1905

Fusta de olivera, talla amb motius de cireres i taronges
Madera de olivo, talla con motivos de cerezas y naranjas

77 x 67 cm ø

Adquisició, 1967
Adquisición, 1967

**Museu d'Art Modern del MNAC, Barcelona
(MNAC/MAM 106002)**

Rep. p. 70

OBSERVACIONS / *OBSERVACIONES*

Formava part del mobiliari de la tribuna del menjador
del pis principal de la casa Lleó Morera de Barcelona.
*Formaba parte del mobiliario de la tribuna del comedor del
piso princiapl de la casa Lleó Morera de Barcelona.*

EXPOSICIONS / *EXPOSICIONES*

El modernismo en España, Madrid, Casón del Buen Retiro,
X-XII 1969; Barcelona, Museu d'Art Modern, I-II 1970.

El Modernisme, vol. ll, Barcelona, Museu d'Art Modern,
10-X-1990 - 13-I-1991.

BIBLIOGRAFIA / *BIBLIOGRAFÍA*

El modernismo en España, Ministerio de Cultura, Madrid,
1969, p. 105, cat. núm. Vll-66.

García Martín, M., *La Casa Lleó Morera,* Catalana de Gas,
Barcelona, 1988, p. 33, fig.

El Modernisme, 2 vol, Lunwerg, Barcelona, 1990, vol. II,
p. 101, cat. núm. 232, fig.

50

Bufet de dos cossos
Aparador de dos cuerpos

C. 1905

Fusta d'olivera tenyida, talla, metall martelé, vidre bisellat i
marqueteria de doradillo, freixe, sicòmor, xicranda,
noguera i boix
*Madera de olivo teñida, talla, metal martelé, cristal biselado
y marquetería con doradillo, fresno, sicomoro, jacarandá,
nogal y boj*

300 x 202 x 53 cm

Adquisició, 1967
Adquisición, 1967

**Museu d'Art Modern del MNAC, Barcelona
(MNAC/MAM 106069)**

Rep. p. 71

OBSERVACIONS / *OBSERVACIONES*

Bufet de dos cossos procedent del menjador de la casa
Lleó Morera de Barcelona, amb un fris de talla a la part
superior i motius de pàmpols, raïms i elements cítrics a
la inferior. El cos inferior central va ser modificat, ja que
originàriament hi havia encastada la llar de foc.
*Aparador de dos cuerpos procedente del comedor de la casa
Lleó Morera de Barcelona con un friso de talla en su parte su-
perior y motivos de pámpanos, racimos de uva y elementos
cítricos en la inferior. El cuerpo inferior central fue modificado,
ya que originariamente estaba empotrada una chimenea.*

EXPOSICIONS / *EXPOSICIONES*

El modernismo en España, Madrid, Casón del Buen Retiro,
X-XII 1969; Barcelona, Museu d'Art Modern, I-II 1970.

El Modernisme, Barcelona, Museu d'Art Modern, 10-X-
1990 - 13-I-1991.

BIBLIOGRAFIA / *BIBLIOGRAFÍA*

Cirici, A., *El Arte modernista catalán,* Aymà editor, Barcelona,
1951, p. 235, fig.

El modernismo en España, Ministerio de Cultura, Madrid,
1969, p. 106 , cat. núm. Vll-70.

Mainar, J., *El moble català,* Destino, Barcelona, 1976,
p. 334, fig.

García Martín, M., *La Casa Lleó Morera,* Catalana de Gas,
Barcelona, 1988, p. 65-75, fig.

El Modernisme, 2 vol,. Lunwerg, 1990, Barcelona, vol. II,
p. 101, cat. núm. 233.

51

Arquilla amb plafó del Sant Jordi
Bargueño con panel de San Jorge

C. 1905-1907

Fusta de caoba i marqueteria d'ivori, banús, xicranda,
caoba, llimoner, freixe de Pomerània, mongoy,
incrustacions de metall i policromia daurada
*Madera de caoba y marquetería de marfil, ébano, jacarandá,
caoba, limonero, fresno de Pomerania, mongoy,
incrustaciones de metal y policromía dorada*

152,5 x 107,5 x 50 cm

Col. particular

Rep. p. 72

52

Dibuix del Sant Jordi de la peça anterior
Dibujo del San Jorge de la pieza anterior

C. 1905-1907

Llapis plom, ploma i aquarel·la sobre paper
Lápiz plomo, pluma y acuarela sobre papel

58 x 47 cm

Col. particular

Rep. p. 72

OBSERVACIONS / *OBSERVACIONES*

Projecte acolorit amb aquarel·la del plafó de marqueteria
del Sant Jordi segons disseny de Josep Pey que Homar va
presentar a l'Exposició Internacional de Belles Arts i In-
dústries Artístiques de Barcelona del 1907 i a les mostres
de Madrid i Saragossa, el 1908.

*Proyecto coloreado a la acuarela del panel de marquetería
del San Jorge según diseño de Josep Pey que Homar presen-
tó en la Exposición Internacional de Bellas Artes e Industrias
Artísticas de Barcelona (1907) y en las muestras de Madrid y
Zaragoza en 1908.*

53

Armari escriptori d'Àngel Guimerà
Armario escritorio de Àngel Guimerà

C. 1905

Fusta de noguera amb marqueteria d'arrel de noguera,
caoba i freixe d'Hongria i aplicacions de metall
*Madera de nogal con marquetería de raíz de nogal, caoba y
fresno y aplicaciones de metal*

174 x 84 x 40 cm

Institut del Teatre de la Diputació de Barcelona

Rep. p. 73

OBSERVACIONS / *OBSERVACIONES*

Formava part del conjunt de mobiliari del despatx que el
dramaturg Àngel Guimerà tenia al carrer Petritxol, 4, de
Barcelona. Cal remarcar que té una particular afinitat amb
alguns dels mobles dissenyats pel polifacètic Alexandre de
Riquer, qui, d'altra banda, fou col·laborador de Gaspar
Homar.
*Formaba parte del conjunto de mobiliario del despacho que
tenía el dramaturgo Àngel Guimerà en la calle Petritxol, 4,
de Barcelona. Cabe subrayar que tiene particular afinidad
con algunos de los muebles diseñados por el polifacético
Alexandre de Riquer, quien, por otra parte, fue colaborador
de Gaspar Homar.*

EXPOSICIONS / *EXPOSICIONES*

El modernismo en España, Madrid, Casón del Buen Retiro,
X-XII 1969; Barcelona, Museu d'Art Modern, I-II 1970.

Col·leccionistes d'Art a Catalunya, Barcelona, Palau Robert-Pa-
lau de la Virreina, 22-VI - 22-VII de 1987.

BIBLIOGRAFIA / *BIBLIOGRAFÍA*

El modernismo en España, Ministerio de Cultura, Madrid,
1969, p. 106, cat. núm. VII-73, fig. s/p.

Angel Guimerà (1845-1924), Fundació Carulla-Font, Barce-
lona, 1974, fig. p. 17.

Freixa, M., "Revivalismo y modernidad en el diseño de
fin de siglo", *El Diseño en España,* Europalia, 1985, Barcelo-
na, fig. p. 117.

Carol, M., *Cien años de diseño industrial en Cataluña,* Enher, Bar-
celona, 1987, p. 20, fig.

Col·leccionistes d'Art a Catalunya, Barcelona, 1987, fig. p. 86.

A.D., *El Palau Güell,* Diputació de Barcelona, Barcelona,
1990, pp. 189 i 224.

54

Cadira de braços
Poltrona

C. 1907-1908

Fusta de noguera
Madera de nogal

116,5 x 72 x 55,5 cm (cada peça / *cada pieza*)

Donació dels hereus de Pere Domènech i Roura, 1984
Donación de los herederos de Pere Domènech i Roura, 1984

**Museu d'Art Modern del MNAC, Barcelona
(MNAC/MAM 145003/145004)**

Rep. p. 74

55

Cadira
Silla

C. 1907-1908

Fusta de noguera
Madera de nogal

113,5 x 45,5 x 44 cm (cada peça / *cada pieza*)

Donació dels hereus de Pere Domènech i Roura, 1984
Donación de los herederos de Pere Domènech i Roura, 1984

**Museu d'Art Modern del MNAC, Barcelona
(MNAC/MAM 145005/145010)**

Rep. p. 74

56

Moble peanya
Mueble peana

C. 1907-1908

Fusta de noguera
Madera de nogal

119 x 71 x 34 cm

Donació Lluís Domènech i Torres, 1994
Donación Lluís Domènech i Torres, 1994

Museu d'Art Modern del MNAC, Barcelona (MNAC/MAM 200679)

Rep. p. 74

57

Sofà amb plafó decoratiu
Sofá con panel decorativo

C. 1907-1908

Fusta de noguera amb aplicacions de marqueteria
Madera de nogal con aplicaciones de marquetería

259,5 x 178 x 65 cm (sofà / *sofá*)

Donació dels hereus de Pere Domènech i Roura, 1984
Donación de los herederos de Pere Domènech i Roura, 1984

Museu d'Art Modern del MNAC, Barcelona (MNAC/MAM 145001)

Rep. p. 74

58

Vitrina de dos cossos amb mirall
Vitrina de dos cuerpos con espejo

C. 1907-1908

Fusta de noguera amb aplicacions de marqueteria
Madera de nogal con aplicaciones de marquetería

257,5 x 217 x 47 cm

Donació dels hereus de Pere Domènech i Roura, 1984
Donación de los herederos de Pere Domènech i Roura, 1984

Museu d'Art Modern del MNAC, Barcelona (MNAC/MAM 145002)

Rep. p. 74

OBSERVACIONS / *OBSERVACIONES*

Conjunt de mobiliari de saló. Els dibuixos de les marqueteries són de l'arquitecte Pere Domènech Roura, fill de Lluís Domènech i Montaner. El conjunt procedeix de la casa Domènech Roura de Canet de Mar.

Conjunto de mobiliario de salón. Los dibujos de las marqueterías son del arquitecto Pere Domènech Roura, hijo de Lluís Domènech i Montaner. El conjunto procede de la casa Domènech Roura de Canet de Mar.

BIBLIOGRAFIA / *BIBLIOGRAFÍA*

Lluís Domènech i Montaner i el Director d'orquestra, Fundació Caixa de Barcelona, Barcelona, 1989, p. 41.

59

Armari-escriptori amb un plafó central amb la composició d'unes noies dansant i un gos en primer terme
Armario escritorio con un panel central con la composición de unas muchachas bailando y un perro en primer término

Ploma, aquarel·la i purpurina sobre paper tipus Canson enganxat sobre una cartolina de color verdós
Pluma, acuarela y purpurina sobre papel tipo Canson pegado en una cartulina de color verdoso

25,5 x 14,5 cm

Ni signada ni datada
Ni firmada ni fechada

Adquisició, 1975
Adquisición, 1975

Gabinet de Dibuixos i Gravats del MNAC, Barcelona (MNAC/GDG 107427/D)

Rep. p. 75

OBSERVACIONS / *OBSERVACIONES*

El projecte de la talla és de l'escultor Joan Carreras i Farré.

El proyecto de la talla es del escultor Joan Carreras i Farré.

EXPOSICIONS / *EXPOSICIONES*

Exposición de *Artes Suntuarias del Modernismo Barcelonés*, Barcelona, Palau de la Virreina, 1964.

BIBLIOGRAFIA / *BIBLIOGRAFÍA*

Exposición de *Artes Suntuarias del Modernismo Barcelonés*, Barcelona, Ajuntament de Barcelona, 1964, p. 30, cat. núm. 193.

60

Vitrina
Vitrina

C. 1907-1910

Fusta de caoba amb marqueteria
Madera de caoba con marquetería

195 x 127,5 x 34 cm

Col. Roca-Sastre

Rep. p. 75

OBSERVACIONS / *OBSERVACIONES*

S'ha localitzat la fotografia del projecte acolorit amb aquarel·la d'aquesta peça amb variacions (núm. de plànol 2306) a l'Arxiu Històric de la Ciutat/Servei Fotogràfic.

Se ha localizado la fotografía del proyecto coloreado a la acuarela de esta pieza con variaciones (núm. de plano 2306) en el Arxiu Històric de la Ciutat/Servei Fotogràfic.

61

Sofà-penja-robes de rebedor
Sofá-colgador para recibidor

C. 1910

Fusta de caoba, metal·listeria i marqueteria de xicranda, manzonia, caqui, sicòmor i doradillo
Madera de caoba, metalistería y marquetería de jacarandá, manzonia, palosanto, sicomoro y doradillo

257 x 243,5 x 57 cm

Col. Josep Soler i Amigó

Rep. p. 76

OBSERVACIONS / *OBSERVACIONES*

Formava part del mobiliari de la casa de l'arquitecte badaloní Joan Amigó.

Formaba parte del mobiliario de la casa del arquitecto badalonés Joan Amigó.

62

Dibuix amb variacions de la peça anterior
Dibujo con variaciones de la pieza anterior

C. 1910

Llapis plom, ploma i aquarel·la sobre paper; a l'angle inferior esquerra, escrit amb ploma, plano 1859
Lápiz plomo, pluma y acuarela sobre papel; en el ángulo inferior izquierdo, escrito con pluma, plano 1859

30 x 24 cm

Col. particular

Rep. p. 77

63

Sofà amb espatllera amb elements de talla i plafons de marqueteria
Sofá con respaldo con elementos de talla y paneles de marquetería

C. 1904-1910

Fusta d'olivera, talla, marqueteria i aplicacions de metall
Madera de olivo, talla, marquetería y aplicaciones de metal

105 x 165 x 63 cm

Col. particular

Rep. p. 77

OBSERVACIONS / *OBSERVACIONES*

Els dissenys de les marqueteries, que representen figures amb instruments musicals, es repeteixen a l'arquilla del saló de Paulina Quinquer (cat. núm. 14). Aquest model de sofà, juntament amb altres peces de mobiliari que formaven part d'un saló de música, ha estat localitzat en diferents col·leccions particulars.

Los diseños de las marqueterías, que representan figuras con instrumentos musicales, se repiten en el bargueño del salón de Paulina Quinquer (cat. núm. 14). Este modelo de sofá, junto a otras piezas de mobiliario que formaban parte de un salón de música, ha sido localizado en diferentes colecciones particulares.

64

Dibuix de la peça anterior
Dibujo de la pieza anterior

Ploma i aquarel·la sobre paper tipus Canson amb anotacions amb llapis plom a la part inferior del dibuix: 120 i paraula il·legible

Pluma y acuarela sobre papel tipo Canson con anotaciones a lápiz plomo en la parte inferior del dibujo: 120 y palabra ilegible

17,8 x 23,5 cm

Ni signada ni datada
Ni firmada ni fechada

Adquisició, 1975
Adquisición, 1975

Gabinet de Dibuixos i Gravats del MNAC, Barcelona (MNAC/GDG 107382/D)

Rep. p. 77

EXPOSICIONS / *EXPOSICIONES*

Exposición de *Artes Suntuarias del Modernismo Barcelonés*, Barcelona, Palau de la Virreina, 1964.

BIBLIOGRAFIA / *BIBLIOGRAFÍA*

Cirici, A., *El Arte Modernista Catalan*, Aymà editor, Barcelona, 1951, fig. p. 238

Exposición de *Artes Suntuarias del Modernismo Barcelonés*, Ajuntament de Barcelona, Barcelona, 1964, p. 26, cat. núm. 134.

65

Llit
Cama

C. 1910

Fusta de cirerer, talla, metal·listeria i marqueteria de cirerer, boix, noguera, doradillo, manzonia, caqui i erable
Madera de cerezo, talla, metalistería y marquetería de cerezo, boj, nogal, doradillo, manzonia, palosanto y arce

186 x 157 x 2 cm

Col. particular

Rep. p. 78

66

Cadira de respatller alt
Silla de respaldo alto

C. 1910

Fusta de cirerer i marqueteria d'erable, caqui, manzonia. Entapissat original
Madera de cerezo y marquetería de arce, palosanto, manzonia. Tapizado original

150 x 56 x 46 cm

Col. particular

Rep. p. 79

67

Tauleta de nit
Mesilla de noche

C. 1910

Fusta de cirerer, talla i marqueteria de boix, noguera, erable, caqui, doradillo i aplicacions de metall
Madera de cerezo, talla y marquetería de boj, nogal, arce, palosanto, doradillo y aplicaciones de metal

120 x 44 x 44 cm

Col. particular

Rep. p. 79

68

Armari de tres cossos
Armario de tres cuerpos

C. 1910

Fusta de cirerer, talla, metal·listeria i marqueteria de noguera, boix, doradillo, caqui, erable, amboé i alzina
Madera de cerezo, talla, metalistería y marquetería de nogal, boj, doradillo, palosanto, arce, amboé y encina

275 cm x 227 x 56 cm

Col. particular

Rep. p. 80

69

Dibuix de la peça anterior
Dibujo de la pieza anterior

C. 1910

Llapis plom, ploma i aquarel·la sobre paper
Lápiz plomo, pluma y acuarela sobre papel

36 x 29,5 cm

Col. particular

Rep. p. 80

OBSERVACIONS / *OBSERVACIONES*

Aquest dormitori va ser encarregat per l'arquitecte badaloní Joan Amigó amb motiu del seu casament, l'any 1910, amb Concepció Amat i Planas. La cadira té un ganxo penja-roba al darrere del respatller i adopta una línia de disseny afí a Ch.R. Mackintosh. En una de les claus dels mobles hi ha la signatura G. Homar. Barcelona.

Este dormitorio fue encargado por el arquitecto badalonés Joan Amigó con motivo de su boda, en 1910, con Concepció Amat i Planas. La silla tiene un colgador de gancho detrás del respaldo y adopta una línea de diseño afín a Ch.R. Mackintosh. En una de las llaves de los muebles se halla la firma G. Homar. Barcelona.

70
Arquilla
Bargueño

C. 1910

Fusta de caoba i marqueteria d'arrel de freixe d'Hongria, caqui, amboé i cirerer amb aplicacions de metal·listeria
Madera de caoba y marquetería de raíz de fresno de Hungría, palosanto, amboé y cerezo con aplicaciones de metalistería

158 x 102,5 x 50 cm

Col. Joan Soler i Amigó

Rep. p. 81

71
Armari-prestatgeria de despatx
Armario-estantería de despacho

C. 1910

Fusta de cirerer amb limoncillo, freixe d'Hongria, amboé, caqui i caoba amb aplicacions de metal·listeria
Madera de cerezo con limoncillo, fresno de Hungría, amboé, palosanto y caoba con aplicaciones de metalistería

226 x 105 x 42,5 cm

Col. Joan Soler i Amigó

Rep. p. 81

72
Taula de despatx
Mesa de despacho

C. 1910

Fusta de Citron i cirerer
Citron y cerezo

80,5 x 138 x 80 cm

Col. Joan Soler i Amigó

Rep. p. 82

73
Cadira de braços
Poltrona

C. 1910

Cirerer i llimoner. Entapissat original
Cerezo y limonero. Tapizado original

91 x 54,5 x 58 cm

Col. Joan Soler i Amigó

Rep. p. 82

OBSERVACIONS / *OBSERVACIONES*

Conjunt de mobiliari de despatx especialment dissenyat per a l'arquitecte badaloní Joan Amigó. La taula de treball té dos receptacles per dipositar-hi els plànols.

El Gabinet de Dibuixos i Gravats del MNAC conserva un projecte acolorit amb aquarel·la (núm. inv. 107394) d'aquest model d'arquilla, que es va exposar a Madrid i a Saragossa el 1908 i de la qual hi ha diferents variants.

Conjunto de mobiliario de despacho especialmente diseñado para el arquitecto badalonés Joan Amigó. La mesa de trabajo tiene dos receptáculos para depositar los planos.

El Gabinet de Dibuixos i Gravats del MNAC conserva un proyecto coloreado a acuarela (núm. inv. 107394) de este modelo de bargueño, que se expuso en Madrid y Zaragoza en 1908 y del cual hay diferentes variantes.

74
Mobiliari Art Déco de la casa Garí
Mobiliario Art Déco de la casa Garí

Anys trenta
Años treinta

Llapis plom, aquarel·la i purpurina sobre paper
Lápiz plomo, acuarela y purpurina sobre papel

19 x 19,5 cm

Ni signada ni datada
Ni firmada ni fechada

Col. particular

Rep. p. 83

75
Armari per a radiador de calefacció Art Déco de la casa Garí
Armario para radiador de calefacción Art Déco de la casa Garí

Anys trenta
Años treinta

Llapis plom, aquarel·la i purpurina sobre paper
Lápiz plomo, acuarela y purpurina sobre papel

22 x 28 cm

Ni signada ni datada
Ni firmada ni fechada

Col. particular

Rep. p. 83

76
Mobiliari Art Déco de la casa Garí
Mobiliario Art Déco de la casa Garí

Anys trenta
Años treinta

Llapis plom, aquarel·la i purpurina sobre paper
Lápiz plomo, acuarela y purpurina sobre papel

19 x 19,5 cm

Ni signada ni datada
Ni firmada ni fechada

Col. particular

Rep. p. 83

77
Mobiliari Art Déco de la casa Garí
Mobiliario Art Déco de la casa Garí

Anys trenta
Años treinta

Llapis plom i aquarel·la sobre paper
Lápiz plomo y acuarela sobre papel

49,5 x 37,5 cm

Ni signada ni datada
Ni firmada ni fechada

Col. particular

Rep. p. 83

78
Plafó de marqueteria amb la inscripció Mater Purissima
Panel de marquetería con la inscripción Mater Purissima

1901

Fusta de noguera, caoba, roure, llimoner, freixe i incrustacions de metall. Policromia daurada i talla amb ornamentacions florals
Madera de nogal, caoba, roble, limonero, fresno e incrustaciones de metal. Policromía dorada y talla con ornamentaciones florales

105 x 77,5 x 3 cm

Col. particular

Rep. p. 86

OBSERVACIONS / *OBSERVACIONES*

Sebastià Junyent va fer la composició d'aquest plafó, del qual s'han localitzat altres exemplars en col·leccions particulars.

Sebastià Junyent llevó a cabo la composición de este panel, del que se han localizado otros ejemplares en colecciones particulares.

BIBLIOGRAFIA / *BIBLIOGRAFÍA*

Arquitectura y Construcción, núm. 111 (X-1901), Madrid/Barcelona, fig. portada i p. 313.

Sala, M.T., *Junyent*, Nou Art Thor, Barcelona, 1988, fig. p. 22

García-Martín, M., *L'Hospital de Sant Pau*, Catalana de Gas, Barcelona, 1990, p. 67.

79
Capçal de llit amb marqueteria representant Sant Jordi
Cabecera de cama con marquetería representando a San Jorge

C. 1901-1905

Fusta de caoba, talla, marqueteria i aplicacions de metall
Madera de caoba, talla, marquetería y aplicaciones de metal

200 x 160 cm

Col. Domingo Madolell Aragonés. La Bona Cuina - "La Cuineta"

Rep. p. 87

OBSERVACIONS / *OBSERVACIONES*

Aquest model de Sant Jordi es repeteix de manera exacta, i també amb variacions, en diferents col·leccions particulars. Juntament amb les imatges de la Mare de Déu de Montserrat, del Pilar i dels arcàngels Gabriel i Miquel, esdevé una de les temàtiques religioses més recurrents als seus mobles i de les que van gaudir de més encàrrecs. Hi ha les inicials, tallades en fusta, AM/JHP.

Este modelo de San Jorge se repite de manera exacta, así como con variaciones, en diferentes colecciones particulares. Junto a las imágenes de las vírgenes de Montserrat, del Pilar y de los arcángeles Gabriel y Miguel, constituye una de las temáticas religiosas más recurrentes en sus muebles y de las que gozaron de más encargos. Talladas en madera, las iniciales AM/JHP.

EXPOSICIONS / *EXPOSICIONES*

El Modernisme, Barcelona, Museu d'Art Modern, 10-X-1990 - 13-I-1991.

BIBLIOGRAFIA / *BIBLIOGRAFÍA*

Ilustració Catalana, Barcelona, 23-IV-1905, núm. 99, p. 265.
El Modernisme, 2 vol, Lunwerg, Barcelona, 1990, vol. ll, p. 123, cat. núm. 289, fig.88.

80
Capçal de llit amb marqueteria representant la Mare de Déu de Montserrat
Cabecera de cama con marquetería representando a la Virgen de Montserrat

C. 1901-1905

Fusta de caoba, talla i marqueteria
Madera de caoba, talla y marquetería

Col. Domingo Madolell Aragonés. La Bona Cuina - "La Cuineta"

Rep. p. 87

81
Plafó de marqueteria amb una donzella agafant un lliri
Panel de marquetería con una doncella cogiendo un lirio

C. 1900

Corall, arrel de tuia, sicòmor, bedoll, noguera i filets metàl·lics daurats
Coral, raíz de tuya, sicomoro, abedul, nogal y filetes metálicos dorados

29,5 x 70 cm

Adquisició, 1964
Adquisición, 1964

Museu d'Art Modern del MNAC, Barcelona (MNAC/MAM 71431)

Rep. p. 88

OBSERVACIONS / *OBSERVACIONES*

El projecte original fotografiat d'aquesta composició, que forma part d'un sofà-llibreria, núm. plànol 1178, és a l'Arxiu Històric de la Ciutat/Arxiu Fotogràfic.

El disseny de la marqueteria es repeteix a l'arquilla del saló de Paulina Quinquer (cat. núm. 14).

El proyecto original fotografiado de esta composición, que forma parte de un sofá-librería, núm. plano 1178, se halla en el Arxiu Històric de la Ciutat/Arxiu Fotogràfic.

El diseño de la marquetería se repite en el bargueño del salón de Paulina Quinquer (cat. núm. 14).

EXPOSICIONS / *EXPOSICIONES*

Exposición de Artes Suntuarias del Modernismo Barcelonés, Barcelona, Palau de la Virreina, X-XI 1964.

El modernismo en España, Madrid, Casón del Buen Retiro, X-XII 1969; Barcelona, Museu d'Art Modern, I-II 1970.

BIBLIOGRAFIA / *BIBLIOGRAFÍA*

Exposición de Artes Suntuarias del Modernismo Barcelonés, Ajuntament de Barcelona, Barcelona, 1964, p. 23, cat. núm. 100.

El modernismo en España, Ministerio de Cultura, Madrid, 1969, p. 102, cat. núm. VII-31.

82

Plafó de marqueteria amb Leda i el cigne
Panel de marquetería con Leda y el cisne

C. 1900-1906

Fusta de sicòmor, maple, caoba i doradillo
Madera de sicomoro, maple, *caoba y doradillo*

66 x 35,5 cm

Col. particular

Rep. p. 88

EXPOSICIONS / *EXPOSICIONES*

Exposición de Artes Suntuarias del Modernismo Barcelonés, Barcelona, Palau de la Virreina, X-XI 1964.

BIBLIOGRAFIA / *BIBLIOGRAFÍA*

Exposición de Artes Suntuarias del Modernismo Barcelonés, Ajuntamiento de Barcelona, Barcelona, 1964, p. 23, cat. núm. 101.

83

Armari escriptori amb plafó de marqueteria representant els disseys dels plafons anteriors
Armario escritorio con panel de marquetería representando los diseños de los paneles anteriores

Llapis plom i aquarel·la sobre paper tipus Canson enganxat sobre cartolina de color verd, al revers de la qual figura el segell de la casa G. Homar/Canuda, 4/*Barcelona*
Lápiz plomo y acuarela sobre papel tipo Canson pegado en cartulina de color verde, en cuyo reverso figura el sello de la casa G. Homar/Canuda, 4/Barcelona

20,1 x 11,5 cm

Ni signada ni datada
Ni firmada ni fechada

Adquisició, 1975
Adquisición, 1975

Gabinet de Dibuixos i Gravats del MNAC, Barcelona (MNAC/GDG 107397/D)

Rep. p. 89

OBSERVACIONS / *OBSERVACIONES*

Aquesta peça va ser repetida diverses vegades amb lleugeres variants. A la part inferior, gairebé central, del dibuix hi ha, escrit amb ploma, *Plano 1129*. Al passe-partout hi ha diverses anotacions amb ploma i llapis Conté referents a l'execució del projecte: *Color/Parecido 287/5 m/m cuatricomia.*

Esta pieza fue repetida en diversas ocasiones con ligeras variantes. En la parte inferior, casi central, del dibujo hay, escrito a pluma, Plano 1129. En el passe-partout hay diversas anotaciones a pluma y lápiz Conté referentes a la ejecución del proyecto: Color/Parecido 287/5 m/m cuatricomia.

EXPOSICIONS / *EXPOSICIONES*

Exposición de Artes Suntuarias del Modernismo Barcelonés, Barcelona, Palau de la Virreina, 1964.

BIBLIOGRAFIA / *BIBLIOGRAFÍA*

Cirici, A., *El Arte modernista catalán,* Aymà editor, Barcelona, 1951, fig. làm. color entre p. 248-249.

Exposición de Artes Suntuarias del Modernismo Barcelonés, Ajuntament de Barcelona, Barcelona, 1964, p. 26, cat. núm. 136.

84

Plafó de marqueteria amb figures dansant
Panel de marquetería con figuras danzando

C. 1900-1906

Fusta de pal de rosa, caqui, banús, arrel d'om, sicòmor, arrel de tuia, manzonia, caoba i doradillo
Madera de palo de rosa, palosanto, ébano, raíz de olmo, sicomoro, raíz de tuya, manzonia, *caoba y doradillo*

66 x 35,5 cm

Col. particular

Rep. p. 89

OBSERVACIONS / *OBSERVACIONES*

Les carnacions, sense relleu, estan pintades damunt la marqueteria.

Las carnaciones, sin relieve, están pintadas encima de la marquetería.

EXPOSICIONS / *EXPOSICIONES*

Exposición de Artes Suntuarias del Modernismo Barcelonés, Barcelona, Palau de la Virreina, X-XI 1964.

BIBLIOGRAFIA / *BIBLIOGRAFÍA*

Exposición de Artes Suntuarias del Modernismo Barcelonés, Ajuntament de Barcelona, Barcelona, 1964, p. 22, cat. núm. 94.

85

Armari-escriptori amb una porta de marqueteria amb el disseny dels plafons anteriors
Armario-escritorio con una puerta de marquetería con el diseño de los paneles anteriores

C. 1901-1906

Llapis plom, ploma, aquarel·la i purpurina sobre paper tipus Canson, enganxat sobre una cartolina de color verdós al revers de la qual figura estampat el segell de la casa G.Homar/Canuda,4/*Barcelona*
Lápiz plomo, pluma, acuarela y purpurina sobre papel tipo Canson pegado en una cartulina de color verdoso en cuyo reverso figura estampado el sello de la casa G.Homar/Canuda,4/Barcelona

23,3 x 14 cm

Ni signada ni datada
Ni firmada ni fechada

Adquisició, 1975
Adquisición, 1975

Gabinet de Dibuixos i Gravats del MNAC, Barcelona (MNAC/GDG 107450/D)

Rep. p. 89

EXPOSICIONS / *EXPOSICIONES*

Exposición de Artes Suntuarias del Modernismo Barcelonés, Barcelona, Palau de la Virreina, 1964.

BIBLIOGRAFIA / *BIBLIOGRAFÍA*

Exposición de Artes Suntuarias del Modernismo Barcelonés, Ajuntament de Barcelona, Barcelona, 1964, p. 30, cat. núm. 195.

86

Plafó de marqueteria amb figura femenina amb una flor
Panel de marquetería con figura femenina con una flor

C. 1903

Limoncillo, caoba, sicòmor, citron arrissat
Limoncillo, caoba, sicomoro, citron rizado

125 x 65,4 cm

Col. Fernando Pinós. Gothsland

Rep. p. 90

87

Plafó de marqueteria amb figura femenina amb un gos i cignes
Panel de marquetería con figura femenina con un perro y cisnes

C. 1903

Freixe, sicòmor, cirerer, caoba, amboé, marc de limoncillo
Fresno, sicomoro, cerezo, caoba, amboé, *marco de limoncillo*

125 x 65,5 cm

Col. Fernando Pinós. Gothsland

Rep. p. 90

EXPOSICIONS / *EXPOSICIONES*

Saló Antiquaris, XXII, Barcelona, Fira de Barcelona, 21-29-III 1998.

BIBLIOGRAFIA / *BIBLIOGRAFÍA*

Pujol Brull, J., "Marqueteria. Plafons decoratius", *Ilustració Catalana,* Barcelona, 21-VI-1903, núm. 3, fig. p. 43-44.

Cirici, A., *El Arte modernista catalán,* Aymà editor, Barcelona, 1951. fig. p. 187.

Cirici, A., "Las Artes decorativas modernistas", *Destino,* Barcelona, 25-X-1969, fig. p. 44.

Saló Antiquaris, XXII, Fira de Barcelona, Barcelona, 1988, p. 22

88

Armari de tres cossos amb plafó de marqueteria i talla representant els plafons anteriors
Armario de tres cuerpos con panel de marquetería y talla representando los paneles anteriores

Ploma i aquarel·la sobre paper tipus Canson enganxat sobre una cartolina de color verd. A la part inferior esquerra, amb ploma, hi ha escrit *Plano 1292*
Pluma y acuarela sobre papel tipo Canson pegado en una cartulina de color verde. En la parte inferior izquierda, a pluma, hay escrito Plano 1292

30,3 x 25, 4 cm

Ni signada ni datada
Ni firmada ni fechada

Adquisició, 1975
Adquisición, 1975

Rep. p. 91

Gabinet de Dibuixos i Gravats del MNAC, Barcelona (MNAC/GDG 107430/D)

OBSERVACIONS / *OBSERVACIONES*

Al revers, hi figura estampat el segell de la casa G. Homar/Canuda,4/*Barcelona* i el croquis amb llapis plom d'un altre armari.
Projecte molt semblant, sense les figures, a un armari fet per a la casa Pladellorens.

En el reverso, figura estampado el sello de la casa G. Homar/Canuda,4/Barcelona y el croquis a lápiz plomo de otro armario.
Proyecto muy parecido, sin las figuras, a un armario hecho por la casa Pladellorens.

EXPOSICIONS / *EXPOSICIONES*

Exposición de Artes Suntuarias del Modernismo Barcelonés, Barcelona, Palau de la Virreina, 1964.

BIBLIOGRAFIA / *BIBLIOGRAFÍA*

Exposición de Artes Suntuarias del Modernismo Barcelonés, Ajuntament de Barcelona, Barcelona, 1964, p. 27, cat. núm. 158.

89

Plafó de marqueteria amb la dansa de les fades, segons composició de Josep Pey
Panel de marquetería con la danza de las hadas, según composición de Josep Pey

C. 1902

Fusta de pal de rosa, xicranda, plàtan, zebra, ivori, freixe d'Hongria, bubinga i sicòmor
Madera de palo de rosa, jacarandá, plátano, cebra, marfil, fresno de Hungría, bubinga y sicomoro

99 x 49 cm

Adquisició, 1964
Adquisición, 1964

Museu d'Art Modern del MNAC, Barcelona (MNAC/MAM 71433)

Rep. p. 91

EXPOSICIONS / *EXPOSICIONES*

Exposición Hispano-francesa, Saragossa, 1908

Exposición de Artes Suntuarias del Modernismo Barcelonés, Barcelona, Palau de la Virreina, X-XI 1964.

El modernismo en España, Madrid, Casón del Buen Retiro, X-XII 1969; Barcelona, Museu d'Art Modern, I-II 1970, cat. núm.

Cien Años de Cultura Catalana, Madrid, Palacio Velázquez, VI-X 1980.

BIBLIOGRAFIA / *BIBLIOGRAFÍA*

Mercurio, Madrid/Barcelona, XI-1908, núm. 84, fig. p. 1716

Cirici, A., *El Arte modernista catalán,* Aymà editor, Barcelona, 1951, p. 259-261, fig.

"Barcelona única. Marqueterias de Homar", *Serra d'Or,* Barcelona, 8/14-V-1975, núm. 1962, p. 70.

Exposición de Artes Suntuarias del Modernismo Barcelonés, Ajuntamiento de Barcelona, Barcelona, 1964, p. 22, cat. núm. 93.

El modernismo en España, Ministerio de Cultura, Madrid, 1969, p. 101, cat. núm. VV-27.

Cirici, A., "Modernisme", *Historia del Arte,* Salvat Editores, Barcelona, S.A, 1970, vol. IX, fig. p. 99.

Cirici, A., "Les Arts Decoratives", *L'Art Català,* Barcelona, 1961, vol. II, p. 473.

Cirici, A., i Manent, R., *Museus d'Art Catalans*, Destino, Barcelona, 1982, p. 229, fig.

Stepanek, P., "La inspiració txeca de Gaspar Homar", *Serra d'Or*, Barcelona, 15-II-1977, núm. 209, p. 114, fig.

Cien Años de Cultura Catalana, Ministerio de Cultura, Madrid, 1980, p. 66, cat. núm. 1.3.93.

Fontbona, F., i Miralles, F., "Del Modernisme al Noucentisme 1888-1917", *Historia de l'Art Català*, Edicions 62, Barcelona, 1985, p. 83, fig.

García Martín, M., *La Casa Lleó Morera*, Catalana de Gas, Barcelona, 1988, p. 197, fig.

90

Plafó de marqueteria amb una dama en un jardí
Panel de marquetería con una dama en un jardín

C. 1905

Fusta de sicòmor, majagua, doradillo, xicranda i alzina
Madera de sicomor, damajagua, doradillo, jacarandá y encina

156 x 47,5 cm

Adquisició, 1962
Adquisición, 1962

Rep. p. 92

**Museu d'Art Modern del MNAC, Barcelona
(MNAC/MAM 69504)**

Rep. p. 92

OBSERVACIONS / *OBSERVACIONES*

El disseny és de Josep Pey; la talla, de Joan Carreras, i la marqueteria, de Joan Sagarra i Fills.

El diseño es de Josep Pey; la talla, de Joan Carreras, y la marquetería, de Joan Sagarra e Hijos.

EXPOSICIONS / *EXPOSICIONES*

Exposición de Artes Suntuarias del Modernismo Barcelonés, Barcelona, Palau de la Virreina, X-XI 1964.

El modernismo en España, Madrid, Casón del Buen Retiro, X-XII 1969; Barcelona, Museu d'Art Modern, I-II 1970.

1881-1981 Picasso i Barcelona, Barcelona, Saló del Tinell, 23-X-1981 - 31-I-1982.

Prefiguració del Museu Nacional d'art de Catalunya, Barcelona, Palau Nacional, 27-VII - 30-XI 1992.

BIBLIOGRAFIA / *BIBLIOGRAFÍA*

Exposición de Artes Suntuarias del Modernismo Barcelonés, Ajuntament de Barcelona, Barcelona, 1964, p. 22, cat. núm. 95.

El modernismo en España, Ministerio de Cultura, Madrid, 1969, p. 102, cat. núm. VII-28.

1881-1981 Picasso i Barcelona, Ajuntament de Barcelona/Ministerio de Cultura, Barcelona, 1981, s/p. cat. núm. 7B-19, fig.

Prefiguració del Museu Nacional d'art de Catalunya, Lunwerg, Barcelona, 1992, p. 434.

91

Plafó de marqueteria amb una donzella agafant una branca
Panel de marquetería con una doncella cogiendo una rama

C. 1905

Fusta de sicòmor, peroba, majagua, arrel de roure, freixe, arrel d'amboé, xicranda, pal de rosa i falsa caoba
Madera de sicomoro, peroba, damajagua, raíz de roble, fresno, raíz de amboé, jacarandá, palo de rosa y falsa caoba

62 x 52,5 cm

Adquisició, 1964
Adquisición, 1964

**Museu d'Art Modern del MNAC, Barcelona
(MNAC/MAM 71430)**

Rep. p. 92

OBSERVACIONS / *OBSERVACIONES*

El dibuix és de Josep Pey, la talla de Joan Carreras i la marqueteria de Joan Sagarra i Fills.

El dibujo es de Josep Pey, la talla, de Joan Carreras, y la marquetería, de Joan Sagarra e Hijos.

EXPOSICIONS / *EXPOSICIONES*

Exposición de Artes Suntuarias del Modernismo Barcelonés, Barcelona, Palau de la Virreina, X-XI 1964.

El modernismo en España, Madrid, Casón del Buen Retiro, X-XII 1969; Barcelona, Museu d'Art Modern, I-II 1970.

BIBLIOGRAFIA / *BIBLIOGRAFÍA*

Exposición de Artes Suntuarias del Modernismo Barcelonés, Ajuntament de Barcelona, Barcelona, 1964, p. 23, cat. núm. 98.

El modernismo en España, Ministerio de Cultura, Madrid, 1969, p. 102, cat. núm. VII-30.

Cirici, A., *El Arte modernista catalán*, Aymà editor, Barcelona, 1951, p. 257.

92

Plafó de marqueteria amb una dama en un bosc
Panel de marquetería con una dama en un bosque

C. 1905

Fusta d'alzina, freixe, sati, sicòmor, noguera, majagua i arrel d'amboé
Madera de encina, fresno, sati, sicomoro, nogal, damajagua y raíz de amboé

156 x 47,5 cm

Adquisició, 1962
Adquisición, 1962

**Museu d'Art Modern del MNAC, Barcelona
(MNAC/MAM 69505)**

Rep. p. 93

OBSERVACIONS / *OBSERVACIONES*

El disseny és obra de Josep Pey; la talla, de Joan Carreras, i la marqueteria, de Joan Sagarra i Fills.

El diseño es obra de Josep Pey; la talla, de Joan Carreras, y la marquetería, de Joan Sagarra e Hijos.

EXPOSICIONS / *EXPOSICIONES*

Exposición de Artes Suntuarias del Modernismo Barcelonés, Barcelona, Palau de la Virreina, Ajuntament de Barcelona, X-XI 1964.

El modernismo en España, Madrid, Casón del Buen Retiro, X-XII 1969; Barcelona, Museu d'Art Modern, I-II 1970.

1881-1981 Picasso i Barcelona, Barcelona, Saló del Tinell, 23-X-1981 - 31-I-1982.

Prefiguració del Museu Nacional d'art de Catalunya, Barcelona, Palau Nacional, 27-VII - 30-XI 1992.

BIBLIOGRAFIA / *BIBLIOGRAFÍA*

Exposición de Artes Suntuarias del Modernismo Barcelonés, Ajuntament de Barcelona, Barcelona, 1964, p. 22, cat. núm. 96.

El modernismo en España, Ministerio de Cultura, Madrid, 1969, p. 102, cat. núm. VII-29.

1881-1981 Picasso i Barcelona, Ajuntament de Barcelona/Ministerio de Cultura, Barcelona, 1981, s/p. cat. núm. 7B-18, fig.

Prefiguració del Museu Nacional d'art de Catalunya, Lunwerg, Barcelona, 1992, p. 434.

93

Dibuix de la peça anterior
Dibujo de la pieza anterior

C. 1905

Ploma i aquarel·la sobre paper tipus Canson
Pluma y acuarela sobre papel tipo Canson

17,5 x 9,5 cm

Ni signada ni datada
Ni firmada ni fechada

Adquisició, 1975
Adquisición, 1975

**Gabinet de Dibuixos i Gravats del MNAC, Barcelona
(MNAC/GDG 107457/D)**

Rep. p. 93

OBSERVACIONS / *OBSERVACIONES*

A l'angle superior dret, hi figura, amb llapis plom, el núm. 184.

En el ángulo superior derecho, figura, a lápiz plomo, el núm. 184.

EXPOSICIONS / *EXPOSICIONES*

Exposición de Artes Suntuarias del Modernismo Barcelonés, Barcelona, Palau de la Virreina, 1964.

BIBLIOGRAFIA / *BIBLIOGRAFÍA*

Exposición de Artes Suntuarias del Modernismo Barcelonés, Ajuntament de Barcelona, Barcelona, 1964, p. 29, cat. núm. 184.

94

Plafó de marqueteria amb donzella al bosc
Panel de marquetería con doncella en el bosque

C. 1905

Fusta de sicòmor, majagua, doradillo, xicranda i alzina
Madera de sicomoro, damajagua, doradillo, jacarandá y encina

99,5 x 40 cm

Adquisició, 1964
Adquisición, 1964

**Museu d'Art Modern del MNAC, Barcelona
(MNAC/MAM 71432)**

Rep. p. 93

OBSERVACIONS / *OBSERVACIONES*

El disseny és obra de Josep Pey; la talla, de Joan Carreras, i la marqueteria, de Joan Sagarra i Fills. Se'n conserva el projecte original acolorit amb aquarel·la (MNAC/GDG 107454).

El diseño es obra de Josep Pey; la talla, de Joan Carreras, y la marquetería, de Joan Sagarra e Hijos. Se conserva el proyecto original coloreado a la acuarela (MNAC/GDG 107454).

EXPOSICIONS / *EXPOSICIONES*

Exposición de Artes Suntuarias del Modernismo Barcelonés, Barcelona, Palau de la Virreina, X-XI 1964.

El modernismo en España, Madrid, Casón del Buen Retiro, X-XII 1969; Barcelona, Museu d'Art Modern, I-II 1970.

BIBLIOGRAFIA / *BIBLIOGRAFÍA*

Exposición de Artes Suntuarias del Modernismo Barcelonés, Ajuntament de Barcelona, Barcelona, p. 23, cat. núm. 99.

El modernismo en España, Ministerio de Cultura, Madrid, 1969, p. 102, cat. núm. VII-32.

95

Capçal de llit amb marqueteria i talla representant "L'Àngel de la Son"
Cabecera de cama con marquetería y talla representando a "El Ángel del Sueño"

C. 1903

Fusta de caoba, talla i marqueteria amb aplicacions de metall
Madera de caoba, talla y marquetería con aplicaciones de metal

270 x 159 x 6 cm

Col. particular

Rep. p. 94

OBSERVACIONS / *OBSERVACIONES*

Obra d'una gran delicadesa que representa un àngel amb les ales esteses i carnació en relleu entre lliris i tiges de roser. S'han localitzat altres exemplars amb variacions d'aquest model en diferents col·leccions particulars.

Obra de gran delicadeza que representa a un ángel con las alas abiertas y carnación en relieve entre lirios y tallos de rosal. Se han localizado otros ejemplares con variaciones de este modelo en diferentes colecciones particulares.

BIBLIOGRAFIA / *BIBLIOGRAFÍA*

Estilo, Barcelona, 15-V-1906, fig. s/p.

96

Dibuix de la peça anterior
Dibujo de la pieza anterior

Llapis plom, ploma i aquarel·la sobre paper tipus Canson enganxat sobre una cartolina de color verdós a l'angle inferior esquerre de la qual, amb ploma, hi ha la notació Plano, 1312
Lápiz plomo, pluma y acuarela sobre papel tipo Canson pegado en una cartulina de color verdoso en cuyo ángulo inferior izquierdo hay, a pluma, la notación Plano, 1312

30,5 x 19 cm

Ni signada ni datada
Ni firmada ni fechada

Adquisició, 1975
Adquisición, 1975

**Gabinet de Dibuixos i Gravats del MNAC, Barcelona
(MNAC/GDG 107429/D)**

Rep. p. 95

EXPOSICIONS / *EXPOSICIONES*

Exposición de Artes Suntuarias del Modernismo Barcelonés, Barcelona, Palau de la Virreina, 1964.

BIBLIOGRAFIA / *BIBLIOGRAFÍA*

Exposición de Artes Suntuarias del Modernismo Barcelonés, Ajuntament de Barcelona, Barcelona, 1964, p. 28, cat. núm. 161.

97
Plafó de marqueteria amb la Immaculada
Panel de marquetería con la Inmaculada

C. 1907

Fusta de freixe d'Hongria, ull de perdiu, noguera, sicòmor, caoba, caqui, manzonia, boix i cirerer amb aplicacions de metall
Madera de fresno de Hungría, ojo de perdiz, nogal, sicomoro, caoba, palosanto, manzonia, boj y cerezo con aplicaciones de metal

120 x 45,5 cm

Col. particular

Rep. p. 95

EXPOSICIONS / *EXPOSICIONES*

V Exposició Internacional de Bellas Artes e Industrias Artísticas, Barcelona, 1907.

BIBLIOGRAFIA / *BIBLIOGRAFÍA*

V Exposición Internacional de Bellas Artes e Industrias Artísticas, Barcelona, 1907.

Recort de la V Exposició Internacional d'Art, Ilustració Catalana, Barcelona, 1907, s/p.

98
Paraigüer
Paragüero

Llapis plom, ploma i aquarel·la sobre paper tipus Canson enganxat sobre una cartolina de color verdós, al revers de la qual figura estampat el segell de la casa *G. Homar/Canuda,4/Barcelona*
Lápiz plomo, pluma y acuarela sobre papel tipo Canson pegado en una cartulina de color verdoso, en cuyo reverso figura estampado el sello de la casa G. Homar/Canuda,4/Barcelona

35 x 18 cm

Ni signada ni datada
Ni firmada ni fechada

Adquisició, 1975
Adquisición, 1975

Gabinet de Dibuixos i Gravats del MNAC, Barcelona (MNAC/GDG 107433/D)

Rep. p. 98

EXPOSICIONS / *EXPOSICIONES*

Exposición de Artes Suntuarias del Modernismo Barcelonés, Barcelona, Palau de la Virreina, 1964.

BIBLIOGRAFIA / *BIBLIOGRAFÍA*

Exposición de Artes Suntuarias del Modernismo Barcelonés, Ajuntament de Barcelona, Barcelona, 1964, p. 30, cat. núm. 188.

99
Lampadari de metall per al menjador de la casa Burés, inspirat en motius ornamentals celtes
Lampadario de metal para el comedor de la casa Burés, inspirado en motivos ornamentales celtas

C. 1900-1906

Ploma i aquarel·la sobre paper tipus Canson enganxat sobre cartolina de color gris
Pluma y acuarela sobre papel tipo Canson pegado en cartulina de color gris

27 x 19,5 cm

Ni signada ni datada
Ni firmada ni fechada

Adquisició, 1975
Adquisición, 1975

Gabinet de Dibuixos i Gravats del MNAC, Barcelona (MNAC/GDG 107412/D)

Rep. p. 98

OBSERVACIONS / *OBSERVACIONES*

Al revers, hi figura estampat el segell de la casa *G. Homar/Canuda,4/Barcelona.*

En el reverso, figura estampado el sello de la casa G. Homar/Canuda,4/Barcelona.

EXPOSICIONS / *EXPOSICIONES*

Exposición de Artes Suntuarias del Modernismo Barcelonés, Barcelona, Palau de la Virreina, 1964.

BIBLIOGRAFIA / *BIBLIOGRAFÍA*

Cirici, A., *El Arte Modernista Catalan*, Aymà editor, Barcelona, 1951, p. 228, fig. p. 287.

Exposición de Artes Suntuarias del Modernismo Barcelonés, Ajuntament de Barcelona, Barcelona, 1964, p. 27, cat. núm. 148.

100
Peu de ferro
Pie de hierro

Llapis plom, ploma i aquarel·la sobre paper tipus Canson enganxat sobre cartolina de color verdós; al revers, hi figura estampat el segell de la casa *G. Homar/Canuda,4/Barcelona*
Lápiz plomo, pluma y acuarela sobre papel tipo Canson pegado en cartulina de color verdoso, en cuyo reverso figura estampado el sello de la casa G. Homar/Canuda,4/Barcelona

27,4 x 12,7 cm

Ni signada ni datada
Ni firmada ni fechada

Adquisició, 1975
Adquisición, 1975

Gabinet de Dibuixos i Gravats del MNAC, Barcelona (MNAC/GDG 107418/D)

Rep. p. 98

EXPOSICIONS / *EXPOSICIONES*

Exposición de Artes Suntuarias del Modernismo Barcelonés, Barcelona, Palau de la Virreina, 1964.

BIBLIOGRAFIA / *BIBLIOGRAFÍA*

Exposición de Artes Suntuarias del Modernismo Barcelonés, Ajuntament de Barcelona, Barcelona, 1964, p. 32, cat. núm 215.

101
Galeria i agafadors per a cortinatge
Galería y agarraderos para cortinaje

Llapis plom i aquarel·la sobre paper tipus Canson
Lápiz plomo y acuarela sobre papel tipo Canson

39,5 x 24 cm

Ni signada ni datada
Ni firmada ni fechada

Adquisició, 1975
Adquisición, 1975

Gabinet de Dibuixos i Gravats del MNAC, Barcelona (MNAC/GDG 107406/D)

Rep. p. 98

OBSERVACIONS / *OBSERVACIONES*

Al revers, croquis amb llapis plom d'un cortinatge.
En el reverso, croquis a lápiz plomo de un cortinaje.

EXPOSICIONS / *EXPOSICIONES*

Exposición de Artes Suntuarias del Modernismo Barcelonés, Barcelona, Palau de la Virreina, 1964.

BIBLIOGRAFIA / *BIBLIOGRAFÍA*

Cirici, A., *El Arte modernista catalán*, Aymà editor, Barcelona, 1951, fig. p. 283.

Exposición de Artes Suntuarias del Modernismo Barcelonés, Ajuntament de Barcelona, Barcelona, 1964, p. 27, cat. núm. 144.

102
Paraigüer de metall daurat amb jardinera de ferro
Paragüero de metal dorado con jardinera de hierro

Llapis plom, ploma i aquarel·la sobre paper tipus Canson enganxat sobre cartolina de color gris, al revers de la qual figura el segell de la casa *G. Homar/Canuda, 4/Barcelona*
Lápiz plomo, pluma y acuarela sobre papel tipo Canson pegado en cartulina de color gris, en cuyo reverso figura el sello de la casa G. Homar/Canuda, 4/Barcelona

23,5 x 18 cm

Ni signada ni datada
Ni firmada ni fechada

Adquisició, 1975
Adquisición, 1975

Gabinet de Dibuixos i Gravats del MNAC, Barcelona (MNAC/GDG 107393/D)

Rep. p. 99

OBSERVACIONS / *OBSERVACIONES*

A la part inferior central del dibuix hi figura l'anotació Plano 199.
En la parte inferior central del dibujo figura la anotación Plano 199.

EXPOSICIONS / *EXPOSICIONES*

Exposición de Artes Suntuarias del Modernismo Barcelonés, Barcelona, Palau de la Virreina, 1964.

BIBLIOGRAFIA / *BIBLIOGRAFÍA*

Cirici, A., *El Arte Modernista Catalan*, Aymà editor, Barcelona, 1951, fig. p. 196.

Exposición de Artes Suntuarias del Modernismo Barcelonés, Ajuntament de Barcelona, Barcelona, 1964, p. 24, cat. núm. 111.

103
Jardinera

C. 1905

Ferro forjat (suport) i aram (jardinera)
Hierro forjado (soporte) y cobre (jardinera)

38 x 55 cm (jardinera)

63 x 53 (suport / *soporte*)

Adquisició, 1967
Adquisición, 1967

Museu d'Art Modern del MNAC, Barcelona (MNAC/MAM 71736)

Rep. p. 99

OBSERVACIONS / *OBSERVACIONES*

Juntament amb un altre exemplar formava part del mobiliari de la tribuna del pis principal de la casa Lleó Morera de Barcelona.
Junto a otro ejemplar formaba parte del mobiliario de la tribuna del piso principal de la casa Lleó Morera de Barcelona.

EXPOSICIONS / *EXPOSICIONES*

Exposición de Artes Suntuarias del Modernismo Barcelonés, Barcelona, Palau de la Virreina, X-XI 1964.

BIBLIOGRAFIA / *BIBLIOGRAFÍA*

Exposición de Artes Suntuarias del Modernismo Barcelonés, Ayuntamiento de Barcelona, Barcelona, 1964, p. 20, cat. núm. 30-31.

García Martín, M., *La Casa Lleó Morera*, Catalana de Gas, Barcelona, 1988, p. 33, fig.

104
Dibuix de la peça anterior
Dibujo de la pieza anterior

C. 1905

Ploma i aquarel·la sobre paper tipus Canson
Pluma y acuarela sobre papel tipo Canson

22,1 x 11,1 cm
Ni signada ni datada
Ni firmada ni fechada

Adquisició, 1975
Adquisición, 1975

Gabinet de Dibuixos i Gravats del MNAC, Barcelona (MNAC/GDG 107415/D)

Rep. p. 99

EXPOSICIONS / *EXPOSICIONES*

Exposición de Artes Suntuarias del Modernismo Barcelonés, Barcelona, Palau de la Virreina, 1964.

BIBLIOGRAFIA / *BIBLIOGRAFÍA*

Exposición de Artes Suntuarias del Modernismo Barcelonés, Ajuntament de Barcelona, Barcelona, 1964, p. 32, cat. núm 219.

105
Llum de sostre amb espiadimonis
Lámpara de techo con libélulas

C. 1905

Metall fos, daurat i vidre
Metal fundido, dorado y cristal
180 x 72 cm ø
Adquisició, 1967
Adquisición, 1967
**Museu d'Art Modern del MNAC, Barcelona
(MNAC/MAM 71796)**
Rep. p. 100

EXPOSICIONS / *EXPOSICIONES*

El modernismo en España, Madrid, Casón del Buen Retiro,
X-XII 1969; Barcelona, Museu d'Art Modern, I-II 1970.

*El Modernisme, Barcelona, Museu d'Art Modern, 10-X-
1990 - 13-I-1991.*

BIBLIOGRAFIA / *BIBLIOGRAFÍA*

El modernismo en España, Ministerio de Cultura, Madrid,
1969, p. 20, cat. núm. 34.

Pitarch, A.J., i Dalmases, N. de, *Arte e industria en España
1774-1907*, Blume, Barcelona, 1982, p. 312, fig.

El Modernisme, 2 vol, Lunwerg, Barcelona, 1990, vol. II,
p. 104, cat. núm. 239, fig.

106
Llum de sostre
Lámpara de techo
C. 1910
Coure i vidre
Cobre y cristal
250 x 75 cm
Col. particular
Rep. p. 100

OBSERVACIONS / *OBSERVACIONES*

Llum de sostre, d'inspiració wagneriana, procedent de la
sala del menjador de la casa de l'arquitecte badaloní Joan
Amigó, el qual va encarregar la totalitat de la decoració
de casa seva a Gaspar Homar.

*Lámpara de techo, de inspiración wagneriana, procedente de
la sala del comedor de la casa del arquitecto badalonés Joan
Amigó, que encargó la totalidad de la decoración de su ho-
gar a Gaspar Homar.*

107
Llum amb decoració floral
Lámpara con decoración floral
C. 1905
Metall fos, daurat i forjat amb motius vegetals
Metal fundido, dorado y forjado con motivos vegetales
143 x 83 cm
Adquisició, 1967
Adquisición, 1967
**Museu d'Art Modern del MNAC, Barcelona
(MNAC/MAM 106054)**
Rep. p. 101

OBSERVACIONS / *OBSERVACIONES*

Formava part del mobiliari de la rotonda del davant de la
llar de foc del pis principal de la casa Lleó Morera de Bar-
celona.

*Formaba parte del mobiliario de la rotonda que se hallaba
frente a la chimenea del piso principal de la casa Lleó More-
ra de Barcelona.*

EXPOSICIONS / *EXPOSICIONES*

El modernismo en España, Madrid, Casón del Buen Retiro,
X-XII 1969; Barcelona, Museu d'Art Modern, I-II 1970.

*Prefiguració del Museu Nacional d'Art de Catalunya, Palau Nacio-
nal, 27-VII - 30-XI 1992.*

BIBLIOGRAFIA / *BIBLIOGRAFÍA*

Cirici, A., *El Arte modernista catalán*, Aymà editor, Barcelona,
1951, p. 221, fig.

El modernismo en España, Ministerio de Cultura, Madrid,
1969, p. 106, cat. núm. Vll-69.

García Martín, M., *La Casa Lleó Morera*, Catalana de Gas, Bar-
celona, 1988, p. 30, fig.

Prefiguració del Museu Nacional d'Art de Catalunya, Lunwerg, Bar-
celona, 1992, p. 433, fig.

Perejaume, *El Pirineu baix. Mont-roig. Miró. Mallorca*, Polígrafa,
Barcelona, 1997, p. 130, fig. p. 57.

108
Llum de sostre
Lámpara de techo
C. 1905
Coure repussat i daurat, ferro forjat
Cobre repujado y dorado, hierro forjado
171 x 102 cm ø
Adquisició, 1967
Adquisición, 1967
**Museu d'Art Modern del MNAC, Barcelona
(MNAC/MAM 71734)**
Rep. p. 101

OBSERVACIONS / *OBSERVACIONES*

Llum de sostre circular del saló del pis principal de la
casa Lleó Morera de Barcelona, amb quatre braços supe-
riors i vuit penjants inferiors, decorada amb sis baix re-
lleus amb la figura d'*Adam* de Miquel Àngel i rams de ro-
ses. Inicialment era llum de gas i, després, s'hi va adaptar
el corrent elèctric. Aquest model de llum es repeteix amb
variacions en diferents col·leccions particulars.

*Lámpara de techo circular del salón del piso principal de la
casa Lleó Morera de Barcelona, con cuatro brazos superiores
y ocho colgantes inferiores, decorada con seis bajorrelieves
con la figura de Adán de Miguel Ángel y ramos de rosas. Ini-
cialmente era lámpara de gas i, después, se adaptó a la co-
rriente eléctrica. Este modelo de lámpara se repite con varia-
ciones en diferentes colecciones privadas.*

EXPOSICIONS / *EXPOSICIONES*

Exposición de Artes Suntuarias del Modernismo Barcelonés, Barcelona,
Palau de la Virreina, X-XI de 1964.

El modernismo en España, Madrid, Casón del Buen Retiro,
X-XII 1969; Barcelona, Museu d'Art Modern, I-II 1970.

*El Modernisme, Barcelona, Museu d'Art Modern, 10-X-
1990 - 13-I-1991.*

BIBLIOGRAFIA / *BIBLIOGRAFÍA*

Cirici, A., *El Arte modernista catalán*, Aymà editor, Barcelona,
1951, p. 232, fig.

Exposición de Artes Suntuarias del Modernismo Barcelonés,
Ayuntamiento de Barcelona, Barcelona, 1964, p. 20,
cat. núm. 34.

El modernismo en España, Ministerio de Cultura, Madrid,
1969, p. 104, cat. núm. Vll-57, fig.

Pitarch, A.J., i Dalmases, N. de, *Arte e industria en España
1774-1907*, Blume, Barcelona, 1982, p. 312.

El Modernisme, 2 vol., Lunwerg, Barcelona, 1990, vol. ll,
p. 100, cat. núm. 229.

García Martín, M., *La Casa Lleó Morera*, Catalana de Gas,
Barcelona, 1988, p. 29-30, reprod.

109
Penja-robes i paraigüer amb motius florals
Colgador y paragüero con motivos florales
C. 1905
Metall daurat. Llautó
Metal dorado. Latón
192 x 46 cm
Adquisició, 1967
Adquisición, 1967
**Museu d'Art Modern del MNAC, Barcelona
(MNAC/MAM 71735)**
Rep. p. 101

OBSERVACIONS / *OBSERVACIONES*

Presenta una línia de disseny similar a un penja-roba de
fusta de roure de la família Pey.

*Presenta una línea de diseño similar a un colgador de made-
ra de roble de la familia Pey.*

EXPOSICIONS / *EXPOSICIONES*

Exposición de Artes Suntuarias del Modernismo Barcelonés, Barcelona,
Palau de la Virreina, X-XI 1964.

El modernismo en España, Madrid, Casón del Buen Retiro,
X-XII 1969; Barcelona, Museu d'Art Modern, I-II 1970.

Gaudí in context, New York, I-1984.

El Diseño en España, Brussel, Europalia 85, IX-XII 1985.

*El Modernisme, Barcelona, Museu d'Art Modern, 10-X-
1990 - 13-I-1991.*

BIBLIOGRAFIA / *BIBLIOGRAFÍA*

Garba, Barcelona, 25-XI-1905, núm. 2, fig. s/p.

Exposición de Artes Suntuarias del Modernismo Barcelonés,
Ayuntamiento de Barcelona, Barcelona, 1964, p. 19,
cat. núm. 29.

El modernismo en España, Ministerio de Cultura, Madrid,
1969, p. 104, cat. núm. Vll-54.

Mainar, J, *El moble català*, Destino, Barcelona, 1976, p. 332,
fig.

El Diseño en España, Brussel, Europalia 85, 1985, p. 196.

El Modernisme, 2 vol., Lunwerg, Barcelona, 1990, vol. II,
p. 104, cat. núm. 240.

110
Plafó decoratiu amb figura amb garlanda de cintes i flors
Panel decorativo con figura con guirnalda de cintas y flores
C. 1905
Mosaic policrom de ceràmica esmaltada, porcellana i
nacre
*Mosaico policromo de cerámica esmaltada, porcelana y
nácar*
86 x 100 x 5 cm
Col. Enriqueta Ramon
Rep. p. 104

OBSERVACIONS / *OBSERVACIONES*

El disseny és de Josep Pey i repeteix el model del plafó de
marqueteria de l'arrambador lateral esquerre del pis
principal de la casa Lleó Morera de Barcelona.

*El diseño es de Josep Pey y repite el modelo del panel de
marquetería del arrimadero lateral izquierdo del piso princi-
pal de la casa Lleó Morera de Barcelona.*

111
Dibuix de la peça anterior
Dibujo de la pieza anterior
C. 1905
Llapis plom, ploma i aquarel·la sobre paper tipus Canson
Lápiz plomo, pluma y acuarela sobre papel tipo Canson
16,8 x 17,6 cm
Ni signada ni datada
Ni firmada ni fechada
Adquisició, 1975
Adquisición, 1975
**Gabinet de Dibuixos i Gravats del MNAC, Barcelona
(MNAC/GDG 107456/D)**
Rep. p. 104

OBSERVACIONS / *OBSERVACIONES*

L'angle superior dret va senyalat amb el núm. 186.

El ángulo superior derecho está señalado con el núm. 186.

EXPOSICIONS / *EXPOSICIONES*

Exposición de Artes Suntuarias del Modernismo Barcelonés, Barcelona,
Palau de la Virreina, 1964.

BIBLIOGRAFIA / *BIBLIOGRAFÍA*

Exposición de Artes Suntuarias del Modernismo Barcelonés,
Ajuntament de Barcelona, Barcelona, 1964, p. 29,
cat. núm. 186.

Pey, M., i Juárez, N., "Colaboración Homar-Pey en la casa
Lleó Morera de Barcelona", *VII Congreso Español de Historia del
Arte*, Universidad de Murcia, 1992, fig. p. 656.

112
Plafons decoratius amb arbres i flors
Paneles decorativos con árboles y flores
C. 1905
Mosaic policrom de ceràmica esmaltada
Mosaico policromo de cerámica esmaltada
194 x 45 x 5 cm (cada peça / *cada pieza*)
Col. particular
Rep. p. 105

OBSERVACIONS / *OBSERVACIONES*

Model idèntic, que conservava Gaspar Homar, als plafons
que decoren l'antic menjador del pis principal de la casa
Lleó Morera de Barcelona i que actualment es conserven
in situ.

Modelo idéntico, que conservaba Gaspar Homar, a los paneles que decoran el antiguo comedor del piso principal de la casa Lleó Morera de Barcelona y que actualmente se conservan in situ.

EXPOSICIONS / *EXPOSICIONES*

Exposición de *Artes Suntuarias del Modernismo Barcelonés*, Barcelona, Palau de la Virreina, X-XI 1964.

Col·leccionistes d'*Art a Catalunya*, Barcelona, Palau Robert - Palau de la Virreina, 22-VI - 22-VII-1987.

BIBLIOGRAFIA / *BIBLIOGRAFÍA*

Exposición de *Artes Sunturias del Modernismo Barcelonés*, Barcelona, p. 23, cat. núm. 105-106.

Col·leccionistes d'*Art a Catalunya*, Barcelona, 1987, p. 86, cat. núm. 66-67, fig.

113
Plafó decoratiu amb tres dones collint fruita
Panel decorativo con tres mujeres recogiendo fruta

C. 1905

Mosaic, ceràmica i fragments de rajola de València. Les cares i les mans estan realitzades amb la tècnica de bescuit de porcellana
Mosaico, cerámica y fragmentos de azulejo. Las caras y las manos están realizadas con la técnica de la porcelana recocida

187 x 142,5 cm

Adquisició, 1967
Adquisición, 1967

Museu d'Art Modern del MNAC, Barcelona (MNAC/MAM 71982)

Rep. p. 106

OBSERVACIONS / *OBSERVACIONES*

Model idèntic, que conservava Gaspar Homar, al plafó que decora l'antic menjador del pis principal de la casa Lleó Morera i que actualment es conserva in situ. El disseny és de Josep Pey. Els caps i les mans en baix relleu de porcellana són del ceramista Antoni Serra, segons els models de guix de l'escultor Joan Carreras.
Modelo idéntico, que conservaba Gaspar Homar, al panel que decora el antiguo comedor del piso principal de la casa Lleó Morera y que actualmente se conserva in situ. *El diseño es de Josep Pey. Las cabezas y las manos en bajorrelieve de porcelana son del ceramista Antoni Serra, según los modelos de yeso del escultor Joan Carreras.*

EXPOSICIONS / *EXPOSICIONES*

Exposición de *Artes Suntuarias del Modernismo Barcelonés*, Barcelona, Palau de la Virreina, X-XI 1964.

El *modernismo en España*, Madrid, Casón del Buen Retiro, X-XII 1969; Barcelona, Museu d'Art Modern, I-II 1970.

El *Modernisme*, Barcelona, Museu d'Art Modern, 10-X-1990 - 13-I-1991.

BIBLIOGRAFIA / *BIBLIOGRAFÍA*

Cirici, A., El *Arte modernista catalán*, Aymà editor, Barcelona, 1951, p. 235, fig.

Exposición de *Artes Suntuarias del Modernismo Barcelonés*, Ayuntamiento de Barcelona, Barcelona, 1964, p. 23, cat. núm. 104.

El *modernismo en España*, Ministerio de Cultura, Madrid, 1969, p. 114, cat. núm. VIII-1.

García Martín, M., La *Casa Lleó Morera*, Catalana de Gas, Barcelona, 1988, p. 65-75 fig.

El *Modernisme*, 2 vol., Lunwerg, Barcelona, 1990, vol. II, p. 101, cat. núm. 234.

114
Plafó decoratiu representant un berenar al camp
Panel decorativo representando una merienda campestre

C. 1905

Mosaic, ceràmica i fragments de rajola de València. Les cares i les mans estan realitzades amb la tècnica de bescuit de porcellana
Mosaico, cerámica y fragmentos de azulejo Las caras y las manos están realizadas con la técnica de la porcelana recocida

182 x 144 cm

Adquisició, 1967
Adquisición, 1967

Museu d'Art Modern del MNAC, Barcelona (MNAC/MAM 71980)

Rep. p. 107

OBSERVACIONS / *OBSERVACIONES*

Model idèntic, que conservava Gaspar Homar, al plafó que decora l'antic menjador del pis principal de la casa Lleó Morera i que actualment es conserva in situ. Els caps i les mans de les figures en baix relleu de porcellana són del ceramista Antoni Serra, segons models de l'escultor Joan Carreras.
Modelo idéntico, que conservaba Gaspar Homar, al panel que decora el antiguo comedor del piso principal de la casa Lleó Morera y que actualmente se conserva in situ. *El diseño es de Josep Pey. Las cabezas y las manos en bajorrelieve de porcelana son del ceramista Antoni Serra, según los modelos de yeso del escultor Joan Carreras.*

EXPOSICIONS / *EXPOSICIONES*

Exposición de *Artes Suntuarias del Modernismo Barcelonés*, Barcelona, Palau de la Virreina, X-XI 1964.

El *modernismo en España*, Madrid, Casón del Buen Retiro, X-XII 1969; Barcelona, Museu d'Art Modern, I-II 1970.

El *Modernisme*, Barcelona, Museu d'Art Modern, 10-X-1990 - 13-I-1991.

BIBLIOGRAFIA / *BIBLIOGRAFÍA*

Cirici, A., El *Arte modernista catalán*, Aymà editor, Barcelona, 1951, p. 235, fig.

Exposición de *Artes Suntuarias del Modernismo Barcelonés*, Ayuntamiento de Barcelona, Barcelona, 1964, p. 23, cat. núm. 102, fig. p. 67.

El *modernismo en España*, Ministerio de Cultura, Madrid, 1969, p. 114, cat. núm. VIII-1.

Cirici, A., "Arte. El Modernismo", *Cataluña*, 2 vol., Fundación March-Editorial Noguer, Madrid, 1978, vol. II, fig. p. 225, col. Tierras de España.

Garrut, J. M., "Decoració", *Modernisme a Catalunya*, Nou Art Thor, Barcelona, 1981, p. 214

García Martín, M., La *Casa Lleó Morera*, Catalana de Gas, Barcelona, 1988, p. 65-75, fig.

El *Modernisme*, 2 vol., Lunwerg, Barcelona, 1990, vol. II, p. 102, cat. núm. 235, fig.

Loyer, F., *Cataluña modernista 1888-1929*, Destino, Barcelona, 1991, p. 16 i 138.

115
Plafó decoratiu amb dues figures i cignes en un llac
Panel decorativo con dos figuras y cisnes en un lago

C. 1906

Mosaic, porcellana i ceràmica
Mosaico, porcelana y cerámica

75 x 195 cm

Col. Fernando Pinós. Gothsland

Rep. p. 108

OBSERVACIONS / *OBSERVACIONES*

El Gabinet de Dibuixos i Gravats del MNAC conserva el projecte acolorit amb aquarel·la d'un paraigüer (MNAC/GDG 107453) de fusta i metall coronat per un plafó de marqueteria que representa, amb variants, el disseny d'aquest mosaic.
El Gabinet de Dibuixos i Gravats del MNAC conserva el proyecto coloreado a la acuarela de un paragüero (MNAC/GDG 107453) de madera y metal rematado por un panel de marquetería que representa, con variantes, el diseño de este mosaico.

EXPOSICIONS / *EXPOSICIONES*

Saló Antiquaris, XXII, Barcelona, Fira de Barcelona, 21-29 - IV 1998.

BIBLIOGRAFIA / *BIBLIOGRAFÍA*

Saló Antiquaris, XXII, Fira de Barcelona, Barcelona, 1998.

116
Tres cares. Plafó decoratiu de la casa Lleó Morera
Tres caras. Panel decorativo de la casa Lleó Morera

C. 1905

Bescuit de porcellana
Porcelana recocida

Taller-museu Serra. Cornellà

Rep. p. 108

117
Propaganda comercial del taller de Gaspar Homar. Obra de Joan Carreras

C. 1904-1905

Bescuit de porcellana
Porcelana recocida

Taller-museu Serra. Cornellà

Rep. p. 108

118
Plafó decoratiu amb dones amb cistell de fruita sota un emparrat
Panel decorativo con mujeres con un cesto de fruta bajo una parra

C. 1905

Mosaic, ceràmica i fragments de rajola de València. Les cares i les mans estan realitzades amb la tècnica de bescuit de porcellana
Mosaico, cerámica y fragmentos de azulejo. Las caras y las manos están realizadas con la técnica de la porcelana recocida

186 x 109,5 cm

Adquisició, 1967
Adquisición, 1967

Museu d'Art Modern del MNAC, Barcelona (MNAC/MAM 71981)

Rep. p. 109

OBSERVACIONS / *OBSERVACIONES*

Model idèntic, que conservava Gaspar Homar, al plafó que decora l'antic menjador del pis principal de la casa Lleó Morera i que actualment es conserva in situ. El disseny és de Josep Pey. Els caps i les mans de les figures en baix relleu de porcellana són del ceramista Antoni Serra, segons models de l'escultor Joan Carreras.
Modelo idéntico, que conservaba Gaspar Homar, al panel que decora el antiguo comedor del piso principal de la casa Lleó Morera y que actualmente se conserva in situ. *El diseño es de Josep Pey. Las cabezas y las manos de las figuras en bajorrelieve de porcelana son del ceramista Antoni Serra, según modelos del escultor Joan Carreras.*

EXPOSICIONS / *EXPOSICIONES*

Exposición de *Artes Suntuarias del Modernismo Barcelonés*, Barcelona, Palau de la Virreina, X-XI 1964.

El *modernismo en España*, Madrid, Casón del Buen Retiro, X-XII 1969; Barcelona, Museu d'Art Modern, I-II 1970.

Cien Años de Cultura Catalana, Madrid, Palacio Velázquez, VI-X 1980.

BIBLIOGRAFIA / *BIBLIOGRAFÍA*

Exposición de *Artes Suntuarias del Modernismo Barcelonés*, Ayuntamiento de Barcelona, Barcelona, 1964, p. 23, cat. núm. 103.

El *modernismo en España*, Ministerio de Cultura, Madrid, 1969, p. 113, cat. núm. VIII-2.

Cien Años de Cultura Catalana, Ministerio de Cultura, Madrid, 1980, p. 61, cat. núm. 1.3.35.

García Martín, M., La *Casa Lleó Morera*, Catalana de Gas, Barcelona, 1988, p. 34 i 111.

119
Domàs
Cortinaje

C. 1900

Llapis plom i aquarel·la sobre paper tipus Canson enganxat sobre paper verjurat de color gris
Lápiz plomo y acuarela sobre papel tipo Canson pegado sobre papel verjurado de color gris

28,2 x 12,5 cm

Ni signada ni datada
Ni firmada ni fechada

Adquisició, 1975
Adquisición, 1975

Gabinet de Dibuixos i Gravats del MNAC, Barcelona (MNAC/GDG 107466/D)

Rep. p. 112

EXPOSICIONS / *EXPOSICIONES*

Exposición de *Artes Suntuarias del Modernismo Barcelonés*, Barcelona, Palau de la Virreina, 1964.

El Modernismo en España, Madrid, Casón del Buen Retiro, X-XII 1969; Barcelona, Museu d'Art Modern, I-II 1970.

BIBLIOGRAFIA / *BIBLIOGRAFÍA*

Cirici, A., *El Arte modernista catalán*, Aymà editor, Barcelona, 1951, fig. p. 275.

Exposición de Artes Suntuarias del Modernismo Barcelonés, Ajuntament de Barcelona, Barcelona, 1964, p. 26, cat. núm. 143.

El modernismo en España, Ministerio de Cultura, Madrid, 1969, p. 100, cat. núm. VII-13.

120
Sofà amb mirall a l'espatllera, incloent-hi el disseny de la tapisseria
Sofá con espejo en el respaldo incluyendo el diseño de la tapicería

Ploma i aquarel·la sobre paper tipus Canson enganxat sobre una cartolina de color gris al revers de la qual figura el segell de la casa *G. Homar/Canuda,4 Barcelona*
Pluma y acuarela sobre papel tipo Canson pegado en una cartulina de color gris en cuyo reverso figura el sello de la casa G. Homar/Canuda,4 Barcelona

29,7 x 24 cm

Ni signat ni datat
Ni firmado ni fechado

Adquisició, 1975
Adquisición, 1975

Gabinet de Dibuixos i Gravats del MNAC, Barcelona (MNAC/GDG 107432/D)

Rep. p. 112

EXPOSICIONS / *EXPOSICIONES*

Exposición de Artes Suntuarias del Modernismo Barcelonés, Barcelona, Palau de la Virreina, 1964.

BIBLIOGRAFIA / *BIBLIOGRAFÍA*

Exposición de Artes Suntuarias del Modernismo Barcelonés, Ajuntament de Barcelona, Barcelona, 1964, p. 31, cat. núm. 205.

121
Paravent de tres cossos
Biombo de tres cuerpos

C. 1903-1908

Fusta de caoba, talla i entapissat original amb elements florals
Madera de caoba, talla y tapizado original con elementos florales

176 x 51 cm

Col. Fernando Pinós. Gothsland

Rep. p. 113

122
Domàs
Cortinaje

C. 1898

Llapis plom i aquarel·la sobre paper
Lápiz plomo y acuarela sobre papel

27,5 x 23 cm

Ni signada ni datada
Ni firmada ni fechada

Col. particular

Rep. p. 114

123
Cadira de braços de sala d'estar
Poltrona para sala de estar

C. 1905

Fusta de roure i entapissat original
Madera de roble y tapizado original

96,5 x 78 x 50 cm

Casa Navàs. Reus

Rep. p. 114

OBSERVACIONS / *OBSERVACIONES*

Prou desgastat, l'entapissat de motius florals és l'original. Els braços de la cadira estan guarnits amb passamaneria.
Muy desgastado, el tapizado de motivos florales es el original. Los brazos de la silla están adornados con pasamanería.

BIBLIOGRAFIA / *BIBLIOGRAFÍA*

Figueras, L., *Lluís Domènech i Montaner*, Santa & Cole ediciones de diseño, Barcelona, 1994, p. 41.

124
Catifa amb decoració floral
Alfombra con decoración floral

C. 1907

Llana teixida a mà
Lana tejida a mano

208 x 328 cm (semicircular)

Adquisició, 1967
Adquisición, 1967

Museu d'Art Modern del MNAC, Barcelona (MNAC/MAM 71739)

Rep. p. 114

OBSERVACIONS / *OBSERVACIONES*

Gaspar Homar presentava a Albert Lleó Morera una factura, amb data del 7 de febrer del 1908, d'aquesta catifa semicircular per un import de 338 pessetes. Nuada a mà segons dibuix original d'Homar fou especialment dissenyada per a la rotonda del pis principal de la casa Lleó Morera de Barcelona.

Gaspar Homar presentaba a Albert Lleó Morera una factura, con fecha 7 de febrero de 1908, de esta alfombra semicircular por un importe de 338 pesetas. Anudada a mano según dibujo original de Homar fue especialmente diseñada para la rotonda del piso principal de la casa Lleó Morera de Barcelona.

EXPOSICIONS / *EXPOSICIONES*

El modernismo en España, Madrid, Casón del Buen Retiro, X-XII 1969; Barcelona, Museu d'Art Modern, I-II 1970.

El Modernisme, Barcelona, Museu d'Art Modern, 10-X-1990 - 13-I-1991.

BIBLIOGRAFIA / *BIBLIOGRAFÍA*

El modernismo en España, Ministerio de Cultura, Madrid, 1969, p. 106, cat. núm. Vll-71.

El Modernisme, 2 vol., Lunwerg, Barcelona, 1990, vol. ll, p. 100, cat. núm. 230, fig.

125
Catifa pentagonal
Alfombra pentagonal

C. 1907

Llana teixida a mà
Lana tejida a mano

414 x 395 cm

Adquisició, 1967
Adquisición, 1967

Museu d'Art Modern del MNAC, Barcelona (MNAC/MAM 71737)

Rep. p. 115

OBSERVACIONS / *OBSERVACIONES*

Gaspar Homar presentava a Albert Lleó Morera una factura, datada el 7 de febrer del 1908, d'una catifa especialment dissenyada per a l'espai de la llar de foc del pis principal de la casa Lleó Morera de Barcelona per un import de 531 pessetes.

Gaspar Homar presentaba a Albert Lleó Morera una factura, fechada el 7 de febrero de 1908, de una alfombra especialmente diseñada para el espacio de la chimenea del piso principal de la casa Lleó Morera de Barcelona por un importe de 531 pesetas.

EXPOSICIONS / *EXPOSICIONES*

Exposición de Artes Suntuarias del Modernismo Barcelonés, Barcelona, Palau de la Virreina, X-XI 1964.

El modernismo en España, Madrid, Casón del Buen Retiro, X-XII 1969; Barcelona, Museu d'Art Modern, I-II 1970.

LLuís Domemènech i Montaner i el Director d'orquestra, Barcelona, Sala Plaça Sant Jaume, X-1989 - I-1990

BIBLIOGRAFIA / *BIBLIOGRAFÍA*

Exposición de Artes Suntuarias del Modernismo Barcelonés, Ayuntamiento de Barcelona, Barcelona, 1964, p. 20, cat. núm. 33.

El modernismo en España, Ministerio de Cultura, Madrid, 1969, p. 104, cat. núm. Vll-56, fig.

LLuís Domemènech i Montaner i el Director d'orquestra, Fundació Caixa de Barcelona, Barcelona, 1989, fig. p. 201.

126
Catifa amb motius florals
Alfombra con motivos florales

C. 1907

Llana teixida a mà
Lana tejida a mano

335 x 698 cm

Adquisició, 1967
Adquisición, 1967

Museu d'Art Modern del MNAC, Barcelona (MNAC/MAM 71733)

Rep. p. 115

OBSERVACIONS/ *OBSERVACIONES*

Gaspar Homar presentava a Albert Lleó Morera una factura, datada el 7 de febrer del 1908, d'aquesta catifa nuada a mà especialment dissenyada per al saló del pis principal de la casa Lleó Morera de Barcelona. Els motius florals que la decoren figuren en alguns dels seus dissenys per a paviments de mosaic amb marbres de color, com ara els de la farmàcia Fita i el domicili de Joaquim Arumí.

Gaspar Homar presentaba a Albert Lleó Morera una factura, fechada el 7 de febrero de 1908, de esta alfombra anudada a mano especialmente diseñada para el salón del piso principal de la casa Lleó Morera de Barcelona. Los motivos florales que la decoran figuran en algunos de sus diseños para pavimentos de mosaico con mármoles de colores, como los de la farmacia Fita y la vivienda de Joaquim Arumí.

EXPOSICIONS / *EXPOSICIONES*

Exposición de Artes Suntuarias del Modernismo Barcelonés, Barcelona, Palau de la Virreina, X-XI 1964.

El modernismo en España, Madrid, Casón del Buen Retiro, X-XII 1969; Barcelona, Museu d'Art Modern, I-II 1970.

BIBLIOGRAFIA / *BIBLIOGRAFÍA*

Exposición de Artes Suntuarias del Modernismo Barcelonés, Ayuntamiento de Barcelona, Barcelona, 1964, p. 20, cat. núm. 32.

El modernismo en España, Ministerio de Cultura, Madrid, 1969, p. 104, cat. núm. Vll-55, fig.

Cronología

1870
Nace el día 11 de enero en Palma de Mallorca. Hijo del carpintero y ebanista Pere Homar, segundón de Son Homar, en Orient, y de Margarida Mesquida, de Felanitx. El 13 de septiembre es bautizado en la parroquia de Santa Eulàlia de Palma de Mallorca. Tiene una hermana, Margarida Homar Mesquida. Su infancia transcurre en Mallorca.

1883-1884
La familia Homar abandona la isla de Mallorca y se instala en Barcelona. Pere Homar y su hijo Gaspar, de trece años, ingresan en el recién inaugurado local de los Tallers d'Indústries Artístiques de Francesc Vidal Jevellí, construido por el arquitecto Josep Vilaseca en la esquina de las calles Bailén y Diputació. El joven Homar trabaja como auxiliar, junto a Joan Gonzàlez, en la sección de proyectos y planos, y Pere Homar como oficial de primera.

1887
Estudios de la rama de Aplicación (Pintura Decorativa y Tejidos y Bordados) en la Escola Oficial de Belles Arts de Llotja. Uno de sus profesores fue el pintor decorador Josep Mirabent.

1891
Diseña unos muebles de maderas claras para su domicilio particular, en los que a pesar de las reminiscencias goticistas influidas por Viollet-le-Duc y orientalizantes propias de Francesc Vidal interpreta el espíritu del modernismo, ejemplificado por el *coup de fouet*.

1893
Se independiza de los talleres de Francesc Vidal e instala con su padre obrador y tienda con la razón social P. Homar e Hijo en Rambla de Cataluña, 129. Inicia su relación profesional con el arquitecto Lluís Domènech i Montaner en el Palau Montaner de Barcelona.

1894
Socio del Centro de Artes Decorativas, entidad cuyo propósito es fomentar las industrias artísticas e impulsar el progreso del arte decorativo.

1895
Ejecución del mobiliario de la sala de juntas del Colegio de Abogados de Barcelona en la Casa de l'Ardiaca.

1897
Participa en la Exposición Nacional de Industrias Modernas de Madrid con un secreter, un tocador dorado y dos sillas de madera de sicomoro, palo de rosa y boj.

1898
Se establece con su padre en la calle Canuda, 4. Participa en la Exposición de Industrias Nacionales de Madrid con un secreter, un tocador dorado y dos sillas de madera de sicomoro, palo de rosa y boj.

1899
Muere Pere Homar. Gaspar se asocia con el ebanista Joaquim Gassó (casado con Margarida Homar) y construyen muebles conjuntamente. La tienda y los despachos se hallan en Canuda, 4, y los talleres en Muntaner, 69. Sebastià Junyent y Josep Pey reciben el encargo de diseñar unos frisos para decorar la tienda de Canuda. Ingresa como socio en el Cercle Artístic de Sant Lluc.

1900
Decora, junto a Alexandre de Riquer, la farmacia Grau Inglada de la calle Conde del Asalto (actual Carrer Nou de la Rambla), 4. Con Joaquim Gassó construye los muebles del dormitorio de Sebastià Junyent. Junto a Pau Roig decora la tienda de instrumentos musicales Cassadó i Moreu de Gràcia. Pau Roig, Oleguer Junyent y el propio Homar empiezan a decorar la casa Burés, trabajo que finalizará en 1906. Los talleres Homar ejecutan parte del mobiliario, diseñado por el arquitecto Josep Puig i Cadafalch, de la casa Amatller del Passeig de Gràcia.

1901
Recibe el encargo, concluido en 1907, de decorar y amueblar la casa Navàs, obra de Lluís Domènech i Montaner.

1902
Participa como coleccionista con las pinturas *Diana*, de Pere Crusells, y *San Bartolomé*, atribuida a Ribera, en la Exposición de Pintura y Escultura Antiguas de Barcelona.

1903
Conclusión de los trabajos decorativos en la sucursal de la pastelería La Colmena de Gràcia y reforma de la antigua sastrería de Enric Morell en Escudellers, esquina Plaça del Teatre.

1904
Instala sus talleres en Cid, 12.

1905
Decora y amuebla la casa Lleó Morera del Passeig de Gràcia. Concluye la decoración interior del despacho de la gerencia del diario *La Vanguardia*. Se encarga de los revestimientos de mosaico de los pabellones del Hospital de Sant Pau.

1906
Traslada los talleres a Bailén, 130. Miembro del jurado, junto a Alexandre de Riquer, Eusebi Arnau, Dionís Baixeras, Raimon Casellas y Rodríguez Codolar, del primer concurso de Arte Industrial, promovido por la revista *Estilo*, dirigida por Lluís Masriera.

1907
Grand Prix en la International Exhibition Artistic Furniture and Home Decorations, que tuvo lugar en el Crystal Palace de Londres. Gran Premio en la Exposición Internacional de Higiene, Artes, Oficios y Manufacturas de Madrid. Primera Medalla en la V Exposició Internacional de Belles Arts i Indústries Artístiques de Barcelona.

1908
Gran Premio, medalla de oro y gran copa en Esposizione Internazionale Industria-Lavoro Arte Decorativa, que tuvo lugar en el Lido de Venecia. Gran Premio en la Exposición Hispano-Francesa de Zaragoza.

1909
Grand Prix, miembro del jurado, fuera de concurso en Exposition Internationale du Confort Moderne de París.

1910
Participa en la organización de la recaudación de fondos para erigir el monumento al Dr. Robert. Decoración de la farmacia del Dr. Fita en el Carrer de Les Corts, 611. Tiene los talleres en Sarrià, 88, calle que corresponde a la actual Rector Triadó de Hostafrancs. Ejecuta algunas lámparas para el salón de la administración del Institut Pere Mata de Reus. Se une, junto a Torres-García, Folch i Torres, Clarà, Cambó, Casanovas y Raurich, a la solicitud de que se recopilasen y compilasen conjuntamente las *Glosses* que Eugeni d'Ors había publicado en *La Veu de Catalunya*. Participa como coleccionista con la pintura *Diana*, de Pere Crusells, en la Exposición de Retratos y Dibujos Antiguos y Modernos.

1911
Trabajos decorativos de la casa Pladellorens del Passeig de Gràcia. Gran Premio de la Exposición de Bellas Artes de Buenos Aires. Junto a Jaume Llongueras decora, en estilo neoimperio, el Café Royal de la Rambla dels Estudis.

1912
Contrae matrimonio con Emília Ramon Montardit en la parroquia de Santa Madrona y adopta a su sobrina, Enriqueta Ramon.

1915
Medalla de plata en la Exposición Artística de la Academia Provincial de Bellas Artes de Cádiz. Proyecto de muebles de estilo Renacimiento para el coleccionista Ignasi Abadal. Finaliza su etapa de creación modernista.

1917
La Junta de Museus le compra una colección de setenta platos de cerámica de Manises, Teruel y Paterna con destino al Museu d'Art Decoratiu i Arqueològic.

1921
La Junta de Museus le compra un fragmento de tejido bizantino de seda y algodón con destino al Museu d'Art Decoratiu i Arqueològic.

1922
Expone las pinturas de Joaquim Mir en su tienda de la calle Canuda.

1923
Miembro de la comisión especial organizadora de la Exposició Internacional del Moble i Decoració d'Interiors de Barcelona.

1927
La Sala Parés expone una tabla italiana del siglo XIII que adquiere en París.

1929
Socio de la entidad Amics de l'Art Vell.

1933
Se intensifican las huelgas de ebanistas del sindicato único del ramo.

1934
Cierra la tienda de Canuda.

1942
Última colaboración con Josep Pey.

1955
El 5 de enero muere en su domicilio de Bonavista, 12, a la edad de 84 años, a causa de una broconeumonía. Fue enterrado en el cementerio del Sud-oest en Montjuïc.

Cronologia

1870
Neix el dia 11 de gener a Palma de Mallorca. Fill del fuster i ebenista Pere Homar, fadristern de Son Homar, d'Orient, i de Margarida Mesquida, de Felanitx. El dia 13 de setembre és batejat a la parròquia de Santa Eulàlia de Palma de Mallorca. Té una germana, Margarida Homar Mesquida. La seva infantesa transcorre a Mallorca.

1883-1884
La família Homar abandona l'illa de Mallorca i s'instal·la a Barcelona. Pere Homar i el seu fill, Gaspar, de tretze anys, ingressen en els Tallers d'Indústries Artístiques de Francesc Vidal Jevellí en el seu recent inaugurat local, construït per l'arquitecte Josep Vilaseca, a la cruïlla dels carrers Bailén i Diputació. El jove Homar treballa com a auxiliar en la secció de projectes i plànols, juntament amb Joan Gonzàlez, i Pere Homar com a fadrí de primera.

1887
Estudis de la branca Aplicació (Pintura Decorativa i Teixits i Brodats) a l'Escola Oficial de Belles Arts de Llotja. Un dels seus professors fou el pintor decorador Josep Mirabent.

1891
Dissenya uns mobles per al seu domicili particular amb fustes clares on, tot i les reminiscències goticistes influïdes per Viollet-le-Duc i orientalitzants pròpies de Francesc Vidal, interpreta l'esperit del modernisme exemplificat pel cop de fuet.

1893
S'independitza dels Tallers de Francesc Vidal i instal·la obrador i botiga, juntament amb el seu pare, amb la raó social *P. Homar e Hijo* a la Rambla de Catalunya, 129. Inicia la seva relació professional amb l'arquitecte Lluís Domènech i Montaner al Palau Montaner de Barcelona.

1894
Soci del Centro de Artes Decorativas, entitat que té com a propòsit fomentar les indústries artístiques i impulsar el progrés de l'art decoratiu.

1895
Execució del mobiliari de la Sala de Juntes del Col·legi d'Advocats de Barcelona, a la Casa de l'Ardiaca.

1897
Participa en l'Exposición Nacional de Industrias Modernas de Madrid amb un secreter, un tocador daurat i dues cadires de fustes de sicòmor, pal de rosa i boix.

1898
S'estableix amb el seu pare al carrer Canuda, 4. Participa en l'Exposición de Industrias Nacionales de Madrid amb un secreter, un tocador daurat i dues cadires de fustes de sicòmor, pal de rosa i boix.

1899
Mor Pere Homar. S'associa amb l'ebenista Joaquim Gassó (casat amb Margarida Homar) i fan mobles conjuntament. La botiga i despatxos són al carrer Canuda, 4, i els tallers al carrer Muntaner, 69. Sebastià Junyent i Josep Pey reben l'encàrrec de dissenyar uns frisos per decorar la botiga del carrer Canuda. Ingressa com a soci al Cercle Artístic de Sant Lluc.

1900
Juntament amb Alexandre de Riquer decora la farmàcia Grau Inglada del carrer Conde del Asalto (l'actual carrer Nou de la Rambla), núm. 4. Amb Joaquim Gassó, fa els mobles de dormitori de Sebastià Junyent. Amb Pau Roig decora la botiga d'instruments musicals Cassadó i Moreu de Gràcia. Amb Pau Roig i Oleguer Junyent comença a decorar la casa Burés, treball que acabarà el 1906. Els tallers Homar executen part del mobiliari, segons disseny de l'arquitecte Josep Puig i Cadafalch, de la casa Amatller del Passeig de Gràcia.

1901
Rep l'encàrrec de la decoració i mobiliari de la casa Navàs de Lluís Domènech i Montaner, que conclourà el 1907.

1902
Participa com a col·leccionista amb les pintures *Diana*, de Pere Crusells, i *Sant Bartomeu*, atribuïda a Ribera, en l'Exposició de Pintura i Escultura Antigues de Barcelona.

1903
Conclusió dels treballs decoratius a la sucursal de la dolceria La Colmena, de Gràcia, i reforma de l'antiga sastreria d'Enric Morell al carrer Escudellers cantonada plaça del Teatre.

1904
Instal·la els tallers al carrer Cid, 12.

1905
Decoració i mobiliari de la casa Lleó Morera del Passeig de Gràcia. Conclou la decoració interior del despatx de la gerència del diari *La Vanguardia*. S'encarrega dels revestiments de mosaic dels pavellons de l'Hospital de Sant Pau.

1906
Instal·la els tallers al carrer Bailén, 130. Membre del jurat, juntament amb Alexandre de Riquer, Eusebi Arnau, Dionís Baixeras, Raimon Casellas i Rodríguez Codolar, del primer concurs d'Art Industrial promogut per la revista *Estilo*, que dirigia Lluís Masriera.

1907
Grand Prix a la International Exhibition Artistic Furniture and Home Decorations, que va tenir lloc al Crystal Palace de Londres. Gran Premi a l'Exposición Internacional de Higiene, Artes Oficios y Manufacturas de Madrid. Primera Medalla a la V Exposició Internacional de Belles Arts i Indústries Artístiques de Barcelona.

1908
Gran Premi, medalla d'or i gran copa a l'Esposizione Internazionale Industria-Lavoro Arte Decorativa, que va tenir lloc al Lido de Venècia. Gran Premi a l'Exposición Hispano-Francesa de Saragossa.

1909
Grand Prix, membre del jurat, fora de concurs, a l'Exposition Internationale du Confort Moderne de París.

1910
Participa en l'organització de la recaptació de fons per erigir el monument al Dr. Robert. Decoració de la farmàcia del Dr. Fita al carrer de les Corts, núm. 611. Té els tallers al carrer de Sarrià, 88, que correspon al carrer Rector Triadó d'Hostafrancs. Executa alguns llums per al saló de l'administració de l'Institut Pere Mata de Reus. S'uneix juntament amb Torres-García, Folch i Torres, Clarà, Cambó, Casanovas i Raurich, a la sol·licitud que es recopilessin i es compilessin conjuntament les *Glosses* que Eugeni d'Ors havia publicat a *La Veu de Catalunya*. Participa com a col·leccionista amb la pintura *Diana* de Pere Crusells en l'Exposición de Retratos y Dibujos Antiguos y Modernos.

1911
Treballs decoratius de la casa Pladellorens del Passeig de Gracia. Gran Premi a l'Exposición de Bellas Artes de Buenos Aires. Juntament amb Jaume LLongueras decora, dins un estil neoimperi, el Cafè Royal de la Rambla dels Estudis.

1912
Contrau matrimoni amb Emília Ramon Montardit a la parròquia de Santa Madrona i adopta la seva neboda, Enriqueta Ramon.

1915
Medalla d'argent a l'Exposición Artística de l'Academia Provincial de Bellas Artes de Cadis. Projecta mobles d'estil renaixement per al col·leccionista Ignasi Abadal. Acaba la seva etapa de creació modernista.

1917
La Junta de Museus de Barcelona li compra una col·lecció de setanta escudelles de ceràmica de Manisses, Terol i Paterna amb destinació al Museu d'Art Decoratiu i Arqueològic.

1921
La Junta de Museus li compra un fragment de teixit bizantí de seda i cotó amb destinació al Museu d'Art Decoratiu i Arqueològic.

1922
Exposa les pintures de Joaquim Mir a la seva botiga del carrer Canuda.

1923
Membre de la comissió especial organitzadora de l'Exposició Internacional del Moble i Decoració d'Interiors de Barcelona.

1927
La Sala Parés exposa una taula italiana del segle XIII que adquireix a París.

1929
Soci de l'entitat Amics de l'Art Vell.

1933
S'intensifiquen les vagues d'ebenistes del sindicat únic del ram.

1934
Tanca la botiga del carrer Canuda.

1942
Darrera col·laboració amb Josep Pey.

1955
El 5 de gener mor al seu domicili del carrer Bonavista, núm. 12, a l'edat de 84 anys, a causa d'una broncopneumònia. És enterrat al cementiri del Sudoest, a Montjuïc.

Fonts documentals

Arxiu Administratiu. Ajuntament de Barcelona
Índex de naixements
Índex de defuncions
Expedients plànols tallers de G. Homar
Arxiu de la Cambra de Comerç, Indústria i Navegació de Barcelona
Arxiu del Centre Excursionista de Catalunya
Fons fotografies
Arxiu Font de Rubinat de Reus
Documentació familiar corresponent a la
Casa Navàs
Arxiu d'Història de la Ciutat / Arxiu Fotogràfic
Arxiu de l'Institut Pere Mata de Reus
Arxiu Històric Sants-Hostafrancs
Arxiu IVAM. Centre Julio González de València
Correspondència família González
Arxiu Lluís Bru de Barcelona
Arxiu Mas de Barcelona
Arxiu Nacional de Catalunya
Fons Josep Mainar (inv. núm. 144)
Arxiu Oleguer Junyent de Barcelona
Documentació familiar (correspondència, fotografies, revistes d'arts decoratives i diversos)
Arxiu Taller-museu Serra de Cornellà de Llobregat
Correspondència familiar
Llibre de factures de taller
Biblioteca Arús de Barcelona
Revistes d'arts decoratives
Biblioteca del FAD (Foment de les Arts Decoratives)
Biblioteca del Foment del Treball de Barcelona
Catàlegs d'exposicions
Fons revistes d'arts decoratives
Col·legi d'Arquitectes de Barcelona
Arxiu Històric
Biblioteca
Fons descendents de Francesc Vidal
Fons descendents de Gaspar Homar (Sra. Enriqueta Ramon)
Museu Gaudí de Barelona
Fons Busquets
Universitat de Barcelona
Departament d'Història de l'Art
(Centre de Documentació sobre Art Català entre
1875 i 1936. Grup de Recerca)

Bibliografia

Diaris i revistes

1894
El *Arte Decorativo*, Barcelona, novembre de 1894, núm. 2 (propaganda comercial).
El *Arte Decorativo*, Barcelona, desembre de 1894, núm. 3 (propaganda comercial).

1895
El *Arte Decorativo*, Barcelona, juny de 1895 (número extraordinari; propaganda comercial), p. 13.

1896
El *Arte Decorativo*, Barcelona, maig de 1896 (número extraordinari), p. 40.

1899
«Barcelona» a *Diario de Barcelona*, Barcelona, 22 de desembre de 1899, p. 14.177.

1900
«Art industrial» a *La Ilustració LLevantina*, Barcelona, 10 de març de 1900, núm. 1, p. 17, fig.
C [Raimon Casellas], «Saló Parés» a *La Veu de Catalunya*, Barcelona, 26 de juliol de 1900 (edició vespre), p. 2.
«De pintura» a *Joventut*, Barcelona, 2 d'agost de 1900, núm. 25, p. 397.
«Novas» a *Joventut*, Barcelona, 8 de novembre de 1900, núm. 39, p. 624.
«Arts industrials» a *La Ilustració Llevantina*, Barcelona, 16 de desembre de 1900, núm. 4, portada.

1901
Arquitectura y Construcción, Madrid/Barcelona, octubre de 1901, núm. 111, fig. portada i p. 313.

1903
Arquitectura y Construcción, Madrid/Barcelona, agost de 1903, núm. 133, fig. p. 241.
Pujol i Brull, J., «Marqueteria. Plafons decoratius» a *Ilustració Catalana*, Barcelona, 21 de juny de 1903, núm. 3, fig. p. 43.
Ilustració Catalana, Barcelona, 12 de juliol de 1903, núm. 6, fig. p. 92.
Arquitectura y Construcción, Madrid/Barcelona, agost de 1903, núm. 133, fig. p. 241, 245, 247 i 249.
«La sastreria y camiseria d'Enric Morell» a *Ilustració Catalana*, Barcelona, 13 de desembre de 1903, núm. 28, p. 358.

1904
Joventut, Barcelona, 7 de gener de 1904, núm. 204 (número extraordinari de cap d'any; propaganda comercial), s.p.
Arquitectura y Construcción, Madrid/Barcelona, febrer de 1904, núm. 139, fig. p. 59, 60-61 i 64.

1905
Ilustració Catalana, Barcelona, 23 d'abril de 1905, núm. 99, fig. p. 265.
«A Casa l'Audouard» a *Ilustració Catalana*, Barcelona, 20 d'agost de 1905, p. 532-534, fig.
Ilustració Catalana, Barcelona, 7 de maig de 1905, núm. 101, fig. p. 302.
Garba, Barcelona, 25 de novembre de 1905, núm. 2, fig. s.p.

1906
Bassegoda, B., «Cuestiones artísticas» a *Diario de Barcelona*, Barcelona, 3 de gener de 1906, p. 74.
Estilo, Barcelona, 1906, núm. 2-3-4 i 7 (propaganda comercial).

Estilo, Barcelona, 7 de febrer de 1906, núm. 1, s.p.
Estilo, Barcelona, 21 de març de 1906, núm. 4, fig., s.p.
Estilo, Barcelona, 15 de maig de 1906, núm. 7, fig., s.p.
Opisso, A., «La construcción moderna en Barcelona» a *Hojas Selectas*, Barcelona, 1906, p. 834.

1907
Casellas, R., «La Exposició. IV. La decoració triomfant» a *La Veu de Catalunya*, Barcelona, 20 de maig de 1907, portada.
«Sala d'Italia. Art decoratiu» a *Ilustració Catalana*, Barcelona, 9 de juny de 1907, núm. 210, fig. p. 359.
«Retaule per un oratori de Gaspar Homar» a *Ilustració Catalana*, Barcelona, 28 d'abril de 1907, núm. 1, fig. p. 275.

1908
«La Exposición de Zaragoza» a *Mercurio*, Barcelona, 1 de novembre de 1908, núm. 84, fig. p. 1.716.

1909
«Els establiments Artistichs barcelonins» a *La Veu de Catalunya. Pàgina Artística*, Barcelona, 23 de desembre de 1909, p. 4.

1910
«El Arte y la industria. Algunas obras de la casa Homar de Barcelona» a *Revista Mundial*, Barcelona, gener de 1910, núm. 13, fig. p. 15.
Batlle, E., «Industrias Artísticas. Pavimentos» a *Mercurio*, Barcelona, 1 juliol de 1910, núm. 104, p. 249.
La Veu de Catalunya. Pàgina Artística, Barcelona, 18 d'agost de 1910, núm. 35, p. 4 (propaganda comercial).
«A cal Homar» a *La Veu de Catalunya. Pàgina Artística*, Barcelona, 22 de desembre de 1910 (edició vespre), núm. 53, s.p.

1911
Museum, Barcelona, 1911, núm. 1, fig. p. 40 (propaganda comercial).
La Veu de Catalunya. Pàgina Artística, Barcelona, 26 de gener de 1911, núm. 58 (propaganda comercial).
Utrillo, M., «Crónicas de Arte» a *Las Noticias*, Barcelona, 11 de juny de 1911, p. 4.
Batlle, E., «Crónicas de Arte» a *El Diluvio*, Barcelona, 16 de juny de 1911 (edició matí), p. 19.
"Crónica. En Gaspar Homar i els seus mobles" a *La Veu de Catalunya. Pàgina Artística*, Barcelona, 9 de novembre de 1911, núm. 99, s.p.

1912
Picarol, Barcelona, 10 de febrer de 1912, núm. 1, s.p. (propaganda comercial).
«Les Exposicions de Nadal. A Casa l'Homar» a *La Veu de Catalunya. Pàgina Artística*, Barcelona, 22 de novembre de 1912, p. 4.

1914
«Crònica» a *La Veu de Catalunya. Pàgina Artística*, Barcelona, 2 de novembre de 1914, núm. 255, s.p.

1915
«Noticies» a *Vell i Nou*, Barcelona, 15 de juliol de 1915, núm. 5, p. 12.
«Antiguitats» a *Vell i Nou*, Barcelona, 1 de setembre de 1915, núm. 8, p. 15.
«Antiguitats» a *Vell i Nou*, Barcelona, 1 d'octubre de 1915, núm. 10, p. 12.
«Antiguitats» a *Vell i Nou*, Barcelona, 15 de desembre de 1915, núm. 15, p. 11.

1917
Sacs, J., «Una verge italiana de la col·lecció Homar» a *Vell i Nou*, Barcelona, 15 d'agost de 1917, p. 512-517, fig. portada.

1918

«Un gran artífex» a *Vell i Nou*, Barcelona, 15 de juny de 1918, núm. 69, p. 234-236 i p. 243 (propaganda comercial).

Vell i Nou, Barcelona, 15 de juny de 1918, núm. 69, fig. p. 243 (propaganda comercial).

1920

Vell i Nou, Barcelona, abri 1920, núm. I, p. VII (propaganda comercial).

Vell i Nou, Barcelona, novembre de 1920, núm. VIII, p. CII (propaganda comercial).

1922

«Les exposicions» a *La Veu de Catalunya. Pàgina Artística*, Barcelona, 6 d'abril de 1922, núm. 552, s.p.

«La casa de mobles Homar» a *La Veu de Catalunya*, Barcelona, 20 de maig de 1922 (edició vespre), p. 12 (propaganda comercial) i p. 13.

1924

Gaseta de les Arts, Barcelona, 1r. de juny de 1924, núm. 2, p. 7 (propaganda comercial).

1925

Gaseta de les Arts, Barcelona, 1r. de gener de 1925, núm. 16, p. 8 (propaganda comercial).

1926

Gaseta de les Arts, Barcelona, 15 de febrer de 1926, núm. 43, p. 8 (propaganda comercial).

1927

APA [Feliu Elias], «Antiguitats» a *Bellaterra*, Barcelona, 1927, núm. XIX, p. 28-29 i portada.

Gaseta de les Arts, Barcelona, 1r. de febrer de 1927, núm. 66, p. 8 (propaganda comercial).

Gaseta de les Arts, Barcelona, 1r. d'abril de 1927, núm. 70, fig. portada.

1931

J.F. i T., «Noves adquisicions del Museu de la Ciutadella» a *Butlletí dels Museus d'Art de Barcelona*, Barcelona, setembre de 1931, vol. I, núm. 4, p. 100.

1932

Butlletí dels Museus d'Art de Barcelona, Barcelona, febrer de 1932, vol. II, núm. 9, p. 64 (propaganda comercial).

1955

La Vanguardia, Barcelona, 6 de gener de 1955, p. 14 (esquela).

1963

Bohigas, O., «Apéndice biográfico. Los colaboradores» a *Cuadernos de Arquitectura*, Barcelona, l963, núm. 52-53, p. 91-92.

1964

«En el Palacio de la Virreina. La Exposición de Artes Suntuarias del Modernismo barcelonés» a *Diario de Barcelona*, Barcelona, 3 d'octubre de 1964, p. 29.

Alcolea, S., «Artes suntuarias del Modernismo barcelonés» a *Diario de Barcelona*, Barcelona, 10 d'octubre de 1964.

Corredor-Matheos, J., «Las Exposiciones. Artes suntuarias del Modernismo barcelonés» a *Destino*, Barcelona, 24 d'octubre de 1964, núm. 1.420, p. 60.

1969

Cirici Pellicer, A., «Las Artes Decorativas modernistas» a *Destino*, Barcelona, 25 d'octubre de 1969, núm. 1.673, p. 45.

Gich, J., «Arte y Artistas. El Modernismo en España» a *La Vanguardia Española*, Barcelona, 9 de novembre de 1969.

Castillo, A. del, «Madrid descubre el Modernismo» a *Diario de Barcelona*, Barcelona, 19 de novembre de 1969, fig.

1970

Vallés, J., «Exposición del Modernismo en España» a *Tele-Exprés*, Barcelona, 10 de juliol de 1970.

Borrás, M.L., «La semana artística. El Modernisme en dónde ?» a *Destino*, Barcelona, 11 de juliol de 1970, núm. 1.710, p. 30.

M.S.D., «El Modernismo» a *El Correo Catalán*, Barcelona, 19 de juliol de 1970.

Garrut, J. M., «El estilo modernista reivindicado» a *Diario de Barcelona*, Barcelona, 19 d'agost de 1970.

1973

Cirici, A., «Un período poc estudiat: l'esteticisme» a *Serra D'Or*, Barcelona, juny de 1973, núm. 165, p. 411.

1974

Fontbona, F., «Obras del Modernismo» a *Destino*, Barcelona, 2 de novembre de 1974, núm. 1.935, p. 49.

1975

«Barcelona única. Marqueterías de Homar» a *Serra D'Or*, Barcelona, 8/14 de maig de 1975, núm. 1962, p. 70.

Fontbona, F., «Sebastià Junyent (1865- 1908), artista y teórico» a *A. Estudios Pro-Arte*, Barcelona, 1975, núm. 3, fig. p. 55.

1976

Mainar, J., «El mueble catalán en el Modernismo» a *A.Estudios Pro-Arte*, Barcelona, núm. 7-8 [1976], p. 52-53, fig. p. 54-55.

1977

Stépanek, P., «La inspiració txeca de Gaspar Homar» a *Serra d'Or*, Barcelona, 15 de febrer de 1977, núm. 209, p. 114-115.

1984

«Cultura» a *La Vanguardia*, Barcelona, 13 de novembre de 1984, p. 40.

Puig, A., «Xavier Gosé i Gaspar Homar» a *Avui*, Barcelona, 29 de novembre de 1984, p. 23.

1987

Uriach, R., «Gaspar Homar. príncipe de los decoradores modernistas» a *Jano*, Barcelona, 5 de juny de 1987, p. 92-98.

1990

Sala, M. T., «Els interiors del Modernisme» a *Barcelona Metròpolis Mediterrània*, Barcelona, 1990, núm. 16, p. 97-98, fig. p. 97.

Permanyer, L., «El color inédito de la derribada Casa Trinxet» a *La Vanguardia magazine*, Barcelona, 12 d'agost de 1990, p.43.

Permanyer, Ll., «Taller Vidal, centro de artes decorativas» a *La Vanguardia Magazine*, Barcelona, 26 d'agost de 1990, p. 64.

Llibres i articles de catàlegs

A.D., *L'Art du XIXe siècle 1850-1905*, Éditions Citadelles, París, 1990, p. 492 i 415, p. 497, fig. núm. 390, p. 365.

A.D., *El Cercle del Liceu*, Edicions Catalanes, S.A, Barcelona, 1991, p. 113.

A.D., *El Col·legi d'Advocats de Barcelona. El seu Patrimoni Artístic i Documental*, Gesmax, Barcelona, 1993, p. 157-158.

A.D., *El Palau Güell*, Diputació de Barcelona, Barcelona, 1990, p. 189 i 224.

Ainaud, J., «Les exposicions del Modernisme de 1964 i de 1969-70» a *El Modernisme*, 2 vol., Lunwerg, Barcelona, 1990, vol. I, p. 24-25.

Àngel Guimerà (1845-1924), Fundació Carulla-Font, Barcelona, 1974, fig. p. 17.

Anuari del Foment de les Arts Decoratives, Barcelona, 1919, p. XXVIII (propaganda comercial).

Anuari del Foment de les Arts Decoratives, Barcelona, 1922, p. XLIV (propaganda comercial).

Anuario Industrial de Cataluña, Cámara Oficial de Industria de Barcelona, Barcelona, 1916, p. 241 (propaganda comercial).

Anuario Industrial de Cataluña, Cámara Oficial de Industria de Barcelona, Barcelona, 1920, p. 272.

Anuario Riera. Guía General de Cataluña, Antonio López, Barcelona, 1896, p. 99 (propaganda comercial).

Anuario Riera. Guia General de Cataluña, Antonio López, Barcelona, 1898, p. 318 (propaganda comercial).

Anuario Riera. Guía práctica de industria y comercio, Antonio López, Barcelona, 1900, p. 125 (propaganda comercial).

Anuario Riera. Guía práctica de industria y comercio, Antonio López, Barcelona, 1901, p. 253 (propaganda comercial).

Anuario Riera General y exclusivo de España, Antonio López, Barcelona, 1904, p. 606 (propaganda comercial).

Audet, A., *Capintería Artística*, 2 vol., Centro Editorial Artístico, Barcelona, s.d., vol I, làm. 1 i 12.

Bailly-Baillière i Riera, *Anuario General de España*, Librería Española, Barcelona, 1915, p. 1.354 (propaganda comercial).

Bassegoda i Nonell, J., *Domènech i Montaner*, Nou Art Thor, Barcelona, 1986, fig. p. 16.

Bohigas, O., *Reseña y Catálogo de la arquitectura modernista*, 2 vol., Lumen, Barcelona, 1968, vol. I, p. 30, 62-65, 158 i 215, fig. núm. 1-2; vol. II, p. 25 i 32.

Botey, J., *Interiors de Barcelona*, Destino, Barcelona, 1992, p. 44, fig.

Carol, M., *Cien años de diseño industrial en Catalunya*, Enher, Barcelona, 1987, p. 20, fig.

Castellanos, J., *Raimon Casellas i el Modernisme*, Publicacions de l'Abadia de Montserrat, Barcelona, 1983, p. 269-270.

Catàleg del Patrimoni Arquitectònic Històric-Artístic de la ciutat de Barcelona, Ajuntament de Barcelona, Barcelona, 1987, núm. 45, 357, 446, p. 52, 210, 258.

Catálogo de la Exposición de Arte Antiguo, Thomas, Barcelona, 1902, núm. 675, p. 75.

Cirici, A., «Arte. El Modernismo», a *Catalunya*, 2 vol., Fundación March-Edit. Noguer, Madrid, 1978, col. Tierras de España, vol. 2, fig. p. 225.

Cirici, A., *El Arte modernista catalán*, Aymà editor, Barcelona, 1951, p. 221-243, fig. p. 187, 193-194, 196 i 201.

Cirici, A., «Les Arts Decoratives» a *L'Art Català*, 2 vol., Aymà, Barcelona, 1958, vol. II, p. 472-475.

Cirici, A., «Les Arts Decoratives» a *L'Art Contemporani*, Aymà, Barcelona, 1972, p. 89-95.

Cirici, A., *Cerámica Catalana*, Destino, Barcelona, 1977, p. 417, fig. p. 418.

Cirici, A., i Manent, R., *Museus d'Art Catalans*, Destino, Barcelona, 1982, fig. p. 229.

Domènech i Montaner, Santa & Cole ediciones de diseño, Barcelona, 1994, p. 14, 34, 130, 140, fig. p. 40-43, 52, fig. 4, p. 100, fig. 7, p. 101, p. 131 i fig., p. 142-143, fig.

Domènech i Montaner. En el 50è Aniversari de la seva mort, Barcelona, Nadal 1973, fig. p. 38.

Doñate, M., i Mendoza, C., *Guia del Museu d'Art Modern*, Museu Nacional d'Art de Catalunya/Enciclopèdia Catalana, Barcelona, 1996, p. 34-35, fig.

Duncan, A., *El Art Nouveau*, Destino, Barcelona, 1995, p. 75, fig.

Exposición de Retratos y Dibujos Antiguos y Modernos, Barcelona, 1910, núm. 37, sala II, p. 17 i 29 (secció anuncis).

Figueras, L., «La busqueda y la consolidación de un estilo» a *LLuís Domènech i Montaner*, Santa & Cole edicions de diseño, Barcelona, 1994, p. 34.

Fondevila, M., «A la sombra del arquitecto: aproximación a las creaciones del ensemblier Gaspar Homar Mezquida (1870-1955)» a *Congreso Nacional de arquitectura modernista*, Melilla, abril 1997 (en impremta).

Fontbona, F., «L'Art en el Cercle del Liceu» a *El Cercle del Liceu*, Edicions Catalanes, Barcelona, 1991, p. 113-114.

Fontbona, F., *Las claves del arte modernista*, Ariel, Barcelona, 1988, fig. p. 45.

Fontbona, F., *La crisi del modernisme artístic*, Curial, Barcelona, 1975, p. 26 i 92.

Fontbona, F., «La volguda recerca d'una modernitat artística» a *El Modernisme*, col. Història de la Cultura Catalana, vol. VI, Barcelona, 1995, p. 170-171.

Fontbona, F., i Miralles, F., «Del Modernisme al Noucentisme 1888-1917» a *Historia de l'Art Català*, Edicions 62, Barcelona, 1985, p. 42 i 80, fig. p. 82-83.

Freixa, M., «L'Exposició "Modernisme 1990"» a *El Modernisme*, 2 vol., Lunwerg, Barcelona, 1990, vol. I, p. 65.

Freixa, M., «Gaspar Homar. Mobles, làmpares, mosaics, decoració. Canuda, 4. Barcelona. Materials per al seu estudi» a *Miscel·lània Homenatge a J. Ainaud*, Barcelona, 1998, vol. II (en impremta).

Freixa, M., *El Modernisme a Catalunya*, Barcanova, Barcelona, 1991, p. 24, 36, 74 i 76.

Freixa, M., *El Modernismo en España*, Catedra, Madrid, 1986, p. 132, fig. p. 133.

Freixa, M., «Revivalismo y modernidad en el diseño de fin de siglo» a *El Diseño en España*, Europalia, Barcelona, 1985, p. 117, fig.

García-Martín, M., *L'Hospital de Sant Pau*, Catalana de Gas, Barcelona, 1990, p. 114 i 119.

García-Martín, M., *La Casa LLeó Morera*, Catalana de Gas, Barcelona, 1988, p. 29-30, 34, 66, fig. p. 65, 75 i 186-197.

Garrut, Josep M., «Decoració» a *Modernisme a Catalunya*, Nou Art Thor, Barcelona, 1982, p. 247, 253-256, 258 i 282-283.

Giralt-Miracle, D., «Les Arts Decoratives en la vida quotidiana» a *Homenatge a Barcelona, la Ciutat i les seves Arts*, Barcelona, 1987 (catàleg d'exposició), fig. 246, 247 i 255, p. 227, 228 i 233.

Guasch, M. T., «Conjunt de taula auxiliar, butaques i llum de la rotonda del pis principal de la Casa Lleó Morera» a *Museu Nacional d'Art de Catalunya. Prefiguració*, Lunwerg, Barcelona, 1992, p. 431-434, fig.

Guimerà (1845-1924), Fundació Carulla-Font, Barcelona, 1974, p. 17.

Hugues, R., «Barcelona», Galàxia Gutemberg, Barcelona, 1996, p. 296, fig. 46.

Jardí, E., *Història del Cercle Artístic de Sant LLuc*, Destino, Barcelona, 1976, p. 177.

Jardí, E., *Història del Col·legi d'Advocats de Barcelona*, Barcelona 1989, vol. I, làm. 2.

Kjellberg, P., *Le mobilier du XXe siècle*, les Éditions de l'Amateur, París, 1994, p. 315.

Litvak, L., *El modernisme*, Taurus, Madrid, 1975.

Loyer, F., *Cataluña modernista 1888-1929*, Destino, Barcelona, 1991, p. 16 i 138.

Llorens, T., «L'orfebreria de Juli Gonzàlez» a *Escultores y orfebres*, 1993, València (catàleg d'exposició), p. 64.

Mackintosh, A., *El Simbolismo y el Art Nouveau*, Labor, Barcelona, 1975, fig. 75, p. 67.

Mainar, J., i Corredor-Matheos, J., *Dels Bells Oficis al Disseny actual*, Blume, Barcelona, 1984, p. 19, 20, 28.

Mainar, J., «Les Arts decoratives» a *L'Art Català*, Barcelona, 1958, p. 408.

Mainar, J., *El moble català*, Destino, Barcelona, 1976, p. 118 i 276-278, fig. p. 277, 324-336.

Mainar, J., *Vuit segles de moble català*, Rafael Dalmau editor, Barcelona, 1989, col·lecció Nissaga, núm. 10, p. 6, 35, 44-45 i 52.

Maragall, J.A., *Història de la Sala Parés*, Selecta, Barcelona, 1975, p. 81.

Materiales y Documentos de Arte Español, Librería Parera, Barcelona [1901-1916], any I, làm. XXV, (tapisseries) i XXXVI (mobles); any II, làm. 49 (marqueteria) i 57 (marqueteria).

Mendoza, C., «Arqueta escriptori i cadires de braços» a *El moble català*, Generalitat de Catalunya, Barcelona, 1994, p. 324-325.

Miralles, F., «L'artesania modernista» a *El temps del Modernisme*, Abadia de Montserrat, Barcelona, 1985, p. 173.

Miralles, F., *Oleguer Junyent*, Cefir, Barcelona, 1994, p. 36.

Moreno, T., «Nicolau Raurich. Vida i obra» a *Nicolau Raurich 1871-1945. Visions mediterrànies*, Barcelona, 1996, p. 19.

El Mueble del siglo XX, Planeta Agostini, Barcelona, 1989, p. 52, fig. p. 50-51, 54, i 56-57.

Pi de Cabanyes, O., *Cases Modernistes de Catalunya*, Edicions 62, Barcelona, 1992, p. 62, 84, 103, fig. p. 112, 115.

Perejaume, *El Pirineu de baix. Mont-roig. Miró*, Polígrafa, Mallorca, Barcelona, 1997, p. 130, fig. p. 57.

Pey, M., i Juárez, N., «Colaboración Homar-Pey en la casa Lleó Morera de Barcelona», a *VII Congreso Español de Historia del Arte*, Universidad de Murcia, Múrcia, 1992, p. 653-659.

Pi de Cabanyes, O., *Cases modernistes de Catalunya*, Edicions 62, Barcelona, p. 62, 84, 103, fig. p. 112 i 115.

Pinós, F., «Modernismo un despertar a la luz» a *XXII Saló d'Antiquaris*, Barcelona, 1998, p. 22.

Pitarch, A.J., i Dalmases, N. de, *Arte e industria en España 1774-1907*, Blume, Barcelona, 1982, p. 312, fig. 68, p. 130.

Puig i Cadafalch, J., *L'oeuvre de Puig Cadafalch Architecte*, M. Parera, Barcelona, 1904, p. 55.

Ráfols, J.F., *Modernisme i modernistes*, Destino, Barcelona, 1982, p. 241.

Recort de la V Exposició Internacional d'Art, Ilustració Catalana, Barcelona, 1907, s.p.

Rudo, M., *Lluïsa Vidal*, La Campana, Barcelona, 1996, p. 42 i 58.

Sala, M. T., «Interiors d'artistes del Modernisme» a *Congrés Internacional d'Història. Catalunya i la Restauració*, Manresa, 1992, p. 427.

Sala, M. T., «El mobiliari dels interiors de l'època del modernisme» a *Moble català*, Electa, Barcelona, 1994, p. 118 i 124, fig. p. 117.

Sala, M.T., «Tallers i artífexs en el Modernisme» a *El Modernisme*, 2 vol., Lunwerg, Barcelona, 1990, vol. I, p. 266.

Sala, M. T., *Junyent*, Nou Art Thor, Barcelona, 1988, fig. p. 16-19.

Salón de Anticuarios. 15º, El Born, Barcelona, del 2 al 10 de març del 1991, fig. p. 149.

Trenc, E., *Las Artes gráficas de la época modernista en Barcelona*, Gremio de Industrias Gráficas, Barcelona, 1977, p. 171, fig.

Vélez, P., «De les relacions entre l'Art i la Indústria» a *El Modernisme*, 2 vol., Lunwerg, Barcelona, 1990, vol. I, p. 226, fig. p. 228-229 i 234-235.

Villarroya, J., i Górriz, M., *Badalona*, Ajuntament de Badalona, Badalona, 1992, fig.

Catàlegs d'exposició

1897

Exposición Nacional de Industrias Modernas. Catálogo de los Expositores, Madrid, 1897, p. 137 i 267. cat. núm. 187.

1898

Exposición de Industrias Nacionales. Catálogo de los Expositores, Madrid, 1898, p. 191, 362, cat. núm. 306.

1907

V Exposición Internacional de Bellas Artes e Industrias Artísticas, Ayuntamiento de Barcelona, Barcelona, 1907, Sala XXXIII, p. 211.

1964

Exposición de Artes Suntuarias del Modernismo Barcelonés, Ayuntamiento de Barcelona, Barcelona, 1964, p. 18-33, cat. núm. 1-236.

1969

El Modernismo en España, Ministerio de Cultura, Madrid, 1969, p. 99-107, cat. núm. VII. 8-13 al VII-74.

1980

Mobiliario modernista, Galeria Gothsland, Barcelona, 1980, s.p, cat. núm. 21-29.

Cien Años de Cultura Catalana, Ministerio de Cultura, Madrid, 1980, p. 61, cat. núm. 1.3.35, p. 66, cat. núm. 1.3.92-1.3.95.

1981

Exposició de mobiliari, Galeria Gothsland, Barcelona, 1981, cat. núm. 9-15, fig. s.p.

1881-1981 Picasso i Barcelona, Ajuntament de Barcelona/Ministerio de Cultura, Barcelona, 1981, s.p, cat. núm. 7B-18, fig.

1983

Catalunya en la España Moderna 1714-1983, Generalitat de Catalunya, Madrid, 1983, p. 174, cat. s.núm, fig. p. 169.

1984

Exposició de mobiliari: Gaspar Homar, Galeria Gothsland, Barcelona, 1984.

Arte Catalán del Museo de Arte Moderno de Barcelona, Ayuntamiento de Madrid, Madrid, 1984, cat. núm. 97-98, p. 160, fig. p. 161.

1985

El Diseño en España, Europalia 85, Brussel·les, 1985, p. 196.

Homage to Barcelona. The city and its art 1888-1936, Arts Council of Great Britain, Londres, 1985, cat. núm. 247, p. 228, fig.

1987

Homenatge a Barcelona. La ciutat i les seves arts 1888-1936, Ajuntament de Barcelona, Barcelona, 1987, cat. núm. 247, p. 228, fig.

I Bienal Internacional del Anticuario de Barcelona, Fira de Barcelona, Barcelona, 1987, fig. p. 199.

Col·leccionistes d'Art a Catalunya, Generalitat de Catalunya/Ajuntament de Barcelona, Barcelona, 1987, p. 85, cat. núm. 65, fig. i p. 86, cat. núm. 66-67, fig.

I Bienal Internacional del Antiquario, Barcelona, Fira de Barcelona, 1987, fig. p. 199.

1988

Gothsland. 10 Aniversari, Galeria Gothsland, Barcelona, 1988, cat. núm. 47-53, fig. s.p.

1989

Gaudí and «Modernisme català»: Human love and design, Nagoya, 1989, p. 175.

Modernismen/Katalonien, Kulturhuset/Generalitat de Catalunya, Estocolm/Barcelona, 1989, p. 178, cat. núm. II.29-II.30, fig. p. 138 i 141.

LLuís Domènech i Montaner i el Director d'orquestra, Fundació «La Caixa», Barcelona, 1989, p. 312, cat. núm. 6, fig. p. 41, p. 322, cat. núm. 112, fig. p. 195, p. 323, cat. núm. 121.1, fig. p. 200 i p. 323, cat. núm. 122 i 124, fig. p. 201-202.

1990

Salón de Anticuarios en Barcelona, 14º, Fira de Barcelona, Barcelona, 1990, fig. p. 159.

El Modernisme, 2 vol., Lunwerg, Barcelona, 1990, vol. II, cat. núm. 212-234, p. 93-102.

1991

Salón de Anticuarios de Barcelona, 15º, Fira de Barcelona, Barcelona, 1991, fig. p. 149.

Da Gaudí a Picasso. Il Modernismo catalano, Olivetti/Electa, Milà, 1991, p. 138, cat. núm. 154-155, p. 141, cat. núm. 159 i p. 142-143, cat. núm. 161-163.

El Modernisme, Barcelona, 1991, p. 17, cat. núm. 15-16, fig.

1992

Prefiguració del Museu Nacional d'Art de Catalunya, Lunwerg, Barcelona, 1992, p. 431-432, cat. núm. 135, fig.

1994

El moble català, Generalitat de Catalunya, Barcelona, 1994, p. 324 i 325, cat. núm. 82.

Salón de Anticuarios, 18º, Fira de Barcelona, Barcelona, 1994, p. 97, fig.

Arts Decoratives a Barcelona. Col·leccions per a un Museu, Ajuntament de Barcelona, Barcelona, 1994, p. 111, cat. núm. 3.3, p. 122, cat. núm. 3.28 i p. 111, cat. núm. 3.3, fig.

1995

Nigra Sum. Iconografia de Santa Maria de Montserrat, Abadia de Montserrat, Barcelona, 1995, cat. núm. 46, fig. p. 146-147.

1996

L'arquitecte Lluís Domènech i Montaner, Fundació «La Caixa», Barcelona, 1996, p. 121, cat. núm. 56, p. 122, cat. núm. 64, 68 i 69 i p. 124, cat. núm. 95-98.

1998

Saló Antiquaris, XXII, Fira de Barcelona, Barcelona, 1998, p. 22.

Exposicions

*Les referències marcades amb un asterisc corresponen a les exposicions de les quals o bé no es va publicar catàleg o bé no ens ha estat possible de consultar-lo.

1897

Exposición Nacional de Industrias Modernas. Catálogo de los Expositores, Madrid, 1897 (4 peces).

1898

Exposición de Industrias Nacionales. Catálogo de los Expositores, Madrid, 1898 (4 peces).

1905

*Exposición Bellas Artes, València, 1905.

1907

V Exposición Internacional de Bellas Artes e Industrias Artísticas, Barcelona, 1907, sala XXXIII (decoració sala).

*Exhibition of Artistique Furniture, Crystal Palace, Londres, 1907.

1908

*Exposición Hispano-Francesa, Saragossa, 1908.

*Esposizione Internazionale dell'Industria. Lavoro ed Arti Decorative, Venècia, 1908.

1909

*Exposition Internationale du Confort Moderne, París, 1909.

1911

*Exposición de Bellas Artes, Buenos Aires, 1911.

1964

Exposición de Artes Suntuarias del Modernismo Barcelonés, Barcelona, Palau de la Virreina, octubre - novembre de 1964 (236 peces).

1969-1970

El Modernismo en España, Madrid, Casón del Buen Retiro, octubre - desembre del 1969; Barcelona, gener - febrer de 1970 (61 peces).

1978

*Exposición de acuarelas de Gaspar Homar. Barcelona, B. D. Ediciones de Diseño, 16 de febrer - 16 de març de 1978.

1980

Mobiliario modernista, Barcelona, Galeria Gothsland, 16 de gener de 1980 (8 peces).

Cien Años de Cultura Catalana, Madrid, Palacio Velázquez, juny - octubre de 1980 (5 peces).

1981

Exposició de mobiliari, Barcelona, Galeria Gothsland, abril de 1981 (7 peces).

1881-1981 Picasso i Barcelona, Barcelona, Saló del Tinell, 23 d'octubre de 1981 - 31 de gener de 1982 (1 peça).

1983

Catalunya en la España Moderna 1714-1983, Madrid, Centro Cultural de la Villa de Madrid, 24 de maig - 24 de juny de 1983 (1 peça).

1984

*Gaudí in context, Nova York, gener de 1984 (3 peces).

Exposició de mobiliari: Gaspar Homar, Barcelona, Galeria Gothsland, 12 de novembre - 12 de desembre de 1984.

Arte Catalán del Museo de Arte Moderno de Barcelona, Madrid, Museo Municipal, octubre-desembre del 1984 (2 peces).

1985

El Diseño en España, Brussel·les, Europalia 85, setembre-desembre de 1985 (1 peça).

Homage to Barcelona. The city and its art 1888-1936, Londres, Hayward Gallery, 14 novembre del 1985 - 23 febrer de 1986 (1 peça).

1987

Homenatge a Barcelona. La ciutat i les seves arts 1888-1936, Barcelona, Palau de la Virreina, 21 de gener - 29 de març de 1987 (1 peça).

I Bienal Internacional del Anticuario de Barcelona, Barcelona, 28 de maig - 17 de juny de 1987 (1 peça).

Col·leccionistes d'Art a Catalunya, Barcelona, Palau Robert - Palau de la Virreina, 22 de juny - 22 de juliol de 1987 (3 peces).

1988

Gothsland. 10 Aniversari, Barcelona, Galeria Gothsland, maig de 1988 (7 peces).

1989

Modernismen / Katalonien, Estocolm, Kulturhuset, abril-maig de 1989 (2 peces).

Gaudí and «Modernisme català»: Human love and design, Nagoya, Castle Site, 15 de juliol - 26 de novembre de 1989 (3 peces).

Lluís Domènech i Montaner i el Director d'orquestra, Barcelona, Sala Plaça Sant Jaume, novembre del 1989 - gener de 1990 (5 peces).

1990

Salón de Anticuarios en Barcelona, 14º, Barcelona, Antic Mercat del Born, 3 - 11 de març de 1990 (1 peça).

El Modernisme, Barcelona, Museu d'Art Modern, 10 d'octubre del 1990 - 13 de gener de 1991 (23 peces).

1991

Salón de Anticuarios de Barcelona, 15º, Barcelona, Antic Mercat del Born, 2 - 10 de març de 1991 (1 peça).

Da Gaudí a Picasso. Il Modernismo catalano, Venècia, 1 de setembre - 24 de novembre de 1991 (6 peces).

1992

Prefiguració del Museu Nacional d'Art de Catalunya, Barcelona, Palau Nacional, 27 de juliol - 30 de novembre de 1992 (3 peces).

1994

El moble català, Barcelona, Palau Robert, 21 de febrer - 24 d'abril de 1994 (2 peces).

Salón de Anticuarios, 18º, Barcelona, Fira de Barcelona, 7 - 15 de maig de 1994 (1 peça).

Arts Decoratives a Barcelona. Col·leccions per a un Museu, Barcelona, Palau de la Virreina, 23 de setembre de 1994 - 8 de gener de 1995 (3 peces).

1995

Nigra Sum. Iconografia de Santa Maria de Montserrat, Museu de Montserrat, juny de 1995 (1 peça).

1996

L'arquitecte Lluís Domènech i Montaner, Palma de Mallorca, Fundació «La Caixa», febrer-abril; Lleida, Centre Cultural «La Caixa», juny-juliol de 1996 (8 peces).

1997

El diseño barcelonés del siglo XX: de Gaudí a las Olimpiadas, Banco Interamericano del Desarrollo, Washington, 20 de febrer - 18 d'abril de 1997 (1 peça).

1998

«Escolta Espanya». Catalunya i la crisi del 98, Barcelona, Museu d'Història de Catalunya, 19 de març - 13 de setembre de 1998 (2 peces).

Saló Antiquaris, XXII, Barcelona, Fira de Barcelona, 21 - 29 de març de 1998.

Gaspar Homar

English translation

Presentation

Eduard Carbonell i Esteller
Director General
Museu Nacional d'Art de Catalunya

The Museu Nacional d'Art de Catalunya is not simply a museum of painting and sculpture. Its varied collections aim to provide a complete overview of Catalan art throughout the ages, examining it, whenever possible, in the context of the art of neighboring regions and other parts of the world.

The Museu d'Art Modern has a major collection of decorative arts, many of which date from the *modernista* period and are constantly being studied by the Museum's curators with the goal of bringing them to the attention of the public.

This exhibition is a more complete vision of the work of Gaspar Homar (1870-1955) which is on permanent display at the Museu. The result of research by members of the museum staff, it is presented now with the collaboration and support of the Fundació "la Caixa". It brings together nearly 130 of Homar's best works, including drawings, tile panels, marquetry and, particulary, furniture, and testifies to his contribution to the revaluation of *modernista* decorative arts.

Gaspar Homar's originality lay in his ability to achieve a synthesis of the tradition to which he, like many artists of his generation, was linked and a series of trends from abroad which he discovered on his numerous trips throughout Europe. In the early years of his career he was employed by Francesc Vidal and working there with *ébénistes,* tilers, ceramists, painters, sculptors, stained glassmakers and other craftsmen shaped his vocation as an interior designer. The final result of these collaborations was the transformation of an entire series of everyday objects that were adapted to a particular taste and a new way of understanding interior decor. Homar's efforts and his particular conception of art made him a much sought-after *ébéniste-ensemblier* who worked with prominent architects such as Domènech i Montaner and Puig i Cadafalch, producing the decorative details their new buildings required. In other words, these men worked together in what was a partnership of architecture and applied arts.

Artists like Homar entered into his partnership, putting all their skills to work in creating and producing each and every one of the decorative details that are part of a building. This partnership and the spirit that shaped the idea of an all-embracing art form the basis of this exhibition, which will help us understand the decisive importance of *Modernisme*'s decorative arts.

Presentation

Luis Monreal Agustí
Director General
Fundación "la Caixa"

Mid-19th century England saw the birth of a movement aimed at bringing together art and industry. Its partisans maintained that the industrial system had distanced artists and artisans from production processes, leading to aestethic impoverishment. Some theorists, such as John Ruskin and William Morris, believed that arts and crafts a move away from modernity was needed and advocated a medievalist revival. Turning to the past was the starting point for a thorough revision of the role of crafts and design which succeeded in regaining the lost prestige of everyday objects and led to new forms of creation based on industrial techniques.

In Catalonia the headquarters for this encounter of art and industry was the Cafè-Restaurant built for the 1888 Universal Exposition. Domènech i Montaner turned it into a workshop and it was there that he, together with fellow architects Antoni M. Gallisà and J. Font i Gomà, gathered together master craftsmen who worked with wrought iron, cast bronze, terra-cotta, glazed ceramic, majolica tile and glass. European movements like Britain's Arts and Crafts and France's Art Nouveau, were adopted in Catalonia where they found local support and a medieval guild tradition as well as a nationalist spirit and a refined bourgeoisie that was anxious to shape a comfortable way of life.

Gaspar Homar played an important part in this recovery of the decorative arts tradition. Shortly after arriving in Barcelona, he went to work at the Tallers d'Indùstires Artístiques, owned by Francesc Vidal, who was one of the pioneers of *Modernisme*. Later he was to work with such artists as Sebastià Junyent, Josep Pey, Pau Roig and Alexandre de Riquer. He worked with architect Lluís Domènech i Montaner to produce some of his most important work as an interior decorator and introduced certain forms of industrial production.

The exhibition *Gaspar Homar* presents a considerable number of works, many of which have never before been publicly displayed, as well as drawings and plans that illustrate the different stages in his production. The exhibition has a special significance because, although Homar was born in Majorca and worked regularly with Domènech i Montaner, he did not work with him on the Gran Hotel. This then is the first time his work has been seen in this setting, one of the finest examples of *Modernisme*.

The Fundación "la Caixa" would particularly like to thank curator Mariàngels Fondevila for her work in coordinating a team of specialists in different fields related to the lifestyles of the bourgeoisie, furniture workshops and decorative arts in the *modernista* period.

Gaspar Homar (1870-1955): *Modernista* Furniture Maker and *ensemblier*

Mariàngels Fondevila

Introduction

In the last years of his life, when the *modernista* movement had fallen into disrepute, Gaspar Homar lamented his lack of public recognition.[1] Even his death in 1955, (not 1953, as has persistently been reported) went completely unnoticed. Despite Alexandre Cirici's praiseworthy attempt to rescue him from oblivion in 1951,[2] no obituary appeared in any of the newspapers or magazines of the time. Recognition was to come posthumously. The *modernista* exhibitions organized by the museums during the sixties marked a turning point: his work became better known and a sizeable collection was acquired by the Museu d'Art Modern.[3] These pieces — and others acquired in the nineties[4] — brought respect and a thorough reassessment of Homar's creations, which are now considered a key to the exquisite, sensual world of *Modernisme*. Nevertheless, the information about Homar continues to be incomplete, indicating that because he was considered more a craftsman than an artist, he was relegated to a lower status.

A study of Homar's work presents a twofold problem. On the one hand, few records from his workshops have been preserved, which makes it virtually impossible to reconstruct his career in all its details. Nevertheless, this paucity of background material could also be viewed as a stimulus because it forced us to broaden the scope of our research to include virtually the entire decorative arts industry[5] and freed us from the servitude which excess information can involve. On the other hand, because Homar worked in the ephemeral world of decoration, where tastes swing back and forth like a pendulum, some of his works did not survive.

Still, our research has enabled us to bring together an important number of works, many of them previously unknown to the public, Together with the collection of existing design projects, they constitute perhaps the most eloquent and valuable source of information about Homar's career.

A furniture maker and *ensemblier*

Gaspar Homar was a Majorcan cabinetmaker and *ensemblier* who embarked on an intense and creative career far from his birthplace. Barcelona was the main production center for the details that enhanced the designs of the architects with whom he worked, among them Domènech i Montaner.[6]

His custom-designed furniture reflects the well-being and aspirations of Catalonia's flourishing bourgeoisie and is distinguished by his use of precious and costly woods and their complex decoration – marquetry work and carving – produced in collaboration with highly skilled artists, among them Sebastià Junyent, Josep Pey and Joan Carreras. These particular collaborators were in some cases considered co-authors and even the leaders of the team. Nevertheless, the existence of watercolor sketches that pre-date the articles produced and the signature *G. Homar. Barcelona* on the nailheads of his furniture are sufficient reasons to consider Gaspar Homar the true author of part of his production. Moreover, it would be a mistake to consider Gaspar Homar simply as a cabinetmaker. In fact, he was an *ensemblier*,[7] concerned with giving rooms a unity, making even the most common-place object a work of art. He put his craft and his imagination to work in various branches of the applied arts: textiles, metalworking, marquetry work, stained glass and mosaic tiles.

If we agree that Art Nouveau's most significant contribution was its revaluation of the decorative arts, then Gaspar Homar is one of its star figures.

His Majorcan origins

On September 13, 1870, the priest of Santa Eulàlia parish in Palma, Majorca baptized a child born on September 11th. The boy was given the name Gaspar Homar Mesquida[8]. He was the son of Pere Homar, originally from the town of Orient in the municipality of Bunyola, and Margarida Mesquida, from Felanitx. His paternal grandparents were Gaspar and Joana Anna Homar and his maternal grandparents were Joan and Joana Artigues. In addition to Gaspar, the couple had a daughter, Margarida Homar.

The Homars came from a humble background and were traditionally carpenters. According to Cirici's information, Pere Homar worked as a carpenter and also made olive oil presses and coffins and built furniture in the Baroque and English styles.

While attempting to trace the Homar family's past in Majorca we encountered some distant relatives who confirmed that they were of Arab descent. Little else is known about the family. We calculate that they remained on the island until 1883, when father and son went to work for Francesc Vidal, who had an important crafts workshop in Barcelona. Their precarious financial situation was such that the entire family emigrated to Barcelona, a prosperous industrial city which was hard at work on preparations for what was to be one of the 19th century's most significant events: the 1888 Universal Exposition.

Tallers Vidal: the formative years. The prelude to *Modernisme*: (1883-1893)

In 1884, cabinetmaker Pere Homar and his 13 year old son, Gaspar, went to work for Francesc Vidal, whose workshop, Indùstries d'Art, had just moved into new premises on the corner of Diputació and Bailén streets.

Contemporary sources[9] reveal that the workshop owned by Francesc Vidal Jevellí (1848-1914) was one of the most prosperous in the Eixample district. Furniture and decorative objects were produced in an imposing building, whose eclectic façade and crowning battlements topped with sculptor Manuel Fuxà's two large statues of Industry and Art, made it an eloquent statement of the philosophy and aesthetic aims of this powerful industrial complex.

Close to two hundred specialized craftsmen worked under the direction of Francesc Vidal.[10] Unlike William Morris, who cursed all industrial progress and aimed to bring beauty and comfort to the more humble classes, Vidal used the most sophisticated machinery and was the decorator of choice for prominent institutions and individuals in the Barcelona of the 1800s.[11] Among the creations from the Vidal workshops were the furniture for the Palau del Marquès de Comillas,[12] the Cercle del Liceu,[13] the Palau Güell[14] and, very particularly, the items featured in unpublished photo albums which, according to Santiago Barjau,[15] constitute the basis for cataloguing Francesc Vidal's *oeuvre* as a furniture maker.

Every department had its own master craftsman and employed the best specialists: Antoni Rigalt worked in the department of stained and etched glass and Joan González was employed as a draughtsman, producing projects and plans.

Vidal's company was particularly renowned for its cast metal work, produced under the direction of Frederic Masriera. Among the statuary produced by Francesc Vidal i Cia. is the huge statue of Christopher Columbus.[16] As Enriqueta Ramon recalls, it was precisely this very complicated project that gave the Homars their first jobs. Shortly afterward Gaspar Homar began working under Joan González[17] and, later, he was to teach one of Vidal's own sons, Frederic Vidal Puig.[18] According to Josep Mainar[19], Gaspar's father Pere was a journeyman carpenter.

All that remains of Homar's formative years at the Vidal workshops are a few drawings, some watercolors and a few pieces of furniture No documents survive to give clearer information about his work there. It is reasonable to assume that his apprenticeship in a business which brought together the different branches of applied arts left its mark and he must surely have been influenced by the strong personality of Francesc Vidal – gallery owner, antique lover and collector of Oriental art,[20] who was always aware of the latest award-winning examples of decorative art exhibited in Paris, London, Philadelphia and Vienna. Like his master, Homar was a cultured, multi-faceted man. When he left Vidal's employ he opened a shop on Carrer Canuda where, in addition to his own furniture, he sold antiques and ran an art gallery.

There are a number of points regarding Homar's period with Vidal that have not previously been taken into consideration and should be noted here.

On the one hand and as will be discussed in more detail further on, strong personal and professional bonds were forged between Homar and the González clan. Moreover, he was personally acquainted with Antoni Gaudí. Vidal and Gaudí both worked for Eusebi Güell, a noted patron of the arts, on the construction and furnishing of his palatial home on Carrer Nou de la Rambla. Although, contrary to what has previously been reported, there is no document that proves that Vidal's workshops produced the furniture designed by Gaudí,[21] it is not unreasonable to assume that the young Homar was interested in the original and daring creations the architect was producing at that time. As an example, we can cite the highly unusual dressing table for the Palau Güell, which is a very early example of the use of a curvilinear, asymmetrical composition. This would support Cirici's report that Homar told him he had followed his instincts and taken his inspiration from Gaudi when he adopted *Modernisme's* curved lines in his creations from the 1890s. rather than following the dictates of fashions from abroad. However, and unlike fellow *ébéniste* Joan Busquets, who was to appropriate Gaudí's skeletal structures and even Louis Majorelle's elephantine shapes, Homar's entire production is marked by a less radical design that is somehow more closely bound to tradition.

We question Cirici's report that Vidal himself did not draw and that Homar was therefore free to produce several different sketches for each piece of furniture, from which Vidal would then select the ones to be produced. According to Cirici, before Homar went to work for him, Vidal manufactured a severe, straight-lined type of furniture and it was Homar who introduced curved details. However, Francesc Vidal's descendants still have signed furniture designs which contradict Cirici's hypothesis. Moreover, it is hard to believe that a man as authoritarian as Vidal[22] would have accepted opinions and taken instructions from his employees.

One of the first known suites of furniture by Gaspar Homar was a hall cabinet and two pale wood chairs, a quite precocious interpretation of the *modernista* spirit. Similar to work by Horta and Van de Velde, it uses one of Art Nouveau's most emblematic leitmotifs: the whiplash curve. Nevertheless, Homar's work includes certain decorative features with Gothic and Oriental overtones, which are combined with the mechanistic attributes which Josep Mainar classifies as "progressive" and which also appear in the architecture of the time. In addition there are even hints of the art of the Pacific tribes, which interested Vidal greatly. We were able to study a design for a wardrobe, signed by Francesc Vidal, and observed a number of features which are very similar to the cabinet by Homar mentioned here.

Lastly, and to conclude our account of Homar's formative years, it should be noted that he spent some time at the Llotja art school, where he studied under Josep Mirabent.[23] He also joined the recently created Centro de Artes Decorativas, which was a fine example of an association that worked for the good of the profession. The members consisted of nearly fifty practitioners of the applied and industrial arts, among them Alexandre de Riquer, Concordi González, Joan Busquets, Evarist Roca and Manuel Ballarin. The association published a journal whose address is given on the masthead as *Pedro Homar é Hijo. Mueblaje y Decoración*, Rambla de Catalunya 129. This proves that the Homars were in business for themselves and indicates that they left Vidal's employ in 1893. According to Pilar Corbera,[24] Homar had overshadowed his master there.

The era of *Modernisme* (1896-1913)

Francesc Vidal's crafts workshops heralded a revival of the decorative arts that reached its peak some years later with the legendary experience of the Castell dels Tres Dragons, which fully embodied the principles of the Ruskian aesthetic. This undertaking, led by Antoni Gallissà, was located in the café-restaurant designed by Lluís Domènech i Montaner for the 1988 Universal Exposition and housed a wealth of artists and craftsmen, some of whom had been trained in Vidal's workshops. There they worked to perfect their crafts, experimenting with such techniques as luster-glazed ceramics, stained glass, the casting process, mosaic tiling and decorative sculpture. As Fontbona i Miralles[25] points out, the Castell dels Tres Dragons was important in that its craftsmen did not work on solving abstract problems but in finding solutions required for specific architectural works.[26] The limited background material thus far uncovered does not mention Homar, although one can assume that he was also involved in the project.

Indeed, after leaving the Vidal workshops in 1893, Homar joined Domènech i Montaner's team of craftsmen and was to become one of the architect's favorite furniture makers and *ensembliers*, although he worked for other architects as well, among them Puig i Cadafalch, Pere Domènech Roura, Josep Majó and Joan Amigó i Barriga.

One of Homar's first important commissions was the decoration of Lluís Domènech's Palau Montaner in 1893, where he worked under certain Gothic – Orientalist aesthetic premises that retained traces of a earlier eclecticism. Also worth noting is his work for the Casa Amatller on Passeig de Gràcia. Puig i Cadafalch commissioned him to design the furniture – a few pieces of which were only recently brought to public attention by Judith C. Rohrer[27] while others were published in magazines of the day.[28] The furniture, which cost a total of 6,350 pesetas and was produced in two months, consisted of the following pieces: a bedroom suite of gilt-trimmed sycamore made up of a wardrobe, a bed, three mirrors, three straight chairs, two high-backed arm chairs, a writing desk, a bedside table and a baldoquin; an ash drawing room suite consisting of six straight chairs, two armchairs, a sewing case and other pieces.[29] In these works,[30] the *ébéniste* is merely a translator of Puig i Cadafalch's artistic hallmark, based on the recovery of traditional Catalan forms, particularly the Gothic. Historiography also attributes the decoration of the Casa Trinxet to Homar and Puig. According to Cirici, Homar created the dining room furniture, with its metal appliqués depicting the flowering plants and olive branches typical of Sezessionist tastes. However, the furniture preserved by the Trinxet family descendants – two small tables and a secretaire in cherrywood and palissandre with marquetry decoration – is signed "Esteve i Cia. Barcelona."[31]

As the creators of iconographic and decorative programs, architects were involved in the design of every aspect of their works, planning both the buildings themselves and their interiors. It is not surprising then that Homar's furniture borrows certain decorative formulas from the language of architecture: from Puig he took the Solomonic columns with their fluted shafts and the floral details of the architect's capitals, using them to form the pinnacles so characteristic of his sofa-benches, but Domènech's concept of decoration is much more evident in his work.

In those turn-of-the-century years Homar joined the Cercle Artístic de Sant Lluc,[32] although there is no evidence that he took part in any of the group shows or held any office. Nevertheless, joining the Cercle put him in touch with Barcelona's most lively circle of intellectuals and artists. Although he did not take advantage of the opportunity to promote his work through the international exhibitions of fine and industrial arts periodically organized by the Barcelona City Council during the 1890s, he did take part in several exhibitions in Madrid.

Homar took another important step in his career when he opened a shop on the centrally located Carrer Canuda, just next door to the Ateneu Barcelonès whose president was his friend Domènech i Montaner. The inauguration of the shop coincided with the death of his father, Pere Homar, and marked the start of his partnership with his brother-in-law, cabinetmaker Joaquim Gassó, who was married to Margarida Homar.

The shop was a much more modest version of *L'Art Nouveau Bing*, Samuel Bing's shop in Paris that exhibited the work of young artists, particularly Georges de Feure, Eugène Gaillard and Eduard Colonna. Homar's shop not only displayed the owners' production of furniture, lamps, rugs, tile panels and marquetry work, but also housed an antiques section and a gallery where Joaquim Mir exhibited his paintings of Majorca. Both men shared a heartfelt admiration for the unspoiled Majorcan countryside around Torrent de Pareis. The shop also sold articles manufactured abroad: printed fabrics by Alphonse Mucha, Sevres and Rozenburg china and a variety of bibelots which Homar had acquired in the capitals of *Modernisme*. It was fashionable among the leading furniture shops to sell such accessories or decorative *objets*. For example, *Chez Majorelle* stocked glassware by Daum, Royal Copenhagen china and even bronze statuettes by Joan Clarà.

Homar travelled all over Europe and went as far afield as Africa, always keeping abreast of the trends in decoration in other countries, particularly England.[33] He was fascinated by Paris and, even more so by Vienna. According to Cirici, he adapted models from abroad, among them a bookcase by Vienna's Josef Niedmoser and a table by V. Valabrega from Turin, both of which were exhibited at the Paris World's Fair in 1900. Although he adapted fashionable designs and recreated classics – particularly the various Louis styles and Chippendale furniture[34] – Homar's work has a strong personality of its own and is comparable to that of the leading exponents of the period, such as Gaillard and Guimard. He acknowledged the influence of the Viennese Sezession and the Glasgow School, reinterpreting their designs in a highly original manner. The spirits of Olbrich and Mackintosh are evident in many of his creations, particularly the desk for Àngel Guimerà and the high-backed chair, respectively.

Despite his travels throughout Europe there is no evidence that he stayed for any length of time in any of the aforementioned cities. Logically enough, business commitments and his reliance on commissions from a heterogeneous clientele linked to the Catalan bourgeoisie precluded longer absences. Homar was an interior decorator for the elite and his furniture was not exactly moderately priced.[35] But he also produced simpler furniture. He repeated successful models, using the same plans and designs.[36] A good example of this is the proliferation of collections that include a bedroom suite featuring ornamental lilies. Popularized by E. Grasset, the lily motif recurs on door panels, wardrobe crests, and headboards.

Based on the information provided by Cirici, we can trace the different suites of furniture Homar produced for the wood merchant Oliva; the salon of Casa Par de Mesa, the furniture for Casas Burés, Lleó Morera, Barey, Marquès de Marianao, Arumi and Milà; the work he did for Godó i Batlló, publisher of *La Vanguardia* newspaper; the Tayà, Barret, Baró d'Oller and Pladellorens residences as well as the homes of several members of the Madrid aristocracy. Our efforts to locate the actual pieces were largely in vain: many of the suites have been broken up, while others have vanished and we were unable to gain access to others.[37] Still, we managed to track down some of the pieces from these collections and were able to complete Homar's list of clients. Thus, special mention should be made of the furniture he produced for the Badalona home of industrialist Vicens Bosch, manufacturer of the famous Anis del Mono anisette; suites of furniture for architect Joan Amigó i Barriga of Badalona, for what is now the F. Bonnemaison library, the bedroom suite for the González home,[38] as well as decorative details for the home of Francesc Macià in Lleida.[39] and the art déco furniture for Casa Garí in Sant Vicenç de Montalt. This latter work is an example of Homar's sporadic incursions into what was popularly known as the "Cubist style". He also did work for shops, pharmacies and other commercial establishments.

As of 1907, when the very different *noucentista* ideology began taking shape in Catalonia and a year before Loos published his critical essay "Ornament and Crime" in *Neue Freite Press*, Homar had completed the most striking examples of *modernista* interior decor: Casa Lleó Morera in Barcelona and Casa Navàs in Reus, both of which were the work of architect Lluís Domènech. Homar, whose solid reputation was further

enhanced by his work with Domènech, was at the height of his professional and artistic career and took part in numerous international competitions in Barcelona, Madrid, Zaragoza, London, Paris and Venice, where he won medals and prizes still conserved by his descendants.[40]

Domènech did not always work with Homar. The furniture for the Gran Hotel in Palma de Mallorca was created by Joan Puigdengolas,[41] and Sebastià Miarnau's workshop did the furniture for Barcelona's Palau de la Música.[42] Lastly, and although the Homar workshop has been credited[43] with the furniture for the various rooms in the VIP Pavilion of the Institut Pere Mata in Reus, documents we consulted indicate that it was actually produced by Thonet Hermanos, Joaquim Montagut,[44] Esteve Hermanos, Casa y Bardés and Enrique Oliva, among others. This furniture combines the functionality and comfort required by the mentally ill and was designed by Domènech himself.[45] The only concessions to ornamentation are a few marquetry panels with citrus fruit motifs and slightly geometric floral details that presage Art Déco and which give some of the work produced by the Homar workshops a look all its own. However, in the material we have been able to consult so far, Homar's name appears only in connection with a lamp.[46]

Furnishings for the Casas Lleó Morera and Navàs: variations on a theme

Casa Lleó Morera in Barcelona and Casa Navàs in Reus are quintessential examples of *Modernisme* and two of the most successful specimens of its interior decor. The prominent architect Domènech i Montaner commissioned Gaspar Homar's workshops to produce all the decorative and functional furnishings for both these wealthy homes. In the process the two men became fast friends and forged strong professional bonds. The furnishings In both houses faithfully adhered to the symbolic-ornamental program conceived by the architect and Homar combined the quality and value of tradition and craftsmanship with semi-industrial production.[47] The straight chairs and armchairs are numbered and correspond to watercolor sketches in the MNAC collection of drawings and engravings. They, like the marquetry work and mosaic panels, are recurring items in Homar's production. In fact, we had the opportunity to view several private collections containing almost identical panels. The technique he used in his marquetry work enabled him to use the leftover layers of wood — between six and eight — to create independent compositions that were a great commercial success. Another piece that recurs with slight variations is the sofa-bench designed for the salon. It is flanked by lateral display cases featuring leaded glass with a translucid, enamel-like effect and crowned by pinnacles topped with carved wooden roses. Above the sofa are marquetry work panels.

While almost all the furnishings for the Casa Navàs remain in their original setting, which is exactly as it was when it was first built, the furniture for the first floor of the Casa Lleó Morera was acquired by MNAC's Museu d'Art Modern

in the 1960s. At that time, Dr. Joan Ainaud de Lasarte, then director of the Barcelona art museums and the man behind the first exhibitions of *Modernisme* in Spain in the 1960s, foresaw that *modernista* design would become the object of speculation and succeeded in purchasing some of the furniture preserved by Homar's daughter at a very low price. A good number of the remaining pieces were acquired from the descendants of the Lleó Morera family in 1967.

Historiography has repeatedly reported that Casa Lleó Morera is later than Casa Navàs, but this statement deserves to be qualified. Although in 1908 Homar presented Albert Lleó Morera with bills for several rugs, Josep Pey's receipts for payments received for marquetry designs for Homar's furniture date from 1905 and 1906. There are also bills sent by Homar to Joaquim Navàs in 1905, which would indicate that he was working on both homes at the same time.

The Homar workshops: art as a collective endeavor

A number of newspaper advertisements provide a record of the various workshops Gaspar Homar had throughout his long career. The first opened around 1893 and was located at Rambla de Catalunya 129, near some of the city's most important workshops: Concordi González and his children worked in wrought iron and precious metals in their nearby workshop and Alexandre de Riquer also had a studio in the vicinity.

Towards the end of the century Homar opened a shop and offices on Carrer Canuda, sharing a workshop with Joaquim Gassó at Muntaner 69. The most emblematic *modernista* works were produced in his workshops on Carrer Bailén 130 and, above all, Carrer Sarrià 88, which is now Carrer Rector Triadó in Hostafrancs. More than one hundred craftsmen were employed in these workshops, which dealt with all branches of interior decoration and had separate departments for cabinetmaking, metal work, embroidery and printed textiles as well as all manner of decorative objects. According to Enriqueta Ramon,[48] the clashes between employers and labor union activists that took place in Barcelona at the beginning of the 1920s led to threats on Homar's life and he was forced to shut down the business and go into hiding.

Joan González, Pau Roig, Alexandre de Riquer and Joaquim Gassó

Organizing production in workshops that did complete interior decoration led Homar to call on a number of skilled designers who supplied models and produced sketches for their creations.[49] While a great deal has been said about Josep Pey and Sebastià Junyent, others who made important contributions have been overlooked. Among them, Joan González deserves special mention. As mentioned earlier, he and Homar met in 1883 when they were both working for Francesc Vidal. Shortly afterwards Homar met the rest of the González clan, who also knew his friends Pau Roig, Xavier

Gosé[50] and Alexandre de Riquer, all of whom frequented the Cercle Artístic de Sant Lluc. At the turn of the century, the González family sold their workshop and moved to Paris. Their precarious financial situation forced the entire clan to work: Pilar and Lola brought in some money by making hats and producing original designs for the most exclusive fashion houses in Paris; Julio began making a name for himself as a painter, exhibiting at the Salons de Automne and Joan, who as the oldest son bore the weight of the responsibility for the family, collaborated with Homar. While travelling back and forth between Barcelona and Paris in 1906 and 1907, Joan González received letters from his family at Homar's home address.[51] He may have helped Homar as a cabinetmaker or designer.[52] At this time, Homar was an esteemed figure on the artistic scene and had a solid clientele as the result of the commissions he had been given by Domènech i Montaner. Tomàs Llorens[53] maintains that Homar's professional relationship with the family may even have included sculptor Julio González, to whom he attributes some examples of light iron work such as the chains and ornamental details in the form of dragonflies on a hanging lamp preserved in the Museu d'Art Modern. However, this type of work was produced at a time when the González family was almost completely out of touch with the metalworking profession. Moreover, it seems odd that Cirici, who was related to the González family on his mother's side, made no mention of this. This is therefore pure speculation on our part. However, we can safely state that at the time of Joan González' death, Homar continued to be in contact with the rest of the family due to the business he had set up with Julio González.

His artistic links with Pau Roig are much clearer and better defined. Their contacts date from before 1901, when, according to Josep Pla,[54] Pau Roig went to Paris with a capital of 300 pesetas which he had earned doing drawings for Homar's workshop where he had become acquainted with the poet Jacint Verdaguer.[55] In 1900, Homar decorated Cassadó i Moreu, a musical instrument shop. Among the most noteworthy details were several allegorical friezes by Pau Roig which symbolized Beethoven's *Pastoral* symphony, Gluck's *Orpheus* and Wagner's *Lohengrin*,[57] and were executed in a style reminiscent of Pierre Puvis de Chavannes, a French painter who had exercised a real attraction for a whole generation of artists, among them Joan González,[58] Torres-García, Josep Pey and even Homar himself, as revealed in a letter he wrote from Paris to his friend Pey:[59] " [....] Yesterday I went to see the Musée Cluny, the Pantheon, the Sorbonne, the gardens of Paris and the panel by Puvis de Chavannes. It is superb."[60]

Pau Roig produced a variety of specialized work for Homar. The contemporary press[61] reported on his successful designs for printed draperies which were displayed at Homar's shop on Carrer Canuda in 1900. Finally, Cirici mentions that Pau Roig collaborated on Casa Burés, which was decorated by

Gaspar Homar, and designed some of its marquetry work.

Alexandre de Riquer, formerly employed by the Vidal workshop, also worked with Gaspar Homar, although their professional contacts were of a different sort. At that time Riquer was far better known than Homar as the result of his production as a poet, graphic designer, illustrator and painter. He had already been to England several times and was familiar with the Aesthetic Movement. Stimulated by his English experience, he went into partnership with a cousin, opening a workshop that specialized in building furniture and doing interior decoration. As a decorator he commissioned Gaspar Homar to do several jobs: Homar's touches are visible in the *modernista* reform of the Cercle de Liceu's first floor vestibule and the writing room, a former cloakroom,[62] although most of the credit for the decoration went to Riquer. Riquer did, in fact, do some designs for marquetry work, using the Japanese-style decorative aesthetic that characterized his work. An example of this are the designs for the panels of a sofa-bench[63] which depict allegorical scenes of the seasons which are similar to his designs published in the magazine *Luz*.[64] Riquer worked again with Homar on the decoration for the Grau Inglada pharmacy. This work was published in *Materiales y Documentos de Arte Español*[65] and exhibited at the Sala Parés.

In this section on collaborators, mention must be made of the work Homar did with Joaquim Gassó (1874-1958). Around 1897, Gassó married Margarida Homar Mesquida and went into partnership with his brother-in-law, opening their workshop on Carrer Muntaner 69. They produced furniture together for some time, as is demonstrated by the fact that we were able to locate several pieces with nailheads signed *Homar i Gassó, Barcelona*. The two men worked according to similar aesthetic premises and many works attributed to Gaspar Homar were actually made by Joaquim Gassó. A recurring motif in Gassó's work is the curved-stem lily. The partners eventually split up for family reasons and Gassó went into business for himself on Carrer Cucurulla 1-3. His workshop was located on the ground floor of Carrer Mallorca 92, where he lived with his wife, children and mother-in-law, Margarida Mesquida.

Josep Pey, The Junyent Brothers, Antoni Serra and Joan Carreras

As will be seen in the essay devoted to him in this catalogue, Josep Pey was one of Homar's most faithful collaborators. Pey noted all his jobs in his order book, which reveals that he worked steadily with Homar.[66] The first job dated from 1899, when Pey and Sebastià Junyent were commissioned to paint friezes in Homar's shop on Carrer Canuda. In addition to doing a large number of drawings for Homar's marquetry work, Pey also did hand painted fabric – which Homar used especially in his sofa-benches and as wall hangings behind beds – and restored antiques. According to reports from people who knew both men, the ideas for the marquetry designs

and their decoration were the work of Gaspar Homar[67] and Pey was in charge of carrying them out. Because he got along very well with Homar, he was free to offer his opinions and produce his own compositions which frequently adapted Art Nouveau motifs that had appeared in the leading publications of the day, among them: *Jugend, Ver Sacrum, The Studio* and *Deutsche Kunst und Dekoration*. These publications were rich sources of information that spread *modernista* ideas and experiments of all types and their graphic presentation was outstanding. Thus, the panel entitled *La Sardana* reflects the same spirit as Leonardo Bistolfi's poster for the Turin International Exposition and the Ludwig Van Zumbusch illustration published in *Jugend* in 1897. Continuing research begun by Joan Ainaud, Pavel Štěpánek[68] demonstrated that the panel *La Dansa de les fades* was derived from a painting by the Czech artist Sergius Hruby, published in *Deutsche Kunst und Dekoration* in 1901 and subsequently reproduced in *La Ilustración Artística*. At the time, Pey was sharing a studio with Sebastià Junyent on Carrer Bonavista. Encouraged by his colleagues and partly driven by his respiratory ailments, Homar had also moved to this street near the upper part of Passeig de Gràcia.

Homar's collaboration with the versatile and multi-faceted Sebastià Junyent has been amply described.[69] Junyent, who also worked for the Busquets studio, produced hand painted fabric, designed a few advertisements and did some sketches for marquetry work. Particularly remarkable was the writing desk he designed for his wife Paulina Quinquer, which was made in Homar's workshop in 1900. The marquetry work, which portrayed female figures with musical instruments, was subsequently repeated in other furniture by Homar. In contrast the bedroom suite, also from Sebastià Junyent's home[70] has never before been seen by the general public. Made up of a wardrobe, a bed, two small tables, chairs, a writing desk and an umbrella stand, these pieces were made of mahogany appliquéd with floral motifs in marquetry work and metal and are signed *Homar y Gassó*.

Sebastià Junyent's premature death brought their fruitful relationship to an end, but Homar continued to work with Sebastià's brother, Oleguer, with whom he shared an interest in antiques. Homar had worked with Oleguer Junyent on the decoration for Casa Burés[71] and the Cercle del Liceu. There is also evidence that Homar designed some of the furniture for Oleguer Junyent's office, specifically an Art Déco bookcase with Homar's signature on one of the nailheads.

The accounting ledgers included in the Arxiu Serra demonstrate that Homar received payment for work done for Antoni Serra's company, Manufactura de Porcellanes Grès d'Art, created by Antoni Serra in 1904 and liquidated in 1908, following a resounding failure. The company had a very advanced outlook and commissioned work from a number of well-known artists: Pau Roig, Josep Pey, Ismael Smith, Pau Gargallo, and many

others produced designs for Serra's decorative china objects.

Homar commissioned Antoni Serra to produce the bas-reliefs for his tile panels, using plaster casts by sculptor Joan Carreras. Carreras was the author of many signed medallions featuring allegorical bas-reliefs. The bas-reliefs of carnations which appear in Homar's marquetry work are also attributed to Carreras. As regards the execution of the marquetry work, Joan Segarra's skills deserve special mention.

An estimation of the stages in Homar's evolution based on his surviving drawings

Unlike the Busquets workshops, practically all of whose records remain intact, a study of Gaspar Homar's *oeuvre* as a furniture designer must be essentially based on the drawings preserved in the collection of drawings and engravings in the Museu Nacional d'Art de Catalunya and a number of private collections.[72]

Unfortunately, full-scale patterns and sketches of the furniture were not preserved, although there are still people who remember seeing them in Homar's workshop in Sants before it went out of business. Our study then is based on more than one thousand scale drawings, some rendered in watercolor and others in India ink. These drawings, which made up the catalogue for Homar's shop on Carrer Canuda,[73] are surprising in their bright, multi-colored presentation, featuring gold, greens and violet tones and rendered in a style as precise as that contained in any handbook of decoration. They include all types of ornamental objects: bibelots, metal details, textiles, lamps, and the collection as a whole has an unusual aesthetic quality. Some of these drawings are signed (G. Homar C/Canuda, 4 Barcelona) and catalogued by Homar himself with a number placed in the lower corner. The fact that they are consecutively numbered would indicate that they are in chronological order. A careful study of this collection of drawings thus gives a fairly general idea of the steps in the evolution of Homar's creations.

As an example: sketch number 1637 portrays furniture for Casa Burés, which was produced after 1900. From this we can hypothesize two major periods in Homar's career.

The first is the period from 1893 to 1900, when Homar left Francesc Vidal's employ – although continuing to owe a certain aesthetic debt to his master – and created his own *modernista* repertoire. In this group of drawings, marked with low numbers, we can see how creations based on an eclectic approach to history begin to give way to a certain Neo-Gothic style with *modernista* touches such as stylized plants and sinuous, asymmetrical rhythms. Homar soon began using pale woods and a new type of Japanese-inspired ornamentation that differed from Vidal's Russian style. Moreover, Homar was by no means indifferent to the decorative trends introduced by international expositions. His furniture for Casa Burés has a certain Celtic air about it that reflects the decorative proposals contained in the Scandinavian Pavilion at

the Paris Exposition in 1900.[74] By this time, his carvings and marquetry work had become more square in form and we can see the first signs of Sezessionist influences in his work. Roses, which became a true Homar hallmark, began to take on a leading role.

A second period is marked by the drawings with higher numbers, which embrace the years between 1900 and the 1930s. During this period Homar produced *Modernisme's* most striking interiors: Casa Lleó Morera and Casa Navàs in Reus. His furniture attained new heights of refinement and his entire production of decorative objects took on a whole new language in which forms borrowed from history were replaced by motifs from nature which came together in an extremely decorative floral style. Between 1910 and 1914 he began simplifying his forms, although his concept of ornamentation did not undergo any radical change. Indeed, simplicity and the use of straight lines rather than the sinuous curves so typical of Franco-Belgian Art Nouveau were already evident in some of his earliest work.

As of 1915, his production of *modernista* work began to decline and he alternated it with historic styles and a few rather interesting art déco designs, which were never produced. During this period he produced several pieces of Renaissance-style furniture for collector Ignasi Abadal as well as the furniture for Casa Garí in Sant Vicenç Montalt, an incursion into the Cubist style: lacquered furniture with diamond shapes outlined in blue and silver recalls the world of Sonia Delauney and Jean Dunand's Art Déco designs for decorative screens.

As Mireia Freixa and Sònia Hernàndez observed,[75] Gaspar Homar worked simultaneously in several different styles, alternating the production of his own very particular pieces of furniture with all manner of other styles: the mixture of styles or eclecticism that was the hallmark of the 19th century prevailed, but he also produced elegant chairs with gondola-type arms or "updated" Louis XV chairs which he used in the Casa Busquets. He also produced a number of Chippendale-style pieces and furniture in other styles borrowed from the reigns of the various Kings Louis.

Unlike such firms as Vidua de Josep Ribas or Busquets, which more or less successfully managed to survive the anti-*modernista* tide, adapting to new demands and tastes and participating in events such as the 1925 Exposition International d'Arts Decoratifs in Paris, Homar did not show his work at any of these exhibitions and considered that his creative days were over.

A multi-faceted spirit

Homar's familiarity with the new artistic trends in Europe went hand-in-hand with a thorough knowledge of the art and traditions of the past. Indeed, our portrait of his multi-faceted personality would be incomplete were we to overlook his activity as a collector. He began collecting as soon as he started working with the decorative arts and his interest was particularly intense in the last years of his life. Due to the strikes that affected the cabinetmakers' profession during the 1930s and the end of the *modernista* movement, Homar began dealing in antiques and restoring art works. An article by Feliu Elias[76] portrays Homar in his role as an antiquarian, describing and praising some of the items exhibited in his shop on Carrer Canuda: "You will never find any objects that are more or less antique. However, you will surely find pieces of value: surprising and marvelous things".

Like all good *modernistes*, Homar collected Japanese prints,[77] although he had a special fondness for lusterware pottery,[78] antique glassware[79] and tapestries. He also acquired several important examples of Italian painting.[80] According to his descendants, he was an advisor to politician and patron of the arts Francesc Cambó, who put together a major collection.[81] Gaspar Homar's activity as a collector should not be regarded as an exception to the rule. Many members of that generation of artists and intellectuals were art collectors: Alexandre de Riquer, Lluís Masriera, Oleguer Junyent, Santiago Rusiñol and Josep Pascó, to name only a few, all collected antique *objets*, thus helping dignify what were traditionally and mistakenly referred to as the "minor arts".

As a collector Homar took part in the 1902 *Exposición de Arte Antiguo y Moderno* in Barcelona, exhibiting *Diana*, which at the time was attributed to the French School. Now considered to be the work of Pere Crusells, the painting is preserved in the Museu d'Art Modern de Catalunya (MNAC). He also exhibited *Sant Bartomeu*, attributed to Ribera. Many items from his collection were pictured in the press of the time and well before he opened an antique shop on Carrer de la Palla, he and Julio González were doing business together.

Just before the outbreak of World War I, Julio González opened a shop in Paris, selling jewelry and decorative objets. This not very successful venture required the help of Homar, who furnished González with antiques that included tapestries, pottery from Talavera and Paterna, as well as decorative seals and other objects. Josep Bassó, Julio González' brother-in-law, dealt with Homar when he came to Barcelona. Relations between Homar and the future sculptor were relatively cordial, though González complained about the high prices of the objects Homar supplied.[82]

A virtually unknown facet of Homar's life was his love of photography. Hundreds of positive glass plates and autochromes were found at his summer home on Carrer Montsolís in Montgat, where he spent a good part of the last years of his life. This work testifies to his love of art (there is a series of photographs dedicated to the collections in the museums in Vic, Barcelona and Solsona); his fond memories of Majorcan scenery, particularly around Torrent de Pareis; the island people and his family origins in Bunyola, and his travels around the world. His self-portraits depict a sensitive, attractive man with a luxurious beard and intensely blue eyes. Everyone who knew him remembers him for his modesty, his sense of humor and his affability.

Notes

1. Josep Garrut and Enriqueta Ramon, the artist's daughter, still recall Homar's laments and the loneliness caused by the general failure to understand his work.

2. Gaspar Homar began to take his place in history when Alexandre Cirici i Pellicer wrote about his work in *El Arte Modernista Catalan*, Barcelona, Aymà, 1951. Blessed with very special powers of intuition, Cirici based his work on his personal knowledge of the artist and should be remembered as the man who made Gaspar Homar a legend. In the seventies, furniture historian and cabinetmaker Josep Mainar contributed further insights in his book *El Moble Català*, Destino, 1976. His chapter on Homar owes a great deal to Cirici's book, but enhances it with firsthand knowledge of the profession. It was Mainar, however, who first made the Talleres Vidal famous.

3. *Exposición de artes suntuarias del Modernismo barcelonés,* Palau de la Virreina, Barcelona, 1964; *Modernismo en España*, Casón del Buen Retiro, Madrid; Museu d'art Modern, Barcelona, 1969-1970.

4. *El Modernisme*, Barcelona, Museu d'Art Modern, October 10, 1990- January 13, 1991.
El moble català, Barcelona, Palau Robert, February 21-April 24, 1994. Although included in these and other exhibitions, there has never been a solo exhibition of Homar's work.

5. Among our key sources of research information were: the Gonzàlez family archive, IVAM, Valencia; the Fons Mainar, Arxiu Nacional d'Art de Catalunya, which includes a transcription of Josep Pey's order book; the Serra family archive, Cornellà de Llobregat; the Arxiu Junyent, Barcelona; Arxiu Font de Rubinat, Reus; Arxiu Institut Pere Mata, Reus; Arxiu Bru, Barcelona; the collection of drawings and photographs in the Gabinet de Dibuixos i Gravats, Museu Nacional d'Art de Catalunya; Centre de Recerca del Modernisme i del Noucentisme, Departament d'Art, Universitat de Barcelona; the Homar family archive and the archives of the MNAC's Museu d'Art Modern. the libraries of the Foment del Treball and the Cambra de Comerç, Indústria i Navegació, Barcelona and many other archives and libraries. Our thanks to Teresa Sala for the information on Homar's collaborations with Sebastià Junyent and to Mireia Freixa and Sònia Hernàndez for their as yet unpublished article, "Gaspar Homar. Mobles, làmpares, mosaics, decoració. Canuda 4. Barcelona. Materials per al seu estudi", scheduled to appear in the *Miscel·lània* dedicated to Joan Ainaud being prepared by the Museu Nacional d'Art de Catalunya. A great deal of valuable information was also obtained from conversations with the Segarra family, experts in marquetry work; the descendants of Francesc Vidal; Maria Font de Rubinat, Enric Anguera, Lluís Bru, Marcy Rudo, Santiago Pey, Carme Juyol, Jaime Homar, Valeri Corberó, Lina Tayà, Pere Cosp and many others.

6. This, however, is not the place to discuss the figure of Domènech, so aptly described in historiography as an "orchestra conductor". Instead we will explore the task of the craftsmen or "soloists", specifically, Gaspar Homar, who worked in Domènech's shadow. See the exhibition catalogue *Lluís Domènech i Montaner i el Director d'orquesta*, Sala Plaça Sant Jaume, Barcelona, November 1991.

7. One of the most outstanding features of the *modernista* period was the emergence of the *ensemblier*. The term was first used in the 1920s to describe artists who created interior decor (*ensembles décoratifs*).

8. Gaspar Homar's place of birth is a minor mystery. No record of his birth appears in the registries of either Bunyola or Palma de Mallorca. The baptismal certificate obtained with the help of Monsignor Teodor Ubeda Gramaje proves that the sacrament was administered at the Santa Eulàlia Church in Palma, but does not mention the place of birth.Homar's death certificate and other official documents we were able to consult indicate that he was from Palma. Cirici reports that Homar said he was from Bunyola.

9. J. Roca y Roca, *Barcelona en la mano. Guía de Barcelona y sus alrededores*, Barcelona, López ed. 1884, p. 285. C. Pirozzini Martí, "Arts Industrials", *La Renaixença,* Barcelona, February 7, 1883, p. 810-811. J. Coroleu, *Guia del forastero en Barcelona y sus alrededores*, Barcelona, 1887. F. Nicolau, "La obra de Francisco Vidal " in *La Madera y sus industrias*, Barcelona, no. 123, October 1930, p. 3-10. *Àlbum Artístic de la Renaixença*, Barcelona, January 1984 (unnumbered page). *Guía de Barcelona et ses environs*, undated.

10. Vidal's company was divided into the following departments: a wood warehouse; an Alexander system engine; a workshop equipped with the latest machines and devices for turning and sawing wood and producing mouldings; a department that produced locks and door fittings; lamps and engraved work; a kiln for enamel work and curved glass; a workshop for gilding furniture and frames; a large carpentry, cabinetmaking and wood carving shop; a department for lacquering, upholstery work and tapestries, decorative boxes and even a photography gallery and a department of electric lighting. The lavish pieces produced in these workshops were reminiscent of Spanish antique art and were much sought after throughout Spain, as well as in America and other parts of the world.

11. Indeed, as P. Vélez points out, Vidal was closer in spirit to the Arts and Crafts Exhibition Society, although predating it by 10 years.

12. M. García-Martín, *Comillas modernista*, Barcelona, Gas Natural, 1993.

13. AA.VV. *El Cercle del Liceu. Història, Art, Cultura*, Barcelona. Ed. Catalanes, S.A., 1991.

14. AA.VV. *El Palau Güell*, Diputació de Barcelona, Barcelona, 1990.

15. See S. Barjau, "Francesc Vidal, decorador i col·laborador d'arquitectes" in *III Jornades Internacionals d'Estudis Gaudinistes*, Barcelona, 1995.

16. Though decorator Vidal accepted this commission, he had never before attempted to produce a statue of this size and casting took 5 months. Vidal also cast the decorative bronze sculptures at the base of the monument. The engineer Wolgenmut cast the giant 32-ton column, using 30 tons of bronze from old canons. See L. Garcia del Real, "Monumento a Colon" in *La ilustración Española y Americana*, Madrid, September 22, 1888, no. 35, fig. p. 166. See M. Dolate, "La foneria artística Masriera i Campins" in *Els Masriera*, exhibition catalogue, Museu d'Art Modern, Barcelona, May 21- July 21, 1996, pp. 214-216.

17. While the other González siblings – the famous Julio, Lola and Pilar – incised and embossed metal in the workshop run by their father, Concordi González, Joan, whose health was delicate, worked for Vidal between approximately 1883 and 1896.

18. Vidal's descendants preserve the diploma issued by Gaspar Homar with the inscription *A small token of affection for Frederic Vidal for his diligence in drawing*. Barcelona, July 18, 1892.

19. Although Josep Mainar did not reveal his sources, an analysis of his manuscripts – preserved in the Arxiu Nacional de Catalunya – indicates that his information is based on reports from Santiago Marco and Josep Castells, both of whom were disciples of Vidal.

20. As early as 1878, Francesc Vidal organized a sizeable exhibition of objects from China and Japan in his premises on Passatge del Crèdit. See I. Coll, "L'art orientalitzant, particularment el d'arrels japoneses, a Europa, i els seus reflexos a la Barcelona del vuitcents" in *D'Art*, Barcelona, 1985, p. 250.

21. Josep Mainar states that part of the furniture for the Palau Güell was produced in the Vidal workshops, according to Gaudí's designs but following plans and sketches done in the studio which was at the time run by Homar. J. Mainar, "El Mueble Catalán en el Modernismo" in *A. estudios Pro Arte*, Barcelona, (1976), no. 7-8. pp. 52-53. fig. p. 54-55.

22. Based on a study of the family correspondence and other papers, U.S. researcher Marcy Rudo presented a biography of Francesc Vidal in a somewhat fictionalized account, *Lluïsa Vidal, filla del modernisme*, Edicions La Campana, 1996.

23. Although the records are incomplete, the registration book of the school of applied arts, La Llotja, indicates that in 1887 Homar was taking courses in decorative painting, textile design and embroidery.

24. The 100 year old widow of Claudi Vidal, one of Francesc Vidal's sons, Pilar Corbera has a phenomenal memory.

25. "Del Modernisme al Noucentisme 1888-1917" in *Història de l'Art Català*, Barcelona, Edicions 62, 1985.

26. As mentioned earlier, architects played a key role as catalysts and coordinators of the craftsmen's work. This was not the case in France. See G. Mourey, *Essai sur l'Art décoratif Française moderne*, Paris, 1921.

27. See *Puig i Cadafalch: L'arquitectura entre la casa i la ciutat*, Fundació Caixa de Pensions, Barcelona, 1989.

28. *L'oeuvre de Puig i Cadafalch Architecte 1896-1904. Arquitecture, Decoration, Mobilier, Serrureria, Carrelages*, M. Parera, Barcelona 1904. This handsome volume published by Miquel Parera illustrates how Puig brought together the construction and decoration of his buildings. Puig's sketches for the furniture produced by Homar's workshop appear on page 55.

29. My thanks to Dr. Judith C. Rohrer, Chairman of the Art Department of Emory University, Atlanta, Georgia (USA) for this information. Homar's contribution to Casa Amatller is corroborated by a letter from Josep Gudiol to Josep Philippe of the Musée de Verre, Liège, dated April 30, 1963 and preserved by one of Gudiol's daughters.

30. Some of which can be seen at the Institut Amatller, while others are in private collections.

31. This company, contemporary with that of Homar, had a shop that sold both decorative objects (foreign-manufactured trinkets, reproductions of sculptures by Llimona and ornamental frames) and furniture.

32. According to information supplied by Josep Bracons. The Cercle Artístic de Sant Lluc represented an eclectic form of modernity marked by a militantly Christian ideology. Nonetheless, the association's focus on the strictly artistic attracted young artists who were far removed from the Cercle's ideology, among them Joan González and the young Gaspar Homar.

33. This is corroborated by the fact that his private library included books such as R.I. Percy Mcquoid's *A History of English Furniture*, T.A. Constable, Edinburgh, 1905 and Charles Latham's *In English Homes*, London, 1908. Among Homar's self-portraits on glass is one showing him as a worthy representative of Red House.

34. Among the wealthy bourgeoisie throughout Europe, eclecistism was, in fact, the prevailing taste in furniture.

35. As corroborated by Maria Font de Rubinat and the invoices for his furniture.

36. Our research on Gaspar Homar's furniture reveals that he frequently repeated the same designs.

37. This was the case of the office furniture designed by Homar for the publisher of *La Vanguardia*. According to Lluís Permanyer, the main desk was literally chopped up and discarded. Almost all the furniture for Casa Pladellorens and the marquetry panels for the Grau Inglada pharmacy, made to Riquer's design, were included in the exhibit *Artes Suntuarias del Modernismo Barcelonés*, Palau de la Virreina, Barcelona, October-November, 1964.

38. The González archive includes a bill from Gaspar Homar for bedroom furniture made for the family home at Carrer Mallorca 233, Barcelona.

39. Now in the MNAC Museu d'Art Modern.

40. Unfortunately, and despite research carried out at the Victoria and Albert Museum and the British Library in London, the historical archive of the Biennal, the Biblioteca Marciana in Venice and various archives in Paris, we were unable to find catalogues that describe the works presented. A study of the Spanish press, however, confirmed that Homar presented work in Barcelona, Madrid and Zaragoza.

41. See *Materiales y Documentos de Arte Español, S. XX.* Arte Contemporaneo, Plate 49.

42. See M. García-Martín, *Benvolgut Palau de la Música Catalana*, Catalana de Gas, S.A. Barcelona, 1987.

43. *Lluís Domènech i Montaner*, Clásicos del diseño, Santa & Cole Ediciones de Diseño S.A., 1994.

44. Joaquim Montagut was a furniture maker from Reus who was trained in Barcelona, probably

in Homar's workshop. According to his son, Josep Montagut, he made all the furniture for the mental hospital in Reus. According to Maria Font de Rubinat, he also worked on the Casa Navàs in Reus.

45. According to the minutes of the General Meeting held on March 8, 1908, "The majority of the furniture for this [VIP] pavilion has been contracted out and is being constructed in Barcelona under the direction of architect Lluís Domènech i Montaner".

46. The archives of the Institut Pere Matas contain a bill from Gaspar Homar for a lamp for the Board room. The bill is dated October 24. 1910. Homar's name is not mentioned in connection with the furniture.

47. For further details, see the article by M. Pey and N. Juárez, "Colaboración Homar-Pey en la Casa Lleó Morera de Barcelona," VII Congreso Español de Historia del Arte, Múrcia, Universitat de Múrcia, 1992.

48. As reported in M. García-Martín, La Casa Lleó Morera, Barcelona, Catalana de Gas, 1988.

49. M. Freixa and S. Hernàndez, "Gaspar Homar. Mobles, làmpares, mosaics, decoració. Canuda 4, Barcelona. Materials per al seu estudi." Miscel·lània (forthcoming).

50. Gaspar Homar's descendants conserve a scrapbook of newspaper clippings, which includes a series of articles about Xavier Gosé.

51. This is confirmed by correspondence contained in the González family archive (IVAM, Valencia)

52. There is a drawing of a lamp on the back of an undated letter in the González family archive in Valencia.

53. See "L'orfebreria de Juli González" in Escultores y Orfebres. Francisco Durrio, Pablo Gargallo, Julio González, Manolo Hugué, Bancaja. Valencia, 1993, pp. 64-66.

54. "Retrats de Passaport. El Pintor Pau Roig," in Obra Completa, Edicions Destino, Barcelona, 1970. vol XVII.

55. See letter from Pau Roig to Enric Serra Fiter, dated Paris, February 28,1902 (Arxiu Serra, Cornellà de Llobregat) which contains a mention of Gaspar Homar,: "My work leaves me some time to think of you and I occasionally allow myself to sing about the mountains of Canigó, recalling the evenings at Homar's house and the pleasant afternoon I spent at your house."

56. Part of the shop decoration was exhibited at the Galeria Subex in Barcelona's Tres Torres district. See F. Fontbona, "Obras del modernismo" in Destino, Barcelona, November 2. 1974, no. 1935, p. 49.

57. Now in the Palau Marc, which houses the Catalan government's Conselleria de Cultura.

58. Family correspondence preserved in the González family archive in Valencia reveals that Joan González, then in Barcelona, asked to be sent postcards of Puvis de Chavannes' work. Estimated date of the letter, 1907.

59. Pey had a reproduction of a triptych by Puvis de Chavanne in his room.

60. Letter from Gaspar Homar to Josep Pey (Paris, May 1905) published by M. García -Martín in L'hospital de Sant Pau, Catalana de Gas, S.A., Barcelona, 1990, p. 119.

61. "Novas" in Joventut, Barcelona, November 8, 1900, no. 39, p. 624.

62. F. Francesc Fontbona, "L'Art en el Cercle del Liceu" in El Cercle del Liceu. Història, Art, Cultura. Barcelona, Ed. Catalanas, S.A., 1991. Fontbona mentions a bill from Homar dated February 7, 1901, payment of which was collected by Riquer.

63. Which we were fortunate to have been able to see in a private collection.

64. See Luz, Barcelona, October 1898, no. 3; Luz, Barcelona, December 1898, no. 10.

65. Year II, Plates 2, 49 and 57.

66. According to the order book, their last collaboration was dated 1942.

67. According to Enriqueta Ramon, Homar's daughter, and Santiago Pey, Josep Pey's nephew. It is particularly interesting to note that, unlike Homar and Gassó, who signed their furniture on nailheads, or Joan Carreras whose signature is visible on his panels decorated with bas-reliefs in wood, Josep Pey did not always sign his work. Although those who knew him personally still remember him as a particularly modest man, we believe that the fact that his marquetry work was

suggested and actually even designed by his customer, may have been a key factor in his reluctance to sign his work.

68. See "La inspiració txeca de Gaspar Homar" in Serra d'Or, Barcelona, February 15, 1977, no. 209, p. 50-51.

69. Mª T. Sala, Junyent, Nou Art Thor, Barcelona, 1988, fig. p. 16-19.

70. "Arts Industrials" in La Ilustració Levantina, Barcelona, December 16, 1900. no. 4. Cover.

71. B. Bassegoda, "Cuestiones Artísticas. Decoración Interior" in Diario de Barcelona, January 3, 1906. p. 73-75.

72. In 1975, the Museu d'Art Modern acquired close to one hundred drawings, out of a collection of 1107 drawings, plans and photographs belonging to Homar's descendants. All the other drawings were carefully photographed and the plates stored in the museum's department of photographic services at the Arxiu Històric de la Ciutat.

73. See "Barcelona" in Diario de Barcelona, December 22, 1899, p. 14177. "A cal Homar" in La Veu de Catalunya. Barcelona, December 22, 1910, no. 53.

74. See "La Noruège a l'Exposition Universelle" in L'Art Décoratif, Paris, October 1990, p. 21.

75. See the as yet unpublished article kindly supplied by M. Freixa and Sònia Hernàndez, "Gaspar Homar. Mobles, làmpares, mosaics, decoració. Canuda 4. Barcelona. Materials per al seu estudi." in Miscel·lània, MNAC, Barcelona. (forthcoming).

76. Bellaterra, Barcelona, 1927. no. 19.

77. Which we were able to see in what was his private home.

78. "Antiguitats" in Vell i Nou, Barcelona, September 1915, no. 8, p. 15 "The celebrated collection of Spanish-Arabic ceramics owned by the well-known antiquarian Mr. Homar, has lately been enhanced with four or five noteworthy examples in gold and irridescent blue."

79. I learned about this from my grandfather, an acquaintance of Homar's, who related how upset Homar was when the cabinet in which he displayed his collection of glassware was broken. A letter from Josep Gudiol to M. Josep Philippe of the Musée de Verre in Liège, dated April 30, 1963, mentions Gaspar Homar's important glass collection.

80. See Gaseta de les Arts, Barcelona, no. 70, April 1927 with its reproduction of an Italian painting. Vell i Nou, no. 49, August 15, 1917 contains a reproduction of a Milanese painting from the school of Leonardo Da Vinci.

81. According to Margarita Sistach Gassó, Gaspar Homar's grandniece, Homar travelled all over Europe acquiring objects for his own collection as well as for Francesc Cambó.

82. The González family archive, IVAM, Valencia contains an abundance of correspondence regarding the business dealings of Homar and Julio González. As an example, we quote the following undated letter González sent from Paris to his family in Barcelona.

"Since, according to Josep, he is going to be away from Barcelona for more than a month, I would suggest, if you agree, that you go to Homar's shop and tell him I have sold numbers 1,2,5,9 and 10 and therefore will be sending him 105 pts. The idea of going there personally is to tell him, without him thinking that I want to cheat or even take advantage of him, that his prices are really a little high [...] He has to realize that we pay the packing and transport; customs duties and the car [...] I would like him to take charge of the packing [...] So tell him that after doing a lot of running around I managed to sell the things despite what they cost me, just to make him see that I am able to sell things for him and so he will trust me for anything else he might send me. And if instead of sending little things he could send more important ones we could sell them even more easily."

See also undated letter from Julio González in Paris to Josep Bassó: "And now that I have taken steps and more steps and managed to build up a good clientele, Mr. Homar writes that he has changed his mind and doesn't want to sell anything else. It's too bad we did so much for him...

Oh, well, let's just forget about it and he can go to h....".

Catalogue

A certain eclectic spirit (1885-1895)

Gaspar Homar's first known work must be viewed in the light of his training in Francesc Vidal's workshop. According to Mainar,[1] Vidal rejected the use of jacaranda and dark stained woods, preferring to use lightly stained walnut and Slovenian oak. Vidal's furniture is marked on the one hand by the quality and personality of its carvings and, on the other, by the use of metal fittings and stained glass, features which Homar would continue to use throughout his career. Vidal's furniture revealed a quite eclectic spirit, although, as Fontbona[2] points out, his eclecticism did not involve adopting one historical style or another, but of mixing details from a variety of provenances (medieval, Oriental, Egyptian, classical), achieving a very particular look. Unlike the fragile Isabelline furniture popular at the time, Vidal's furniture was solid and sober and distinguished by the fact that he treated wood with the same care that silversmiths took when working with the metal and gems used to decorate it. This can be clearly seen in the pencil sketches Gaspar Homar produced while working at Can Vidal, which are so delicate as to resemble steel-point engravings. Here we can see the incised ornamentation in the friezes on the mouldings and the wood grain takes on almost tactile qualities. The furniture produced by Homar in the 1890s made a bold and precocious use of one of the modernista symbols par excellence: the whiplash curve, used in his curved-stemmed lilies. He also used mechanical motifs, such as cogwheels, as well as details reminiscent of Gothic and Oriental art. Although Homar moved away from his master's choice of materials and used paler woods – sycamore, boxwood and palissandre, among others – his concept of ornamentation remained close to that of Vidal.

As a good decorator, Vidal was familiar with the decorative repertoire most usual at the time and was able to teach Homar the aesthetic concepts of Owen Jones' Grammar of Ornament. Jones' book, which was extremely useful to students of architecture and applied arts, was a thorough study of decorative traditions throughout the world and even included designs from the Pacific tribes. Other noteworthy books in Homar's library were Racinet's Ornament Polychrome and the work published by Catalan Jaume Seiz, illustrated with one hundred plates printed in color, silver and gold, featuring more than 2000 decorative motifs from around the world. Both the self-portrait and the Oriental composition are chronicles of an era in which interest in ornamentation was at its peak.

A search for something new (1895-1915)

Gaspar Homar's modernista furniture expresses a desire to move away from historic styles. Although Homar sporadically produced reproductions – generally commissioned by his clients, such pieces are not particularly representative of either his talents or his taste and are therefore not included in this exhibition. Neither have we included furniture produced by Homar's workshops but designed by others.

At the turn of the century, Modernisme was one of the most appropriate aesthetic languages for expressing the new style of urban culture, and Homar's creations, along with those of Joan Busquets, rank among the best modernista cabinetwork in Catalonia. In terms of both craftsmanship and beauty, their works are contemporaries of, and comparable to, those of prominent furniture makers in other parts of Europe. Unlike some of their more avant-garde contemporaries, among them Antoni Gaudí, Josep Mª Jujol and Charles Rennie Mackintosh, their forms were not radically innovative. Perhaps Homar's most significant contribution was his way of using traditional typologies and techniques and giving them a modern twist, subtly changing them and adding ornamental touches that turned them into thoroughly original, impeccably finished pieces which greatly appealed to the bourgeoisie of the day. His most typical pieces are secretaires, sofa-benches and armchairs that reinterpret forms of the past, although he also produced such standard pieces of furniture as tables, beds with marquetry headboards and wardrobes. As a good modernista, Homar designed furniture that often served two or three different purposes: sofa-benches with display cases are frequent as are coat racks equipped with umbrella stands and places to store walking sticks. However, unlike Busquets who brought back the love seat, also used by Gaudí in Casa Batlló, Homar preferred the wardrobe-sideboard and the sofa-bench where there was room for bevelled glass and marquetry work. Homar's furniture is similar to that of Eugène Gaillard in that it is constructed with an eye to function, uses motifs taken from nature and introduces square ornamentation as an essential component. His furniture features bas-relief sculptures and openwork carving as well as marquetry work. The understated, formal elegance that is a hallmark of his work could only be the result of a close collaboration between artists and craftsmen. Its basic sobriety contrasted with an almost obsessive search for striking ornamentation, good examples of which are the Symbolist carvings signed by Joan Carreras (reminiscent of work by Charpentier) and Josep Pey's marquetry. Metal fittings also played a key role in Homar's furniture: hinges are left visible and elongated in stylized designs that are a modern version of a medieval tradition. All of Homar's furniture testifies to the painstaking care he took to bring together each and every element in a harmonious, integrated whole and to his skill in combining upholstery fabric, leaded glass, Alicante marble and a variety of woods to attain a notable richness of color. Unfortunately, many of the original fabrics have since been replaced.

Homar preferred to work with richly colored, silky-finished woods such as mahogany (particularly for straight chairs), cherrywood, whose compact surface, color and grain are very similar to mahogany; olive, known to him from his Majorcan origins, and oak. He decorated his panels with carved olive leaves, citrus fruit and roses, frequently using the réchampi technique and gilding, which revealed the influence of Francesc Vidal. His furniture was carved on every surface. While the sunflower embodied Joan Busquets' production of *modernista* furniture, the rose, either carved or in marquetry work, was unmistakably Homar's emblem. Although the decorative motifs used in his furniture were originally taken from Owen Jones' *Grammar of Ornament*, he later took his inspiration from the designs reproduced in Eugène Grasset's *La plante et ses applications ornementals*, which awakened his interest in botany as a source of ideas for decoration. Grasset's works were displayed in the section of works from abroad at the 1891 Exposició de Belles Arts in Barcelona and publicized in the Catalan magazines of the day. But it was the influence of architects like Domènech i Montaner and Joan Amigó that was to determine the course of Homar's career and his command of the *modernista* language.

A pioneer in the revival of marquetry work

Homar's use of marquetry is one of the most distinctive and refined touches in his work. He used a variety of woods in order to achieve the right tones without having to resort to analine dyes.[3] This technique was one of the keys to Homar's success. Although a deeply rooted tradition in Catalonia, it had fallen into disuse and was therefore one of the features that set him apart from other cabinetmakers at the outset of his career. Cirici dates Homar's use of unstained wood in marquetry at around 1896. He goes on to say that the art of multi-colored marquetry work was introduced to Europe by Emil Orlik,[4] who learned his technique during his long-time residence in Japan and later used it in his decorative panels. Posthumous references to Orlik do not mention this facet of his career, although they credit him with introducing motifs dear to japonaiserie. Be that as it may, an analysis of Gaspar Homar's pre-1900 furniture designs demonstrate how carving, so widely used in the Vidal workshop, gradually gives way to marquetry, serving as a perfect complement. Carving, marquetry and other materials such as metal, ivory and mother-of-pearl further ornamented and embellished Homar's furniture.

Initially, Homar outlined his floral motifs in metal. One of his favorites was the lily on a drooping stalk which appears on the front and side pieces of a number of his pieces. He then began to gradually introduce the Symbolist motifs that were to become a characteristic of his work. By 1903, the height of his *modernista* production, he had already developed the iconographic repertoire of his marquetry work: an angel with outstretched wings, which is a visual rendering of Apel·les Mestres' poem *Àngel de la Son*, allegorical figures of the seasons and music; Saints Michael and George and the much-venerated madonnas of Montserrat, Pilar and the Immaculate Virgin; designs reminiscent of Botticelli's quattrocento paintings; dance motifs, including the *sardana*; Joan of Arc; Leda and the Swan and descendants of Greek muses playing the harp, the lyre, the viola and percussion instruments. The female figure – which appears to be inspired by celebrated wasp-waisted Parisian dancer Cleo de Mérode, who adorned her hair with ribbons and flowers – is frequently depicted in a setting that features a pond or a forest abloom with lilies, orchids, dandelions, thistles, palmetto and oak leaves, which he combined with carved wooden roses – similar to those popularized by Margaret MacDonald in Charles Rennie Mackintosh's *Rose Boudoir* for the Scottish Pavilion at the 1902 Exposition in Turin; anemones and the citrus blossoms so abundant in Majorca and also frequent in the work of Viennese artists, particularly Olbrich. Oriental motifs are an essential feature of Homar's marquetry work and the Eastern influence is evident in both iconography and composition. His use of ornamental plant motifs and his pantheistic concept of Nature itself as well as the racial characteristics of some of his figures are a clear example of this. Moreover, his compositions are remarkable for their lack of perspective and their pronounced two-dimensional quality and *kakemono*-inspired format are further evidence of this Oriental influence.

Josep Pey[5] was the author of most of the designs, although Alexandre de Riquer, Pau Roig and the Junyent brothers also produced excellent work. All Homar's marquetry is distinguished by a painstaking study of composition and a perfect adaptation of the content to the frame, which is difficult to find in other marquetry work of the time. Although other cabinetmakers, such as J. Esteve i Hoyos, Joaquim Gassó and Joan Busquets also produced marquetry work and even used some of the same designs by Junyent and Pey (Busquets, in particular, commissioned designs from Pey), Homar's work was far superior. This was even mentioned in the press of the time, which reported that : "the results of some of the attempts to imitate him are completely different from the aforementioned works."[6]

J. Pujol Brull[7] was one of the first to define Homar's palette of wood, noting his particular use of magnolia, satinwood, ebony, green magnolia, palissandre and others. Subsequently, more than 40[8] different types of wood were identified in his work, although the most frequent were magnolia, sycamore, satinwood, thuja, Hungarian ash, American oak, olive, mahogany, lemonwood, majagua and palissandre.[9] Almost all the woods were imported – mainly by the Tayà family – and Homar personally selected and purchased the wood to be used in his works.

The varieties of tones he achieved through his broad palette of woods contrasts with the shades obtained by scorching the wood with hot sand or the use of certain acids. Homar rarely used the pyrography technique, which was frequently employed by Busquets and other furniture makers of the time.

The marquetry work was actually done by Joan Sagarra i Fills, employing a painstaking technique still used by Segarra's grandchildren who have carried on the family business. It is thanks to them that we were able to identify some of the most unusual varieties of wood.

Mosaic panels

Advertisements in various magazines of the time announced that mosaic tile work was one of Gaspar Homar's specialties. According to Cirici, Homar produced the tile panels in his workshops, improving the technique and randomly assigning employees to apply it. García-Martín, however, maintains that the tile work, particularly in the Arab and Roman styles, was not done at the workshop but commissioned from Italian tiler Mario Maragliano. The work of this Genovese craftsman is still pending study and, although we do not reject García-Martín's hypothesis, we prefer not to draw any conclusions. Neither is there any proof that they were produced by Lluís Bru, whose work includes the tiles on the façade and the stairway of Casa Lleó Morera. Be that as it may, Bru's craft lives on in his grandson, who was able to give us a good idea of the laborious process involved.

All the Bru family records[10] are preserved in their workshop, along with bits of tiles, probably defective shipments from the Pujol i Baucis[11] factory. These rejects were subsequently cut with a diamond point tool and their edges filed. They were then distributed in baskets and affixed to a surface previously treated with glue. This is the same procedure used in Gaspar Homar's tile panels. The difference is that Homar's compositions included figures whose faces and flesh are rendered in bas-relief.[12] Cirici reports that at first the faces and flesh were done with Venetian tiles and enamel glaze. Later, and influenced by the effect the Japanese achieved in renderings of faces and hands in their lacquer work and painted fans, Homar came up with idea of doing the bodies in relief. Antoni Serra Fiter, who ran the important company Manufactura de porcellanes i grès d'Art in Barcelona's Poble Nou district, reproduced sculptor Joan Carreras's plaster casts of heads and hands in white china. Production of tile panels using smooth tiles from Valencia and flagstones imported from England reached its height between 1904 and 1907, at which time Homar produced the panels for the Casa Lleó Morera and the Casa Navàs in Reus. Many of these ceramic tiles were enhanced with metal and mother-of-pearl appliqué work and were designed by Josep Pey, who often used the same designs in his marquetry panels.

Metalwork

While cabinetmaking was a Homar family tradition, metalwork was an entirely new field for Gaspar Homar and his apprenticeship in Vidal's crafts workshop was a vital part of his training. Publications of the times[13] already praised Vidal's mastery of the smith's craft, which enabled him to give even base metals a severely elegant beauty. Homar acquired a good all-round knowledge of metalworking and its techniques during his years with Vidal and when he went into business for himself he designed and produced lanterns, lamps, chandeliers, candelabra and street lamps, sometimes using the repousée technique, other times engraving, polishing and giving a patina to these metals. Electric lighting was becoming common in all major cities and Homar was forced to adapt his gas lamps to this system. He used adaptations of *modernista* motifs in his lamp designs: dragonflies and stylized floral motifs were adapted according to the purpose of the lamp and the lighting system employed.

At a considerably later date, the magazine *Vell i Nou* dedicated several pages to Homar's dining room lamps made only of bronze and glass, with wool cords replacing the usual chains. Coat racks, umbrella stands, grilles and planters were also part of his catalogue of designs conceived exclusively for this ductile and malleable material. Other items of furniture – among them sofa-benches and umbrella stands-coat racks – used metals in twisting, sinuous forms, depicting a sunflower at their base.

Commissions to decorate some of Domènech i Montaner's most important buildings (Casa Navàs in Reus, Casa Lleó Morera in Barcelona and the VIP Pavilion for the Institut Pere Mata in Reus) enabled him to do some of his most noteworthy work. Other examples which should not be overlooked are his work for Sastreria Morell on Carrer Escudellers,[14] the office of *La Vanguardia* 's managing editor,[15] and the impressive lamps with Celtic motifs produced for Casa Burés.

Textiles

Art Nouveau brought a renewal to all branches of the applied arts, but it attained its most original expression in the field of textiles. Gaspar Homar's original designs are a record of this specialty which played an important part in his repertoire of decoration. They took the form of designs for draperies, upholstery fabrics, headboard coverings and hand-painted panels, these last by Josep Pey. Prints on plush and velveteen, initially featuring flowers on drooping stalks, whiplash curves and narrow gold-embroidered edging are an inherent part of the furniture: straight chairs, armchairs and sofas upholstered in velvety cloth in soft mauves and pale greens are characteristic of his work. Unfortunately, years of wear means that much of the surviving *modernista* furniture no longer has its original upholstery. The furniture for the Casa Navàs in Reus is an exception and provides an interesting counterpoint of tones that contrasts with other features of the furniture, particularly the marquetry work. Our research even uncovered a design for a chasuble, which was never made up, and also a tapestry featuring blue lilies, a motif which was to become a symbol of Homar's company, commissioned by the Tayà family.

Some of the newspapers and magazines of the time carried reports on Gaspar Homar's fabric designs. Embroidered motifs for use in *modernista*-style draperies are reproduced in full color in *Documentos de Arte Español*. They feature roses with curling tendrils and brightly colored citrus motifs in reds, yellows, pinks and pale greens. *Joventut* magazine [16] praised his printed curtains, produced in collaboration with painter Pau Roig and displayed in Homar's shop on Carrer Canuda. The magazine considered him a master in this field. "Every curtain is a work of art beautifully resolved by Mr. Homar, the first person in our always so backward country who decided to study the art of fabric printing and solve all its problems, thereby setting an example for others who could easily have afforded to do it ".

Some of Homar's designs were probably produced by Fills de Malvehí, a firm which also worked for Busquets, and specialized in printing on silk and other textiles. However, it is possible that they were produced in Homar's own workshops, which employed highly skilled craftsmen working in all branches of interior decor.

A particularly noteworthy example of Homar's use of textiles in the *modernista* period was his design for handwoven woollen carpets. Decorated with floral motifs, their shapes and sizes varied in accordance with the space they were to occupy. The carpets for Casa Lleó Morera are good examples: semi-circular rugs for the balcony rotundas, rectangular carpets for the main salons, smaller pentagonal forms for use as hearth rugs.

Gaspar Homar's interest in textiles is directly linked to his activity as an art collector. In 1921 the Board of Museums purchased a fragment of Byzantine silk and cloth for the Museu d'Art Decoratiu i Arqueológic. Homar was not the only collector of antique fabrics. Other important collections belonged to Miquel i Badia, Guiu and Josep Pascó, all of which later became part of the collection of the Barcelona municipal museums. In questioning the purpose of these collections, Miquel Utrillo [17] concluded that they provided inspiration for new work.

As Rosa Ma. Martín points out, appreciation and love of these antique objects contributed towards a renewal of textile production which responded to the influence of William Morris and his Arts and Crafts movement by adapting *Modernisme*'s decorative repertoire.

Notes

1. J. Mainar, *El moble català*, Barcelona, Ed. Destino, 1976.
2. "L'Art en el Cercle del Liceu" in *El Cercle del Liceu. Història, Art, Cultura*, Barcelona, Edicions Catalanes, S.A. 1991.
3. Up until then wood had always been stained, which is not surprising considering its high cost. See article "Técnicas" in *Arquitectura i y Construcción*, Madrid/Barcelona, January 1904, no. 138, p. 31; "Cotización de las Maderas" in *Estilo*, Barcelona, February 7, 1906, No. 1, unnumbered page. The magazine *El Arte Decorativo* describes procedures for using ammoniac fumes to darken holm oak so that it resembles ebony. A preparation known as "beer paint" was used to imitate oak, mahogany and other fine woods.

4. M. Pabst, *L'Art Graphique a Vienna autour de 1900*, Paris, 1985, p. 338; *Emil Orlik* (1870-1932), Lehmbruck-Museum, Duisburg, 1970; H. Singer, *Meister der Zeichnung von Emile Orlike*, Leipzig, 1912. My thanks to MNAC librarian Ruth Terrassa, for her translations of the German publications.
5. According to his nephew, Santiago, Josep Pey kept a small box containing samples of exotic and imported woods, which he used to lay out his compositions and select the colors of the veneers.
6. J. Pujol i Brull, "Marqueteria. Plafons decoratius" *in Il·lustració Catalana*, Barcelona, June 21, 1903, no. 3, p. 43.
7. J. Pujol i Brull, idem.
8. "La casa de mobles Homar" in *La Veu de Catalunya*, Barcelona, May 20, 1922, no. 8.166, p. 13. A. Cirici, *El Arte Modernista Catalán*, Aymá Editor, Barcelona,1951, p. 257. J. Mainar, *El Moble català*, Ed. Destino, Barcelona 1976.
9. The magazine *La Madera y sus Industrias* is a particularly valuable source of information about wood. The following articles proved extremely helpful in our research: "Especies Maderables. Haya americana" in *La Madera y sus Industrias*, Barcelona, January 1931, no. 126, p.13-14. "Especies Maderables. El abedul " in *La Madera y sus Industrias*, Barcelona, December 1930, no. 125, p.11-13. C.J. Van Dick "Maderas exóticas: La caoba" in *La Madera y sus Industrias*, Barcelona, August 1930 no. 121, p.11-13.
10. The Bru family ledgers and correspondence do not mention Gaspar Homar.
11. The Pujol i Baucis factory in Esplugues de Llobregat was the most important supplier of tiles for professional specialists and architects. In his study of this company, Pia Subias lists a number of architects, designers and customers who dealt directly with the Pujol family. Gaspar Homar's name does not appear in the records consulted.
12. We were able to verify Cirici's report of what Homar told him. We located an example of this earlier tile work, in which the relief technique is not used.
13. C. Pirozzini Marti, "Arts Industrials" in *La Renaixença*, Barcelona, February 7, 1883, p. 810-811.
14. "La sastreria i la camiseria d'Enric Morell" in *Ilustració Catalana*, Barcelona, December 13, 1903, no. 28, p. 358.
15. *Arquitectura y Construcción*, Madrid/Barcelona, July 1904, no. 144.
16. "Novas" in *Joventut*, Barcelona. November 8, 1900, no. 329, p. 624.
17. M. Utrillo, "Per què serveixen els teixits antics" in *Forma*, Barcelona, 1906, vol. II, no. 15, p. 109.

The homes of the Barcelona bourgeoisie in the *modernista* years: a new life style[1]

Mireia Freixa

An exhibition of the work of *ébéniste*-decorator Gaspar Homar is a good time to discuss a number of issues related to the development of architecture in the *modernista* years. Even the most superficial view of the architecture of the period reveals that its expressive beauty is not only the work of architects but also of the innumerable artisans and craftsman who collaborated with them. But we cannot forget that *Modernisme* would not have been possible without clients who were prepared to invest in the new style. When we analyze homes, the objects they contained and the people who used them, a whole new field of research opens before us. Broader in scope and necessarily interdisciplinary, such an analysis soon reveals that the taste that dominated Catalan society at the turn of the century was the taste of its most powerful class: the industrial bourgeoisie. Familiar with lifestyles in other European capitals such as London and Paris, the local bourgeoisie borrowed their customs, adapting them to a society that was excessively hermetic, a society whose artisan traditions lived on as did the memory of the Carlist revolt. This essay aims to review the broad range of applied and decorative art in *modernista* domestic architecture, moving beyond the objects themselves to define the framework in which these objects were placed – a new concept of housing which reflected the concerns of the men and women who used them.

Architects, engineers, decorators and other professionals

The complicated process of designing a home involved a large number of people: artisans and industrialists, architects and engineers, and also *tapissers* – who were the first to work as interior decorators or designers as we know them today. And we must not forget that the tremendous demand for their work was partly due to the construction of Barcelona's Eixample, which, more than a new neighborhood was a whole new city adjacent to the old medieval quarter. During the Restoration, Barcelona was the engine of all the economic, cultural and political activity in Catalonia and was unarguably the capital of the network of surrounding industrial cities and other provincial capitals, a phenomenon which was also mirrored in the building industry.

The outlook for the architect's profession was such that it was essential to train highly skilled professionals. This led to the creation of the school of architecture, which began its classes in the 1875-1876 school year.[2] Architects (and Lluís Domènech i Montaner was to be an outstanding example)[3] were true promoters, surrounding themselves with a whole array of specialized industrialists and highly skilled craftsmen. At the same time, a number of companies guaranteed a supply of not only the most strictly construction-related aspects but also complementary household equipment.[4] Indústries d'Art, a company run by Francesc Vidal i Jevellí was a model industry, with its workshops for carpentry, light iron work, casting and design providing complete equipment for the home. It is significant that in 1884 Vidal was to move his business from the center of town and set up operations in the Eixample district, close to his newest customers. Architects, artisans and businessmen took a very active part in the debate over the development of industry and applied art which raged throughout the second half of the century. During this period there was a great deal of controversy about the "suitability" of decorative arts, the borderline between beauty and utility and the consequences of mechanization.[5] But modernization of the home was not just the work of architects, craftsmen and decorators, but also of engineers who were the people who made possible the mechanization of the home.

If we analyze more closely the activity of architects and engineers, we are first struck by their tremendous scientific curiosity and their technical preparation. We have studied in detail the education they received, the books to which they had access and the journals they read or published.[6] We discovered, for example, that the official publications of the associations of architects and industrial engineers, the *Anuario de la Asociación de Arquitectos de Cataluña* and *Boletín de la Asociación de Ingenieros*, both constantly cited a large number of European and American publications. The same was true of *Arquitectura y Construcción*, a publication managed by Catalan architect Manuel Vega i March which was widely circulated throughout Spain. A study of these publications reveals their sources of information (both in terms of style and techniques), the models that inspired them and how they adapted theories formulated in Great Britain, France, the United States and Germany to Catalan society.[7] But though these engineers and architects demonstrated tremendous technical knowledge, they were thwarted by the conservative attitudes of many property owners and a genuine lack of demand. Very few people could even aspire to the latest innovations and, in any case, engineers, architects and decorators were also overly cautious about applying the new technology to private homes.[8]

Private architecture during the Enlightenment

Before the 18th century and the Age of Enlightenment, architectural literature did not deal with the private home. Sixteenth century writings provided the basis for construction techniques, but they were rooted in studies of ancient times and defined architectural orders which were essentially perceived as the foundation of architectural design. Architecture was viewed as a problem of style and proportion. Only Palladio's writings included plans of his buildings and their layouts responded to the laws of symmetry and the regularity of the façade, but did not address the issue of functionality.[9] Logic in layout was of secondary importance. Nothing even remotely resembling what we could call a culture of "the home" was even formulated until the Enlightenment, when attention was turned to the function of housing and radically different life styles were proposed.

The end of the ancient regime saw a drastic change in the way the family was organized. The former patriarchal family that saw the home simultaneously as the core of the family and an occupational structure gave way to the idea of family which has marked all contemporary history. It became something more intimate and private[10] and this new concept of the family gave rise to a social system that was divided into a public sphere, an eminently masculine world of production and contacts, and a private or domestic space which was the female province. As a consequence, the Enlightenment saw the advent of literature dealing specifically with private architecture.[11] The works of Jacques-François Blondel, *De la distribution des Maisons de plaisance et de la décoration des edifices en general* (1737) and *Cours d'Architecture Civil. Cours d'Architecture au Traité de la Décoration, Distribution et Construction des Bâtiments* (1771-1777),[12] were the first to define the new typologies. Blondel questioned the layout of rooms, insisting that the magnificent architecture of ancient times should be combined with a good layout. "Rational" and logical layouts signalled a triumph over the symmetric floor plan, and were described by Blondel as "comfort", long before the word took on its contemporary meaning.[13]

Enlightened Spanish treatise writers also contributed decisive insights. One of the first to address the issue was the widely circulated book *Escuela de Arquitectura civil en que se contienen los órdenes de arquitectura, la distribución de los planos de Templos y Casas y el conocimiento de los Materials* (1738),[14] by Athanasio Genaro Grizgur y Bru. In the last years of the century, Catalan Benet Baïls produced a noteworthy book entitled *Elementos de matemática* (1772-1783), the first part of which was a "Tratado de Arquitectura Civil".[15] Baïls, born in Sant Adrià del Besos and educated in Paris, spent his professional life in Paris and Madrid, but maintained his links with Catalonia and was a member of the Academia de Ciencias Naturales y Arte in Barcelona. Much of Baïl's book was devoted to discussing the logic of layouts that are in open disagreement with Palladian typologies.

By the mid-19th century, private architecture was an essential ingredient in treatises on architecture, among them the *Traité d'architecture contenant des notions générales sur les principles de la construction et sur l'histoire de l'art* by Léonce Reynaud (1850)[16] and the work of his follower Bernardo Portuondo, *Lecciones de Arquitectura* (1877).[17] The typologies continued to be standard: the palace, the town house and the villa or rural dwelling, and discussions on theory took precedence over the logical functioning of the household. The construction of Hausmann's Grand Paris drew attention to the multi-family dwelling that consisted of several apartments, which became the typical form of housing in the capitals of continental Europe.[18] The configuration of the Grand Paris had an extraordinary impact on the construction of major capitals and other European cities. In this context, two important books were published, dealing specifically with the architecture of multi-family dwellings: César Daly's *L'Architecture privée au XIXe siècle sous Napoléon III: Nouvelles maisons de Paris et ses environs* (1864) and *Habitations modernes* (1875) by Eugène Viollet-le-Duc.[19] Neither book is presented as a treatise. In fact they present simple repertoires of contemporary architecture and are not addressed solely to specialists but also to a broader public interested in shaping its own ideas about its dwelling places.[20]

Both books emphasize the importance of a building's outside appearance and the concept of its interior, but César Daly went further, maintaining that the layout and concept of the interior are more important than the façade.[21]

"Apartments" in the Eixample district: a point of reference

The new multi-family buildings constructed in Barcelona's Eixample district, particularly in the area now so aptly known as the Quadrat d'Or,[22] or Golden Quadrangle, became the unquestionable point of reference for new buildings. No matter what the typology, single and multi-family dwellings, rural and urban, prosperous homes and housing projects were all inspired by the layouts, equipment and even the most strictly ornamental or decorative details of the Eixample models.

The latest research[23] on the building process in the Eixample district provides evidence of the typologies of housing in the different parts of the neighborhood and how they evolved over time. Thus, we are now able to pinpoint the areas that were occupied primarily by construction-related industries and see how the housing itself was distributed by social class. In the first stage of development, which lasted until 1888, buildings were of one type. During the last decade of the century, this model was replaced by the architectural typology now considered typical of the Eixample: the flat with a long hallway and rooms at both ends.

As Tafunell has demonstrated in his studies, construction in Barcelona followed the rhythm of the economic cycle: it was not limited to the independently wealthy who planned to further supplement their incomes with rents from their tenants.[24] As of 1870, construction activity registered a continuous increase, which was due to a number of factors, among them the repatriation of funds as a result of the Cuban crisis and the years of "gold fever" when many palatial homes were constructed. This boom period lasted up until 1882, when Barcelona's stock market crashed and the agrarian economy was plunged into a general recession. Several financing companies[25] began to develop the Eixample in accordance with a building code that had been drafted in 1856, before the district was developed.[26] The first appearance of the Eixample had nothing to do with the way it looks today. Although even then there were signs of the hierarchical distribution by zones that has survived until today, the typology of both the simple working class homes and the palatial residences located in the central areas was totally different.[27] Single family homes, inspired by the French "hôtel" described by César Daly, set the tone in the heart of the early Eixample. Apartment buildings usually split the ground floor into a sunken area and a mezzanine because mezzanine apartments earned a greater profit than shops. The building code aimed for a certain standardization that tended to unify the appearance of the façades and promoted a single style whose roots were unquestionably eclectic. The most amazing thing is that in the short space of just ten or fifteen years, these buildings were replaced by multi-family homes, a waste only explained by the tidal wave of speculation that swept Barcelona in the final years of the century.

Building boomed as of 1887 and in the years just after the Exposition of 1888 when a great deal of money was invested in build-ing rental property.[28] New buildings were constructed and old buildings replaced. Town planning decisions also spurred the boom: the Riera d'en Malla, a creek that flowed down what is now the Rambla de Catalunya, was covered over, giving the city a new emblematic street; the stretch of Gran Vía between Plaça Universitat and Plaça Espanya was developed in 1887 and lastly, Plaça de Catalunya was developed in 1902. In these years, the shopping district and later the residential area shifted towards Central Eixample[29] as outlying areas were annexed to the city and Greater Barcelona was born with the Eixample as its heart. At the same time, the poorer classes began putting down roots in the more deteriorated areas of Ciutat Vella, abandoned now by the well-to-do classes. Living conditions there were far more difficult and the old town was not equipped with even a minimum of modern conveniences. In fact, running water and electricity were not introduced until the beginning of the new century.[30] The change in building typology was also a result of the 1891 building code, which was more lenient in terms of ornamentation on façades. Oriels could now be constructed, providing a special fee was paid. And whereas the former code had required all buildings to be topped by balustrades, the new regulations allowed all manner of flights of fancy, arbors, etc. Indeed, the new building code permitted decorative liberties which opened the door to eclectic and *modernista* orna-mental features.[31]

The arrival of modern conveniences

Modernista homes were the first to be organized with an eye to convenience.[32] Elevators eliminated the need to trudge up long flights of stairs; lighting – whether gas or electricity – was a reality; modern kitchen ranges facilitated cooking and ensured a supply of hot water; the first central heating systems were introduced, and sanitation was radically improved with running water and fully equipped bathrooms. In short, "comfort" had arrived. Most of the technological innovations were first adopted by the business community, then introduced in the more prosperous homes and finally reached the more humble social classes. At first access to modern conveniences was limited solely to well-off families living in new buildings in Barcelona or other industrial cities in Catalonia. Outside the cities, only the summer homes of the wealthy were equipped with modern conveniences and were more or less a prolongation of their permanent residences. Much of this modernization took place in the 1890s, beginning with approval of the 1891 building code, which introduced important innovations in terms of improved sanitation and facilities.[33]

1. Modern sanitation and bathrooms

Lack of sanitation was an endemic problem in Catalonia's urban areas. The situation was intolerable in cities like Barcelona, and the voices of concerned citizens had been raised in protest since the latter part of the 19th century. In 1891[34] a sanitation plan was approved, largely as a consequence of the 1885 cholera epidemic, and a series of actions was taken. Pere Garcia Faria helped draft the final version of the plan, which was farsighted enough to address the problem not only of Barcelona itself but also the Eixample district and the outlying villages which had not yet been incorporated into the city.

The water supply was one of the principal unsolved problems. Handled by a private company, the quality was not always guaranteed – which explains why water purifying devices were so popular throughout the century. In 1895, Societat General d'Aigües de Barcelona, the leading water company, was supplying 116 liters per inhabitant and day. The following year water was brought from the Garraf area and the problem was solved. Sewage disposal was another problem that had existed for centuries. Emergency solutions had always been found but it was now vital to seriously address the problem. A new sewage system was designed by Garcia Faria and construction took place, despite property owners' reluctance. The new system required a considerable flow of water and rendered former systems of waste removal obsolete. The advent of running water and the popular "water closets" helped the sewage system function correctly and washbasins and privies began giving way to modern bathrooms.[35]

Sanitary fittings as we know them today were already included in manufacturers' catalogues, but a change in attitude was needed before they became commonly used. Up until then, the idea of hygiene did not involve bathing, but was restricted to washing household linens and underwear.[36] Baths, which were previously taken for pleasure or by medical prescription, began to be taken simply for hygiene's sake and went hand in hand with an increasing desire for privacy. Bathrooms were inspired by the French boudoir and dressing room adjacent to the bedroom. Little by little bathrooms ceased to be incidental rooms and became laboratories full of equipment for personal grooming. *Modernista* bathrooms were mid-way between the two extremes. They were large and the sanitary fittings were disguised by whatever type of decoration happened to be fashionable. Washbasins were reminiscent of the antique dressing table: a flat top mounted on four legs and dominated by a large mirror. Drains and pipes were hidden. Bathtubs often had lavish names such as "Roman-style" and toilet seats were elaborate Rococo designs. The simplest of sanitary fittings – the shower – first became popular in army barracks and prisons.[37] The role of hotels in spreading modern sanitation should not be overlooked. By the end of the century, American hotels already boasted very modern equipment and often included "en suite" bathrooms.

Indeed, the first references to complete bathrooms in the city of Barcelona are found in reports of the Hotel Internacional, constructed by Domènech i Montaner on the occasion of the Universal Exposition. The rooms were equipped with WCs. and bathrooms, and the most luxurious rooms even had separate powder rooms.[38] By the end of the century many prosperous homes enjoyed the luxury of a proper bathroom. Among the companies that offered the most complete selections of bathroom fittings were Francisco Sangrà, Verdaguer y Cía and Lacoma Hnos.[39] Their catalogues included a full range of sanitary fittings and complete bathroom facilities for a variety of prices. All modern bathrooms had to be equipped with hot water, which was obtained from a tank built into the cooker or a coil heated over the burners. However, the first gas heaters[40] were introduced at the 1888 Exposition and became very popular at the beginning of the new century. Dealers' catalogues furnished full information about installing bathroom fixtures, safety regulations, ventilation systems, etc. Sangrà's water heating systems had names like "El Rápid", and "Vulcano" which eloquently described the speed at which they worked. A similar, wood-fired model was called "El Bosque".[41]

2. Elevators, another item of *modernista* furniture

Elevators were among the new devices featured in buildings in the Eixample district. Their curvilinear forms have made them one of the most popular examples of *modernista* design. The earliest references we were able to find mention "elevators" but they were actually dumb waiters and freight elevators ordered by Lluís Domènech i Montaner for his Cafè Restaurant and Hotel Internacional for the 1888 Exposition.[43] These were electrically powered machines, but they were exceptions. The first elevators installed in Barcelona were equipped with hydraulic motors that required a large amount of water. Towards the end of the century they began to be replaced by electrically-powered elevators, which were advertised as being less expensive and safer. The first information about electrically-

powered elevators appeared in an advertisement for La Industria Eléctrica de Barcelona, a licensee of the Geneva-based Compagnie de l'Industrie Éléctrique. The advertisement appeared in the 1898 *Anuario de la Asociación de Arquitectos* and included the building plans in what is a true lesson in mechanical engineering. The following year, *Arquitectura i Construcción*[44] published a report on the electric elevators that had been presented in Paris and recommended that old elevators simply be updated by replacing the hydraulic mechanism with a dynamo. Jaume Fabre and Josep M. Huertas[45] recall the popular belief that the first electrically-powered elevator was installed in 1897 in a building on Passeig de Sant Joan. The elevator in Puig i Cadafalch's Casa Amatller dates from this same time.

Once the new century was underway, elevator advertising began to change its tone. It no longer referred so much to the technical qualities of elevators as to their beauty and functionality. Photographs illustrated their safety, the convenience of electric buttons rather than old-fashioned levers, and the modern designs of the *cambrils*, or cages, lavishly decorated in the best *modernista* style. Of all the advertising produced, Stigler's is particularly worthy of note because it includes the company's production figures: sixty elevators a week. Stigler installed 4,700 elevators in 1905 and 6,000 in 1907.[46] The advertising photographs and the elevators that still survive in many buildings offer a new field of research into the use of ornamentation which ranged from the utterly eclectic to the most daringly *modernista*.

3. The advent of gas and electric lighting

Charles Lebon and banker Pere Gil were responsible for Catalonia's first experiments in gas lighting. In 1842 they set up Sociedad Catalana para el Alumbrado por Gas which was to become the most important company of its kind, eventually taking over the smaller gas companies in Catalonia.[47] In the last years of the century, they joined forces with Gas Municipal and founded the Central Catalana d'Electricitat with headquarters in a magnificent building designed by architect Pere Falqués (1896-1897). Creation of this company is symbolic of the power struggle between gas and electricity, the new source of power which was to eventually dominate the lighting market. Also at a very early date, physicist and optician Tomàs J. Dalmau and Narcís Xifra,[48] an engineer from Girona, founded Sociedad Española de Electricidad (1881), the first of many similar companies that were to open throughout Catalonia. They introduced voltaic arc lamps as a means of lighting some public streets, businesses and institutions, but had a limited success with private subscribers. When the company was plunged into crisis, the Compañía Barcelonesa de Electricidad was founded. The majority shareholders were foreign companies – AEG and Lyonnaise des Eaux et de l'Éclairage – which engaged in a fierce battle with

Central Catalana d'Electricitat for control of the Barcelona market. The competition between the two companies led to a drive to attract customers and they offered free installation in private homes. According to Garrabou,[49] the fact that the gas supply was limited to urban areas meant that the use of electricity spread quickly throughout Catalonia. Small power plants opened all over the country and in 1886 Girona was the second city in Europe to be equipped with electric street lamps.

But the introduction of electric power was not easy. Setting up a power transmission grid was a complicated process and meant that the service was overly expensive. Moreover, gas distributors turned out to be very tough competition.[50]

Thomas Edison's incandescent lamp revolutionized electric lighting. Glass bulbs containing a charcoal filament that produced light through overheating were introduced in Catalonia in 1880.[51] In 1893, gas companies countered by introducing the Auer system,[52] a small bulb-shaped device that fitted over the flame and gave a very intense white light. The Auer system could be easily adapted to all types of lamps and was a good alternative to electric light bulbs, particularly because gas was much more economical. However, the situation changed when the Nerst lamp, which consumed far less electricity than any previous model, appeared on the scene (1912), The number of subscribers to Compañía Barcelonesa de Electricidad went from 5,763 in 1885 to 12,418 in 1910 and 22,480 in 1912.[53] But for a long time, gas continued to be the most important source of domestic lighting.[54] Many homes had a mixed system. Entry halls and corridors were equipped with electric light, while gas continued to be used in the reception rooms. It is interesting to note that many of the lamps designed by Homar and his contemporaries were equipped to use both systems.[55]

By the beginning of the century power could be transported over longer distances and electrification became widespread. Large hydroelectric companies were founded, small power companies disappeared and the electrical industry became more rationally organized. As more and more homes were equipped with electricity production of small appliances boomed. Among the most popular were vacuum cleaners, electric toasters and particularly electric door bells, which were an extremely popular item.

4. Heating and the kitchen

The kitchen was one of the spaces that underwent a radical change in the second half of the 19th century. Carme Baqué, Jaume Clarà and Ester Pujol have published a study, *El foc engaviat* ("Caged Fire")[56] whose title accurately describes the tremendous contribution that kitchen ranges made to controlled heating. Ranges permitted a rational use of fuel, hence the name *"cuines econòmiques"* by which they were known in Catalonia. Moreover, the new stoves made it possible to use either the

burners or the oven. Many of them were equipped with hot water storage tanks and other accessories such as small holders for double boilers, etc. Cookers came in all sizes and a variety of designs and could be either coal or wood-fired. They were soon installed in most homes. Stove repairers and purveyors of sanitary fittings were the companies that published the most advertisements in trade magazines and had the most complete product catalogues.[57]

One of the most important features of modern comfort was central heating. Radiators filled with hot water kept the various rooms of the house warm. Fernández-Galiano has compiled a lengthy bibliography which demonstrates that heating technology in the second half of the 19th century was midway between the pragmatic approach of the Anglo-Saxons and the more theoretical French approach. Judging from the publications in the historical archives of the Universitat Politècnica de Catalunya,[58] the French approach would appear to have been the most widely accepted here. Steam, water and hot air heaters were exhibited as early as the 1888 Universal Exposition.[59] However, heater manufacturers did not begin advertising regularly in publications such as the *Anuario de la Asociación de Arquitectos* until after 1905.[60] Advertisers were usually manufacturers of cooking ranges who produced heaters as a sideline. Radiator production was probably monopolized by the French Compagnie National des Radiateurs, a subsidiary of the American Radiator Co.[61]

As Fernández-Galiano has pointed out[62] the process for controlling fire and heat throughout the 19th century – and, I would dare to add, until the present day – involved trapping it, subduing it by means of pipes and relegating it to the cellars. But, at the same time, fireplaces – the hugely magnificent *modernista* fireplaces – became synonymous with comfort, although they were never used and their sole purpose was to serve as a status symbol.

5. Communications: the telephone

Telephones too found their way into the home. Only a year after Bell patented his invention in Philadelphia, the Escola Industrial connected two classrooms and Barcelona's first experiments in telephone communications took place.[63] The next step involved experiments with the army's telegraph line and by 1878 Bell telephones were being sold and experiments with connections between Girona and Barcelona were under way. Arroyo and Namh date the first telephone company in 1882 when Compañía General de Electricidad, Telefonía, Fuerza y Luz Eléctrica applied to the City Council for permission to install a small switchboard with 50 lines for public use.[64] At first telephone services were provided by private companies, while the battle raged over whether they should actually be a public utility. Finally, a mixed system was decreed[65] much to the relief of Catalan specialists, who were always wary of public management by the Spanish state.[66] The telephone was used more for business purposes than for private communication,[67] though internal phones were a great success, particularly in the large homes outside of town. These devices were advertised by Olió Hermanos, opticians and electricians in 1899.[68] Located at Rambla del Centre 3, Olió Hermanos sold not only all manner of optical instruments, thermometers, barometers, etc. but also installed and maintained electric lighting, telephones and "speaking tubes". Unlike many other innovations of the time, the first telephones were strictly functional in design. Nevertheless, they are now unusual museum pieces.

Conclusion. Moving towards domestic privacy

To conclude, we will briefly examine the domestic surroundings. Privacy, as a symbol of quality of life, became increasingly important throughout the 19th century, while at the same time a family moral and social code was taking shape. The direct outcome of this was a concept of the home in which the roles of each member of the household were exemplified by the spaces to which they were assigned.[69] The 19th century bourgeois residence was characterized by three clearly-defined areas: the public or reception area, the private quarters and servants' quarters while the working class home was divided into two areas: bedrooms – kitchen and WC.[70] The evolution of 19th century architecture was a long process aimed at discovering how to integrate the three areas in order to preserve privacy and facilitate the introduction of the latest in modern conveniences.

Until about 1878, multi-family dwellings[71] in the Eixample district continued to be laid out in the typical old-fashioned style but with adaptations to the new urban typology. Features such as the multi-purpose *"sala i alcova"*, derived from the French *"appartement"*, lived on as did the enfilade which aligned interior doors in order to provide a vista and also organized the traffic flow through rooms and ante-chambers.[72] Moreover, other archaic solutions were maintained, among them locating dining rooms in the interior with ventilation provided by a courtyard. In humbler homes, the latrine continued to be located in the rear gallery.

As of the 1870s, the typical Eixample floor plan began to take shape. Staircases were moved to the central hallway next to an inner courtyard. Kitchens and bathrooms were concentrated in the central part of the house, opening on to smaller inner courtyards or on to the main one if the building was smaller. But probably the most outstanding characteristic of this layout was the lack of a clearly defined space for bedrooms, which were scattered throughout the flat. This was due to the fact that the two public rooms, the dining room and the main salon, were placed at the two extremes; the dining room at the back and the main salon overlooking the street. Thus, the private rooms used only by the family were anywhere in between. Only the gallery, a covered space at the very rear of the building, could be considered a space purely for domestic use. The den, adjacent to the front door, became a male space par excellence. At the same time, corridors were shifted to the side of the building that overlooked the courtyards, thereby simplifying the traffic flow. This is a characteristic that remained unchanged and survived even in buildings constructed after the Spanish civil war.

The way the Eixample itself is laid out, with its 8-sided blocks, determined the typical floor plan and had numerous advantages, among them a correct N-S or E-W exposure. It also facilitated the introduction of modern conveniences by placing the kitchens and bathrooms around the inner courtyard. Nevertheless, this sort of layout is in clear contradiction to what is a common tendency in all domestic architecture in the Western world: preserving the family privacy. In contrast, the floor plans in the Eixample buildings could almost be said to be "promiscuous" in their use of space. With rooms opening off both sides of a central hallway, the entire home became a public or semi-public space, deserving of lavish decoration, an ideal setting for the work of *modernista* decorators like Gaspar Homar.

Notes

1. This research was carried out within the framework of the Grup de Recerca sobre Art Català del Modernisme al Noucentisme, financed by the Secretaria General de Universidades (PB95-0849-CO2-O1) and the Generalitat de Catalunya (1997 SGR 00231.

2. See *Exposició commemorativa del centenari de l'Escola d'Arquitectura de Barcelona. 1875-1876/1975-1976*. Escuela Técnica Superior de Arquitectura de Barcelona, 1977.

3. This was the leit-motif of the exhibition *Lluís Domènech i Montaner i el director d'orquestra*. Fundació Caixa de Barcelona, 1989.

4.The bibliography on decorative and industrial arts in the *modernista* years was discussed in depth in the exhibition catalogues, *Exposición de artes suntuarias del modernismo barcelonés*. Ayuntamiento de Barcelona, 1964 and *El Modernismo en España*, Dirección General de Bellas Artes, Madrid, 1970, and in Alexandre Cirici, *El arte modernista catalán*, Aymà Editor, Madrid,1951. Among the most recent publications are the series of articles included under the heading "Arts decoratives i industrials" in the exhibition catalogue *El Modernisme*, Olímpiada Cultura-Lunwerg Editores, Barcelona, 1990 and the exhibition catalogue *Arts Decoratives a Barcelona. Col·leccions per a un museu*. Ajuntament de Barcelona, 1994, which included the essay by Pilar Vélez, "A l'entorn de l'origen dels museus d'arts decoratives, de 1851 fins el modernisme", pp. 20-29.

5. This is a relevant issue which has been discussed in other publications, among them the exhibition catalogue *Arts Decoratives a Barcelona*. cited in Note 3; Vicente Maestre Abad, "L'època de la industrialització (c.1845-c.1888). Anotacions a l'ebenesteria catalana del segle IXI" *in Moble català*, Generalitat de Catalunya, Barcelona, 1994, pp. 80-111; the section entitled "La recerca del bell en l'útil" in the article by Teresa M. Sala in the same book; and Anna Calavera, "Los antecedentes" in "Diseño del mueble en España 1902-1908", monographic issue of *Experimenta*, no. 20 (1998) pp.7-14.

6. The curricula of the first School of Architecture were published as an appendix to *Exposició commemorativa*, op. cit. For information on the training of engineers, see Ramon Garrabou, *Enginyers industrials, modernització econòmica i burgesia a Catalunya (1850-inicis del segle XX)*, L'Avenç, Barcelona,1982, pp. 17-68. Moreover, we consulted the trade press in the libraries of the Col·legi d'Arquitects de Catalunya and the Associació d'Enginyers Industrials as well as books and articles on the history of the two schools, which are now the Universitat Politècnica de Catalunya.

7. See, for example, the surprisingly complete list of publications that appears on the back cover of *Revista tecnológico-industrial*, the newsletter published by the Associació d'Enginyers Industrials de Barcelona, 1898: sixty Spanish journals, nine from the United States, thirteen from Latin America, four German, one Austrian, four Belgian, forty-five French, one Hungarian, twenty British, ten Italian, three Portuguese, one Swiss and two Swedish. These publications deal with engineering and science in general, agricultural industries and also architecture, art and decoration. The Col·legi d'Arquitectes de Catalunya has received donations from many private libraries and the Escola d'Arquitectura preserves complete collections of journals such as *Art et Décoration, Art pour Tous, Academy Architecture*, etc., some of which originally belonged to individual architects, as well as the prestigious *Revue Génerale de l'Architecture et des Travaux Publics*, edited by César Daly. For further information on how this publication influenced domestic architecture, see the study by Marc Savoya, *Presse et architecture au XIX siècle. César Daly et la Revue Génerale de l'Architecture et des Travaux Publics*, Picard Éditeur, Paris, 1991, pp. 273-274.

8. This working hypothesis coincides with those of two important works on private homes. Witold Rybczynski, *La casa. Historia de una idea*, Nereo, Madrid, 1992 (1986) and Monique Eleb and Anne Debarre, *L'invencion de l'habitation moderne. Paris 1880-1913*. Hazan et Archives d'Architecture Moderne, Brussels, 1995.

9. Andrea Palladio, *I Quattro Libri dell'architettura*, Domenico de Fransceschi, Venice, 1579; facsimile edition,Ulrico Hoepli Editore, Milan, 1976. See Book Two on private architecture.

10. See Michelle Perrot and Roger-Henry Guerrand, "Escenas y lugares" in *Historia de la vida privada*, vol. IV, Taurus, Madrid, 1988 (1897); from the standpoint of gender, see Linda Nochling, "Women, Art and Power" in *Women, Art and Power and Other Essays*, Harper and Row, New York, 1989.

11. The subject has been discussed by Monique Eleb-Vidal and Anne Debarre, *L'architecture domestique, 1660-1914. Une bibliographie raisonée*. Paris-Vollemin, École d'Architecture, col. "In Extenso", no. 16, 1993; Trinidad Simó, "Formación del espacio burgués", *Fragmentos*, nos. 15 and 16 (1989), pp. 98-106. Also useful is Joaquín Bérchez, "Estudio introductorio" to Claude Perrault, *Compendio de los diez libros de Arquitectura de Vitruvio*, translated by Joseph Castañeda, Imprenta de D. Gabriel Ramírez, Impresor de la Academia, Madrid, 1761; facsimile edition, Colegio Oficial de Aparejadores y Arquitectos Técnicos de Murcia, Libereria Yerba, Consejería de Cultura del Consejo Regional, Murcia, 1981; and Dora Nicolás Gómez, *La morada de los vivos y la morada de los muertos: arquitectura doméstica y funeraria del siglo XIX en Murcia*. Universidad de Murcia, 1994, pp. 65-80.

12. We were able to consult first editions of these works in the ETSAB library: Charles Antoine Jombert, Paris, 1737 and Desaint, Paris 1771-1777.

13. On the evolution of the concept of comfort, see Werner Szambien, *Simetria, gusto, carácter*, Akal ediciones, Madrid, 1993 (1986), pp. 113-120.

14. Joseph Thomas Lucas, Valencia, 1738. Also in ETSAB's historic archives in an edition dated 1804.

15. The "Tratado de Arquitectura Civil" is contained in Volume IX,Part I. Imprenta Vda. de Joaquín Igarra, Madrid, 1796. This is the date of the second edition, corrected by the author himself, which we were able to consult at the ETSAB library, where it is preserved under the seal of the Acadèmia de Belles Arts of Barcelona. A facsimile edition was produced by the Colegio Oficial de Aparejadores y Arquitectos Técnicos, Murcia, 1986, with a critical essay by Pedro Navascués Palacio,

16. Carliman, Paris, 1850. We were able to document the first four editions (1850, 1863, 1967, 1875) in the ETSAB library, which testifies to the book's use as a student manual.

17. For details of the relationship between Reynaud and Portuondo, see Julio Arrechea Miguel, "Composición e Historia en el pensamiento arquitectónico del siglo XIX", *Fragmentos*, nos. 15-16 (1989), p. 93.

18. See François Loyer, *Paris XIXe siècle. L'immeuble et la rue*. Hazan, Paris, 1987.

19. Morel et Cie, Paris, 1864. The book describes the new smaller-sized town houses and the suburban villas of Paris. *Habitations moderns; recuellies par E. Viollet-le-Duc avec les concurs des membres de la Comité de Rédaction de l'Encyclopédie d'Architecture et la colaboration de Félix Narjoux*. Vve. Morel et Cie, Paris, 1875. Both editions are in the ETSAB library.

20. T. Simó, op. cit. Note 10. pp. 99-100.

21. Marc Savoya, op. cit. Note 6. p. 273.

22. Albert García Espuche, *El Quadrat d'Or, Centre de la Barcelona modernista*. Olimpíada Cultural, Caixa de Catalunya, Lunwerg Editores, Barcelona, 1990.

23. Ramon Grau and Marina López, "L'Exposició Universal de 1888 en la història de Barcelona" in *Exposició Universal de Barcelona*. Llibre del Centenari, 1888-1988. L'Avenç, S.A., Barcelona, 1988, pp. 49-227; Manuel Guàrdia Bassols, Albert García Espuche, Francisco Javier Monclús, José Luis Oyón Bañales, "La dimensió urbana" in *Arquitectura i ciutat a l'Exposició Universal de Barcelona. 1888*. Universitat Politècnica de Catalunya, Barcelona, 1988; Xavier Tafunell, "Construcció i conjuntura econòmica" in *La formació de l'Eixample de Barcelona. Aproximacions a un fenòmen urbà*. Olimpíada Cultural, Barcelona, 1990, pp. 175-188; Albert García Espuche, "El Centre residencial burguès" (1860-1914), ibid. pp. 203-222; Manuel Guàrdia i Bassols, "Estructura urbana" in *Història de Barcelona*. Enciclopèdia Catalana, Barcelona, vol VI, pp. 74-89, 1995.

24. Xavier Tafunell, op. cit., Note. 23, pp. 184-185.

25. Miquel Corominas, "Les societats de l'Eixample", *La formació*.....op.cit. pp. 45-60.

26. Joan Antoni Solans, "De las constituciones de los edictos de obrería, de los edictos a las ordenanzas de edificacion, de las ordenanzas a las normas urbanísticas", *Arquitecturas bis*, no. 5 (I-1975), pp. 23-31.

27. Joan Molet i Petit, *Barcelona entre l'enderroc de les muralles i l'Exposició Universal: arquitectura domèstica de l'Eixample*, doctoral dissertation. (microfiche), Universitat de Barcelona, 1995. See also Txatxo Sabater, "Primera edat de l'Eixample. Viure en una màquina de renda" in *La Formació*...., op. cit, pp. 129-149.

28. Xavier Tafunell, "Els ritmes de la construcció" in *Exposició Universal de Barcelona. Llibre del Centenari*, op. cit., pp. 420-425.

29. Albert García Espuche, *El Quadrat d'Or*....., op. cit., p. 67.

30. Josep Termes, Teresa Abelló, "Conflictivitat social i maneres de viure" in *Història de Barcelona*. Vol. VII, pp. 134-136, Enciclopèdia Catalana, Ajuntament de Barcelona, 1995.

31. Santi Barjau, "Arquitectura, paisatge urbà i ordenances. L'aspecte dels edificis a l'Eixample clàssic" in *La formació*....., op. cit. pp. 223-234. By the same author, see also "El paisatge arquitectònic del Quadrat d'Or" in *El Quadrat d'Or. 150 cases al centre de la Barcelona modernista. Guia*, pp. 17-24. Olimpíada Cultural, Ajuntament de Barcelona,1990.

32. Sigfrid Giedion's book *La mecanización toma el mando*. Editorial Gustavo Gili, Barcelona, 1978, gave a new focus to the history of objects. For the history of technology, see Donald Cardwell, *Història de la technología*, Alianza Editorial, Madrid, 1996 and I. González Tascón et al., directed by Santiago Riera i Tuèbols, *Elements d'Història de la tècnica*, Associació d'Enginyers Industrials de Catalunya; J.D. Bernal, *Ciencia e industria en el siglo XIX*, Martínez Roca, Barcelona, 1973 which was published in the exhibition catalogue, *España fin de siglo*, 1998, Fundación "la Caixa", Barcelona, 1998.

33. Joan Antoni Solans, op. cit., p. 273.

34. A key study on the subject of sanitation is Horacio Capel and Mercè Tatger, *Cent anys de salut pública a Barcelona*. Ajuntament de Barcelona, 1991; and an abridged version of this work, "Reforma social, servicios asistenciales e

higienismo en la Barcelona de fines del siglo XIX (1876-1900)", *Ciudad y Territorio*, no. 89 (III-1991), particularly pp. 240-246.

35. See Roger-Henry Guerrand, *Las Letrinas: historia de la higiene urbana*. Edicions Alfons el Magnànim. Institució Valenciana d'Estudis i Investigació, Valencia, 1991.

36. Dolors Llopart, "De la forma i ús dels objectes" in *El Modernisme*, Olimpíada Cultural, Lunwerg Editores, Barcelona, 1990, pp. 241-250; Georges Vigarello, "Higiene e intimidad del baño. Las formas de la limpieza corporal", *Arquitectura y Vivienda*, no. 13 (1888), pp. 25-32.

37. Georges Vigarello, op. cit., pp.30-31.

38. *La Exposición*, no. 57 (22-VIII-1888), pp. 11-12.

39. A Sangrà catalogue has been preserved. A lavish publication produced by Tipografia Henrich i Cia., it advertises the different models available and provides instructions for installation. One of the most striking items is a *modernista* "water closet": the base and water tank are decorated with relief work and the seat is copper. The catalogue also shows the latest in modern bathtubs along with other models equipped with wheels, an updated version of old-fashioned portable tubs. Other catalogues were produced by *Verdaguer y Cia. Fábrica para el saneamiento de habitaciones y subsuelos*. (no printer's information) and *Aparatos de saneamiento moderno. Lacoma Hermanos*. Imprenta i Litografia de Juan Comas, Sabadell. This latter boasts "porcelain is from the best English manufacturers, guaranteed not to split". These companies also advertised in the Architects' Association's annual directory from its very outset.

40. According to *La Exposición*, no. 20 (30-XI-1889, p. 3, exhibits included the Vermeiren company's gas heaters.

41. See the manufacturer's catalogue cited above, pp. 139-148, as well as catalogues from Lacoma Hermanos.

42. For the history of elevators, see, Jeannot Simmen and Joseph Imore, eds. *Vertical: Lift Escalator Paternostra: A Cultural History of Vertical Transport*. Erns & Sonh, Berlin, 1994.

43. The Hotel International was equipped with dumb waiters and freight elevators for transporting luggage (see Note. 38). The information about the Cafè-Restaurant was furnished by Rossend Casanovas, who is working on a doctoral dissertation on this building under the direction of Mercè Vidal, and was able to consult the contract for construction of the two elevators.

44. No. 49, Year II (23-I-18999, in the section "Crónicas industriales"

45. *Cent anys de vida quotidiana a Catalunya*. Edicions 62, Barcelona, 1993, p. 30. We located the following books at the library of the Universitat Politècnica de Catalunya: Georges Dumont, *Les ascenseurs hidrauliques, ascenseurs hidrauliques avec emploi de moteurs d'air comprimé, a gaz au électriques, ascenseurs électriques*, Ve. Ch. Dunod et P. Vicq, Paris,1897, and Henry de Graffigny, *Los ascensores modernos*, P. Orrier, Madrid, 1905.

46. List of advertisers in the *Anuario de la Associación de Arquitectos*, 1905, pp. 87-88; 1907, pp. 81-82. The Stigler system offered a guarantee against possible cable breakage, excess speed of descent and possible obstacles that might be encountered by the cage. The representative was engineer Eduardo Chalaux. Other manufacturers were Cardellach, whose advertising we were unable to find; Federico H. Bagge & Co., a British company with headquarters in London and a Barcelona office at Ronda Universitat 14, which, according to the *Anuario de la Asociación de Arquitectos*, 189, p. 33, installed hydraulic and electric elevators; Miquel Escuder e Hijos, whose ad in the 1903 edition of the *Anuario*...., p. 33-34 claimed that they had sold more than 3000 elevators equipped with the Nuevo Motor Ideal; and Ubach Hos y Campderà who held the patent from Edoux et Cia. of Paris, builders of the elevators for the Eiffel Tower and the Trocadero, *Anuario*... 1903, pp. 56-57.

47. For further information on the gas industry and gas lighting, see Mercedes Arroyo, "La electricidad frente al gas" in Horacio Capel, ed., *Las tres chimeneas. Implantación industrial, cambio tecnológico y transformación de un espacio urban barcelonés*. Vol I, Chapt. V.FECSA, Barcelona, 1994; by the same author, *Alumbrado público y consumo particular de gas en Barcelona (1841-1933), innovación tecnológica, territorio y comportamientos sociales*. Publications de la Universitat de Barcelona (microfiche), Barcelona, 1996; Ramon Garrabou, *Enginyers industrials*......, op. cit, pp. 178-181; Jordi Maluquer, "Activitats econòmiques" in *Història de Barcelona*, op. cit., pp. 202-204.

48. For the history of the electric power industry in Catalonia, see Jordi Maluquer de Motes, "Els primers temps de l'electrificació" in *Exposició Universal de Barcelona*, op. cit., pp. 437-445; Horacio Capel, ed. *Las tres chimeneas*. Op. cit., Vol. I; Manuel Lecuona, Manuel Martínez, "Espanya i l'electricitat" in *Mecanització de la casa. Una història de l'electrodomèstic*. Col·lecció Alfaro Homann. Generalitat Valenciana, Valencia, 1995, pp. 14-33. A good source of general information is *Electricité et électrification dans le monde (1880-1980)*. Proceedings of the second International Congress on the History of Electricity. Association pour l'histoire de l'electricité en France, Paris, 1992.

49. Garrabou, *Enginyers, industrials*..... op. cit, p. 181.

50. Gas companies campaigned for a tax cut and proposed a 50% reduction in rates for businesses and private users. See the report prepared by engineer José Franco y Muñoz, "De las fábricas de gas para el alumbrado y calefacción bajo el punto de vista de la contribución industrial," *Boletín de la Asociación Nacional de Ingenieros Industriales*, Vol. XVIII, no. 4 (15-V-1897), pp. 197-208.

51. Luis Urteaga, "Producción térmica y extensión de la red eléctrica en Barcelona, 1896-1913, *Las tres Chimineas*, op. cit., p. 155.

52. *Revista técnico industrial*, (V-1893), p. 196. An unsigned article reports on the inauguration of a workshop owned by Count E. Lalung de Ferrol at Passeig de Sant Joan, 117, which had a patent on Auer-system gas lamps. It also mentions that a pilot test was carried out at the Gran Café del Siglo XIX. This café was an iron and glass building located in the northern part of Plaça de Catalunya from 1888 to 1895. Albert García Espuche, *El Quadrat d'Or*, op. cit., p. 55.

53. Luis Urteaga, op. cit., pp. 154-156.

54. Mercedes Arroyo, "La electricidad frente al gas," op. cit., p. 176. An article appearing in the "Crónicas industriales" section of *Arquitectura y construcción*, no. 51, Year III (8-II-1899) advocated gas as the most convenient and economical lighting system.

55. For information about complementary devices such as lamp holders, switches and ways to convert gas lamps to electricity, see M.V. Langlois, "Material del alumbrado eléctrico", *Boletín de la Asociación de Ingenieros Industriales*, Volume XIV, no. 11(15-XI-1898), pp. 467-480.

56. M. Carme Baqué i Pons, Jaume Clarà i Arisa and Ester Pujol i Arderiu, *El foc engaviat. Les cuines econòmiques al tombant del nostre segle*. Asociación d'Enginyers Industrials de Catalunya, Barcelona, 1993. See also Miquel Espinet, *El espacio culinario: de la taberna romana a la cocina profesional y doméstica del siglo XX*. Tusquets, 1984, Barcelona. Luis Fernández Galiano, "El fuego del hogar. La producción histórica del espacio isotérmico," Arquitectura y vivienda, no. 14, 1988, pp. 33-38.

57. The library of the Col·legi d'Arquitectes de Catalunya has a noteworthy collection of catalogues donated by architect Enric Catà i Catà. Among the best known companies were Hijos de José Preckler, Juan Mas Bagá and Verdaguer i Cia. There was also a proliferation of technical books at the time, among them *Fumisterie, chauffage et ventilation*. Baudry et Cia., Paris, 1896.

58. Among them the works of Eugène Peclet, starting with the first editions published in 1827 and including many subsequent reprints; *Technologie de la Chaleur*, a French translation of a book by Rinaldo Ferrini (1880) and many other publications.

59. *La Exposición*, no. 21 (IX-1887; IV-1888). Heaters were exhibited in Section V. Industry, Group XXI, class 95.

60. Casa José Cañameras advertised on pages 31-32 of the 1905 *Anuario* and on p. 33 of the 1909 edition. Manuel Muntadas Rovira, Passeig de Gràcia, 85, ran a full page ad in the 1909 edition, listing the principal buildings in which they had installed heating, among them the homes of Heribert Pons on Rambla de Catalunya; Alexandre Solier i March; Gaudí's Casa Milà on Passeig de Gràcia and the Gran Teatre del Liceu. Plans for the opera house's heating and ventilation systems were included in the ad.

61. Nestor Luján, *La lucha contra el frio y el calor y a favor de la higiene. Contribución de una familia de industriales a lo largo de 75 años*. Compañía Roca Radiadores, Barcelona, 1992, pp. 150-151.

62. Fernández-Galiano, op. cit., p. 46.

63. Juan Antonio Cabezas, *Cien años de teléfono en España. Crónica de un proceso técnico*. Espasa Calpe, Madrid, 1974.

64. Mercedes Arroyo, op. cit., p. 35.

65. Ibid., p. 31.

66. Reported in an unsigned article in *Revista técnico industrial*, IV-1891, pp. 151-152.

67. *Arquitectura y Construcción*, no. 61, Year III (8-IX-1899) mentions an article that appeared in *Electrical Engineer*, reporting that there was one telephone per 970 inhabitants in Europe while in the United States the figure was one per 172 inhabitants.

68. Advertisement in *Anuario de la Asociación de Arquitectos* (1899), p. 13 of the advertising section. In the 1900 edition, Olió Hermanos advertised their production of' optical instruments on page 12.

69. Anthropologists, geographers, architects and art historians have all undertaken research on the use of space. A pioneering work that studied the interior of the home in all its complexity is Mario Praz, *Histoire de la décoration d'intérieur. La philosophie de l'ameublement*, French edition published by Thames and Hudson, Paris, 1990 (1981). Another sensitive work by the same author is *La casa della vita*, Adelphi Edizioni, Milan, 1995 (1979). Also recommendable both for the large number of illustrations and their approach to the subject matter are Peter Thornton, *The Authentic Decor. The Domestic Interior 1620-1920*. Weidenfeld and Nicolson, London, 1993 (1984) and Charlotte Gere, *L'èpoque et son style. La décoration intérieure au XIX siècle*. Flammarion, Paris, 1989. Lastly, Monique Eleb-Vidal and Anne Debarre-Blanchard, *Architectures de la vie privée. Maisons et mentalités. XVIII-XIXe siècle*. Archives d'Architecture Moderne, Brussels, 1989 and *L'invention de l'habitation moderne. Paris 1880-1914*, Hazan et Archives d'Architecture Moderne, Brussels, 1995 are highly recommended from the standpoint of methodology.

70. Monique Eleb, Anne Debarre, *L'invention*....., op. cit., Chapter II.

71. In drafting this section of the essay, we relied heavily on the work of Joan Molet, "Tipologies residencials a l'Eixample dels mestres d'Obres" in *I Jornades de Arquitectura Històrica y Urbanismo*. UNED,Cadiz, 1998 (publication pending); by the same author, "La interpretació gaudiniana de la tipologia 'casa familiar entre mitgeres' in *Circular. Centre d'Estudis gaudinistes*, no. 1 (IV-1996), pp.2-4; many of the ideas for this section originated with conversations with Joan Molet, member of our research team. Another valuable source of information was Txatxo Sabater, "Primera edat de l'Eixample. Viure en una màquine de renda", *La formació*...., op. cit., pp. 129-150. For information about homes in the old city of Barcelona, see Josep Ma. Montaner, "Escaleras, patios, despensas y alcobas. Un análisis de la evolución de la casa artesana a la casa de vecinos en Barcelona", *Arquitecturas Bis*, no. 51 (IX-1985), pp. 2-12.

72. See for example, the plans presented by Juan Carpinelli, *Arquitectura práctica.. Album de proyectos particulares desarrollados para la mejor interpretación de los que se dedican al arte de construir*. Trilla i Serra Editor, Barcelona, undated. See particularly plates 34-37.

Furniture workshops and interior decor in modernista[1] Barcelona

Teresa-M. Sala

The workshops that produced furniture during the *modernista* period played a significant role among the crafts specialized in decorative arts.[2]

Before exploring the history and development of the furniture maker's craft as well as the type of furniture and decoration produced during that period, we must first address a number of questions relative to the craft itself. To begin with, we will discuss the background: how workshops operated; the role of the cabinetmaker or *ébéniste* in the19th century; the innovations that influenced not only forms but also manufacturing techniques, materials, ornamental details, hygiene-related issues, changes in taste and certain patterns of social life which explain the type of architecture and the interior layout of the buildings.[3] It is obvious that the industrial revolution had a considerable impact on life styles and radically changed consumer habits. These changes influenced ideas of what a bourgeois home should be and coincided with a period of intense urban development. The need to adapt and improve private architecture also stemmed from a change in ideological values, which was expressed in a search for comfort and the creation of spaces where one could withdraw, entertain or relax in the family circle. Thus, the evolution in interior design and furniture was a sort of test laboratory which continually adapted to its customers' changing demands. but was also closely linked to the artistic and aesthetic movements that changed these forms and meanings.[4] To sum up, it was a path that led from historicism/ecleticism to Art Nouveau.

I. Some observations on the furniture makers' profession in Barcelona in the late 1800s.

Throughout the 19th century a steady stream of apprentices arrived in Barcelona from the countryside. Among them were Damià Ribas and Francisco Pradell from Ripoll; the Darder brothers from Mahon; the Busquet brothers from Guimerà; Pere Homar and his 13-year old son, Gaspar, from Bunyola (Majorca); Joan Corró and Josep Ferrà came from elsewhere in Majorca, Josep Ribas i Fort came from Baix Camp.... " a whole batch of youths arrived from the outlying regions. When their appenticeship agreements so required, they registered with the guild, stating the names of their parents and their places of origin".[5] The number of carpenters registered a considerable increase and people began specializing.[6] Large and small workshops flourished and this is important to note because it created the basis for the highly specialized infrastructure necessary to produce work in the turn-of-the-century's new Art Nouveau style.

One of the best known members of the profession was Francesc Amorós, who specialized in making billiard tables. His training set him apart from other craftsmen because "he is not just a mere skilled craftsman, having a knowledge of mathematics and draughtsmanship and having studied the theory and practice of industrial mechanics for nine years".[7] The Amorós workshop, founded in 1837 and located at Carrer Asalto 65, produced two billiard tables a week throughout the 1870s, "which is undoubtedly due to the fact that his workshops are divided into fifteen sections as follows: sections for legs, frames, tops, rails, score boards, cue hooks, cues with butts, French cues, metal or rubber cushion mounts, all manner of lathing, joining and repair work, furniture, sculpture and wood carvings, millwork and light ironwork.[8] Other equally important manufacturers of pianos, which were considered items of quality furniture, included Boisselot on Carrer Ponent, whose shop was located on Carrer Ample where Evarist Bergnes and Francesc Bernareggi also had workshops. Both pianos and billiard tables were paneled with high quality wood that enhanced the framework to the utmost. Another important workshop was Bonastre i Feu which specialized in chairs and other fine furniture and had branches at Carrer dels Banys 15 and Avemaria 4. In the 1870s Bonastre i Feu employed more than sixty craftsmen and worked "on a large scale, with employees divided by sections which included cabinetmaking, chairs, upholstery, carving, turnery, light ironwork and machines".[9] All these workshops were located in the Ciutat Vella and Raval districts, where the majority of the city's cabinetmakers were concentrated, although a few were also located in what was the then village of Gràcia and Barceloneta. As Barcelona evolved from a "warehouse city" to an "industrial city" with factories located along both sides of the central bourgeois residential area, some of the more prosperous workshops gradually moved into larger quarters in the Eixample district, adding new machinery to their factories.

Crafts workshops: their structure, operations and enlargement

An analysis of the evolution of the 19th century workshops that produced all manner of items related to interior decoration reveals that they shared a large number of similar characteristics. At the outset of the period, the workshops were often located in the same building as the showroom and the owner's residence. In the 1870s and 1880s, the workshops began to expand and take on new employees as an obvious consequence of a major growth in the economy and consumer spending. A good example of this is Casa Ribas i Pradell,[10] which started out under the name of *La Económica Embaladora* and had its workshop and warehouse on a ground floor on Carrer del Bot. In 1845, the company moved to Carrer del Paradís. An interior staircase led from the workshop to the first floor where the Ribas and Pradell families lived in separate quarters but with a shared kitchen and dining room. At that time Casa Ribas specialized in the production of packing cases. The workshop was gradually equipped with a small buzz saw, a bandsaw and a planer. The power was supplied by a horse called El Niño, who was harnessed to the machines. In 1870 the company had six employees and by 1875 had begun to register a spectacular growth which eventually caused the factory to move to Fort Pío (between the Carretera de Ribas and Sicília and Ausiàs March streets). It was the first factory to use one of El Vulcano's steam-powered machines. The introduction of new modern machinery coincided with the growing importance of the carpentry section and the increase in general construction work. Likewise, Pons i Ribas, originally located on Carrer de la Ciutat, moved their workshop to industrial premises designed by architect G. Granell on Carrer del Consell de Cent (between Balmes and Rambla de Catalunya). The same was true of one of the major producers of applied arts in the years of Catalonia's "Gold Fever": Francesc Vidal i Jevellí. In 1884 Vidal moved his business from Passatge del Crèdit to a building on the corner of Diputació and Bailén streets, designed by architect Josep Vilaseca.[11] Carpentry, cabinetmaking, woodcarving and upholstery workshops were located alongside others which specialized in light ironwork, lamps, stained glass, painting, engraving and photography. There was even a gallery that displayed reproductions of objects in Neo-Renaissance, Neo-Pompeiian, Neo-Gothic and Japanese styles.[12] Many of the workshops which did not move to the Eixample district were forced to expand, among them Casa Busquets, which had been located at Carrer de la Ciutat 9 since 1840. Around the time of the 1888 Universal Exposition, Busquets increased its number of workbenches. According to the *Inventari de 1888* the company was equipped with 9 workbenches in 1880 and 15 by 1888. These enlargements were due to a general economic boom and a notable increase in orders from an ever larger public.

Raw materials and the type of decoration popular during the years of the Gold Fever (1876-1886)

There were a number of warehouses in Barcelona that stocked fine wood from Spain and abroad. One of the most important belonged to Josep Tayà and was located at Carrer del Pi 3. Mahogany, jacaranda and walnut were the woods most used in a type of furniture that was often upholstered – whence the name *"moda tapissera"* or upholsterer's style – and combined with a widespread use of draperies to create ostentatious, overdecorated interiors that were intended to convey an idea of wealth. In those days, as Narcís Oller so vividly wrote, "the family was suffocated by so many draperies, so much upholstery, so many rugs....Catarina stumbled over so many poufs, so many little tables and chairs, so many pedestals placed in her path; she resented the profusion of china flowers, little pictures and fragile bibelots.... scattered everywhere".[13] Heavy, almost architecturally solid furniture constantly harked back to styles of the past, with Neo-Renaissance, Neo-Gothic and Louis XV styles existing side by side.

Bentwood furniture: an alternative to massive furniture

The first manufacturer of light, practical bentwood furniture was Vienna's Michael Thonet, whose work was soon widely imitated. His research into the comfort and functionality of the Biedermeier style led him to go into business in Vienna in 1842, mass producing furniture that symbolized the shift from handcrafted creation to industrial production. Thonet's chairs were original, simple, of good quality and offered new forms of comfortable seating. Thonet won a bronze medal at London's Great Exhibition of 1851 and from then on his business registered a spectacular growth and he soon signed it over to his five sons, under the name of "Thonet Brothers". The first rocking chair was produced in 1860 and has since come to be considered one of Thonet's masterpieces and the predecessor of all the other rocking chairs which found their way into bourgeois homes around the world.[14] Architect Lluís Domènech i Montaner used several in the Gran Hotel International, testifying to the success of bentwood furniture in Catalonia.[15] The first shop featuring this type of furniture belonged to Josep Picó and was located at Rambla del Centre 23.

Casa Castelltort later also began to sell Viennese furniture. The 1884 Exposición de Artes Aplicados al Decorado de Habitaciones, organized by the Foment del Treball Nacional, featured four bentwood chairs and a fifth in imitation "Vienna-style", all by Miquel Armengol.[16] Several years later, the 1888 Universal Exposition featured a major selection of work by the Thonet family and their imitators, Jacob and Josef Kohn.[17] The *Diario de la Exposición* ran a full-page advertisement for "B. Martínez and Company, major supplier of Viennese furniture" on Carrer Pelai and featured the "famous rocking chair".[18] At the same exposition Joan Pelegrí was awarded a bronze medal for his Viennese-style furniture. Tutó i Cia. at Carrer Santa Anna 20 and Ros i Cia. also sold this kind of furniture and contributed to its popularity. Indeed, in the 1880s, the Vienna style provided an unprecedented alternative, proposing plain, practical, industrially manufactured furniture that could be successfully combined with the heavy furniture that reproduced styles of the past. It is not surprising then that many of the public gathering places in Barcelona, among them the Café La Luna and the Hotel Colon, took their cue from their counterparts in Vienna and opted for bentwood furniture.

Proposals for multi-functional furniture and "hygenic inventions"

Most of the *ébénistes* of the time not only made luxurious furniture for the well-to-do but also produced more reasonably priced furniture for the working class. One of the most typical was the cast iron "nun's bed".[19] A few pieces of purpose-built "practical" furniture were also introduced on the market, among them furniture designed for particular professions: dentist's chairs, barber's chairs, furniture for schools and hospitals are good examples of this. Most of the "engineer's furniture" with its technical solutions to practical problems was produced in the United States. However, a look at some of the designs presented at the Universal Exposition in Barcelona in 1888 reveals some interesting suggestions, worth listing here. French hygienist Ferét, whose business was located at rue Etienne-Marcel 6 in Paris, presented a height-adjustable "hygienic desk" with a number of special features : it made it easier to clean classrooms ("Féret's desk can be easily moved, leaving the floor surface bare and ready to be cleaned every morning"), it could be adjusted to allow pupils to work either seated or in a standing position thereby preventing bad posture and myopia and was more comfortable than non-moveable desks. It could also be used as a drawing board or music stand. It was designed for individual use and allowed the body to take different positions, encouraging muscular balance.[20] Nevertheless, this type of furniture was often criticized for its lack of artistic quality.

II. Searching for beauty in useful objects

"Conserving and maintaining the culture of the arts which searches for beauty in useful objects". That was the motto of the Union Central des Beaux-arts Appliqués à l'Industrie founded in France in 1864.[21] This appeal to seek beauty went hand-in-hand with the first studies of usefulness, and its aesthetic was based on the honest use of materials and forms.

The Art /Industry controversy began after the first Great Exhibition (London, 1851), when a reform-minded design faction attempted to break away from the bad taste and poor quality of the products exhibited. Roughly speaking, this could be said to be the start of the arts and crafts revival, which required highly-skilled craftsmen. Training craftsmen was a major problem and therefore a number of organizations embarked on a variety of attempts aimed at counteracting existing shortcomings with lectures, classes in draughtsmanship and ornamentation. There were a considerable number of associations linked to the furniture industry in Barcelona. We know of ten that were registered with the civil governor's office In the 1890s: The Society of Wicker Chairmakers of Barcelona and its Environs, the Gilders' Center, the Workers' Instruction Center, the Societat La Propagador, the Societat "el Tractat de la Unió", L'Activa de Barcelona, El Progrés, the Union of Assemblers and Varnishers of Turned Furniture, the Training Center for Skilled Upholsters and "La Solidaritat", an upholsterers' association.[22] 1894 saw the founding of one of the associations that best reflected the concerns and convictions of a leading sector of the Barcelona crafts industry, the Centro de Artes Decoratives, which aimed to "instruct and recuperate the crafts" from within the workshops. Modelled on organizations of craftsmen and artists in England and France and aimed at promoting a higher level of quality and design and simultaneously educating both artisans and the public in general, the users and creators of decorative arts. The By-laws[23] stated that the association would strive to meet the very objectives that were considered essential to the advancement of the arts industries after the 1888 Exposition. They proposed to continue along the lines already set by the Barcelona City Council, promoting public competitions, stressing the importance of creating a specialized library and encouraging the publication of journals and treatises related to the decorative arts. This last objective was met with the publication of *El Arte Decorativo*, a journal that reflected the organization's ideology.[24] Alexandre de Riquer was probably one of the key figures behind this publication because precisely in 1894 he had spent a few months in England where he was introduced to Pre-Raphaelitism and the Arts and Crafts movement. Riquer embodied the poet-artist-craftsman in search of the contemporary ideal of producing total art. Riquer and Josep Pascó i Mensa[25] introduced Neo-Gothic and Japanese-inspired aesthetics and decoration in Catalonia.

The Centro de Artes Decorativas had fifty-one members. Representatives of the cabinetmaker's craft were Joan Busquets, Angel Garcia, Gaspar Homar, Josep Ribas and Josep Tayà. Trinitat Llacuna and Evarist Roca were listed as specialists in furniture design. Some of these people soon introduced significant changes in their workshops. Thus, for example, the young Joan Busquets i Jané (1874-1949) completed his training at La Llotja and immediately began modernizing the family business; Gaspar Homar i Mesquida (1870-1953) left Francesc Vidal's workshop in 1893 and went into business for himself, working closely with architect Lluís Domènech i Montaner; Josep Ribas i Anguera (1876-1909) improved the quality and increased the volume of production at Pons i Ribas, hiring Trinitat Llacuna i Estrany as a designer. Evarist Roca, who had studied carpentry and furniture making at La Lloja, also presented a number of design proposals to Pons i Ribas, among them a Neo-Gothic staircase.[26] The appearance of these "specialists in furniture design" on the scene was an important step towards full professionalization of the designer's craft.

To conclude this section, it is worth noting that there was a certain parallel between production in Catalonia and the École de Nancy, where Émile Gallé and Louis Majorelle reproduced historical styles before adopting the Art Nouveau[27] style in their families' workshops (founded in 1845 and 1860, respectively).

II. The Art Nouveau movement

"Le langage des fleurs et des choses meuttes"
Charles Baudelaire

During the 1890s design began to shift towards Art Nouveau,[28] a movement which got its name in 1895 when Samuel Bing opened his gallery at rue de Provence 22. Émile Gallé was one of the pioneers in the renewal of furniture design, searching for a new grammar of decorative ornamentation.[29] He was also one of the most daring and could be said to have turned furniture into a form of plant life. The furniture Antoni Gaudí was to design years later for Casa Batlló and Casa Calvet had a number of points in common with Gallé's organicist concept of furniture as a living thing.

Structures and forms in general became more dynamic and there was an unquestionable emphasis on line, be it curved as in the sinuous Franco-Belgian style or square, as in the Glasgow School and the Sezessionist movement. One of the most significant features of Art Nouveau was the importance given to the use of color. A variety of tones was combined in the different parts of a piece of furniture or an interior.[30] The contrasting colors in *modernista* furniture were achieved by using a broad range of different woods, including many exotic species which gave the designer a rich palette with which to work. Pale woods such as ash with its light yellowish color: yellowy white birch; ivory colored sycamore, the slightly yellow-tinged greyish white finish of stained maple were combined with darker woods, such as cinnamon pink mahogany and golden brown oak. But it is in marquetry that one can truly appreciate the great variety of woods used, where as many as forty different veneers were employed in a single work.[31]

Another common characteristic of furniture makers of the day is that most of them designed a repertoire of models which were produced in limited series. An original model initially designed for a certain client would subsequently be reproduced in small quantities with slight variations, so that the furniture maker/decorator was midway between an "individual conceptualizer" and an "industrial artist."[32]

Art Nouveau reached its height with the Paris World's Fair in 1900. It was a time when the workshops of *ébénistes* and decorators alike were humming with activity and they were producing work both to their own designs and on commission from architects and artists. In Catalonia "this *Modernisme* thing was gradually becoming popular (....) Some English advertisements, three or four French and German decorative art magazines and a few sets of draperies – English as well – produced the miracle..."[33] The *Exposició Nacional d'Art* organized by Cercle Artístic on Carrer de les Corts in the year 1900 could be viewed as a symbol of this. Though relatively few works were exhibited in the section for decorative art, they were sufficiently representative of what was being done in Barcelona and the furniture in particular deserves a more detailed description. *La Vanguardia*'s critic wrote aptly of the consecration of the "new style" : "Our furniture makers, whose manual dexterity and decorative sense have long been accredited, have on this occasion demonstrated a happy facility in adapting to the new tastes and opting for *Modernismo* which, in terms of furniture, is simply a return to coherence and to nature, letting the line speak for itself and seeking ornamentation in the very essence of the material. The motifs thus take their inspiration from the plant kingdom and one notes a plausible attempt to ensure that each object responds to its true purpose."[34] In this way "*Modernismo*, a modern art which is singularly popular in buildings and domestic ornamentation"[35] shaped a new concept of interior decoration which was a definite departure from the overblown decoration of the past. Although it did not develop in accordance with any set rules, the trend was related to Symbolism and Aestheticism. Renderings of flora and fauna in stylized Japanese fashion and the use of asymmetrical composition introduced a new way of looking at the world of objects and decoration.

Furniture makers in the *modernista* period

Among the workshops that were the most prolific producers of furniture and decoration in general were those of Gaspar Homar, Casa Busquets, Juan Esteva i Hoyos and Josep Ribas i Anguera. Other renowned workshops were those of Joaquim Gassó, Casas i Bardés, Antoni Ruiz, Pere Reig, Miquel Farrés, Josep Fernández, Joan Puigdengolas, Ramon Fontanals, Evarist Roca, Comas i Suras, Mas i Badiola – all of whose names have somehow lived on, although they were by no means the only people to make the new trends popular throughout the country.[36]

The opening of Gaspar Homar's workshop coincided with the first signs of a Gothic and Oriental-inspired renewal in architecture and the decorative arts. Homar's experience at Francesc Vidal's workshop distinguishes him from other furniture makers, like Joan Busquets and Janè, because he was not trained in a family workshop headed by someone who represented the "old-fashioned tastes" of the preceding generation. Alexandre Cirici reported that Homar had once told him he was not influenced by styles from abroad but "only obeyed his instincts and Gaudí's lead."[37] His reference to the architect is significant because he surely knew him from the Vidal workshop where the furniture for the Palau Güell was built. At that time, architects and a few artists played an essential role as leaders in the field of design, although it is difficult to discover who was the actual author of much of the furniture because the records of many of the workshops have not survived. Nevertheless, we have managed to track down at least partial evidence of some of these collaborations. Indeed, when an architect and furniture maker/decorator worked in close collaboration they produced examples of decorative *Modernisme*, at its very best. Two of the most outstanding examples are Casa Navàs (1901) and Casa Lleó Morera (circa 1904), both of which were designed by architect Lluís Domènech i Montaner, working in conjunction with Gaspar Homar. The two men had already worked together in 1894 on the Gothic-Orientalist designs for the Palau Montaner. However, architects did not always work with the same *ébénistes* and it was Joan Puigdengolas who did the furniture for Domènech's Gran Hotel in Palma. The Puigdengolas workshop, located at Carrer Nou de Sant Francesc 3, built furniture in all varieties of wood as well as reproducing and restoring antique furniture.[38]

It would appear that both Puig i Cadafalch and Gaudí designed furniture which was then built at Casas i Bardés, a carpentry, cabinetmaking and light ironwork shop (known as Bardés i Cia. until 1900). The Neo-Gothic furniture for Casa Amatller is attributed to this company – although Cirici maintained that it was built by Homar – as well as the furniture for Casa Calvet.[39] In addition to producing furniture Casa Bardés specialized in fancy enamelling and gilt work, panelled wood ceilings, parquet floors, doors, balconies, altars, offices, shops....

Puig i Cadafalch's activity as an interior decorator got underway with his early design for the Macià jewelry shop. Raimon Casellas found "an extraordinarily refined combination of dark woods"[40] to be particularly noteworthy. Working under the architect's direction, a variety of carpenters and cabinetmakers produced his designs, among them Ramon Fontanals who built a Neo-Gothic display case with gold touches and appliqués for Argentona, which was featured in *Materiales y Documentos de Arte Español*. However the furniture for the Hotel Terminus[41] was ordered from the workshop of Antoni Ruiz (founded in 1875). Ruiz had his workshop on Carrer Sepulveda and a show room at Ronda Sant Antoni 59. He worked not only on commission but also produced furniture to his own designs, some of which had a certain Neo-Gothic flavor.[42] Ruiz usually worked in mahogany decorated with marquetry and mother-of-pearl inlays.

Architect Enric Sagnier commissioned Casa Busquets to do the furniture for his Palau Juncadella. Although Joan Busquets i Jané was commissioned to build *"modernista"* furniture for many of his wealthy clients who wanted to stay abreast of the fashion, many others continued ordering furniture in Neo-Louis XV, Neo-Renaissance and Neo-Gothic styles. Busquets' *modernista* designs were quite varied, featuring a whole repertoire of characteristic chairs which terminated in legs with sinuous curves and diagonal cross bars. His early work revealed a marked penchant for curved lines, which as of 1902 began gradually evolving towards a Sezessionist-influenced design, as did the work of other *ébénistes.*

Many of the furniture makers mentioned so far also designed lamps and other decorative objects and produced designs by fine artists who at some point in their careers did furniture design. Particularly deserving of mention is the collaboration between Alexandre de Riquer and Gaspar Homar, some of whose work is well-documented (chiefly the Grau Inglada pharmacy). Also important was Homar's collaboration with Sebastià Junyent. Junyent designed advertising for Homar's shop at Carrer Canuda 4 and was commissioned to do a whole array of decorative designs (for marquetry work, hand-painted upholstery fabrics, etc.), working with his brother Oleguer and Josep Pey. One of the most interesting pieces of furniture built by Homar to a design by Sebastià Junyent was the secretaire for Paulina Quinquer.[43] In another artist-artisan relationship,

Sebastià Junyent also designed marquetry work and upholstery fabrics for Casa Busquets, in many cases repeating the same models he had previously designed for Homar. Nevertheless, the dining room furniture for the Junyent family residence was built by Evarist Roca whose buffet was exhibited at the Cercle Artístic in 1900.[44]

Although there was not a great deal of innovation in terms of pianos, there was one exception which is well worth mentioning. Casa Estela (the former Casa Bernareggi) commissioned artist Victor Masriera to decorate their piano number 25.000 with Art Nouveau forms and a drawing depicting the myth of Orpheus.[45] Masriera also designed a number of other objects: decorative screens, furniture and panels with pyrogravure designs, among them one bearing the Symbolist title *La vida i la mort*. He collaborated with *ébéniste* Miquel Farrés, cultivating the pyrogravure technique and the use of bronze ornamentation.[47]

Another important workshop was Casa Hoyos, Esteva i Cia, at Passeig de Gràcia 18. Joan Esteva, a decorator with offices at Carrer Cardenal Casañas 4, founded the company with his stepson, Hoyos. Among their most outstanding work was the original decor for the Palau Pérez Samarillo, executed in an almost Rococo floral style.[48] Joaquim Gassó, Homar's sculptor brother-in-law, eventually went into business for himself, opening a show room at Carrer Cucurulla 1-3 and a workshop at Carrer Mallorca 92. And last, but by no means least, were the workshops of José Fernández at Passeig de Sant Joan 243 and 245 (which also produced original "artistic furniture") and R. Calonja e Hijo. Working under the direction of Ricard Campmany, the Calonjas produced the decoration for one of the most representative establishments of the day, the long-defunct Bar Torino.[49]

To conclude, it must be noted that the bourgeoisie only partly adopted the new style. Their pretensions to modernity aside, love of ostentation and a display of false luxury continued to characterize their homes. Forms gradually evolved and so did furniture makers/decorators who moved into new styles such as *Noucentisme* and later Art Déco. But that's another story.

Notes

1. This paper was produced as part of ongoing research carried out by the Grup de Recerca sobre Art Català del Modernisme al Noucentisme (1875-1936), Department of Art History, Universitat de Barcelona. PB 95-0899-CO2-01.

2. For a detailed description of the role of turn-of-the-century crafts workshops and how they operated, see the essay "Tallers i artífexs en el Modernisme" in *El Modernisme*, Exhibition catalogue. Olimpíada Cultural-Lunwerg, Barcelona, 1990, pp. 259-268. A description of the type of furniture produced during this period appears in "El mobiliari dels interiors de l'època del Modernisme" in *Moble català*. Exhibition catalogue, Electa-Generalitat de Catalunya, Barcelona, 1994, pp. 112-124.

3. Artists and craftsmen collaborated on designing the objects -artifacts – used in daily life. The author presented a paper dealing with *Modernisme's* "symbolic universes" at the Congrés Internacional d'Historia *Catalunya i la Restauració* (1875-1923) in Manresa in 1992. The paper analyzed the interiors where artists "met, drank, argued, had a good time (.....), their homes and the objects that surrounded them, which foreshadowed the symbolic universe of a way of life". See "Interiors d'artistes del Modernisme", *Actes,* Centre d'Estudis del Bages, Manresa, 1992. pp. 425-429. Available documents also enabled us reconstruct the decoration of the Gran Teatre del Liceu, which was one of the favorite gathering places of Barcelona's high society. See, "Metamorfosis decoratives al Gran Teatre del Liceu". Exhibition catalogue, *Opera-Liceu, una exposición en cinc actes*, Museu d'Història de Catalunya, Generalitat de Catalunya-Proa, Barcelona, 1997, pp. 41-51. Continuing this same line of research, we are currently studying 19th and 20th century interiors in order to discover what private architecture and decoration was like in the homes of Barcelona's bourgeoisie between 1875 and 1913. This is the subject of the doctoral course "Pensar la ciutat" which will be taught at the Universitat de Barcelona, Department of Art History during the 1998-1999 academic year.

4. The history of Catalan furniture has not yet been as thoroughly researched as its counterparts in other countries such as England and France. The first studies on furniture history appeared in the 19th century and dealt with antique collections, as reported by Peter Thorton, curator of the Victoria and Albert Museum's furniture collections, in "L'étude des meubles anciens" in DD.AA. *Le meuble des grands ébenistes et des designers*, F. Nathan, Paris, 1984 (1983), p. 9-10. Essential works on medieval furniture are Pugin's *Gothic Furniture*, London, 1830 and Viollet-le-Duc's *Dictionnaire raisonné du meuble français de l'époque caroligienne à la Renaissance*, Paris, 1874-75.

Articles on furniture by Francisco Giner de los Ríos began appearing in the Spanish magazine *La Ilustración Artística* in 1882. These articles were later enlarged upon and collected by the author in *Estudios sobre artes industriales*, Madrid, 1892. Having published *Las Bellas Artes* in 1882, the same year he was named director of Barcelona's La Llotja art school in 1882, Josep de Manjarrés i de Bofarull subsequently published *Les artes suntuarias*. One of the most interesting works on the subject was art critic Francesc Miquel i Badia's *Historia del mueble, tejido, bordado y tapiz*, published by Montaner y Simon in 1897. This volume was complemented by Antoni Garcia i Llanó's *Metalisteria, cerámica, vidrio*. Studies on Catalan furniture published during these years are discussed in detail in "Precisions historiogràfiques sobre la història del moble català" in T. Sala, *La Casa Busquets (1840-1929)*. Doctoral dissertation, Universitat de Barcelona, 1993, pp. 19-24.

5. J. Mainar, *El moble català*, Destino, Barcelona, 1976, p. 225.

6. See Mainar's chapter on "Romanticisme" which discusses the furniture makers' profession in Catalonia. Ibid., p. 219, and lists the small and medium-sized furniture manufacturers in Barcelona from 1844 to 1856.

7. *Reseña completa. Descriptiva y critica de la Exposición Industrial y Artística de Productos del Principado de Cataluña*. Est. Tip. de Jaime Jepús. Barcelona, 1860, p. 241.

8. *Exposición General Catalana de 1871. Historia y reseña de dicho concurso* by Augustín Urgelles de Tovar. Imp. de Leopoldo Domenech. Barcelona, 1871. By 1860 Amorós had added six more sections to his workshop.

9. Ibid., p. 242.

10. *See Ribas y Pradell, S.A.* 1845-1945, Oliva de Vilanova, 1945 (published on the occasion of the 100th anniversary of the company). Publication illustrated with woodcuts by E.C.Ricart.

11. On the death of Josep Vilaseca, the magazine *Arquitectura y Construcción* published an article and photo essay on the architect and the Vidal building (Barcelona, 1910), p. 133.

12. See J. Mainar, op. cit. "Francesc Vidal" pp. 276-286. The 1884 edition of *La Ilustración* published a detailed report of Vidal's new premises.

13. *La Febre d'Or*, "Les millors obres de la literatura catalana", Vol. I. Barcelona, 1980, p. 48.

14. See Georges Candilis et al. *Meubles Thonet. Historia de los meubles de madera curvada*, G. Gili, Barcelona, 1981. The Austrian Museum of Applied Arts in Vienna has a selection of models produced by the Thonets. The museum has recently been reorganized and its collections of decorative art are displayed in a very original way. See Noever, P. *MAF. Museo Austriaco di Arti Applicate Vienna*, Prestel, Vienna, 1995.

15. Photograph of the interior of the Hotel Internacional, property of the Arxiu Mas. No thorough study has as yet been made of the use of Viennese furniture in Catalonia and Valencia, although surviving records indicate that it was widely accepted.

16. Armengol's workshop was located on Passeig de Sant Joan. See *Catálogo de los objetos que figuran en la Exposición de Artes Industriales con aplicación al decorado de habitaciones, Inaugurado el 16-XII-1884*. Barcelona, 1884, pp. 14-16.

17. Thonet furniture was sold at Carrer Pelai 50 and Kohn furniture at Carrer Elisabets 3.

18. The advertisement also claimed that "Martínez and Company was the exclusive representative in Spain for bentwood furniture from Hungary as well as providing upholstering and cabinetmaking services, manufacturing mattresses and turned wood beds." The company also announced that it had the exclusive privilege of producing "automatic folding chairs invented by Baldomero Martínez". *La Exposición*, September 1887-October 1888, p. 15.

19. There were also several manufacturers of rustic furniture, among them Antoni Miranda, Plaça de Santa Anna 4.

20. Griner. "Sección Francesa. Monsieur A. Féret. Miembro del Jurado de Premios de la Exposición de Barcelona y expositor de las mesas 'Féret' higiénicas, para escritura y dibujo." *Diario de la Exposición*. Barcelona, November 10, 1988, p. 4.

21. See Y. Brunhammer, *Le beau dans l' utile. Un Musée pour les arts décoratifs*, Découverts Gallimard, Paris, 1992.

22. M. Vicent lists 137 associations that were registered in Barcelona between 1887-1894. Those listed here refer only to the field of furniture making. See "El moviment societari obrer a Barcelona i la seva rodalia (1890-1893). Proliferació de societats, activitat societària i moviment vaguístic," *Actes del Congrés Internacional d'Història :Catalunya i la Restauració (1875-1923)*. Centre d'Estudis del Bages, Manresa, 1992. pp. 367-378. See also, A. Rodón, *Inventari de les Associacions polítiques, sindicals i obreres, inscrites al Govern Civil de Barcelona des de 1887-1936.* Barcelona, 1982.

23. *Estatutos del Centro de Artes Decorativas de Barcelona.* Tip. Luís Taso. Barcelona, 1894.

24. During the first two years the masthead was a Gothic-style design by Alexandre de Riquet, who changed over to an Art Nouveau style featuring fairy, flower and cupid motifs for the final issues. He was probably inspired by *Art et décoration*, a journal published by the Paris Union Centrale des Arts Décoratifs.

25. A professor of drawing and decorative composition at La Llotja art school, Pascó taught his students to interpret flora and fauna in the stylized Japanese fashion and introduced them to asymmetric composition.

26. *Anuari de l'Associació d'Arquitectes de Catalunya (1903)*, p. 64. An advertisement for Roca's workshop at Carrer València 282 appears on the facing page. The workshop, which built artistic furniture and decorated complete buildings, specializing in altars, shrines, chapels, thrones, prie-dieux, etc., was the sole manufacturer of chests of drawers and luxurious rocking chairs by Jucunda Pedefira, and also produced elevator cages.

27. Noted by A. Duncan, *Majorelle*, Flammarion, Paris, 1991, p. 16.

28. The denomination International Art Nouveau has been unanimously accepted by art historians since publication of the book by S. Tschudi Madsen, *Sources of Art Nouveau,* G. Witterborn, New York, 1956.

29. See E. Gallé, *Le Décor Symbolique*, Discours de Réception à l'Académie de Stanislas à Nancy, le 17 de mai 1900. *Rumeur des Ages*, La Rochelle, 1995 (1900). This is an exceptional theoretical text which helps us better understand the work of glaziers and *ébénistes* in Nancy. In his speech accepting membership in the Academy, Gallé described the elements of his work in a revealing document which can be summed up in the author's own words: "It is then to a composer of ornamentation, a collector of images to whom you have given the floor to speak on symbolism in decoration".

30. M. Rodríguez Codolà wrote an article on "El color en los interiores" in *Estilo*, no. 4, Year I (Barcelona, 1906) and concluded by saying "the problem of color then is not limited only to decorative painting – to wall or ceiling panels, but affects everything that forms part of the whole: furniture, paintings, prints, bibelots, draperies, rugs, window shades, light fixtures; in short, everything because each item is a note in a concerto and one strives to ensure that there is not a single false note. If this is achieved, an interior will be like a harmonious picture in three dimensions".

31. Marquetry work has long been traditional in Catalonia and is one of the most characteristic features of Catalan *modernista* art, as is pyrography, a technique especially used by Casa Busquets. The book by J. Bergós, *Maderas de construcción, decoración y artesanía*, Ed. G. Gili, Barcelona, 1959, is an extremely helpful source of information about varieties of wood, their characteristics and applications.

32. The same held true for the furniture makers-decorators of the École de Nancy and many others of the time. See A. Duncan, *Majorelle*, op. cit., p. 52.

33. J.M. Jordà, *Joventut*, Barcelona, February 15, 1900.

34. "Exposición de Arte Decorativo en el Círculo Artístico," *La Vanguardia*, Barcelona, February 7, 1900.

35. *Hojas Selectas*, Barcelona, 1902, p. 69.

36. A fairly detailed list appears in *Anuari Riera, Guia General de Cataluña*, Barcelona, 1896. Nevertheless, it is a subject we are still researching and on which there is a shortage of monographic studies. Lately the university has shown a certain interest in studies on the decorative arts and particularly the history of furniture. I have very recently begun directing a doctoral dissertation on the Ribas workshop, but as of yet information on the art of furniture making is still far from complete.

37. *El arte modernista catalán*, Aymà, Barcelona, 1951, p. 226.

38. See the writing and conversation room in *Materiales y Documentos de Arte Español*, Year VI, Plate 49.

39. In any case, most of the furniture in the Calvet home was not designed by Gaudí. Casa Busquets did a great deal of work for the Calvet family, and even decorated the family's box at the Liceu opera house. Among the most noteworthy items in the Calvet home is the furniture for the bachelor son's bedroom: it is in *modernista* style decorated with sunflower motifs, using the pyrogravure technique.

40. "José Puig y Cadafalch", *Hispania*, Barcelona, February 28, 1902.

41. See B.O., "Nuevo Hotel Términus en Barcelona" *Arquitectura y Construcción*, Barcelona, V, 1903. pp. 200-203.

42. As can be seen in *L'Anuari de l'Associació d'Arquitectes de Catalunya*. Barcelona, 1907, p. 22. Moreover he was a "purveyor to the Royal Family", having built antique-style furniture for a sitting room and bedroom for King Alphonse and Queen Victoria of Spain.

43. A gift for his wife, Paulina Quinquer, pictured in *Arquitectura i Construcción*, Barcelona, 1903, p. 28. Junyent's productions were checked against the artist's Dietari, where he listed his expenses and also his earnings for work as an illustrator and designer. T. Salas, undergraduate thesis, *Sebastià Junyent i Sans (1865-1908), pintor, il·lustrador i dissenyador modernista*, Universitat de Barcelona, 1985.

44. The buffet, dining table and chairs are now in the collection of the Museu d'Art Modern, donated by Maria Junyent.

45. Pictured in *La Ilustració catalana,* Barcelona, August 14, 1904, p. 536.

46. Pictured in the section on "Arts decoratives i industrials" in *Arquitectura y Construcción*, Barcelona, 1902, p. 123.

47. A writing desk-cabinet and a chair designed by Victor Masriera and built by Farrés are pictured in *Materiales y documentos de Arte Español.*

Barcelona, 1902, p. 123.

48. R. Garriga Marqués, R. *Círculo Ecuestre 1856-1981*, Borrás Ed., Barcelona, 1982.

49. The Bar Torino was located on the corner of Passeig de Gràcia and Gran Vía. Ricard Company directed the interior decor but architects Pere Falqués, J. Puig i Cadafalch and Antoni Gaudí also took part. See B.P. "Artes decorativas e industriales: Decoración del establecimiento de bebidas "Torino": en Barcelona. *Arquitectura y Construcción* (Barcelona, 1902), p. 374.

Josep Pey, anonymous collaborator of furniture makers and decorators

Magdala Pey

Josep Pey i Farriol (Barcelona 1875-1956), painter, decorator, illustrator, designer of sgraffiti, stained glass windows, tiles, marquetry and china and restorer of antiques, was a skilled and multi-faceted artist, able to fill any type of order because he had a thorough knowledge of the most varied techniques. An extremely methodical man, for more than fifty years Pey kept a series of small notebooks where he noted all the details of the commissions he received (type of work commissioned, hours spent on each job, customer's name, amount charged, whether or not he worked from a life model, etc). He also recorded many other details about day trips, longer journeys, a particularly important dinner engagement, prices of things he bought. Later he would take the most important information and summarize it by years in a journal which I call the Agenda and which is a key to the study of his work.

Pey was a cultured man with an inquiring mind, extremely modest, but with a sharp, rather ironic sense of humor. He was neat in his working habits and in his dress. He was quite formal and always wore a hat and a necktie. A passionate reader, he built up an extremely well-organized library, whose wide variety of titles testifies to the full range of his interests[1]. The fact that he cared so little about signing his work and taking part in exhibitions demonstrates just how modest a man he was.

He began studying drawing at the age of nine, attending classes at Barcelona's Ateneu Obrer. In 1888, at the age of thirteen, he was admitted to La Llotja art school where he studied under Antoni Caba until 1895.That same year the school awarded him a 1000 peseta grant and several painting prizes. His friends and fellow classmates were Joan Carreras, Manolo Hugué, Xavier Gosé, Sebastià and Oleguer Junyent, Joan Busquets, Isidre Nonell, Joaquim Mir, Ricard Canals and Pablo R. Picasso, among others. He remained friends and worked with many of these people for many years.

Whether due to the teachings of Caba or the influence of painters to whose work he was initially exposed (Monserdà,

Galofré Oller, Fèlix Mestres and particularly Sebastià Junuyent, with whom he shared a studio), Pey's early paintings were academic in style. It was not long, however, before his work became more decorative or, as Oriol Bohigas[2] put it, he – consciously or unconsciously – became an "industrial designer" working regularly with furniture makers and interior decorators.

As of 1897 he collaborated regularly with Sebastià Junyent and other painters. At the start of his career he helped out in the studio of a painter named Coll, about whom nothing more is known than his surname and the fact that his studio was located at Carrer Nou, 25.[3] He illustrated a few stories, did designs for wall hangings and worked with Coll on some of his paintings, such as *Niña perdida*. As of 1897 there is no further mention of Coll in Pey's Agenda. He also worked with Fèlix Mestres from 1898 to 1918, when he helped him decorate panels and produce paintings for Barcelona's Col·legi de Notaris.[4] He collaborated with Enric Monserdà on designs for wall hangings and stained glass windows and copies of paintings. Francesc Galofré i Oller, author of the extremely successful painting *Bòria Avall* (originally painted in 1892), personally commissioned Pey to make copies of the work in 1895, 1897 and 1899.[5] He continued working for all of these people for several years, producing a variety of work to order. During this same period he began doing designs for Alexandre Vilaró, an interior director and artistic director with whom he would continue to collaborate until the final years of his career.

Gaspar Homar's name appears in Josep Pey's Agenda for the first time in December 1899. The entry reads "S. Junyent paint friezes Homar shop, 150 pesetas".

In 1897 Gaspar Homar moved his shop to Carrer Canuda 4, next to the Ateneu Barcelonès. In December 1899, Pey[6] helped Sebastià Junyent paint friezes for the shop.[7] From then on, Gaspar Homar and Josep Pey worked closely together in what was a sincere and mutually respectful friendship that lasted throughout their lives.

Pey not only worked with Gaspar Homar and the Junyent brothers, but also went on outings, excursions and trips with them. They spent many summer holidays in Majorca, which are well documented in writings and pictures (post cards, snapshots and painted sketches). They also went on outings to the Costa Brava and Pey accompanied Homar and his wife on several trips to Tarragona and Zaragoza, where they bought antiques (linens, embroidery work, frames, etc.).

In 1900 he and Sebastià Junyent jointly painted a wall hanging entitled *Dia i Nit* for Homar. The following year, Homar commissioned Pey alone to produce several panels for wardrobes and beds. The technique to be used was not specified, but one can assume that they were to be oil paintings. Marquetry designs were to come later and are usually clearly described in the Agenda.

1900 was the year of the Paris Exposition. The entire group of friends attended. According to his Agenda, Pey

went in October with Ricard Canals and Alexandre de Cabanyes. The specialized magazines of the time reported on the new work exhibited and the new art introduced there soon found its way into Catalan design, which was influenced by the work of Guimard, Majorelle, Grasset, Gallé, de Feure, etc.

Between 1895 and 1924 Pey produced over two hundred wall hangings. They were usually large works, painted in oil but imitating woven tapestry, and used to decorate drawing rooms, dining rooms or bedrooms. The most popular themes featured madonnas and saints and were hung above the headboards of beds. Between 1916 and 1918 copies of Goya and Murillo were in great demand; later the preference was for Botticelli, Watteau, Garofallo and Buchter. Pey's commissions came from Gaspar Homar, Joan Busquets, Alexandre Vilaró, Oleguer Junyent and a few private customers. From 1910 on, most of his commissions came from Busquets and Vilaró.[8]

The Pey archive contains a few photographs of wall hangings. The final result is usually not overly successful. All the charm and spontaneity of Pey's plans and sketches are lost in the large, deliberately "well-finished" works.

There are photographs of two very similar hangings depicting the Virgin of Montserrat. They are undated, but it is possible they were the first wall hangings commissioned by Homar in 1901. Despite the feeling of movement which could have been created by the backgrounds with their garlands of flowers, both works have a static feeling caused by the triangular shaped image in the center of the composition.

On May 7, 1905, *Ilustració Catalana* (p. 302) pictured a decorative panel featuring marquetry work, which was produced for Gaspar Homar. Here we see exactly the same triangular-shaped image as in the two wall hangings mentioned above. The mountains in the background are stylized and with just a few lines Pey achieved a feeling of movement which was missing in the wall hangings. The decoration on the Virgen's mantle was simplified so that the artist could use different varieties of wood. The figure is placed in a mandorla – a composition frequently used in the marquetry panels for headboards produced by Homar during this period – and surrounded by square ornamental forms carved in sycamore.[9]

Pey must have been very close friends with Sebastià Junyent because the two men shared a studio and worked together on many jobs. In November 1897 they jointly painted a 3 x 3 meter wall hanging for Joan Busquets.[10] In 1899 they produced another wall hanging for Busquets (185 x 265 cm.), this one entitled *Mosqueteros* and also painted a wall-hanging depicting Saint George. In December of that same year the two men produced some flower-decorated panels and the friezes for Homar's shop. In 1900 they jointly painted *Dia i Nit* for Homar and another panel entitled *Corona de roses*, which was for Sebastià Junyent himself. In August 1901, Pey noted "*Anunciació* by Junyent (painting)" in his Agenda. It is not clear what this particular

collaboration involved. Judging from the date, the work Pey referred to as *Anunciació* could be the painting *Ave Maria*, dated 1902, a theme he was to use in 1907 as decoration on a china vase produced for Antoni Serra.[11] Pey's version in china is very decorative, in the best Art Nouveau spirit, particularly the angel with its huge unfurled wings which give power and rhythm to the composition. The figure of the Virgin, with its simpler, more austere lines, is closer to the Junyent painting.

In many cases Pey's designs for decorative objects were based on an already existing work or a motif he had previously used. In a 1977 article in *Serra d'Or* magazine, Czech historian Pavel Štěphánek,[12] traced the origin of *La Dansa de les Fades* (MNAC, Museu de l'Art Modern), a marquetry panel designed for Gaspar Homar. The adaptation of the painting *Frühling-Reigen* by Sergiu Hruby was done by Pey, as can be seen from the characteristic shapes of the faces; the decoration of the clothing and the similarities with, and parallels to, other marquetry by Pey. This is also confirmed in the Agenda, where a note dated June 1902 reads "Homar, marquetry panel, *Kunst* 1 x 0.50, 115 pesetas". The dimensions coincide with those of *La Dansa de les Fades* (90 x 45 cm) and the word *Kunst* probably refers to the magazine *Deutsche Kunst und Dekoration*, which had pictured Hruby's painting in 1901. As Pavel Štěphánek notes, there are no unnecessary details in the panel. The design has been simplified so that it could be reproduced in marquetry. By simplifying the forms, Pey achieved a more dynamic, fresher effect. The final result is enhanced by the play of different tones and textures in the irregular-grained wood, painstakingly selected by the Homar workshop. This is a paradigmatic work: taking a conventional painting with a certain Kitsch flavor, the Pey-Homar team managed to produce an Art Nouveau masterwork.[13]

Another typical example of an almost literal copy with an outstanding end result is the set of stained glass windows for the Cercle del Liceu in Barcelona. Oleguer Junyent was commissioned to decorate the vestibule with four stained glass windows featuring Wagnerian motifs, which were to be placed on the wall overlooking Carrer Sant Pau. Junyent in turn commissioned Pey to design the four windows. Pey began working on them in August 1903 and finished them in November of that same year. He was also commissioned by Junyent to paint the friezes for the dining room of the Cercle del Liceu.

Alexandre de Cirici wrote that the stained glass windows in the Cercle del Liceu "were decorated by Alexandre de Riquer in 1905, after a design by Oleguer Junyent.....in a disconcerting style reminiscent of Puvis de Chavannes".[14]

The cartoons for the four stained glass windows appeared in *Ilustració Catalana* in 1905. The line and, most especially, the types of faces prove without a doubt that they were done by Pey. However, the photo caption attributes them to Oleguer Junyent and Pey's name is not mentioned. In fact, the windows themselves are signed by Oleguer Junyent.

I was surprised when I discovered quite by accident that the window known as *L'encantament de Brunilda* was based on the poster *La Walkyrie*, painted by Eugène Grasset in 1893.[15] The window is a literal copy of the poster, transposed first to a cartoon. Grasset's figures have an innocent air about them while Pey's transmit the emotions and the grandiose spirit of the Wagnerian drama. The glazier Bordalba did a marvelous job: the interplay of light and stained glass eloquently expresses the spirit of Wagner's music in color.

Little is known about Pey's career as an artist. Alexandre Cirici, a family friend, mentions it briefly, but also includes numerous errors which for years were accepted without question. In a work from 1949, J.F. Ràfols had mentioned Pey's designs for Homar's marquetry work and the ceramic pieces produced in collaboration with Antoni Serra, but these were only passing references and went into no detail.[16]

A 1973 article by Joan Bassegoda[17] provides a brief biography of Oleguer Junyent, attributing to him many works that were actually produced by Josep Pey. It was Junyent who received the commissions as artistic director and then contracted Pey and other specialists to produce the various plans and designs. On page 69, Bassegoda writes of Junyent, saying, "*Between 1903 and 1905, after completing Casa Burés and during his sojourn in Paris, i.e. at the peak of his career, (Junyent) did a considerable amount of work for the Cercle del Liceu, painting the walls of the mirador, decorating the entry hall, and doing the four stained glass windows with their Wagnerian themes.....he also did the wainscoting in the former dining room on the mezzanine and the first-floor vestibule....*" Bassegoda also credits Junyent with the paintings in the dining room, the living room and the game room of Casa Burés as well as the designs for the marquetry work, despite the fact that between 1903 and 1905, Junyent was in Paris directing the Carpezat set designers' workshop.[18]

Pey's production of graphic art was also quite important and extense (advertisements, menus, bookplates, bibliophile editions, etc.). He illustrated articles and short stories for popular magazines such as *Hojas Selectas, D'Aci d'Allà, Mercurió* and *Lecturas*. He also illustrated books for a number of publishing houses, among them Salvat, Calpe, Espasa and Institut Gallach. His drawings were usually done in pen and ink, with strong lines and good composition, enhanced with a wealth of details and always highly decorative. As of 1924 his work as an illustrator registered a sudden decline, probably due to the advent of new printing techniques that facilitated the use of photographs.

As I proceeded in my study of Pey's work I was struck by the fact that he generally signed his graphic designs with his first initial and full last name (J. PEY) or else simply with the initials J.P. In contrast, he never signed the more important works such as stained glass, tile, decorative paintings for ceilings and

cupolas, friezes, wall hangings or sgraffiti. This goes a long way towards explaining the many false interpretations and mistaken attributions of his work. His Agenda is a fund of valuable information that enables us to identify his works.

In 1905 and 1906 Pey produced most of the designs for the marquetry and tile work for Casa Lleó Morera,[19] which was decorated by Gaspar Homar. In 1906 and 1907 he did assorted tile work for Casa Navàs in Reus, including the mosaics that decorate the main staircase. Later, the demand for marquetry designs was to diminish, although in 1913 he did design a headboard depicting a praying angel. In 1911 he designed the doors for a prie-dieu for the Pladellorens home, which was decorated by Homar in a simpler style. Pey also painted the drawing room friezes, whose theme was *Música i Dansa*.[20]

Pey designed a business card for Homar's company in 1906.[21] Various preliminary sketches in pencil and watercolor are still extant. I found an insert from the German magazine *Deutsche Kunst und Dekoration* in his archive. It shows Leonardo Bistolfi's poster for the 1902 Exposition of International Art in Turin.[22] The background for Homar's business card is taken from this poster, with slight variations. The proposal was then reworked and a similar but more detailed version was presented. The new text read: *Homar/furniture/lighting/decoration/Canuda 4/ Barcelona*. The printed (and unsigned) version of the card bears the words *Primera Medalla: Barcelona* 1907. The female figure is similar to the figures Pey used in his designs for marquetry and tile work. The illustration and the text are separated by a border which organizes the space. The female figures are still *modernista* in feeling, but the card as a whole is closer to the new spirit of order and sobriety that was to mark the *noucentista* movement. The card was used as advertising in newspapers and magazines.[23] Pey also did a drawing for Homar's advertisement in the catalogue of the 1907 Exposition.

In 1930 he noted in his Agenda that Homar had commissioned a sketch of figures for a "modern" dining room. There are no further details and I do not know if the work was ever produced.

Pey was a great admirer of Puvis de Chavannes.[24] His decorative panels and wall paintings hint at a taste for symbolism, a treatment of color, an absence of movement, a two-dimensional quality and the timeless landscapes that were characteristic of the Frenchman's work. He was also interested in the Pre-Raphaelites and Symbolists.

His work in the field of decorative painting was as prolific as his work in other fields, and equally anonymous. As of 1897 he started receiving commissions from Alexandre Vilaró for large panel paintings, mostly allegorical scenes or hosts of angels. They were usually oil paintings on canvas, done in his studio and then affixed to walls or ceilings. For larger formats he had to work out a sort of patchwork arrangement, taking different canvases and pasting them

side by side. He frequently attempted to imitate fresco painting, playing with the greyish tinges of stone.[25] In 1908 he painted a tympanum for a chapel in the church of the Monastery of Montserrat. In 1909 he painted the ceiling of the Café Colón and in 1916 he did an altar for the Betlem church. In all, he produced more than one hundred large paintings for libraries, offices, drawing rooms, dining rooms, churches, chapels and official buildings.

On the occasion of the 1929 World's Fair in Barcelona, his commissions increased. Vilaró i Valls commissioned him to do most of the decoration for official buildings, among them several panels for the Civil Government offices; four panels depicting the seasons for the Captain General's dining room; another panel and a round ceiling for the Royal Pavilion (now the Palauet Albéniz) at the fairgrounds in Montjuïc, and paintings and panels for the drawing room of the Mayor's office in the Barcelona city hall.[26] That same year he did several paintings for the auditorium of the Col·legi de Notaris whose allegorical themes referred to the different branches of law (Roman, canon, etc.) and two canvases representing Justice and Faith. In 1932 he painted 24 panels for the first-floor foyer in the Parliament building, also commissioned by Vilaró i Valls.[27]

During the war years he did no work at all for Homar. He received few commissions in general and most of the work he did was for Vilaró i Valls and Oleguer Junyent. From 1912 to 1946 he combined all his activities with his work as a drawing teacher at the Escola d'Arts i Oficis in Barcelona's District V.

Thanks to his marvelous sense of perspective he was commissioned to do a great number of drawings for architects such as César Martinell, Puig i Cadafalch, Pau Salvat, Joan Alsina and especially Jeroni Martorell of the Servei de Conservació de Monuments Històrics. According to Pey's Agenda he produced more than 50 works of this type between 1913 and 1940. The great majority are perspective drawings of monuments, churches, markets, schools, etc. Many of these drawings were published without anyone knowing they were done by Pey.[28] Among the most important work he did for Jeroni Martorell were the stained glass windows for the Caixa d'Estalvis de Sabadell in 1913 (with the exception of the large window in the auditorium, which is the work of Francesc Labarta).[29] Pey also designed the stained glass window for the Casa dels Canonges (1928-1929) and restored the sgraffiti on the Casa dels Velers (1930) in Barcelona.

It is hard to understand why Pey always remained in the background. He was an extremely discreet person. As Francesc Fontbona says, he was a man whose role in the field of *modernista* arts was as important as it was anonymous.[30] He usually did not sign his designs, and particularly not the ones done for decorative arts. He didn't consider them very important and probably felt that they were examples of crafts rather than an art. Nevertheless, he realized that his designs had a certain value and evidence of this is the post card he wrote to his

brother Jaume in 1907, explaining that Serra's china had been very successful and had received a first prize medal; Carreras had received a third prize and Homar, who had entered some panels and marquetry work, had also won a first prize. Pey added, "the only one who didn't win anything was me....but indirectly I won prizes too because I designed and directed the tiles and marquetry work, and did the decorations for the china, some of which the City Council is going to buy for the museum".

He continued working hard during the last years of his life, spending considerable time designing sgraffiti for Ferdinandus Serra. In 1941 he had done the decoration for the façades of Casa Sastre in Piera and the Font del Lleó house in Barcelona and he designed sgraffiti for buildings in Barcelona, Lleida, Terrassa, Sabadell and many other towns in Catalonia. He designed various sun dials, and chapels, tombstones and pantheons were incised with sgraffiti designs in a variety of styles.

Josep Pey died on December 2, 1956. He did not put aside his pencils and paper until the very last, continuing to make notes and sketches as he sat before the fire, gazing at the undulating shapes of the flames and the color of the embers.

Notes

1. An index of books is preserved in the Pey library, as is a detailed index of magazines. Among the many titles listed are several antique editions of *Don Quixote* and other works by Cervantes and the classics of Spanish literature. Pey's collection of Catalan literature includes works by Verdaguer, Llull, Guimerà, Pi i Suñer, Milá i Fontanals, Ausias March,as well as medieval chronicals. There are also a good number of Greek and Roman classics and works of French literature. Numerous specialized books deal with architecture, archeology, art history, sculpture, bookbinding, ceramics, enamelling, metalworking and engraving, and there are abundant museum and exhibition catalogues and much, much more. The magazines most represented are *The Studio, Art et Décoration, The Magazine of Fine Arts, Ilustració Catalana, Die Kunst, Les Arts* and *Vell i Nou*. It is clear that he was interested in articles about the artists of the day, among them Rodin, Segantini, Rossetti, Whistler, Israels and Sheringham, but his special interest was the decorative arts and articles on wall paintings, stained glass, book illustration, etc.

2. O. Bohigas, *Reseña y Catálogo de la Arquitectura Modernista*, Vol I, Lumen, Barcelona, 1968, p. 61.

3. There are two photographs from 1894 in which a group of high-spirited youths in fancy dress is posed on the roof of Coll's studio. Among them are Josep Pey, Manolo Hugué and Antoni Coll i Pi, who was probably the son or some other relative of the painter.

4. According to his Agenda, Pey spent 51 mornings working at the notaries' association. For further details, see A. Cirici, *El Arte Modernista Catalán*, Aymà, Barcelona, 1959, p. 71.

5. See F. Fontbona, F. Miralles, "Del Modernisme al Noucentisme 1888-1917", *Història de l'Art Català*, Vol VII. pp. 30,62 and 63.

6. It was at this time that Pey started sharing a studio with Sebastià Junyent at Carrer Bonavista 21 in Gràcia. Later he would share the studio with Junyent's brother Oleguer, also a close friend and collaborator. It was not until 1914 that Pey had the studio to himself, Oleguer Junyent having moved just a few meters away to Carrer Bonavista 22.

7. There is a post card dated June 12, 1900 in the Pey archive. Sent to Josep Pey by Sebastià Junyent who was in Rome at the time, the message reads: "Friend Pey, I received your much

appreciated (letter), which made me very happy. Let me know the impression caused by the friezes we painted for Homar....."

8. We have not succeeded in locating a single one of these many wall hangings. They may have deteriorated with time or been discarded as changing tastes robbed them of their decorative value.

9. See J. Mainar, *El Moble Català*, Destino, Barcelona, 1976, pp. 342-343 and *El Modernisme* Vol 2, exhibition catalogue, M.A.M.B., Barcelona, 1990, pp 123 and 232.

10. Pey noted in his Agenda that he was paid 135 pesetas for this job.

11. See F. Fontbona, "Sebastià Junyent (1865-1908) artista y teórico," *Estudios Pro-Arte*, no. 3, pp. 45-60 and also F. Fontbona, F. Miralles, *Del Modernisme al Noucentisme*, op. cit., pp. 80-81.

12. See P. Štěpánek, "La inspiració txeca de Gaspar Homar", *Serra d'Or*, Montserrat, no. 209, February 15, 1977, pp. 50-51 (114-115).

13. See F. Fontbona, F. Miralles, *Del Modernisme al Noucentisme*, op. cit., pp. 82-83.

14. See A. Cirici, *El Arte Modernista Catalán*, Aymà, Barcelona, 1951, pp. 272 on.

15. See Y. Plantin, F. Blondel, (ed.), *Eugène Grasset (1841-1917)*, Imp. Marchand, Paris, 1980, p. 114 and M. Schneider, *Wagner*, Editions du Seuil, Paris (1960; 1989) p. 109

16. J.F. Ràfols, *Modernismo y Modernistas*, Destino, Barcelona, 1949, pp. 280,375, 405.

17. See J. Bassegoda Nonell, *El Círculo del Liceo, 125 aniversario (1847-1972)*, Círculo del Liceo, Barcelona, 1973, p. 169.

18. On August 11, 1903 Oleguer Junyent sent Pey a postcard from Paris inquiring after the *vitreaux* (sic) and reporting that he had seen some very beautiful ones in Paris. Pey's Agenda notes that in 1903 he did the stained glass windows and the frieze for the dining room of the Cercle del Liceu, earning 1158 pesetas for the entire job. In 1904 he received an additional 100 pesetas, clearing up what he was owed for the Cercle del Liceu and Casa Burés. In 1905 he designed four panels for the dining room of Casa Burés.

19. See M. García-Martín, *La Casa Lleó Morera*, Catalana de Gas, Barcelona, 1988; M. Pey, N. Juarez, "Colaboración Homar-Pey en la casa Lleó Morera de Barcelona", *Actes del Congreso de Historia del Arte*, Universidad de Murcia, 1992, p. 653.

20. See A. Cirici, *El Arte Modernista Catalan*, op. cit, p. 241.

21. Sebastià Junyent had already designed one in 1900. It is pictured in E. Trenc Ballester, *Las Artes Gráficas de la època modernista en Barcelona*, Gremio de Industrias Gráficas de Barcelona, Barcelona, 1977, p. 171.

22. See *Modernismen i Katalonien*. Exhibition catalogue. Kulturhuset, Generalitat de Catalunya, Stockholm, 1989, pp. 165 -166.

23. See *La Veu de Catalunya*, 18, VIII, 1910.

24. Prints of the wall paintings in the Pantheon in Paris always occupied a place of honor in Pey's studio. Many artists of the period were fascinated by Puvis de Chavannes, among them Gauguin, Seurat, Maurice Denis as well as Picasso and Torres Garcia.

25. Puvis de Chavannes used this technique in his wall paintings, done in oil on canvas and not true frescos, although resembling them in appearance. See *Le triomphe des mairies. Grands décors républicaines à Paris, 1870-1914*. Musée du Petit Palais, Paris, 1986.

26. See F. Miralles, "L'època de les avantguardes, 1917-1970", *Història de l'Art Català*, Vol. VIII, p. 116.

27. All these commissions testify to the strong influence of French official art, containing touches reminiscent of Prouvé, Besnard, Bonnard, Lauyrens and Benjamin-Constant.

28. See *El Noucentisme, un projecte de modernitat*. Exhibition catalogue, CCCB, Generalitat de Catalunya, Enciclopèdia Catalana, Barcelona, 1994, pp. 167 and 171.

29. S. Alcolea, *Els edificis de la Caixa d'Estalvis de Sabadell*, Fundació Caixa de Sabadell, Sabadell, 1994, pp. 118 on.

30. See F. Fontbona, F.Miralles, op. cit., p. 80.

The 1892 Exposition of Industrial Arts and the Industrial Arts as Part of General Exhibitions of Fine Arts in Barcelona

Cristina Mendoza

The extraordinary quality of *modernista* decorative arts, one of whose leading representatives was unquestionably Gaspar Homar, might lead one to believe that the industrial arts had long been solidly entrenched in Catalonia and enjoyed full institutional support. But although a number of industrial arts exhibitions took place in Barcelona during the 19th century, it was not until 1892 that an official event placed industrial arts on a par with "Fine" Art. On October 8, 1892, the *Exposición Nacional de Industrias Artísticas* got underway, the first official event of its kind to be held in Spain. Two years earlier the Barcelona City Council had decided to sponsor one official exhibition a year, alternating between fine and industrial arts. The first exhibition of fine arts had taken place in 1891.

The *Exposición Nacional de Industrias Artísticas* was a pioneering endeavor and has always been considered a landmark in the history of industrial arts in Spain. And indeed it was. The Barcelona City Council's initiative was praiseworthy and in theory it was a very ambitious project. Nevertheless, the spirit behind the project and the organizers' objectives were one thing while the actual interest of the exhibition, i.e. its content, was something else again. In his extremely useful study of official art exhibitions in Barcelona, based on the records preserved in the MNAC Museu d' Art Modern, Pere Bohigas i Tarragó limits his comments on the 1892 Exposition to a few brief lines, which contain this eloquent observation: "the exhibition was a magnificent response to the desires of those who aspired merely to keep the brilliant spirit of the 1888 Universal Exposition alive, but in fact it contributed nothing to the progress of the arts because the overwhelming majority of the 552 national exhibitors were exclusively industrialists, whose products were totally lacking in artistic value."[1] In an attempt to verify Bohigas's outright dismissal, I have carefully read the exhibition records and studied the comments that appeared in the press,[2] and can now round out Bohigas's opinion with some additional information. Although the records are mostly administrative files of little interest, I feel that the two reports drafted by the organizing committee,[3] one to be read at the opening[4] and the other at the closing ceremony[5] are particularly interesting. The first basically deals with the criteria applied in organizing the exhibition and the objectives of the event. The second, though shorter, is more interesting because it sums up the event and responds to the severe criticism the exhibition had received.

Although the event was conceived as an *"Exposición Nacional de Artes Industriales"* it was not so much an exhibition of this type with the attendant quality control on the part of the jury in charge of accepting work[6] as a major endeavor with two main objectives: to profit from Barcelona's capital-rich industry and trade and rescue the industrial arts from their precarious situation, restoring them to their past splendor. Labelled a "national exhibition", the event aimed to follow the example of "England, whose first World's Fair revealed the imperfections and shortcomings of its artistic industries and made a supreme and patriotic effort whose marvelous result is the tremendous South Kensington Museum......." and that of "Paris, whose recurrent exhibitions of industrial art long gave the city a monopoly on European trade and brought overwhelming credit to its industry." The organizing committee was convinced that an attempt should be made to regain supremacy in industrial arts and that this would be achieved, first and foremost, by means of exhibitions of art applied to industry.

Unfortunately, the organizing committee had to contend with all manner of problems. On the one hand, they had little time to arrange such a large event and because it was the first of its kind in Spain, they had no experience to draw on. The official decision to hold the event was made on January 19, 1892, the first notification was published on February 1st and it was not until the 20th of the month that the actual announcement appeared, i.e. barely eight months before its inauguration.

On the other hand, the organizing committee had to decide just how broad the scope of the exhibition was to be. In other words, should exhibitors be limited to Catalan industries, should they include representatives from all of Spain or would it be better to give the event an international character? After lengthy discussions, the committee finally opted for the second alternative "due both to the modesty required of a first attempt and the most rudimentary form of patriotism". "All of Spain" was to include Spanish colonies overseas due to the special interest and quality of their productions, particularly those from Asia.[7]

However, in order to prevent this decision from being interpreted as either a belittlement or fear of the arts and crafts industries in other countries, it was decided to include an international section devoted to reproductions of works of art dating from ancient times to the beginning of the 19th century. The man behind this decision, made by the organizing committee on March 14, was Salvador Sanpere i Miquel, who felt that reproductions should be included both because they constituted a branch of the industrial arts and because their presence would stimulate industrialists to emulate them, while simultaneously fostering a closer acquaintance with the masterworks of ancient times. Moreover, any possible acquisitions could be designated for Barcelona's newly-created Museo de Reproducciones. Exhibitors in this section were allowed to present only one work and had to specify the location of the original.

The organizing committee was also responsible for improving the Palacio de Bellas Artes, whose shortcomings as an exhibition venue had been revealed the previous year on the occasion of the first fine arts exhibition. Work largely involved improving the central hall, which had housed sculpture during the fine arts exhibition and was equipped with neither lighting or heating. Moreover, and because the organizing committee judged the Palacio de Bellas Artes an inappropriate venue for exhibiting the many works of stained glass, china and mosaics which would obviously be included, it was decided to build special galleries for these works on a plot of ground adjacent to the palace (located at the intersection of Calle Comercio, Paseo Pujades and Paseo Picasso). The galleries, designed by municipal architect Pere Falqués, were linked to the main building by a wide bridge. Although the galleries and the bridge were short-lived, the main hall survived and the considerable improvements that were made created a much more suitable setting for subsequent exhibitions. The main hall was redecorated by the prominent set designer, Francesc Soler i Rovirosa.[8]

Although the report read at the opening ceremony stressed the difficulties the organizing committee had had to overcome in order to make the exhibition materialize, it concluded by expressing the committee's satisfaction because events of this type, together with "constant protection and increasing encouragement are helping lift formerly flourishing artistic industries from their present state of prostration". The committee was also pleased because the event had attracted so many exhibitors. According to the report, 215 exhibitors, approximately two-thirds of whom were from the city and province of Barcelona, took part in the 14 categories specified in the regulations plus an additional category for miscellaneous objects,[9] and 50 more in the category of international reproductions.

Although the organizers thought it would be a good idea to schedule the opening of the exhibition to coincide with the festivities Barcelona had planned to commemorate the IV Centenary of the Discovery of America, they were mistaken. So much effort was being put into the Centenary celebrations that many of the exhibition facilities were not finished on time. Moreover, public attention was focused exclusively on the Centenary and ".... the *Exposición de Artes Decorativas* has remained almost empty throughout the celebrations.....the newspapers have had no time for such lofty affairs and the public was not about to be enclosed within the four walls of the grandiose palace, wandering about among furniture, tapestries, lamps, more or less artistic examples of iron work, books and photographs".[10] This probably explains why the first lengthy reports on the exhibition did not appear in the press until about fifteen days after its inauguration. The city's leading newspapers then began issuing in-depth reports and *La Vanguardia, Diario de Barcelona, La Dinastía* and *La Renaixensa* ran series of long articles, some of which continued almost until the end of the exhibition. They all included such detailed descriptions of the different sections that it is hard to believe they were newspaper reports. These lengthy descriptions can probably be explained by the fact that at the end of November, almost two months after the inauguration, the exhibition catalogue had still not been published and the newspaper articles sometimes served as a substitute.[11] The newspaper critics all agreed that the jury had been far too lax in terms of quality control and, as a result, objects of artistic interest were displayed alongside others "which have as much to do with art as a Chinaman has to do with a Spaniard."[12] For his part, F. Miquel i Badia wondered "Do the people in charge of accepting objects for the *Exposición de Industrias Artísticas* really understand 'artistic' in such a broad sense of the word? We ask this because the visitor less cognizant of such matters will surely be tremendously surprised when, shortly after entering the Great Hall of the Palace of Fine Arts, he discovers prominently displayed in this exhibition, in which Art should be the dominant note, an installation of metal bedsprings, electric insulating material and lightning rods, wires, retorts and other objects appropriate to a general industrial exhibition rather than to an event whose principal, and we would almost say only, purpose, is to demonstrate the preponderance of true artists in industrial products."[13] Along the same lines, B. Bassegoda stated that "with a few honorable exceptions, many of the objects exhibited display a striking lack of artistic character. They are all more or less felicitous industrial applications to building and decoration, but there are very few exclusively artistic industries. In our opinion, artistic industries do not manufacture topographical instruments, lightning rods, electric buzzers, chocolate monuments, wooden shoes with painted designs, cakes of soap, *sommiers*, or lead soldiers. Although this no doubt represents a great advance in national production it by no means signifies that these industries are at the service of Art."[14] However, none of the critics blamed the City Council, congratulating it instead on the idea of holding the exhibition. Indeed these writers, particularly Bassegoda and Miquel i Badia, felt that the fault lay with the major industrialists who ignored the City Council's call for entries. "We are not trying to blame anyone. In any case, those who deserve to be blamed (and it is sad to have to admit it) are those who could have presented magnificent objects that would certainly be able to compete with goods from abroad, but through apathy or laziness fail to take part in these struggles in favor of industry and art. Then come the complaints that no one pays enough attention to us. If they don't participate in exhibitions here at home, can they really complain that they don't have a good reputation? Is it better to go abroad where we know for certain that we cannot compete to any advantage?"[15] Along the same lines, Miquel i Badia stated that "neither the industrialists of Catalonia nor even those of Barcelona, let alone Spaniards in general, have answered the call. Some of them are disillusioned by exhibitions which are becoming less important by the day; others are disillusioned because the rewards of the industrial struggle are often not commensurate with the effort involved [...] the truth is that the artistic industries of Catalonia, let alone those from the rest of Spain, are not represented to the extent that might have been desired by the people who proposed that exhibitions of this type alternate with exhibitions of painting, sculpture and engravings."[16] Lastly, the majority of the critics agreed that, despite their observations to the contrary, there were some extremely noteworthy items in the sections dedicated to metalwork, ceramics, stained glass, cabinetmaking and photography and were unanimous in their opinion that perhaps the most interesting part of the exhibition was the section on artistic reproductions.

Logically enough, the organizing committee's final report, read at the closing ceremony, did not ignore the criticism received and a good part of the final address was devoted to making excuses. "It can be objected, and perhaps on good grounds, that not all of us took part nor did the best among us, but in reply to this charge we must ask who displayed more patriotism and good sense, those who responded to the call of their fellows, seeking to bring greater glory to the Country and their profession or those who, deaf to Catalonia's pleas, declined to take their places at the forefront of this peaceful phalanx of craftsmen and workers who are spiritedly and determinedly embarking on a victorious campaign to reconquer our industrial supremacy? Expecting the vast halls of our huge palace to be completely filled with works and designs at which the intelligent visitor would marvel in amazement would have been not only an unjustified pretension but a miracle." The more than precarious situation of the industrial arts in Spain is summed up in those words and no doubt further complicated the jury's task of selecting the works to be exhibited inasmuch as "bearing in mind the fact that this was not only the first exhibition of decorative arts and industrial applications but also the state of our production and the fact that our artists and craftsmen are much in need of stimulus, the jury preferred to take its inspiration from the sublime precepts of the Deity whose infinite mercy always outshines his right and inexorable justice."

Driven by this same urge to promote and protect the industrial arts, the organizing committee decided to set up a series of competitions among the craftsmen and manufacturers, awarding prizes to the best works in the different categories that made up the exhibition.[17] They also organized a series of six lectures, which were held at the exhibition headquarters on six consecutive Sundays and aimed to "educate and prepare workers and craftsmen by combining practical contemplation with theoretical teachings of Industrial Art."[18]

After giving a very special thanks to the Foment de Treball Nacional and the Centre Industrial de Catalunya for their support, the organizing committee's closing address ended with the words "so do not close this door with fear or disappointment. It shall be reopened by better times and the undeniable progress of our National Arts and Industries".

From all the foregoing it might appear that Bohigas's dismissive statement about the exhibition's limited interest was an accurate reflection of reality. Compared with the fine arts exhibition held the previous year, the 1892 exhibition of industrial arts was a failure. Unlike the 1891 event it did not live up to expectations: estimates had been that income would exceed expenses when in fact the opposite was true;[19] the number of visitors was far lower than expected; and although the critics were benevolent towards the effort made, they did not silence their disappointment in the heterogeneity and poor quality of its content, which meant that the works acquired for the city's museum were not especially significant. It is no doubt for all these reasons that the 1892 exhibition, which was to be the beginning of regular official industrial arts exhibitions, was the first and only one held in Barcelona. Paradoxically enough, it was the excessive enthusiasm of its organizers that caused the exhibition to fail. Rather than limiting exhibitors to true practitioners of the industrial arts, they threw the doors wide open and, as a result, many more industrialists than industrial artists found their way into the event.

Looking back from the vantage point of time, it would be unfair and inaccurate to conclude that the 1892 *Exposición Nacional de Industrias Artísticas* was a useless effort. Although, as the organizers complained, some of the most prominent figures of the day failed to participate (among them Esteve Andorrà, a highly skilled metal craftsman; furniture makers José Ribas and very particularly Francesc Vidal and Gaspar Homar who, although still employed by Vidal, had already produced some items on his own), many of Catalonia's leading craftsmen were among the exhibitors – metalworkers M. Ballarín, C. González e hijos and F. Riera; stained glass maker A.Rigalt; furniture makers E. Roca and J. Busquets; engraver E.Bobes; photographer Napoleón; J. Fiter, a specialist in embroidered fabrics; designers and draughtsmen J. Busquets i Jané and Alexandre de Riquer. Furthermore, the organizers did achieve their primary objective, which was to provide the institutional support necessary to rescue the industrial arts from their situation of stagnation and uncertainty. Proof of this is that "when the 1892 Exhibition of Decorative Arts opened in this city, various industrial artists decided to found an association which would pursue the aims of everyone involved in art-related industries in order to bring greater splendor and importance to the exhibition. During the course of the event (it was impossible to do so in advance because the potential members were not acquainted with one another and it was difficult to bring them together), I was able to observe that, although the exhibition had its shortcomings both in terms of the number of exhibitors and the objects presented, some of the industries congregated there did have an artistic value."[20] The founding members of the association apparently held their first meeting at the exhibition's headquarters. Among them were Francesc Sala, Josep Santafé, Concordi González, Manuel Beristain, Jaume Brugarolas and Joan Sarrado, all of whom were exhibitors. Their efforts and enthusiasm were supported by the Foment de Treball Nacional and managed to attract other craftsmen. In 1894, the Centro de Artes Decorativas was finally founded and its members included the leading artisans of the time. The association published a monthly journal – *El Arte Decorativo* – and organized annual exhibitions of the decorative arts.

The next official exhibition in Barcelona took place in 1894 and, as scheduled, was dedicated solely to the fine arts. However, the 1896 edition, which should have once again been dedicated solely to applied arts, was a mixture of the two. The 1898, 1907 and 1911 editions also combined fine and industrial arts, including far fewer works in the latter category. Although space prevents us from thoroughly analyzing the industrial arts sections of these other four exhibitions, there are a few points that are definitely worth mentioning.

The 1892 experience led the organizers of the 1896 edition to take an entirely different approach to the Industrial Arts section, which was renamed *Industrias de marcado carácter artístico* ("Industries with a pronounced artistic character"). They were divided into four categories: Metal, Tile and Glasswork; Carpentry and Furniture Making as an Applied Art and Tapestry/Upholstery /Draperies as opposed to the fourteen included in the 1892 event. While potential exhibitors in 1892 had received little advance notice of the event, artists and craftsmen invited to participate in the 1896 edition received personal invitations on April 1, 1895, i.e. slightly more than a year before the exhibition was scheduled to open. It is interesting to note that one of the craftsmen invited to exhibit was Gaspar Homar, who then had his own workshop at Rambla de Catalunya 129. Homar declined the invitation.[21] The jury in charge of deciding on the works to be exhibited was much more demanding than its 1892 counterpart and rejected everything that was not definitely artistic in character.[22] Lastly, it is interesting to note that the Centro de Artes Decorativas was part of the organizing committee and, in fact, published a special issue of its journal on the occasion of the 1896 exhibition.[23] As far as Catalan exhibitors are concerned, more or less the same craftsmen whose work was shown at the 1892 exhibition took part in the 1896 and 1898 editions of the event. It should be noted that, although the exhibitors were the same, reviews of the latter two events all applauded the progress of the industrial arts and the fact that craftsmen had turned to historic national symbols for inspiration, borrowing many of their motifs from Gothic art. For example, García Llansó wrote that "the path on which they have embarked is a good one because it aims to take elements which contributed to the industrial greatness of our country in past centuries and mold them to modern tastes.[24] Miquel i Badia went somewhat further, attributing the significant progress registered in the industrial arts not only to the study and imitation of ancient symbols but more particularly to the work of "young architects who are enthusiasts of medieval art and have taken on the task of applying it to modern buildings".[25] As an example he cited a street lamp designed by Lluís Domènech i Montaner and produced by metalworker Manuel Ballarín for the Barcelona Bar Association, which at the time had its headquarters in Casa Ardiaca. Along this same line, in the 1896 Awards Jury report B. Bassegoda eloquently pleaded that in addition to the prize awarded to metalworker Esteve Andorrà for his lamp. some recognition be given to architect Josep Puig i Cadafalch who had designed the article, "in acknowledgement of the fact that design and direction is an extremely important factor in industrial art".[26] These comments are very interesting not only because they recognize that architects are vital to the survival of industrial arts but also because they reveal the importance of, and need for, a true communion between architects and artisans, a relationship which immediately leads to the concept of the work as a whole, a concept which definitely contributed to the splendor of *Modernisme*.

For a number of reasons the 1898 exhibition was the last of its type until 1907 when the *V Exposición Internacional de Bellas Artes e Indústrias Artísticas* took place. This was by far the most important of all the exhibitions held in Barcelona. Before discussing the role of industrial arts in this exhibition, it should be recalled that *modernista* decorative arts reached the height of their splendor in the years between 1898 and 1907. Close collaboration between architects and artisans had a great deal to do with this. It was during this period that Gaspar Homar produced his most notable work, for Casa Lleó Morera in Barcelona and Casa Navàs in Reus, both of which were designed by Lluís Domènech i Montaner. However, and despite the recognition given the leading craftsmen of the time, their presence in the 1907 exhibition took a rather strange form because the works included in the Industrial Arts section had to be part of the decoration of the exhibition halls.[27] According to the regulations governing the exhibition, "The Executive Committee, in accordance with the Jury for Admission and Display of Works, may commission special groups of artists and artisans to organize, decorate and install each of the rooms in which the exhibition is divided. The industrialists who contribute to the decoration and arrangement of these rooms shall enjoy the same rights as the exhibiting artists."[28] Based on this article, artisans A.Serra, Rigalt, Granell i Cía, J. Carreras, G. Homar and J. Pey submitted a request dated October 31, 1906, applying for "a room or enclosed space of approximately forty square meters which the undersigned shall undertake to decorate at their own expense, said space to then serve as the setting for their respective exhibits of industrial arts."[29] Their request was denied because the organizers considered that commissioning groups of artists and artisans to decorate various exhibition spaces "does not imply that these spaces may be used to exhibit work by the artists who have decorated them, but are intended by the Executive Committee for the use of exhibitors in general, which is manifestly opposed to the desire expressed in your letter and, in consequence, the Committee regrets that it cannot honor your request."[30] Although in 1907 decorative arts were at their height and their authors enjoyed considerable recognition, their participation in the exhibition was to be limited only to the few artisans who were selected to decorate a room and under no circumstances was any of their production to be actually displayed in this space.

Twenty-two people were selected to be in charge of decorating the 33 rooms that made up the exhibition.[31] They were entitled to seek whatever forms of collaboration they judged appropriate. With the exception of Room XXIII, decoration of which was confided to cabinetmaker/interior decorator Joan Busquets i Jané, decoration of all the other exhibition halls was directed by architects or painters. So, although artisans were encouraged to take part in the exhibition by decorating its rooms, almost none of them were actually selected to direct such work.

Still, some of the people in charge of directing the decoration asked various craftsmen to work with them. This was the case of architect Bonaventura Conill, who was called upon to decorate Room XXXIII, which was to house Italian works. Conill worked with a number of different artisans, outstanding among whom was Gaspar Homar.[32] What can be seen from the few surviving pictures of the room indicate that there was nothing very special about the decoration except for a stand done by Gaspar Homar, which displayed a limited collection of his most significant *modernista* productions, ranging from furniture to marquetry work and including metalwork, draperies and other accessories. According to the exhibitor's application filled in by Homar,[33] his stand, which formed part of the decoration of the room assigned to B. Conill, consisted of a marquetry ceiling, a mosaic marble floor,[34] a front piece featuring a marquetry panel with figures, seven lamps, four straight chairs, two armchairs, a bench, a pedestal, a writing desk made of majagua with a marquetry panel with figures, two panels in mosaic tile, glass and china, a marquetry panel depicting a dance scene; a wood, metal and ivory panel portraying Saint George and a Gothic-style cabinet in amaranth.[35] So, although artisans were so arbitrarily refused the right to space in which to exhibit their own works, some of them managed to indirectly achieve their goal by pretending that their displays were part of the decoration of a particular exhibition hall. Considering their status as professionals, it was totally unfair that they should have had to resort to this type of subterfuge. The other major furniture maker of the time, Joan Busquets i Jané, was also able to create his own exhibition space. Appointed to direct the decoration of one of the rooms, he simply filled it with his own creations. Lastly, and for reasons as yet undiscovered, some craftsmen presented their work as ordinary exhibitors, among them Manuel Beristain, Joan Riera Casanovas, Antoni Serra, Rigalt, Granell y Cía, to cite only a few of the best known Catalan craftsmen whose works were included in the exhibition catalogue, unlike those of the artisans who had opted to display theirs as part of a decorative setting. But, despite these unfortunate circumstances, people who collaborated on decorating the exhibition spaces were also eligible for awards and the most interesting point is that Gaspar Homar won the first class medal in the section dedicated to *Ebanistería, Mobiliario y Carpintería en su concepto artístico* "for his installation of mosaics and furniture in Room XXXIII", neglecting any reference to the fact that this display was ostensibly part of the decoration of the Italian room.[36] Thus, Gaspar Homar ultimately ended up victorious in his field at the 1907 international exhibition of art and industrial arts. Unfortunately, public institutions failed to take advantage of the opportunity to acquire any of these pieces. This is regrettable not only because of the high quality of the work but also because the city's public collections contained no pieces of genuinely *modernista* furniture or mosaic work.[37]

Lastly, it should be noted that the *VI Exposición Internacional de Arte* was held in 1911, when *modernista* decorative arts were on the decline. This was the last of these exhibitions to be held in Barcelona. On this occasion, the industrial arts, which appeared under the umbrella heading of Decorative Art, were far less numerous than on previous occasions. However, it is interesting to note that this time there were two institutional acquisitions: a Neo-Gothic walnut fireplace by Joan Riera i Casanovas which featured a large mosaic tile panel by Lluís Bru and a wardrobe-liqueur cabinet by Joan Busquets i Jané with enamel work by Lluís Masriera.[38]

These two works, together with the writing desk by Busquets which had been acquired at the 1898 exhibition, were the only examples of *modernista* furniture in Barcelona's public collections until well into the 1960s. In 1964, when *Modernisme* was completely undervalued, Joan Ainaud, then Director General of the Barcelona museums, had the brilliant idea of putting together the exhibition entitled *Las artes suntuarias del Modernismo barcelonés*. As a result of this exhibition and *El Modernismo en España*, an exhibition held in Barcelona and Madrid five years later, the Museum acquired a number of significant objects and suites of furniture, outstanding among which are Gaspar Homar's furniture for the first floor of the Casa Lleó Morera and about one hundred of his watercolor drawings, which are the core of the exceptional collection of *modernista* decorative arts preserved in the MNAC Museu d'Art Modern.

Notes

1. See P. Bohigas, "Apuntes para la historia de las Exposiciones Oficiales de Arte de Barcelona" in *Anales y Boletín de los Museos de Arte de Barcelona*, Barcelona, 1945, p. 38.

2. My thanks to Carme Arnau, documentalist with the MNAC Museu d'Art Modern, for her painstaking search of the periodicals of the time.

3. The organizing committee, which met for the first time on January 30, 1892, was made up of M. Fossas i Pi (Lieutenant Mayor and Chairman of the Commission), C. Pirozzini (Secretary), J.L. Pellicer (director of the Museu de Belles Arts) and J. Roca, A. Bastinos and E. Pasarell (city councillors); and J. Martorell, F.Soler i Rovirosa, M. Planella, J. Campderà, M. Bochons, J. Coll, F.Rich, J.O. Mestres, S. Sampere i Miquel, A.Sánchez Pérez, A. Vallmitjana, F. de P. Villar, L. Domènech i Montaner, M. Fuster, J. Masriera and L. Roca. Moreover, a managing committee was formed to streamline the organizing committee's task. Members of the management committee were the three city councillors plus Planella, Soler i Rovirosa and Masriera. At the first meeting it was decided that Pellicer, Pirozzini and Sanpere i Miquel would be responsible for drafting the announcement of the exhibition.

4. The 22-page handwritten report was drafted by the organizing committee on the eve of the inauguration and read at the opening ceremony by Carles Pirozzini, secretary of the organizing committee.

5. The final report drafted by the organizing committee is an 11-page, handwritten document.

6. The jury in charge of accepting and classifying work was appointed on July 9th. Its members were A. Caba and F.Soler i Rovirosa (representing the organizing committee) and A.Font, J. Vilaseca, T. Sabater, E. Llorens, A. Riquer, J. Torné, J. Thomas, M. Matarrodona, M. Fuxà and M. Henrich for Group 1 which included general projects, painting and drawing, sculpture, engraving, photography and printing. Members of the jury for Group 2, which included ceramics, stained glass and mosaic tile work, were M. Fita, A.Rigalt and Escofet y Cía. J. Macià and P. Sancristofol made up the jury for Group 3: metal work, while Sert Hermanos, Ricart y cía, E. Lange, J. Vallhonesta, G.Codina, J.Fiter i Fargas and Vilaseca judged Group 4, which included printed fabrics, lacework and tooled leather; The jury members for Group 5, carpentry and fine cabinet making, were F. Rosell and Pons i Ribas, which later withdrew their representative and were replaced by J. Tayà.

7. In the end the Spanish colonies did not participate. According to the final report, the reason for this was partly the shortage of time and partly their lack of familiarity with this kind of artistic event.

8. Another example of the speed with which this exhibition was organized is the fact that Soler i Rovirosa's decor for the main hall of the Palacio de Bellas Artes was approved on September 3, i.e. a little over one month before the exhibition was to get underway.

9. The 1892 Exhibition consisted of the following categories: general design projects; decorative painting and drawing; decorative sculpture; engraving; ceramics; metalwork, jewelry, silverwork, door fittings; lamps and cast metal objects; carpentry and fine cabinetmaking; stained glass; tooled leather goods, tiles; lace and embroidery; printing and bookbinding; photography. There was also a category for "Miscellaneous Objects".

10. "Exposición Nacional de Industrias Artísticas I", *La Vanguardia*, Barcelona, October 23, 1892.

11. See B. Bassegoda, "Exposició Nacional d'Industrias Artísticas", *La Renaixensa*, Barcelona, November 27, 1892, which begins with the author stating that one of the reasons for his delay in publishing a review of the exhibition was that the catalogue had not been published.

12. "Exposición Nacional de Industrias Artísticas. VIII", *La Vanguardia*, Barcelona, January 6, 1893.

13. F. Miquel i Badia, "Exposición Nacional de Industrias Artísticas e Internacional de Reproducciones," *Diario de Barcelona*, Barcelona, November 8. 1892.

14. B. Bassegoda, op. cit.
15. B. Bassegoda, op. cit.
16. Miquel i Badia, op. cit.
17. In five of the ten categories no works were judged deserving of awards. Prizes were given to Joaquim Mirabent i Soler for the best series of designs for tiles or paving stones; Antoni Rigalt for the best engraved glass; Manuel Ballarín for the best finial for an iron railing or candlestick in cast iron; Esteban Canals for the best low-priced dining room furniture and Evarist Roca for the best series of designs for luxury dining room furniture.
18. The speakers, their subject matter and the dates of the lectures were as follows: A. García Llansó, *La encuadernación y los progresos realizados por esta indústria en España y especialmente en Barcelona* (Bookbinding and its progress in Spain and particularly Barcelona), [December 11, 1892]; G. Guitart, *Examen retrospectivo y contemporáneo de las obras propias del carpintero y ebenista y sus relaciones con las enseñanzas teórico-prácticas y demás organizaciones que tiendan al perfeccionamiento de las mismas* (A retrospective and contemporary examination of the work of carpenters and cabinetmakers and their relation to theoretical and practical teachings and other arrangements designed to perfect same) [December 18]; J. Fontanals, *Consideraciones acerca del arte decorativo útiles a los artistas, industriales y expositores* (Useful observations on decorative art for artists, craftsmen and exhibitors) [December 26]: J. Puig i Cadafalch, *El sentimiento regional en la decoración de las obras del arte catalán* (Regional sentiment in the decoration of Catalan art works) [January 1, 1893]; B. Bassegoda, *La cerámica en la Exposición Nacional de Indústrias Artísticas de 1892* (Ceramics in the *Exposición Nacional de Indústrias Artísticas de 1892*) [January 6]; and J. Fiter, *Consideraciónes relativas a los encajes, su carácter artístico y proceso histórico, especialmente en España* (Observations on lace, its artistic character and development throughout history, especially in Spain [January 8].
19. The initial budget had estimated expenses at 109,700 ptas. and income at 110,000 ptas. Low attendance figures upset these calculations and the exhibition apparently took in no more than 20,000 ptas. (see the file *I Exposición Nacional de Industrias Artísticas* (MNAC, Museu de l'Art Modern).
20. See "Memoria", *El Arte Decorativo*, Barcelona, Year 1, No. 3, December 1894.
21. See file on the *Exposición de 1896* (Museu d'Art Modern, MNAC).
22. The Admissions Jury rejected 95 of the works presented (see list of authors and works in the exhibition file).
23. See *El Arte Decorativo. Número extraordinario con motivo de la Tercera Exposición de Bellas Artes e Industrias Artísticas*, Barcelona, May 1896.
24. A. García Llansó, *Exposición de Bellas Artes e Industrias Artísticas de Barcelona*, no. 748, Barcelona, April 27, 1896.
25. F. Miquel i Badía, "Tercera Exposición de Bellas Artes e Industrias Artísticas VII", *Diario de Barcelona*, Barcelona, June 17, 1896.
26. See file on the *Exposición de 1896* (Museu d'Art Modern, MNAC).
27. Article VI of the regulations governing the *V Exposición Internacional de Arte*. See File I of the exhibition (Museu d'Art Modern, MNAC).
28. Article IV of the regulations governing the *V Exposición Internacional de Arte*. See File I of the exhibition (Museu d'Art Modern, MNAC).
29. See handwritten letter in the file of the *Exposición Internacional de 1907*. (Museu d'Art Modern, MNAC).
30. Letter dated November 3, 1906. See file of the *Exposición Internacional de 1907*. (Museu d'Art Modern, MNAC).
31. The people selected to decorate the exhibition halls were D.Baixeras, J. Boada, J. Busquets Cornet, representatives of the Círculo Artístico, B. Conill,F. Elías. M. Fuxà, J. Goday,A.Gual, O. Junyent, L. Masriera, J. Puig i Cadafalch, P. Roig, J. Renart, A. de Riquer, E. Sagnier, representatives of the Cercle de Sant Lluc, J. Triadó and M. Utrillo. Some of them were in charge of decorating several rooms.
32. In addition to Gaspar Homar, other craftsman who collaborated on the decoration of this room were Hermanos Badía (repousée iron lamp), Casa y Bardés (parquet floors and ceilings), Pedro Coll (ceiling panels, plaster moldings and columns), José Santana (artifical granite staircase),Tarrés i Macià (mosaic tile flooring), Nolla (tile wainscoting).
33. See *Boletín de admisión* no. 2434 in the file of the *Exposición Internacional de 1907.* (Museu d'Art Modern, MNAC).
34. He used this same design for the floor in Dr. Fita's pharmacy, which was located at Gran Via de les Corts Catalanes, 61.
35. Although Homar's application did not mention either a marquetry panel depicting the Immaculate Virgin Mary or another marquetry panel showing a woman beside a pond in which a swan is floating, surviving photographs reveal both these works in Homar's "display".
36. The members of the Awards Jury for the industrial arts section were Enric Sagnier, Emili Cabot, General Guitart,Salvador Alarma and Enric Moncerdà. See the file of the *Exposición Internacional de 1907*. (Museu d'Art Modern, MNAC).
37. A writing desk by Joan Busquets had been purchased from the *Exposición General de Bellas Artes* for the city's museum. This piece is currently preserved in the Palau de Pedralbes in Barcelona.
38. In fact, Busquet's prize-winning work and the one destined for the Museum was a sofa topped with a marquetry panel. Apparently something happened to the sofa and Busquets felt that it would be impossible to repair and therefore proposed that the Museum instead purchase the wardrobe-liqueur cabinet, which was also part of the exhibition. (See two letters on this subject from Joan Busquets, dated Barcelona, July 26 and August 19, 1911. File of the *Exposición de 1911*. (Museu d'Art Modern, MNAC).

Chronology

1870: Born on January 11th in Palma, Majorca. Son of Pere Homar, a carpenter and cabinetmaker, who was the second child of the Homar family from the town of Orient, and Margarida Mesquida, of Felanitx. Baptized on September 13th in the church of Santa Eulàlia in Palma. He has one sister, Margarida Homar Mesquida. He spends his childhood in Majorca.

1883: The Homar family moves to Barcelona. Pere Homar and his 13 year old son, Gaspar, are employed by Francesc Vidal Jevellí in his Tallers d'Indústries Artístiques, located in a new building designed by architect Josep Vilaseca, on the corner of Bailén and Diputació streets. Young Gaspar works as an assistant to Joan González in the plans and designs department and his father is employed as a journeyman carpenter.

1887: Studies applied arts (Decorative Painting, Textiles and Embroidery) at the Escola Oficial de Belles Arts (La Llotja).

One of his teachers is painter/interior decorator Josep Mirabent.

1891: Designs several pieces of pale wood furniture for his own home. Although influenced by the Gothic reminiscences of Viollet-le-Duc and the oriental style favored by Francesc Vidal, Homar's furniture captures the spirit of *Modernisme* exemplified by the whiplash curve.

1893: Leaves Francesc Vidal's workshop and goes into business with his father, opening *P. Homar e Hijo*, a workshop and furniture store located at Rambla Catalunya 129.

He does his first job for architect Lluís Domènech i Montaner, working on the Palau Montaner in Barcelona.

1894: Joins the Centro de Artes Decorativas, an organization aimed at promoting the industrial arts and fostering the progress of decorative art.

1895: Designs and builds the furniture for the Board Room of the Barcelona Bar Association, located in Casa Ardiaca.

1897: Exhibits a writing desk, a gilded dressing table and two chairs made of sycamore, rosewood and boxwood at the *Exposición Nacional de Industrias Modernas* in Madrid.

1898: *P. Homar e Hijo* moves to Carrer Canuda 4. Again exhibits a writing desk, a gilded dressing table and two chairs made of sycamore, rosewood and boxwood at the *Exposición Nacional de Industrias Modernas* in Madrid.

1899: Pere Homar dies.

Gaspar joins forces with his brother-in-law, cabinetmaker Joaquim Gassó, and together they produce furniture. The store and offices are located at Carrer Canuda 4 and the workshop at Muntaner 69.

Sebastià Junyent and Josep Pey are commissioned to design friezes to decorate the shop on Carrer Canuda.

Gaspar Homar joins the Cercle Artístic de Sant Lluc.

1900: Works with Alexandre de Riquer on the decoration for the pharmacy Grau Inglada at Carrer Conde del Asalto, 4.

Works with Joaquim Gassó building bedroom furniture for Sebastià Junyent. The marquetry work for Paulina Quinquer's secretaire is produced according to Junyent's design.

Works with Pau Roig decorating Cassadó i Moreu, a musical instrument shop in the Gràcia district.

Begins decorating Casa Burés with Pau Roig and Oleguer Junyent, a job that will continue until 1906.

Working to the designs of architect Josep Puig i Cadafalch, Homar's workshop produces some of the furniture for Casa Amatller on Passeig de Gràcia.

1901: Lluís Domènech i Montaner commissions Homar to decorate and furnish Casa Navàs, a job he completes in 1907.

1902: Shows two paintings from his art collection at the *Exposición de Pintura y Escultura Antiguas* in Barcelona: *Diana* by Pere Crusells and *Sant Bartomeu*, attributed to Ribera.

1903: Completes decoration work on the Gràcia branch of the sweet shop La Colmena and remodels tailor Enric Morell's shop on the corner of Carrer Escudellers and Plaça del Teatre.

1904: The workshop moves to Carrer Cid 12. Designs furniture and decorates Casa Lleó Morera on Passeig de Gràcia.

1905: Completes the interior decoration of the offices of the managing editor of *La Vanguardia* newspaper.

Directs tile work for the pavilions of the Hospital de Sant Pau.

1906: The workshop moves to Carrer Bailén, 130.

Member of the jury for the first Industrial Art competition sponsored by Lluís Masriera's *Estilo* magazine. Other jury members are Alexandre de Riquer, Eusebi Arnau, Dionís Baixeras, Raimon Casellas and Rodríguez Codolar.

1907: Awarded the Grand Prize at the *International Exhibition of Artistic Furniture and Home Decoration* at the Crystal Palace, London.

Grand Prize at the *Exposición Internacional de Higiene, Artes Oficios y Manufactureras*, Madrid.

First-prize Medal at the *V Exposició Internacional de Belles Arts i Indústries artístiques*, Barcelona.

1908: Grand Prize, gold medal, and Grand Trophy at the *Esposizione Internazionale Industria-Lavoro Arte Decorativa*, The Lido, Venice.

Grand Prize, *Exposición Hispano-Francesa*, Zaragoza.

1909: Grand Prize. Jury Member. Exhibits *hors concours* at the *Exposition Internationale du Confort Moderne*, Paris.

1910: Helps organize campaign to raise funds for a monument to Bartomeu Robert, noted doctor and politician. Does the decoration for Dr. Fita's pharmacy at Carrer de Las Corts, 611. His workshop is now located at Carrer Sarrià 88, later to become Carrer Rector Triadó, in Hostafrancs. Produces several lamps for the Board Room of the Institut Pere Mata in Reus.

Joins with local artists and intellectuals Torres-García, Folch i Torres, Clarà, Cambó, Casanovas and Raurich to promote publication in book form of the columns published by Eugeni d'Ors in *La Veu de Catalunya*. Helps compile this material.

Shows the painting *Diana* by Pere Crusells from his private collection at the *Exposición de Retratos y Dibujos Antiguos y Modernos*.

1911: Does decorative work for the Pladellorens house on Passeig de Gràcia.

Wins Grand Prize at the *Exposición Bellas Artes*, Buenos Aires.

Works with Jaume Llongueras on the neo-Empire decoration for the Café Royal on Barcelona's Rambla d'Estudis.

1912: Marries Emilia Ramon Montardit at the Church of Santa Madrona and adopts her niece Enriqueta Ramon.

1915: Wins a silver medal at the *Exposición Artística de l'Academia Provincial de Bellas Artes*, Cadiz.

Designs Renaissance-style furniture for collector Ignasi Abadal.

His period as a *modernista* designer comes to an end.

1917: Barcelona's Board of Museums purchases part of Homar's collection of pottery from Manisses, Teruel and Paterna. The acquisition consists of seventy ceramic bowls for the Museu d'Art Decoratiu i Arqueològic.

1921: The Board of Museums purchases a fragment of Byzantine silk and cotton cloth for the Museu d'Art Decoratiu i Arqueològic.

1922: Exhibits painting by Joaquim Mir at his shop on Carrer Canuda.

1923: Member of the special organizing commission for Barcelona's *Exposició Internacional del Moble i Decoració d'Interiors*.

1927: Sala Parés exhibits an 18th century Italian painting Homar had purchased in Paris.

1929: Joins "Amics de l'Art Vell", an art lovers' association.

1933: Repeated strikes are called by Barcelona's union of cabinetmakers and carpenters.

1934: Closes his shop on Carrer Canuda.

1942: Works with Josep Pey for the last time.

1955: Dies of bronchopneumonia at his home at Carrer Bonavista 12 on January 5, at the age of 84. Buried in the Montjuïc Cementiri del Sud-Oest, Barcelona.